collection **retour aux textes**

Les Constitutions de l'Europe des Douze

(Edition 1994)

Textes rassemblés et présentés par
Henri Oberdorff
Professeur des universités
à l'Institut d'études politiques de Grenoble

Dans la même collection :

Ouvrages déjà parus :

Sécurité et Coopération en Europe.
Les textes officiels du processus de Helsinki rassemblés et présentés par Emmanuel Decaux.

Les grands textes de la pratique institutionnelle de la Vème République.
Textes rassemblés par Didier Maus.

Guerre du Golfe, le dossier d'une crise internationale (1990-1992).
Documents présentés par Brigitte Stern, rassemblés par Habib Gherari et Olivier Delorme.

Ouvrages à paraître :

Organismes économiques internationaux.
Textes rassemblés et présentés par Louis Sabourin.

Constitutions d'Europe centrale, orientale et baltique.
Textes rassemblés et présentés par Michel Lesage.

Les grands textes de la politique d'éducation en France depuis 1945.
Textes rassemblés et présentés par Martine Allaire et Marie-Thérèse Frank.

Constitutions d'Afrique
(Publiées officiellement en français).
Textes rassemblés et présentés par Gérard Conac, Christine Desouches et Jean Du Bois de Gaudusson.

Chez le même éditeur :

Les constitutions nationales à l'épreuve de l'Europe.
Rapports présentés lors du colloque tenu à Paris les 10 et 11 juin 1992.
J.-C. Masclet et D. Maus (dir.), Paris, 1993.

Couverture et maquette : Bernard Vaneville / dF

ISBN : 2-11-003058-5
ISSN : 1240-8719

sommaire

* Les textes figurant au sommaire accompagnés d'un astérisque diffèrent de ceux donnés dans la première édition de cet ouvrage qu'il s'agisse de nouvelles traductions officielles (Allemagne, Grèce) ou/et que des révisions soient intervenues entre les deux éditions du présent ouvrage (Allemagne, Belgique, France, Irlande, Portugal).

VI - Grande-Bretagne

VII - Grèce*

VIII - Irlande*

IX - Italie

X - Luxembourg

XI - Pays-Bas

XII - Portugal*

Peu avant la mise sous presse du présent volume ont été conclues, le 1er mars 1994, les négociations sur les conditions d'entrée dans l'Union européenne de l'Autriche, de la Finlande et de la Suède et, le 15 mars, celles relatives à l'adhésion de la Norvège.

Au terme des processus de ratification de cet accord par ces États, ceux-ci devraient devenir membres de l'Union au 1er janvier 1995. Une nouvelle édition du présent ouvrage, complétée par les Constitutions des nouveaux États membres figureront dans une nouvelle édition.

Avant-propos

La collection « Retour aux textes » offre, à tous les publics intéressés, des recueils de textes fondamentaux portant sur des thèmes contemporains. Que ceux-ci relèvent de la vie internationale, économique, sociale ou culturelle, des systèmes juridiques, de l'histoire ou de l'actualité, la nécessité s'impose de faciliter l'accès aux sources et textes primaires. Fidèle à sa vocation documentaire, la Documentation française rassemble ici tous les textes essentiels, permettant ainsi à l'utilisateur, décideur, étudiant, enseignant, chercheur ou citoyen attentif, de gagner du temps et de conduire à sa guise ses réflexions et approfondissements personnels.

Le 1er novembre 1993 a représenté pour l'histoire de l'Europe occidentale une date aussi significative et symbolique que celle du 1er janvier 1959. A l'époque, l'entrée en vigueur du Marché commun devait conduire à de profondes transformations des structures et de la vie économique. Aujourd'hui, l'Europe progresse vers une plus grande cohérence politique. L'objectif avoué des signataires des accords de Maastricht (7 février 1992) consiste à « franchir une nouvelle étape dans le processus d'intégration européenne ». Face à la perspective d'un système constitutionnel européen, les Constitutions nationales établissent les fondements de l'ordre démocratique des douze États de la Communauté européenne. Curieusement, l'accès au texte français de ces « chartes constitutionnelles » relevait, jusqu'à maintenant, de la course d'obstacles. Alors qu'il paraît indispensable de dégager les principes communs façonnés par l'histoire des douze peuples ayant désormais uni leurs destins, la simple comparaison se heurtait à de réelles difficultés documentaires. Il convient donc de saluer l'entreprise menée avec succès par le professeur Henri Oberdorff, et de le remercier de mettre ainsi à la disposition des francophones ce recueil des Constitutions européennes. Au-delà de son utilisation directe, ce volume permettra à ceux qui ont la charge, à travers le monde, d'élaborer les Constitutions des nouvelles démocraties, de comparer les solutions mises en œuvre de la Grèce à l'Irlande et de l'Espagne au Danemark en passant par l'Italie, le Portugal, la France, l'Allemagne, le Luxembourg, la Belgique, les Pays-Bas et le Royaume-Uni.

Publié à l'automne 1992, ce premier volume de la collection « Retour aux textes », présentait l'état des Constitutions de l'Europe des Douze au moment de la ratification du traité de Maastricht sur l'Union européenne. Cette deuxième édition prend en compte outre deux nouvelles traductions officielles (Allemagne et Grèce), les modifications intervenues depuis lors (en Allemagne, en Belgique, en France, en Irlande et au Portugal), qu'elles trouvent leur origine dans l'adaptation à la construction européenne ou dans des raisons strictement nationales.

Le succès de la première édition de cet ouvrage permet de constater que les Constitutions ne sont pas des documents statiques. En comparant les textes successifs, chacun pourra s'interroger sur le point de savoir s'il existe une logique européenne de la révision constitutionnelle : une lecture de plus pour les utilisateurs de « Retour aux textes ».

Jean Jenger
Directeur de la Documentation française

Didier Maus
Président du comité d'orientation
de la collection « Retour aux textes »

Introduction

par Henri Oberdorff (*)

L'union européenne, née le 1er novembre 1993 avec quelques mois de retard compte tenu de la lenteur des procédures de ratification, constitue une nouvelle étape de la construction européenne. Après le grand marché, la perspective d'une Europe politique se confirme selon des voies et moyens originaux difficilement classables dans les catégories juridiques classiques. Ainsi, la voie fédérale n'est pas empruntée, mais la logique communautaire d'intégration et de décision commune est approfondie. Pour atteindre ces objectifs, les douze États membres harmonisent leurs législations dans les domaines couverts par les traités de Rome et de Maastricht. Ils construisent par le droit et par le marché un espace européen sans frontière interne et développent de nombreuses politiques communes. Les douze États membres confirment leur volonté de passer de l'économique au politique, donc d'opérer un saut qualitatif. Cette orientation issue du traité d'Union européenne, résultat du compromis de Maastricht, imprègne de plus en plus nettement les constitutions des États membres. D'ailleurs, avant de pouvoir ratifier le traité, plusieurs des constitutions des Douze ont dû être modifiées pour mieux tenir compte de leur appartenance aux Communautés et à l'Union.

La croissance de l'impact de l'Europe sur les constitutions des douze États membres, le développement contemporain des études de droit comparé, le dynamisme des constitutionnalistes en Europe justifient amplement de pouvoir disposer en un seul volume de l'ensemble de ces constitutions.

Le présent recueil a en effet pour objectif de permettre la lecture en langue française des douze textes constitutionnels à jour au 1er mars 1994, sa deuxième édition intégrant les plus récentes modifications (Allemagne, Belgique, France, Irlande, Portugal). Il existe depuis longtemps plusieurs recueils de textes constitutionnels ou de constitutions dont certains sont devenus des classiques de la littérature de droit constitutionnel, mais aucun ne regroupe de manière systématique les constitutions européennes. Cet ouvrage reste donc une première dans le genre. Il serait souhaitable que ce recueil ouvre la voie à d'autres travaux sur l'état du droit positif dans les douze États européens. La

(*) Professeur des universités à l'Institut d'études politiques de Grenoble.

quête des traductions officielles en langue française demeure, encore, un exercice difficile et pas forcément couronné de succès, malgré l'obligeance des différentes ambassades ou des services de publication des gouvernements ou des parlements. Nous les remercions tous d'avoir contribué à la réussite de cette entreprise de regroupement de textes. La collecte de l'information dans ce domaine souligne néanmoins les difficultés françaises de mener scientifiquement une recherche comparatiste.

La clarté et la lisibilité des textes constitutionnels a constitué une des priorités pour l'élaboration du recueil sans sacrifier à la vérité scientifique. Ainsi les dispositions complémentaires ou additionnelles sont présentées, soit si elles font partie du corps du texte de la constitution, soit si elles apparaissent indispensables à la compréhension de l'ensemble. Cela explique la forme différente des textes suivant les pays concernés. L'amélioration linguistique a été recherchée dans la mesure où elle apparaissait comme le seul moyen de rendre plus compréhensible le texte original, sans trahir ni la logique juridique, ni la spécificité nationale des constitutions. La question des majuscules a été traitée avec prudence compte tenu de son approche différente par chaque pays. De manière générale, les traductions officielles, lorsqu'elles existent ont été fortement respectées pour éviter les contresens ou les approximations. Les choix effectués pour la première édition de ce volume ont, parfois, fait l'objet d'appréciations nuancées de la part de certains spécialistes de la traduction juridique. Les solutions retenues, face à des propositions divergentes, doivent avant tout être comprises comme la conséquence à la fois du souci de cohérence qui a présidé à cette entreprise et de la volonté de répondre aux souhaits des services officiels des États concernés. Deux nouvelles traductions officielles étant intervenues depuis (à l'initiative, pour l'Allemagne, de comparatistes français qui suivent depuis des années les évolutions politiques et constitutionnelles de ce pays, et, pour la Grèce, d'une équipe de juristes du Parlement hellénique qui s'est attachée à l'amélioration substantielle de la traduction jusqu'alors disponible), nous avons, conformément à ce choix méthodologique, substitué ces nouveaux textes aux traductions reproduites dans l'édition initiale.

Il est aisé de constater à quel point les pays membres de l'Union européenne appartiennent au même monde démocratique. Ils partagent les mêmes valeurs fondamentales et acceptent la même idée de droit, selon la formule chère à Georges Burdeau. Mais en même temps de nombreux particularismes les séparent. Sans procéder à une analyse exhaustive de chacune des constitutions présentées, il nous paraît opportun d'en introduire la lecture en mettant en évidence leurs différences et leurs similitudes, de souligner aussi que maintenant, l'appartenance même de ces douze États à l'Union européenne exerce une influence directe sur les constitutions nationales.

Les diversités nationales

Les constitutions représentent un excellent révélateur des différences nationales. Nous sommes toujours en présence de principes démocratiques, mais souvent interprétés de manière spécifique. Les constitutions témoignent toutes du cheminement historique original de chacun des pays. Elles traduisent en termes juridiques et institutionnels des croyances et des valeurs nationales. Elles portent, dans leur forme et leur organisation, des particularismes vivaces, hérités de longues traditions nationales.

L'âge du texte constitutionnel a évidemment une grande importance, ainsi que celui des modifications fondamentales. Il informe sur le processus qui a conduit à l'élaboration de la constitution ou à ses adaptations successives. Ainsi, les divers modes d'élaboration des constitutions européennes correspondent bien à l'époque de leur naissance, par exemple : la technique du contrat entre les forces politiques du moment pour la Constitution belge de 1831, le recours à une assemblée constituante souveraine pour les Constitutions italienne de 1947, grecque de 1975 et portugaise de 1976, la particularité d'une Loi fondamentale élaborée par un Conseil parlementaire limité dans ses choix par des puissances d'occupation pour l'Allemagne fédérale en 1949, l'élaboration par une assemblée et l'approbation par référendum pour la Constitution espagnole de 1978 ou la préparation du texte constitutionnel par l'exécutif et son approbation par la voie du référendum pour la Constitution française de 1958. Chacune des constitutions présentées est historiquement très située. Même lorsqu'il a subi de profondes modifications, il n'est donc pas sans importance de relever l'époque d'élaboration du texte de base.

La Grande-Bretagne, la Belgique, le Luxembourg et, dans une moindre mesure maintenant les Pays-Bas, sont gouvernés par des textes, ou des coutumes constitutionnelles, élaborés avant notre siècle. Il en découle des spécificités ou des attachements à la tradition, par exemple monarchique. La continuité constitutionnelle contraste alors avec les multiples changements de régimes ou de républiques intervenus dans d'autres pays. La Grande-Bretagne reste exemplaire et toujours un peu à part. Le secret de sa continuité réside peut-être dans sa préférence pour la coutume. La Constitution belge d'aujourd'hui a connu de multiples modifications depuis 1831, notamment en 1970, 1980, 1988, 1989, 1993 et 1994. Pour les constituants belges de 1830, cette constitution, fruit et marque de l'indépendance du nouvel État, devait réaliser durablement une synthèse des traditions politiques locales et nationales. Ses transformations ont concerné surtout la division du territoire de la Belgique et la répartition des compétences entre l'État et les autres collectivités publiques. Ce choix pour des révisions successives du texte fondateur présente, peut-être, l'inconvénient de rendre plus délicate la lecture du texte, comme par exemple, au moins jusqu'en 1993, l'interprétation de la nature exacte de l'État belge, unitaire ou plutôt fédéral.

La Constitution luxembourgeoise de 1868 n'est pas restée en l'état, ses adaptations successives, notamment de 1948, 1979, 1983 et 1989 ont permis d'inclure de nouvelles libertés publiques, de moderniser les règles du parlementarisme ou de préciser le fonctionnement de la justice. Mais le texte initial reste l'ossature centrale. Les Pays-Bas ont choisi en 1983, après une longue réflexion, de réviser presque totalement la très ancienne Constitution de 1815 qui avait déjà été l'objet de modifications importantes, par exemple en 1848 et 1917. Néanmoins les principes de la monarchie parlementaire leur assurent une remarquable continuité constitutionnelle.

L'Allemagne fédérale, l'Espagne, la Grèce, l'Italie et le Portugal disposent de constitutions dont les dates marquent clairement le retour à la démocratie, après une plus ou moins longue période de régimes autoritaires ou dictatoriaux. La lecture de ces constitutions démontre aisément la volonté démocratique et l'affirmation fondamentale des droits de l'homme et de la dignité de la personne humaine. La date de ce retour à la démocratie, l'immédiat après-guerre ou les années soixante-dix, donne un contenu particulier à chacun des textes. Il est à remarquer quelques modifications importantes intervenues après l'adoption du texte fondateur du régime. L'Allemagne fédérale par le Traité d'unification du 31 août 1990 a parachevé son unité, il en résulte une modification de la Loi fondamentale de 1949. Le Portugal a adopté en 1989 une deuxième révision de la Constitution de 1976 qui lui donne un caractère démocratique plus traditionnel. La Grèce, en modifiant en 1986 la Constitution de 1975, a voulu limiter les pouvoirs du Président de la République et valoriser ainsi le rôle et la place du Premier ministre.

La Constitution du Danemark qui date de 1953 représente l'affirmation juridique complète du parlementarisme dans une monarchie constitutionnelle, au-delà des concessions déjà faites par le roi à l'occasion de la Constitution de 1849. L'Irlande proclame sa souveraineté, par la Constitution républicaine de 1937 qui la gouverne toujours aujourd'hui.

La France, par sa Constitution de 1958, manifeste son originalité. La fonction de la Constitution de la Cinquième République est en effet double, d'une part rappeler la tradition républicaine et l'attachement aux droits de l'homme de 1789, d'autre part donner aux autorités exécutives les moyens de gouverner. Il s'agit d'une constitution conçue pour l'action dans une démocratie. Ayant permis des alternances successives, cette constitution a montré sa capacité à résister aux changements politiques. Elle est devenue, selon l'expression de Pierre Nora, la « constitution nationale républicaine ».

La présentation formelle et l'organisation des textes soulignent aussi une grande diversité de conception du rôle et de la fonction du droit constitutionnel. Sans faire de déductions disproportionnées, il est possible à partir d'une lecture comparative de tirer quelques enseignements sur ce point.

La Grande-Bretagne n'a pas, comme chacun sait, de constitution écrite, situation rarissime au milieu d'un constitutionnalisme généralement formalisé. Cette absence de constitution formelle traduit une autre logique juridique mettant en avant le pragmatisme, la coutume constitutionnelle et l'attachement à certains grands textes historiques, parfois très anciens, présentés dans ce recueil. Cela permet de comprendre une partie du mystère politique britannique si souvent admiré et envié par les continentaux. En 1960, le général de Gaulle rendait en ces termes hommage au système politique britannique : « ainsi dépourvus de textes constitutionnels minutieusement agencés, mais en vertu d'un irrécusable consentement général, trouvez-vous le moyen d'assurer, en chaque occasion, le bon rendement de la démocratie » [1].

---

(1) Charles de Gaulle, *Discours et Messages, tome 3, Avec le renouveau 1958-1962,* Paris, Plon, 1970, p. 181.

La longueur des constitutions écrites est très différente d'un pays à l'autre. Le Danemark et la France ont opté pour des textes courts et concis, même pas une centaine d'articles. Pour la Constitution de la Cinquième République, on peut d'ailleurs considérer que les dispositions consacrées à la Communauté conservent plus une valeur historique que de droit positif, ce qui réduit encore la longueur de ce texte. Il est vrai que le Conseil constitutionnel, dépassant cette vision étroite, a introduit le concept plus vaste de « bloc de constitutionnalité ». La majorité des autres constitutions dépasse largement les cent trente articles avec une exception remarquable, les deux cent quatre-vingt-huit articles de la Constitution portugaise. Ces choix matérialisent des différences fonctionnelles entre les constitutions. Il s'agit, soit de fixer seulement les règles essentielles du pouvoir politique et les principes de la démocratie, soit en plus de déterminer les compétences et les structures des autorités administratives nationales ou locales. Dans la seconde hypothèse la constitution s'enrichit de dispositions plus détaillées. L'appel aux lois organiques complémentaires est alors plus ou moins nécessaire. Les possibilités d'interprétation des juges constitutionnels se mesurent donc aussi par rapport à l'étendue matérielle des constitutions.

Les formes de gouvernement sont très variées. De manière équilibrée et surprenante, l'Europe communautaire comprend six républiques et six monarchies. Voilà encore une spécificité nationale remarquable, évidemment ces monarchies sont constitutionnelles et parlementaires. Elles constituent un ciment solide pour chacune des communautés nationales concernées. Ces pays ont ainsi garanti, ou retrouvé par exemple en Espagne, un consensus autour d'une autorité royale ou grand-ducale symbolisant l'unité nationale. La dévolution héréditaire de la succession au trône des monarques qui règnent mais ne gouvernent pas est bien éloignée des modes de choix des présidents de la République. Les questions de légitimité politique ne se posent pas dans les mêmes termes. La distinction des institutions symboliques et des institutions réelles repose sur une logique différente de celle des régimes républicains. Les monarchies et les républiques ne concoivent pas non plus de la même façon leurs relations avec les religions ou les Églises. Néanmoins les républiques peuvent parfois entretenir des liens spécifiques avec les Églises, comme en Allemagne et en Grèce.

Le système de gouvernement est parlementaire pour tous ces États, mais de nombreuses nuances existent ici aussi. Toute la gamme du parlementarisme est déclinée. A partir du modèle britannique, les régimes parlementaires continentaux sont dans leur majorité monistes. Manifestant son originalité, la France, pour sa part, a opté pour le parlementarisme dualiste. Mais, le régime politique français contemporain appartient-il vraiment à cette catégorie ? Plusieurs qualifications sont utilisées : régime semi-présidentiel, régime présidentialiste ou « monarchie républicaine ». Le Portugal, en valorisant le rôle et la fonction du Président de la République, a plutôt choisi aussi le dualisme. Évidemment, la seule lecture des constitutions ne peut pas rendre compte du fonctionnement et des interprétations. La vie politique joue un rôle essentiel sur les institutions. La diversité des cultures politiques nationales est déterminante. Le bipartisme ou le multipartisme réel ou tempéré influencent de manière décisive la vie parlementaire et les relations entre l'exécutif et le législatif. Les systèmes partisans transforment l'application des textes constitutionnels et facilitent plusieurs lectures possibles de la même constitution. Les vies politiques allemande, britannique, italienne, française ou portugaise, entre autres, peuvent aisément en apporter la démonstration. La pratique de « cohabitation » politique est aussi riche d'enseignements constitutionnels.

Ces constitutions présentent des types distincts d'États. Là encore, la diversité constitutionnelle est réelle. Les fédéralismes allemand et belge s'opposent à la conception française de l'État unitaire, alors que l'Espagne reconnaît le droit à l'autonomie des nationalités. La distribution constitutionnelle des compétences publiques ou du pouvoir normatif est nécessairement différente suivant l'option fédérale ou décentralisée de base. Les constitutions apportent sur ces questions de nombreuses informations et montrent le particularisme français dans sa conception de l'État.

Le patrimoine commun des démocraties

Si l'Europe est riche de ses diversités nationales exprimées en termes constitutionnels, elle dispose d'un patrimoine commun ([1]), ses mêmes valeurs démocratiques. Au-delà des différences, il existe de nombreuses similitudes entre les douze États et leurs textes constitutionnels.

Le concept d'État de droit est partagé par toutes les constitutions. La référence est toujours réelle, même si elle n'est pas expressément évoquée. Certains États spécifient cette dimension de l'ordre juridique. Par exemple, les Constitutions espagnole et portugaise définissent leurs pays comme des États démocratiques de droit. L'importance du constitutionnalisme est systématiquement reconnue dans l'ensemble de l'Europe communautaire. La source du pouvoir politique, les modes de dévolution et de répartition des pouvoirs et la distribution des compétences publiques exigent une préalable détermination constitutionnelle. Dans une démocratie, cette dernière repose elle-même sur les décisions souveraines du peuple. Cette logique démocratique est admise dans les douze États de la Communauté.

Pour s'appliquer plus complètement, la constitution doit être elle-même respectée y compris par les autorités politiques. Il est ainsi remarquable de constater l'existence dans de nombreux États européens de cours constitutionnelles ayant la fonction de veiller au respect de la constitution : la Cour constitutionnelle fédérale allemande, la Cour constitutionnelle italienne, le Tribunal constitutionnel espagnol, le Conseil constitutionnel français, la Cour supérieure spéciale grecque, le Tribunal constitutionnel portugais ou la Cour d'arbitrage belge. Les modalités du contrôle de constitutionnalité sont parfois différentes, mais le principe en est généralement admis. Au moment où la France envisage l'accès du citoyen au contrôle de constitutionnalité, les expériences des autres, par exemple celles de l'Allemagne ou de la Grèce, doivent être observées.

(1) Le traité sur l'Union européenne signé à Maastricht le 7 février 1992 fait mention des « traditions constitutionnelles communes » des pays signataires (art. F).

Dans ce domaine, le comparatisme français a déjà ouvert des pistes pertinentes, par exemple autour de l'*Annuaire international de justice constitutionnelle* ([1]).

L'affirmation des droits fondamentaux de l'homme est constante. Le souci de leur respect est largement partagé. Les références sont plus ou moins complètes, l'âge des constitutions l'explique. Certaines constitutions sont exemplaires sur ce point. La richesse et la modernité des développements consacrés aux droits de l'homme et aux libertés fondamentales des Constitutions italienne, espagnole, grecque et portugaise sont à remarquer.

La Constitution française a une démarche moins directement lisible. L'édifice des droits de l'homme comporte, en France, en effet des strates historiquement situées, même si l'actualité juridique de la Déclaration des droits de l'homme et du citoyen est incontestable. Cette démarche n'a pas que des avantages bien qu'elle n'ait pas empêché le Conseil constitutionnel de construire une véritable charte des droits de l'homme. La lecture des constitutions des autres États ouvre néanmoins des perspectives intéressantes pour l'actualisation, en France, de certaines libertés fondamentales. La tradition britannique de respect des droits de l'homme, le souci de leur protection juridictionnellement organisée participent au même mouvement d'affirmation du caractère essentiel des libertés fondamentales. Cet attachement général aux droits de l'homme explique que ce patrimoine commun ait pu prendre corps dans la Convention européenne de sauvegarde des droits de l'homme et des libertés fondamentales. Les États de l'Est de l'Europe ont retrouvé le chemin des droits de l'homme grâce à l'influence de cette conception des libertés fondamentales.

La démocratie parlementaire constitue aussi une autre similitude entre les constitutions présentées. Les variantes nationales, les particularismes juridiques ou institutionnels ne mettent pas en cause l'unité du système parlementaire de gouvernement. La source du pouvoir politique est à chaque fois la souveraineté du peuple qui l'exerce par ses représentants. Des élections disputées, régulièrement organisées, permettent au peuple de choisir ses représentants. Le pluralisme politique des courants d'idées et d'opinions constitue le fondement commun des démocraties européennes. Des décisions concordantes des cours constitutionnelles l'attestent. Ce pluralisme a sa meilleure traduction dans l'alternance politique pratiquée dans tous ces États et le changement de majorité parlementaire. Le pluralisme politique est également exprimé au sein du Parlement européen.

La séparation souple des pouvoirs, marque du régime parlementaire, la responsabilité du Gouvernement devant le Parlement et le droit de dissolution du Parlement en cas de crise politique majeure se retrouvent dans toutes les constitutions. Le respect de la démocratie, donc du débat politique, n'a pas empêché les constituants respectifs de se préoccuper de l'efficacité gouvernementale en introduisant dans leur constitution des mécanismes de rationalisation du parlementarisme. Cette quête de la rationalisation prend des formes constitutionnelles différentes : une répartition du pouvoir normatif entre le

(1) Un volume par an depuis 1985, Economica.

législatif et l'exécutif en France, la volonté d'améliorer la procédure législative en Italie et en Allemagne, la maîtrise de cette procédure par le Gouvernement en France ou le souci de disposer de majorité politique solide pour surmonter les crises politiques en Allemagne ou en Grande-Bretagne.

Sans que les techniques de rationalisation soient les seules explications, l'application des constitutions présente une même tendance lourde : le renforcement du pouvoir exécutif et un abaissement du pouvoir législatif. La montée du pouvoir administratif accompagne partout cette mutation. Évidemment, cette évolution est plus ou moins nette suivant la vie politique nationale qui limite ou renforce ce processus de transformation des démocraties occidentales. La complexité croissante de la gestion des États modernes explique la prééminence du pouvoir gouvernemental, mais ne doit pas justifier un déficit démocratique, que la construction communautaire risque d'accentuer.

Une certaine conception de la démocratie locale est aussi un point commun des États européens. Les voies et moyens de la réaliser sont souvent différents. Les structures administratives locales portent des noms divers : commune, département, province, communauté linguistique belge, communauté espagnole, région italienne ou française. De l'État fédéral allemand à la décentralisation à la française en passant par l'État régionalisé espagnol, il y a plus que des nuances. Pourtant le principe de libre administration des collectivités territoriales est largement partagé. A partir de 1982, la France, en renforçant la décentralisation administrative a cessé, en partie, d'être une exception centralisée. Seule la Grande-Bretagne semble avoir pris une voie différente sur ce point. Mais là encore, la lecture des textes constitutionnels est très éclairante sur les évolutions possibles des collectivités infra-étatiques. Les modifications constitutionnelles de la Belgique montrent comment de progressifs transferts de compétence à des collectivités territoriales peuvent changer la nature de l'État. La révision constitutionnelle belge de 1993 apparaît alors comme l'aboutissement d'un long cheminement politique permettant de définir dorénavant la Belgique comme un État fédéral composé de communautés et de régions. Ces différentes constitutions européennes, par leur démarche décentralisatrice, autorisent l'éclosion d'une Europe infra-étatique complémentaire de l'Union européenne. À cet égard, lors de sa révision de 1992, la Loi fondamentale allemande semble admettre expressément de véritables transferts de souveraineté à des institutions de coopération transfrontalière.

Des États membres de l'Union européenne

Plusieurs des constitutions des douze États membres des Communautés et de l'Union européenne ont été rendues compatibles avec le traité, à l'occasion d'indispensables révisions constitutionnelles. En effet, les juridictions constitutionnelles ont souvent imposé des obligations de modification constitutionnelle avant que le traité d'Union européenne puisse être ratifié. Leurs jurisprudences ont donné lieu à de riches débats de théorie constitutionnelle, notamment sur le concept de souveraineté nationale, la notion de citoyenneté ou les exigences de la démocratie. Ces révisions ont utilisé des méthodes distinctes, soit la voie strictement parlementaire, soit le passage par le référendum, comme en Irlande, au Danemark ou en France. Néanmoins, les objectifs de ces révisions étaient presque tous identiques, ce qui montre une relative similitude d'approche de l'Europe par chacun des États membres. Ainsi, les Constitutions des Douze ne constituent plus des obstacles à la construction de l'Union européenne. Elles se sont même rapprochées les unes des autres pour améliorer leur compatibilité avec l'Union européenne. Ce nouveau traité nous paraît avoir assez largement contribué à la confection d'une forme de droit constitutionnel européen. Il organise une interpénétration de plus en plus nette des droits constitutionnels internes et du droit communautaire. Par exemple selon son article F, l'Union s'engage à respecter comme des principes généraux du droit communautaire les droits fondamentaux tels qu'ils résultent des traditions constitutionnelles communes aux États membres.

Plusieurs États membres ont d'abord aménagé la mise en œuvre de leur souveraineté afin de leur permettre de gouverner ensemble les Communautés et l'Union européenne et d'exercer en commun certaines de leurs compétences, par exemple l'Allemagne, la France, le Portugal et l'Irlande. Pour arriver à ce résultat, de nouveaux titres ont été incorporés à certains textes constitutionnels, dans d'autres des compléments spécifiquement européens ont été ajoutés aux dispositions relatives aux questions internationales. Quelle que soit la méthode employée, cela aboutit à un ancrage constitutionnel de l'Union européenne, signe de l'importance du passage des simples Communautés économiques à une forme d'intégration politique. Cette référence expresse aux traités européens ouvre la voie à un « pacte constitutionnel européen ». À cette occasion, il apparaît assez nettement que le monisme juridique gagne du terrain pour affirmer clairement la supériorité de l'ordre juridique communautaire sur les ordres juridiques nationaux, même si des précautions formelles restent prises sur le terrain de la réciprocité. Pour éviter des tentations hégémoniques ou eurocratiques, certaines constitutions incorporent aussi le fameux principe de subsidiarité posé par le traité d'Union européenne, comme par exemple celles de l'Allemagne et du Portugal. Ce principe, si difficile à cerner dans son contenu comme dans son application, pourra recevoir ainsi des interprétations aussi bien des juges constitutionnels que du juge communautaire. Cela promet de belles batailles juridiques.

L'appartenance à l'ensemble européen ne pouvait se réaliser que dans le respect de la démocratie et des droits fondamentaux. Le traité d'Union européenne comme plusieurs des Constitutions des Douze en porte nettement témoignage. Au sein de l'Union, si la place prééminente du Conseil de l'Union européenne est maintenue, un nouvel équilibre est recherché avec le Parlement européen. Le déficit démocratique, injustement reproché à l'Europe, peut s'en trouver atténué. Dans les États, il s'agit aussi d'associer de manière plus efficace les parlements nationaux au processus décisionnel de détermination de leur politique européenne. Cette quête d'une plus grande participation parlementaire emprunte plusieurs voies : une meilleure information des parlements par les gouvernements, des possibilités d'avis ou de résolutions parlementaires, mais aussi une subtile répartition de compétences au sein même des assemblées parlementaires de l'État fédéral comme en Allemagne. En effet, dans ce dernier cas, il fallait éviter que la participation à la gestion des affaires de l'Union européenne aboutisse à vider de sa réalité la distribution des compétences au sein de la République fédérale. Ici aussi, on assiste à une interpénétration du droit constitutionnel interne et du droit communautaire, par exemple la composition des représentations des Etats membres au Conseil de l'Union européenne.

L'émergence d'une citoyenneté européenne titulaire du droit de vote et d'éligibilité aux élections locales et européenne a aussi entraîné les États membres à modifier leur constitution sur ce point précis. Les travaux préparatoires de plusieurs révisions ont soulevé de nombreuses interrogations sur le concept de citoyenneté et les prérogatives qui en découlent. L'Union est une construction originale qui crée une citoyenneté sans qu'il existe de nation européenne. Elle donne ainsi aux États membres la capacité d'accorder en plus de la nationalité, la citoyenneté de l'Union. Cela a conduit chacun des États à admettre de manière dérogatoire des droits de vote et d'éligibilité pour les nationaux des autres États. Plusieurs constitutions précisent cette évolution, soit par l'introduction d'une distinction entre le droit de suffrage passif et actif comme en Espagne et au Portugal, soit par une référence expresse au droit de vote et d'éligibilité aux élections locales, en vertu de dispositions nationales comme en France ou de dispositions du droit communautaire comme en Allemagne.

D'autres révisions sont intervenues par exemple dans le domaine du droit d'asile ou de la politique de contrôle de l'immigration comme dans celui des suites de l'Union économique et monétaire. Incontestablement le traité de Maastricht par son influence sur le droit constitutionnel des États membres représente donc, au moins juridiquement, un tournant décisif de la construction monétaire.

Le présent recueil permet, avant de se livrer à l'étude des régimes politiques des douze pays composant l'Union européenne, de lire leur constitution en langue française pour en découvrir les richesses. Le retour, ou le détour, par les textes constitue toujours un exercice salutaire aussi bien pour les spécialistes de droit constitutionnel, les étudiants que pour les amateurs de la chose publique. Le comparatisme constitutionnel suppose le support scientifique des textes. Et puis, le comparatisme n'a pas qu'une vocation culturelle, il peut aussi être l'occasion de découvrir des techniques juridiques transposables ou adaptables. On a pu ainsi évoquer la migration des systèmes juridiques ou l'exportation du droit. La France, souvent enfermée dans ses certitudes, ne peut plus dédaigner les expériences des autres. La communauté juridique européenne dispose avec ces douze constitutions, d'un patrimoine constitutionnel et politique à exploiter. La construction européenne nous conduit à nous comparer et à échanger sur nos techniques et nos pratiques constitutionnelles respectives. Ce patrimoine peut aussi représenter un exemple ou une source d'inspiration pour les pays d'Europe orientale qui viennent de nous rejoindre en démocratie. Si ce recueil contribue à faire mieux connaître la réalité constitutionnelle européenne, il aura largement atteint un de ses principaux objectifs.

I - Allemagne

Loi fondamentale de la République fédérale d'Allemagne
du 23 mai 1949 (1)

Préambule (2)

Conscient de sa responsabilité devant Dieu et devant les hommes, animé de la volonté de servir la paix du monde en qualité de membre égal en droits dans une Europe unie, le peuple allemand s'est donné la présente Loi fondamentale en vertu de son pouvoir constituant.

Les Allemands dans les *Länder* de Bade-Wurtemberg, Bavière, Berlin, Brandebourg, Brême, Hambourg, Hesse, Mecklembourg-Poméranie occidentale, Basse-Saxe, Rhénanie du Nord/Westphalie, Rhénanie-Palatinat, Sarre, Saxe, Saxe-Anhalt, Schleswig-Holstein et Thuringe, ont parachevé l'unité et la liberté de l'Allemagne par une libre autodétermination. La présente Loi fondamentale vaut ainsi pour le peuple allemand tout entier :

I LES DROITS FONDAMENTAUX

Article premier
Dignité de l'être humain, caractère obligatoire des droits fondamentaux pour la puissance publique

1. La dignité de l'être humain est intangible. Tous les pouvoirs publics ont l'obligation de la respecter et de la protéger.

2. En conséquence, le peuple allemand reconnaît à l'être humain des droits inviolables et inaliénables comme fondement de toute communauté humaine, de la paix et de la justice dans le monde.

3. (3) Les droits fondamentaux énoncés ci-après lient les pouvoirs législatif, exécutif et judiciaire à titre de droit directement applicable.

Article 2
Liberté d'agir, liberté de la personne

1. Chacun a droit au libre épanouissement de sa personnalité pourvu qu'il ne viole pas les droits d'autrui ni n'enfreigne l'ordre constitutionnel ou la loi morale.

2. Chacun a droit à la vie et à l'intégrité physique. La liberté de la personne est inviolable. Des atteintes ne peuvent être apportées à ces droits qu'en vertu d'une loi.

Article 3
Égalité devant la loi

1. Tous les êtres humains sont égaux devant la loi.

2. Hommes et femmes sont égaux en droits.

3. Nul ne doit être désavantagé ni privilégié en raison de son sexe, de son ascendance, de sa race, de sa langue, de sa patrie et de son origine, de sa croyance, de ses opinions religieuses ou politiques.

---

(1) Nouvelle traduction établie par C. Autexier avec le concours des professeurs J.-F. Flauss, M. Fromont, C. Grewe, P. Kœnig et A. Rieg, en collaboration avec les ministères fédéraux de l'Intérieur, de la Justice et des Finances ainsi qu'avec l'Office de presse et d'information du Gouvernement fédéral. Le texte présenté ici est à jour au 1er mars 1994 ; les notes sont de l'éditeur.
(2) Nouvelle rédaction issue du traité d'unification du 31 août 1990.
(3) Amendé par la loi fédérale du 19 mars 1956.

Article 4

Liberté de croyance, de conscience et de profession de foi

1. La liberté de croyance et de conscience et la liberté de professer des croyances religieuses et philosophiques sont inviolables.

2. Le libre exercice du culte est garanti.

3. Nul ne doit être astreint contre sa conscience au service armé en temps de guerre. Les modalités seront réglées par une loi fédérale.

Article 5

Liberté d'opinion

1. Chacun a le droit d'exprimer et de diffuser librement son opinion par la parole, par l'écrit et par l'image, et de s'informer sans entraves aux sources qui sont accessibles à tous. La liberté de la presse et la liberté d'informer par la radio, la télévision et le cinéma sont garanties. Il n'y a pas de censure.

2. Ces droits trouvent leurs limites dans les prescriptions des lois générales, dans les dispositions légales sur la protection de la jeunesse et dans le droit au respect de l'honneur personnel.

3. L'art et la science, la recherche et l'enseignement sont libres. La liberté de l'enseignement ne dispense pas de la fidélité à la Constitution.

Article 6

Mariage et famille, enfants naturels

1. Le mariage et la famille sont placés sous la protection particulière de l'État.

2. Élever et éduquer les enfants sont un droit naturel des parents et une obligation qui leur échoit en priorité. La communauté étatique veille sur la manière dont ils s'acquittent de ces tâches.

3. Les enfants ne peuvent être séparés de leur famille contre le gré des personnes investies de l'autorité parentale qu'en vertu d'une loi, en cas de carence de celles-ci ou lorsque les enfants risquent d'être laissés à l'abandon pour d'autres motifs.

4. Toute mère a droit à la protection et à l'assistance de la communauté.

5. La législation doit assurer aux enfants naturels les mêmes conditions qu'aux enfants légitimes en ce qui concerne leur développement physique et moral et leur statut social.

Article 7

Enseignement scolaire

1. L'ensemble de l'enseignement scolaire est placé sous le contrôle de l'État.

2. Les personnes investies de l'autorité parentale ont le droit de décider de la participation des enfants à l'instruction religieuse.

3. L'instruction religieuse est une matière d'enseignement régulière dans les écoles publiques à l'exception des écoles non-confessionnelles. L'instruction religieuse est dispensée conformément aux principes des communautés religieuses, sans préjudice du droit de contrôle de l'État. Aucun enseignant ne peut être obligé de dispenser l'instruction religieuse contre son gré.

4. Le droit de fonder des écoles privées est garanti. Les écoles privées qui se substituent aux écoles publiques doivent être agréées par l'État et sont soumises aux lois des *Länder*. L'agrément doit être délivré lorsque les écoles privées ne sont pas d'un niveau inférieur aux écoles publiques quant à leurs programmes, leurs installations et la formation scientifique de leur personnel enseignant, ni ne favorisent une ségrégation des élèves fondée sur la fortune des parents. L'agrément doit être refusé si la situation économique et juridique du personnel enseignant n'est pas suffisamment assurée.

5. Une école primaire privée ne doit être autorisée que si l'administration de l'instruction publique lui reconnaît un intérêt pédagogique particulier ou si les personnes investies de l'autorité parentale demandent la création d'une école interconfessionnelle, confessionnelle ou philosophique et qu'il n'existe pas d'école primaire publique de ce genre dans la commune.

6. Les écoles préparatoires demeurent supprimées.

Article 8
Liberté de réunion

1. Tous les Allemands ont le droit de se réunir paisiblement et sans armes, sans déclaration ni autorisation préalables.

2. En ce qui concerne les réunions en plein air, ce droit peut être restreint par une loi ou en vertu d'une loi.

Article 9
Liberté d'association

1. Tous les Allemands ont le droit de fonder des associations ou des sociétés.

2. Les associations dont les buts ou l'activité sont contraires aux lois pénales, ou qui sont dirigées contre l'ordre constitutionnel ou l'idée d'entente entre les peuples, sont prohibées.

3. Le droit de fonder des associations pour la sauvegarde et l'amélioration des conditions de travail et des conditions économiques est garanti à tous et dans toutes les professions. Les conventions qui limitent ou tendent à entraver ce droit sont nulles et les mesures prises en ce sens sont illégales. Les mesures prises en vertu des articles 12a, 35 alinéas 2 et 3, 87a alinéa 4 et 91, ne doivent pas être dirigées contre des conflits du travail déclenchés par des associations au sens de la première phrase (du présent alinéa) pour la sauvegarde et l'amélioration des conditions de travail et des conditions économiques (1).

Article 10
Secret de la correspondance, de la poste et des télécommunications

1. Le secret de la correspondance ainsi que le secret de la poste et des télécommunications sont inviolables.

2. Des restrictions ne peuvent y être apportées qu'en vertu d'une loi. Si la restriction est destinée à défendre l'ordre constitutionnel libéral et démocratique, ou l'existence ou la sécurité de la Fédération ou d'un *Land,* la loi peut disposer que l'intéressé n'en sera pas informé et que le recours juridictionnel est remplacé par le contrôle d'organes et d'organes auxiliaires désignés par la représentation du peuple.

Article 11
Liberté de circulation et d'établissement

1. Tous les Allemands jouissent de la liberté de circulation et d'établissement sur l'ensemble du territoire fédéral.

2. (2) Ce droit ne peut être limité que par la loi ou en vertu d'une loi et uniquement dans le cas où l'absence de moyens d'existence suffisants imposerait des charges particulières pour la collectivité ainsi que dans le cas où cela serait nécessaire pour écarter un danger menaçant l'existence ou l'ordre constitutionnel libéral et démocratique de la Fédération ou d'un *Land,* ou pour lutter contre des risques d'épidémie, des catastrophes naturelles ou des sinistres particulièrement graves, ou pour protéger la jeunesse en danger d'abandon ou pour prévenir des agissements délictueux.

Article 12 (3)
Liberté de la profession, interdiction du travail forcé

1. Tous les Allemands ont le droit de choisir librement leur profession, leur emploi et leur établissement de formation. L'exercice de la profession peut être réglementé par la loi ou en vertu d'une loi.

2. Nul ne peut être astreint à un travail déterminé sinon dans le cadre d'une obligation publique de prestation de services, traditionnelle, générale et égale pour tous.

3. Le travail forcé n'est licite que dans le cas d'une peine privative de liberté prononcée par un tribunal.

Article 12a (4)
Service militaire et civil obligatoire

1. Les hommes peuvent, à compter de l'âge de dix-huit ans révolus, être obligés de servir dans les forces armées, dans la police fédérale des frontières ou dans un groupe de protection civile.

---

(1) La dernière phrase a été insérée par loi fédérale du 24 juin 1968.
(2) Amendé par la loi fédérale du 24 juin 1968.
(3) Amendé par les lois fédérales du 19 mars 1956 et du 24 juin 1968.
(4) Inséré par la loi fédérale du 24 juin 1968.

2. Quiconque refuse, pour des motifs de conscience, d'accomplir le service armé en temps de guerre, peut être obligé d'accomplir un service de substitution. La durée du service de substitution ne doit pas dépasser la durée du service militaire. Les modalités seront réglées par une loi qui ne devra pas porter atteinte à la liberté de décider selon sa conscience et qui devra également prévoir une possibilité de service de substitution n'ayant aucun rapport avec les unités des forces armées et de la police fédérale des frontières.

3. Pendant l'état de défense, les personnes soumises aux obligations militaires et qui ne sont pas appelées à accomplir un des services visés aux alinéas 1 ou 2, peuvent être obligées par la loi ou en vertu d'une loi à fournir dans le cadre de rapports de travail des prestations de services de nature civile à des fins de défense, y compris à des fins de protection de la population civile ; des affectations dans un régime de droit public ne peuvent être imposées que pour assurer des missions de police ou les missions administratives de puissance publique qui ne peuvent être remplies que dans un régime de droit public. Des rapports de travail tels que ceux prévus à la première phrase peuvent être établis dans les forces armées, dans le secteur de l'intendance, ainsi que dans l'administration publique ; des rapports de travail ne peuvent être imposés dans le secteur de l'approvisionnement de la population civile que pour couvrir ses besoins vitaux ou assurer sa protection.

4. Si, pendant l'état de défense, les besoins en prestations de services de nature civile ne peuvent être couverts par des concours volontaires dans les établissements sanitaires et hospitaliers civils ainsi que dans les hôpitaux militaires fixes, les femmes âgées de dix-huit ans révolus à cinquante-cinq ans révolus peuvent être appelées, par la loi ou en vertu d'une loi, à accomplir des prestations de services de ce type. Elles ne doivent en aucun cas accomplir un service armé.

5. Pendant la période précédant l'état de défense, les obligations définies à l'alinéa 3 ne peuvent être établies que dans les conditions de l'article 80a, alinéa 1er. Pour la préparation à celles des prestations de services visées à l'alinéa 3 pour lesquelles des connaissances ou des savoir-faire sont nécessaires, la participation à des stages de formation pourra être rendue obligatoire par la loi ou en vertu d'une loi. Dans ce cas, la première phrase (du présent alinéa) ne s'applique pas.

6. Si, pendant l'état de défense, le besoin en main d'œuvre pour les secteurs mentionnés à l'alinéa 3, deuxième phrase, ne peut être couvert par des concours volontaires, la liberté des Allemands de ne plus exercer une profession ou de ne plus occuper un emploi peut être limitée par la loi ou en vertu d'une loi, pour garantir la couverture de ces besoins. L'alinéa 5, première phrase, est applicable par analogie avant la survenance de l'état de défense.

Article 13
Inviolabilité du domicile

1. Le domicile est inviolable.

2. Des perquisitions ne peuvent être ordonnées que par le juge ainsi que, s'il y a péril en la demeure, par les autres organes prévus par les lois ; elles ne peuvent être effectuées que dans la forme y prescrite.

3. D'autres atteintes ou restrictions ne peuvent être apportées à l'inviolabilité du domicile que pour parer à un danger collectif, écarter un péril mortel menaçant des personnes ou encore, en vertu d'une loi, pour prévenir la sécurité et l'ordre publics de menaces imminentes, en particulier pour remédier à la pénurie de logement, pour lutter contre les risques d'épidémie ou pour protéger la jeunesse en danger.

Article 14
Propriété, droit de succession et expropriation

1. La propriété et le droit de succession sont garantis. Leur contenu et leurs limites sont fixés par les lois.

2. Propriété oblige. Son usage doit contribuer en même temps au bien commun.

3. L'expropriation n'est permise qu'en vue du bien commun. Elle ne peut être opérée que par la loi ou en vertu d'une loi qui fixe le mode et la mesure de l'indemnisation. L'indemnité doit être déterminée en faisant équitablement la part des intérêts de la communauté et de ceux des parties intéressées. En cas de litige portant sur le

montant de l'indemnité, les tribunaux ordinaires sont compétents.

Article 15
Socialisation

Le sol, les ressources naturelles et les moyens de production peuvent être placés, aux fins de socialisation, sous un régime de propriété collective ou d'autres formes de gestion collective par une loi qui fixe le mode et la mesure de l'indemnisation. L'article 14, alinéa 3, troisième et quatrième phrases s'applique par analogie à l'indemnisation.

Article 16
Nationalité, extradition

1. La nationalité allemande ne peut pas être retirée. La perte de la nationalité ne peut intervenir qu'en vertu d'une loi et lorsqu'elle intervient contre le gré de l'intéressé, seulement si celui-ci ne devient pas de ce fait apatride.

2. Aucun Allemand ne peut être extradé à l'étranger.

Article 16a (1)
Droit d'asile

1. Les persécutés politiques jouissent du droit d'asile.

2. L'alinéa 1 ne peut être invoqué par celui qui vient d'un État-membre des Communautés européennes ou d'un autre État tiers dans lequel est assuré le respect de la Convention relative au statut des réfugiés et de la Convention de sauvegarde des droits de l'homme et des libertés fondamentales. Les États non membres des Communautés européennes remplissant les conditions de la 1re phrase seront déterminés par une loi qui requiert l'approbation du *Bundesrat*. Dans les cas prévus à la 1re phrase, des mesures mettant fin au séjour peuvent être exécutées indépendamment du recours engagé contre elles.

3. Une loi qui requiert l'approbation du *Bundesrat* peut déterminer les États dans lesquels il paraît assuré sur la base du contenu du droit, de l'application du droit et des circonstances politiques générales, qu'il n'y a ni persécution politique, ni traitements ou punitions inhumains ou dégradants. Un étranger originaire d'un tel État n'est pas considéré comme persécuté politique, à moins qu'il ne produise des faits dont il découle que, contrairement à cette présomption, il est politiquement persécuté.

4. Le sursis à l'exécution des mesures mettant fin au séjour ne pourra être prononcé dans les cas prévus à l'alinéa 3 et dans les autres cas de demandes manifestement infondées ou considérées comme manifestement infondées, que s'il existe des doutes sérieux sur la régularité de la mesure ; l'étendue du contrôle peut être restreinte et les moyens tardifs peuvent être écartés. Les modalités doivent être réglées par la loi.

5. Les alinéas 1 à 4 ne font pas obstacle à l'application des traités internationaux conclus par des États-membres des Communautés européennes entre eux et avec des États tiers, qui fixent des règles de compétences pour l'examen des demandes d'asile, y compris la reconnaissance mutuelle des décisions en matière d'asile, dans le respect des obligations découlant de la Convention relative au statut des réfugiés et de la Convention de sauvegarde des droits de l'homme et des libertés fondamentales, dont le respect doit être assuré dans les États parties à ces traités.

Article 17
Droit de pétition

Toute personne a le droit d'adresser par écrit, individuellement ou conjointement avec d'autres, des requêtes ou des recours aux autorités compétentes et à la représentation du peuple.

Article 17a (2)
Limitations apportées à certains droits fondamentaux par des lois relatives à la défense et au service de substitution

1. Les lois relatives au service militaire et au service de substitution peuvent prévoir pour les membres des forces armées et du service de substitution, pendant la durée de leur service, des limitations au droit

---

(1) La loi fédérale du 28 juin 1993 a abrogé la dernière phrase de l'article 16 (« les persécutés politiques jouissent du droit d'asile ») et introduit un article 16a.
(2) Inséré par loi fédérale du 19 mars 1956.

fondamental d'exprimer et de diffuser librement leur opinion par la parole, par l'écrit et par l'image (article 5, alinéa 1er, première partie de la première phrase), au droit fondamental de la liberté de réunion (article 8) et au droit de pétition (article 17), dans la mesure où celui-ci confère le droit d'adresser des requêtes ou des recours conjointement avec d'autres.

2. Les lois relatives à la défense, y compris la protection de la population civile, peuvent prévoir des limitations aux droits fondamentaux de la liberté de circulation et d'établissement (article 11) et d'inviolabilité du domicile (article 13).

Article 18 (1)
Déchéance des droits fondamentaux

Quiconque abuse de la liberté d'expression des opinions, notamment de la liberté de la presse (article 5, alinéa 1er), de la liberté de l'enseignement (article 5, alinéa 3), de la liberté de réunion (article 8), de la liberté d'association (article 9), du secret de la correspondance, de la poste et des télécommunications (article 10), de la propriété (article 14), ou du droit d'asile (article 16a) pour combattre l'ordre constitutionnel libéral et démocratique, est déchu de ces droits fondamentaux. La déchéance et son étendue sont prononcées par la Cour constitutionnelle fédérale.

Article 19
Restrictions apportées aux droits fondamentaux

1. Lorsque, d'après la présente Loi fondamentale, un droit fondamental peut être restreint par une loi ou en vertu d'une loi, cette loi doit valoir de manière générale et non seulement pour un cas particulier. La loi doit en outre énoncer le droit fondamental avec indication de l'article concerné.

2. Il ne doit en aucun cas être porté atteinte à la substance d'un droit fondamental.

3. Les droits fondamentaux s'appliquent également aux personnes morales nationales lorsque leur nature le permet.

4. Quiconque est lésé dans ses droits par la puissance publique dispose d'un recours juridictionnel. Lorsqu'aucune autre juridiction n'est compétente, le recours est porté devant la juridiction ordinaire. L'article 10, alinéa 2, deuxième phrase, n'est pas affecté (2).

II La Fédération et les *Länder*

Article 20
Fondements de l'ordre étatique, droit de résistance

1. La République fédérale d'Allemagne est un État fédéral démocratique et social.

2. Tout pouvoir d'État émane du peuple. Le peuple l'exerce au moyen d'élections et de votations et par des organes spéciaux investis des pouvoirs législatif, exécutif et judiciaire.

3. Le pouvoir législatif est lié par l'ordre constitutionnel, les pouvoirs exécutif et judiciaire sont liés par la loi et le droit.

4. (3) Tous les Allemands ont le droit de résister à quiconque entreprendrait de renverser cet ordre, s'il n'y a pas d'autre remède possible.

Article 21
Partis politiques

1. Les partis concourent à la formation de la volonté politique du peuple. Leur fondation est libre. Leur organisation interne doit être conforme aux principes démocratiques. Ils doivent rendre compte publiquement de la provenance et de l'emploi de leurs ressources ainsi que de leurs biens.

2. Les partis qui, d'après leurs buts ou d'après le comportement de leurs adhérents, tendent à porter atteinte à l'ordre constitutionnel libéral et démocratique, ou à le renverser, ou à mettre en péril l'existence de la République fédérale d'Allemagne, sont inconstitutionnels. La Cour constitution-

(1) Modifié par la loi fédérale du 28 juin 1993.
(2) La dernière phrase a été insérée par la loi fédérale du 24 juin 1968.
(3) Inséré par la loi fédérale du 24 juin 1968.

nelle fédérale statue sur la question de l'inconstitutionnalité.

3. Les modalités seront réglées par des lois fédérales.

Article 22
Drapeau fédéral

Le drapeau fédéral est noir, rouge, or.

Article 23 (1)
L'Union européenne

1. Pour l'édification d'une Europe unie, la République fédérale d'Allemagne concourt au développement de l'Union européenne qui est tenue de respecter les principes de la démocratie, de l'État de droit, de l'État social et fédératif ainsi que le principe de subsidiarité et qui garantit une protection des droits fondamentaux substantiellement comparable à celle de la Loi fondamentale. A cet effet, la Fédération peut transférer des droits de souveraineté par une loi approuvée par le *Bundesrat*. L'article 79, alinéas 2 et 3, est applicable à l'institution de l'Union européenne ainsi qu'aux modifications de son fondement conventionnel et aux autres réglementations comparables qui modifient ou complètent la présente Loi fondamentale dans son contenu ou permettent de tels compléments ou modifications.

2. Le *Bundestag* et les *Länder* au travers du *Bundesrat* concourent aux affaires de l'Union européenne. Le Gouvernement fédéral doit informer le *Bundestag* et le *Bundesrat* de manière complète et aussi tôt que possible.

3. Avant de participer aux actes normatifs de l'Union européenne, le Gouvernement fédéral donne au *Bundestag* l'occasion de donner son avis. Au cours des négociations, le Gouvernement fédéral prend en considération les avis du *Bundestag*. Les modalités seront réglées par une loi.

4. Le *Bundesrat* doit participer à la formation de la volonté de la Fédération lorqu'il aurait dû concourir à une mesure analogue dans l'ordre interne ou lorsque les *Länder* auraient été compétents dans l'ordre interne.

5. Lorsque des intérêts des *Länder* sont touchés dans un domaine de compétence exclusive de la Fédération ou lorsque la Fédération a par ailleurs le droit de légiférer, le Gouvernement fédéral prend en considération l'avis du *Bundesrat*. Lorsque des pouvoirs de législation des *Länder*, l'organisation de leurs services ou leur procédure administrative non-contentieuse sont affectés de manière centrale, l'opinion du *Bundesrat* doit être prise en considération de manière déterminante lors de la formation de la volonté de la Fédération ; ce faisant, la responsabilité de la Fédération pour l'ensemble de l'État doit être préservée. Dans les affaires pouvant entraîner une augmentation des dépenses ou une diminution des recettes de la Fédération, l'approbation du Gouvernement fédéral est nécessaire.

6. Si des pouvoirs exclusifs de législation des *Länder* sont affectés de manière centrale, l'exercice des droits qui incombent à la République fédérale d'Allemagne en tant qu'État-membre de l'Union européenne doit normalement être transféré par la Fédération à un représentant des *Länder* désigné par le *Bundesrat*. L'exercice des droits a lieu avec la participation du Gouvernement fédéral et de concert avec lui; ce faisant, la responsabilité de la Fédération pour l'ensemble de l'État doit être préservée.

7. Les modalités relatives aux alinéas 4 à 6 seront réglées par une loi soumise à l'approbation du *Bundesrat*.

Article 24 (2)
Institutions internationales

1. La Fédération peut transférer, par voie législative, des droits de souveraineté à des institutions internationales.

---

(1) L'ancien article 23, rédigé comme suit, a été abrogé par le traité d'unification du 31 août 1990 : « *Article 23* - Champ d'application territorial de la Loi fondamentale. 1. La présente Loi fondamentale s'applique tout d'abord dans le territoire des *Länder* de Bade, Bavière, Brême, Grand-Berlin, Hambourg, Hesse, Basse-Saxe, Rhénanie du Nord-Westphalie, Rhénanie-Palatinat, Schleswig-Holstein, Wurtemberg-Bade et Wurtemberg-Hohenzollern. 2. Pour les autres parties de l'Allemagne, elle entrera en vigueur après leur adhésion. » Le nouveau texte de cet article a été introduit en vertu de la loi fédérale du 21 décembre 1992.
(2) Amendé par la loi fédérale du 21 décembre 1992.

1a. Lorsque les *Länder* sont compétents pour l'exercice de compétences étatiques et pour l'accomplissement de missions étatiques, ils peuvent avec l'approbation du Gouvernement fédéral transférer des droits de souveraineté à des institutions de vicinité frontalière.

2. Pour sauvegarder la paix, la Fédération peut adhérer à un système de sécurité mutuelle collective ; elle consentira à cet effet aux limitations de ses droits de souveraineté qui établissent et garantissent un ordre pacifique durable en Europe et entre les peuples du monde.

3. En vue de permettre le règlement de différends entre États, la Fédération adhèrera à des conventions établissant une juridiction internationale ayant une compétence générale universelle et obligatoire.

Article 25

Droit international public et droit fédéral

Les règles générales du droit international public font partie du droit fédéral. Elles sont supérieures aux lois et créent directement des droits et des obligations pour les habitants du territoire fédéral.

Article 26

Interdiction de préparer une guerre d'agression

1. Les actes susceptibles de troubler la coexistence pacifique des peuples et accomplis dans cette intention, notamment en vue de préparer une guerre d'agression, sont inconstitutionnels. Ils doivent être réprimés pénalement.

2. Les armes de guerre ne peuvent être fabriquées, transportées et mises dans le commerce qu'avec l'agrément du Gouvernement fédéral. Les modalités seront réglées par une loi fédérale.

Article 27

Flotte de commerce

L'ensemble des navires marchands allemands forme une flotte de commerce unique.

Article 28 (1)

Garantie fédérale relative aux constitutions des *Länder*, autonomie communale

1. L'ordre constitutionnel des *Länder* doit être conforme aux principes d'un État de droit républicain, démocratique et social, au sens de la présente Loi fondamentale. Dans les *Länder*, les arrondissements et les communes, le peuple doit avoir une représentation issue d'élections au suffrage universel direct, libre, égal et secret. Pour les élections dans les arrondissements et communes, les personnes possédant la nationalité d'un État-membre de la Communauté européenne sont également électrices et éligibles dans les conditions du droit de la Communauté européenne. Dans les communes, l'assemblée des citoyens de la commune peut tenir lieu de corps élu.

2. Aux communes doit être garanti le droit de régler, sous leur propre responsabilité, toutes les affaires de la communauté locale, dans le cadre des lois. Les groupements de communes ont également le droit d'auto-administration dans le cadre de leurs attributions légales et dans les conditions définies par la loi.

3. La Fédération garantit la conformité de l'ordre constitutionnel des *Länder* avec les droits fondamentaux et avec les dispositions des alinéas 1 et 2.

Article 29 (2)

Restructuration du territoire fédéral

1. Le territoire fédéral peut être restructuré en vue de permettre aux *Länder* d'accomplir efficacement les tâches qui leur incombent en fonction de leur dimension et de leur capacité. Ce faisant, on devra tenir compte des particularismes régionaux, des liens historiques et culturels, de l'opportunité économique, ainsi que des impératifs de l'aménagement du territoire et du développement régional.

2. Les mesures de restructuration du territoire fédéral sont prises par une loi fédérale, qui doit être ratifiée par référendum. Les *Länder* concernés doivent être entendus.

---

(1) Amendé par la loi fédérale du 21 décembre 1992.
(2) Amendé par la loi fédérale du 23 août 1976.

3. Le référendum a lieu dans les *Länder* dont le territoire ou des portions de territoire sont appelés à former un *Land* nouveau ou à faire partie d'un *Land* aux frontières modifiées (*Länder* concernés). Le vote porte sur la question de savoir si les *Länder* concernés doivent demeurer tels quels, s'il faut former un *Land* nouveau ou modifier les frontières d'un *Land*. Le référendum aboutit à la formation d'un nouveau *Land* ou à la modification des frontières d'un *Land* si, dans le futur territoire et dans l'ensemble des territoires ou portions de territoire du *Land* concerné, qui sont appelés à changer d'appartenance dans le même sens, une majorité approuve la modification. Il est rejeté si la majorité refuse la modification dans le territoire d'un des *Länder* concernés, il n'est toutefois pas tenu compte de ce refus si dans une portion de territoire, dont il s'agit de modifier l'appartenance au *Land* concerné, une majorité des deux tiers approuve la modification, hormis le cas où dans l'ensemble du territoire du *Land* concerné une majorité des deux tiers la rejette.

4. Si dans une aire économique urbaine d'un seul tenant et bien délimitée, dont les différentes parties se trouvent dans plusieurs *Länder* et qui compte au moins un million d'habitants, un dixième des électeurs ayant le droit de vote aux élections au *Bundestag* demande par initiative populaire que cette aire appartienne à un seul *Land*, une loi fédérale interviendra dans un délai de deux ans pour décider que l'appartenance à un *Land* sera modifiée conformément à l'alinéa 2 ou qu'une consultation populaire aura lieu dans les *Länder* concernés.

5. La consultation populaire a pour objet de constater que la modification de l'appartenance à un *Land* proposée par la loi est approuvée. La loi peut soumettre à la consultation populaire des propositions différentes, mais pas plus de deux. Si une majorité approuve une proposition de modifier l'appartenance à un *Land*, une loi fédérale doit déterminer dans les deux années si l'appartenance sera modifiée conformément à l'alinéa 2. Si une proposition soumise à la consultation populaire est approuvée dans les conditions prévues aux troisième et quatrième phrases de l'alinéa 3, une loi fédérale portant création du *Land* proposé devra intervenir dans les deux années suivant la consultation populaire, sans qu'il soit encore besoin d'une ratification par référendum.

6. La majorité requise pour le référendum et la consultation populaire est la majorité des suffrages exprimés, si elle comprend au moins un quart des électeurs ayant droit de vote aux élections du *Bundestag*. Pour le reste, une loi fédérale fixera les modalités du référendum, de l'initiative populaire et de la consultation populaire ; elle peut également prévoir que de nouvelles initiatives populaires ne peuvent pas intervenir avant cinq ans.

7. D'autres modifications de la consistance territoriale des *Länder* peuvent être opérées par des traités conclus entre les *Länder* intéressés ou par une loi fédérale avec approbation du *Bundesrat*, si le territoire dont l'appartenance à un *Land* doit être modifiée ne compte pas plus de 10 000 habitants. Les modalités seront réglées par une loi fédérale qui requiert l'approbation du *Bundesrat* et de la majorité des membres du *Bundestag*. Elle doit prévoir que les communes et arrondissements concernés seront entendus.

Article 30
Répartition des compétences entre la Fédération et les *Länder*

L'exercice des compétences étatiques et l'accomplissement des tâches de l'État incombent aux *Länder*, à moins que la présente Loi fondamentale n'en dispose autrement ou n'admette un autre règlement.

Article 31
Primauté du droit fédéral

Le droit fédéral prime le droit de *Land*.

Article 32
Relations extérieures

1. La charge des relations avec les États étrangers incombe à la Fédération.

2. Avant la conclusion d'un traité affectant la situation particulière d'un *Land*, ce *Land* devra être entendu en temps utile.

3. Dans les limites de leur compétence législative, les *Länder* peuvent, avec l'approbation du Gouvernement fédéral, conclure des traités avec des États étrangers.

Article 33

Égalité civique des Allemands, fonctionnaires de carrière

1. Tous les Allemands ont dans chaque *Land* les mêmes droits et obligations civiques.

2. Tous les Allemands ont un droit d'accès égal à toutes fonctions publiques, selon leurs aptitudes, leurs qualifications et leurs capacités professionnelles.

3. La jouissance des droits civils et civiques, l'admission aux fonctions publiques ainsi que les droits acquis dans la fonction publique sont indépendants de la croyance religieuse. Personne ne doit subir de préjudice en raison de son adhésion ou de sa non-adhésion à une croyance religieuse et philosophique.

4. En règle générale, l'exercice de prérogatives de puissance publique doit être confié à titre permanent à des membres de la fonction publique placés dans un rapport de service et de fidélité de droit public.

5. Le droit de la fonction publique doit être réglementé en tenant compte des principes traditionnels du fonctionnariat.

Article 34

Responsabilité en cas de violation des obligations de fonction

Lorsqu'une personne, dans l'exercice d'une fonction publique dont elle est investie, viole ses obligations de fonction envers un tiers, la responsabilité incombe par principe à l'État ou à la collectivité au service de laquelle elle se trouve. L'action récursoire demeure possible en cas de faute intentionnelle ou de négligence grossière. Le recours devant les tribunaux ordinaires ne doit pas être exclu pour l'action en dommages-intérêts ni pour l'action récursoire.

Article 35 (1)

Entraide judiciaire et administrative, aide en cas de catastrophe

1. Toutes les autorités de la Fédération et des *Länder* se prêtent mutuellement entraide judiciaire et administrative.

2. En vue de maintenir ou de restaurer la sécurité ou l'ordre public, un *Land* peut, dans des cas particulièrement importants, faire appel aux forces et équipements de la police fédérale des frontières pour assister sa police si, faute de cette assistance, la police ne pouvait pas accomplir une de ses missions ou ne le pouvait qu'au prix de grandes difficultés. En cas de catastrophe naturelle ou de sinistre particulièrement grave, un *Land* peut faire appel à l'aide des forces de police d'autres *Länder*, des forces et équipements d'autres administrations, ainsi que de la police fédérale des frontières et des forces armées (2).

3. Si la catastrophe naturelle ou le sinistre menace le territoire de plus d'un *Land,* le Gouvernement fédéral peut, dans la mesure nécessaire à une lutte efficace, donner instruction aux gouvernements des *Länder* de mettre des forces de police à la disposition d'autres *Länder*, ainsi que faire intervenir des unités de la police fédérale des frontières et des forces armées pour assister les forces de police. Les mesures prises par le Gouvernement fédéral en vertu de la première phrase doivent être rapportées à tout moment à la demande du *Bundesrat* et, en tout état de cause, immédiatement après que le danger a été éliminé.

Article 36

Personnel des autorités administratives fédérales

1. Les fonctionnaires des autorités administratives fédérales suprêmes doivent être choisis dans tous les *Länder* selon une juste proportion. Les personnes employées au service des autres autorités fédérales doivent être choisies en règle générale dans le *Land* où elles exercent leurs fonctions.

2. (3) Les lois relatives à l'armée doivent tenir compte également de l'organisation de la Fédération en *Länder* et des particularismes régionaux de ces derniers.

Article 37

Contrainte fédérale

1. Si un *Land* ne remplit pas les obligations de caractère fédéral qui lui

(1) Amendé par la loi fédérale du 24 juin 1968.
(2) Amendé par la loi fédérale du 28 juillet 1972.
(3) Inséré par la loi fédérale du 19 mars 1956.

incombent en vertu de la Loi fondamentale ou d'une autre loi fédérale, le Gouvernement fédéral peut, avec l'approbation du *Bundesrat,* prendre les mesures nécessaires pour obliger ce *Land,* par la voie de la contrainte fédérale, à remplir ses obligations.

2. Pour la mise en œuvre de la contrainte fédérale, le Gouvernement fédéral ou son délégué dispose du pouvoir d'instruction à l'égard de tous les *Länder* et de leurs administrations.

III Le *Bundestag*

Article 38
Élections

1. Les députés du *Bundestag* allemand sont élus au suffrage universel, direct, libre, égal et secret. Ils sont les représentants de l'ensemble du peuple, ne sont liés ni par des mandats ni par des instructions et ne sont soumis qu'à leur conscience.

2. (1) Est électeur celui qui a dix-huit ans révolus ; est éligible celui qui a atteint l'âge de la majorité.

3. Les modalités seront réglées par une loi fédérale.

Article 39
Législature, réunion, convocation

1. (2) Le *Bundestag* est élu pour quatre ans. La législature prend fin avec la réunion d'un nouveau *Bundestag.* Les nouvelles élections ont lieu quarante-cinq mois au plus tôt, quarante-sept mois au plus tard après le début de la législature. En cas de dissolution du *Bundestag,* les nouvelles élections ont lieu dans les soixante jours.

2. (2) Le *Bundestag* se réunit au plus tard le trentième jour qui suit les élections.

3. Le *Bundestag* décide de la clôture et de la reprise de ses sessions. Le président du *Bundestag* peut le convoquer avant la date prévue. Il est tenu de le faire si un tiers des membres, le Président fédéral ou le Chancelier fédéral en fait la demande.

Article 40
Président, règlement intérieur

1. Le *Bundestag* élit son président, ses vice-présidents et les secrétaires. Il établit son règlement intérieur.

2. Le président dispose des pouvoirs de gestion et de police dans l'enceinte du *Bundestag.* Aucune perquisition ni saisie ne peuvent être effectuées dans les locaux du *Bundestag* sans autorisation du président.

Article 41
Contrôle des élections

1. Le contrôle des élections incombe au *Bundestag.* Il lui appartient également de constater que l'un de ses membres a perdu la qualité de député.

2. Le recours devant la Cour constitutionnelle fédérale est ouvert contre la décision du *Bundestag.*

3. Les modalités seront réglées par une loi fédérale.

Article 42
Débats, votes

1. Les débats du *Bundestag* sont publics. Le huis-clos peut être prononcé à la majorité des deux tiers, à la demande d'un dixième des membres du *Bundestag* ou à la demande du Gouvernement fédéral. La décision est prise au cours d'une séance à huis-clos.

2. La majorité des suffrages exprimés est requise pour les décisions du *Bundestag,* sauf disposition contraire de la présente Loi fondamentale. Le règlement intérieur peut admettre des exceptions pour les élections auxquelles doit procéder le *Bundestag.*

3. Les comptes rendus véridiques des séances publiques du *Bundestag* et de ses commissions n'engagent aucune responsabilité.

Article 43
Présence des membres du Gouvernement et du *Bundesrat*

1. Le *Bundestag* et ses commissions peuvent exiger la présence de tout membre du Gouvernement fédéral.

(1) Amendé par la loi fédérale du 31 juillet 1970.
(2) Amendé par la loi fédérale du 23 août 1976.

2. Les membres du *Bundesrat* et du Gouvernement fédéral ainsi que leurs délégués ont accès à toutes les séances du *Bundestag* et de ses commissions. Ils doivent être entendus à tout moment.

Article 44

Commissions d'enquête

1. Le *Bundestag* a le droit et, à la demande d'un quart de ses membres, l'obligation de constituer une commission d'enquête chargée de recueillir les preuves nécessaires en audience publique. Le huis-clos peut être prononcé.

2. Les règles de la procédure pénale s'appliquent par analogie à l'administration des preuves. Le secret de la correspondance, de la poste et des télécommunications n'est pas affecté.

3. Les tribunaux et les autorités administratives sont tenus à l'entraide judiciaire et administrative.

4. Les décisions des commissions d'enquête sont soustraites à l'examen des tribunaux. Les tribunaux sont libres d'apprécier et de juger les faits qui font l'objet de l'enquête.

Article 45 (1)

Commission des Affaires de l'Union européenne

Le *Bundestag* nomme une commission des affaires de l'Union européenne. Il peut l'autoriser à exercer à l'égard du Gouvernement fédéral les droits qui lui sont conférés par l'article 23.

Article 45a (2)

Commissions des affaires étrangères et de la défense

1. Le *Bundestag* nomme une commission des affaires étrangères et une commission de la défense.

2. La commission de la défense a également les droits d'une commission d'enquête. Elle est tenue d'enquêter sur une affaire si un quart de ses membres le demande.

3. L'article 44, alinéa 1er ne s'applique pas au domaine de la défense (3).

Article 45b (4)

Commissaire pour la défense

Un commissaire du *Bundestag* pour la défense est désigné en vue de la protection des droits fondamentaux et en qualité d'organe auxiliaire du *Bundestag* pour l'exercice du contrôle parlementaire. Les modalités seront réglées par une loi fédérale.

Article 45c (4)

Commission des pétitions

1. Le *Bundestag* nomme une commission des pétitions qui est chargée d'examiner les requêtes et recours adressés au *Bundestag* en vertu de l'article 17.

2. Une loi fédérale règle les pouvoirs de la commission lors de l'examen des recours.

Article 46

Irresponsabilité et immunité

1. Un député ne peut à aucun moment faire l'objet de poursuites judiciaires ou disciplinaires, ni voir sa responsabilité mise en cause d'une quelconque façon hors du *Bundestag*, en raison d'un vote émis ou d'une déclaration faite par lui au *Bundestag* ou dans l'une de ses commissions. Cette disposition ne s'applique pas aux injures diffamatoires.

2. Pour un acte passible d'une sanction, un député ne peut voir sa responsabilité mise en cause ou être arrêté qu'avec l'agrément du *Bundestag*, à moins qu'il n'ait été arrêté en flagrant délit ou le lendemain du jour où il a commis cet acte.

3. L'agrément du *Bundestag* est en outre nécessaire pour toutes autres restrictions apportées à la liberté personnelle d'un député ou pour l'introduction contre un député d'une procédure selon l'article 18.

4. Toute procédure pénale et toute procédure selon l'article 18, intentées contre un député, toute détention et toute autre

---

(1) L'article 45 initial (intitulé : *Commission permanente*) a été abrogé par la loi fédérale du 23 août 1976. Le nouvel article 45 a été introduit par la loi fédérale du 21 décembre 1992.
(2) Inséré par la loi fédérale du 19 mars 1956.
(3) La seconde phrase de l'alinéa 1er a été supprimée par la loi du 23 août 1976.
(4) Inséré par la loi fédérale du 15 juillet 1975.

limitation de sa liberté personnelle doivent être suspendues sur demande du *Bundestag*.

Article 47
Droit des députés à refuser de témoigner

Les députés ont le droit de refuser leur témoignage sur les personnes qui leur ont confié des faits en leur qualité de députés ou auxquelles ils ont confié des faits en cette qualité, ainsi que sur les faits eux-mêmes. La saisie de documents écrits est interdite, dans la mesure où les députés ont le droit de refuser de témoigner.

Article 48
Droits des députés

1. Tout candidat au *Bundestag* a droit au congé nécessaire à la préparation de son élection.

2. Nul ne peut être empêché d'accepter et d'exercer les fonctions de député. Toute dénonciation de contrat et tout licenciement pour ce motif sont interdits.

3. Les députés ont droit à une indemnité équitable qui assure leur indépendance. Ils ont le droit d'utiliser gratuitement tous les moyens de transport de l'État. Les modalités seront réglées par une loi fédérale.

Article 49 (1)

IV Le *Bundesrat*

Article 50
Missions

Les *Länder* participent par l'intermédiaire du *Bundesrat* à la législation et à l'administration de la Fédération et aux affaires de l'Union européenne (2).

Article 51 (3)
Composition

1. Le *Bundesrat* se compose de membres des gouvernements des *Länder*, qui les nomment et les révoquent. Ils peuvent se faire représenter par d'autres membres de leur gouvernement.

2. Chaque *Land* a au moins trois voix, les *Länder* qui comptent plus de deux millions d'habitants en ont quatre, ceux qui comptent plus de six millions d'habitants en ont cinq, ceux qui comptent plus de sept millions d'habitants en ont six.

3. Chaque *Land* peut déléguer autant de membres qu'il a de voix. Les voix d'un *Land* ne peuvent être exprimées que globalement et seulement par des membres présents ou leurs suppléants.

Article 52
Président, règlement intérieur

1. Le *Bundesrat* élit son président pour un an.

2. Le président convoque le *Bundesrat*. Il est tenu de le convoquer à la demande des représentants de deux *Länder* au moins ou du Gouvernement fédéral.

3. Le *Bundesrat* statue à la majorité au moins de ses voix. Il établit son règlement intérieur. Ses débats sont publics. Le huis-clos peut être prononcé.

3a. (4) Pour les affaires de l'Union européenne, le *Bundesrat* peut constituer une chambre européenne dont les décisions ont valeur de décisions du *Bundesrat* ; les alinéas 2 et 3 deuxième phrase de l'article 51 s'appliquent par analogie.

4. D'autres membres ou délégués des gouvernements des *Länder* peuvent faire partie des commissions du *Bundesrat*.

Article 53
Présence des membres du Gouvernement

Les membres du Gouvernement fédéral ont le droit et, si la demande leur en est faite, l'obligation de prendre part aux débats du *Bundesrat* et de ses commissions. Ils doivent être entendus à tout moment. Le *Bundesrat* doit être tenu au courant de la conduite des affaires par le Gouvernement fédéral.

---

(1) Intitulé : « *Intervalle des législatures* » et amendé en 1956, cet article a été abrogé par la loi fédérale du 23 août 1976.
(2) Le dernier membre de phrase a été inséré par la loi fédérale du 21 décembre 1992.
(3) Modifié par le traité d'unification du 31 août 1990.
(4) Alinéa inséré par la loi fédérale du 21 décembre 1992.

IVa La commission commune (1)

Article 53a
Composition, règlement intérieur, droit à l'information

1. La commission commune se compose pour les deux tiers de députés du *Bundestag* et pour un tiers de membres du *Bundesrat*. Les députés sont désignés par le *Bundestag* en proportion de l'importance des groupes parlementaires ; ils ne peuvent pas faire partie du Gouvernement fédéral. Chaque *Land* est représenté par un membre du *Bundesrat* désigné par lui ; ces membres ne sont pas liés par des instructions. La composition et la procédure de la commission commune sont fixées par un règlement intérieur qui doit être voté par le *Bundestag* et approuvé par le *Bundesrat*.

2. Le Gouvernement fédéral doit informer la commission commune des mesures envisagées pour l'état de défense. Les droits du *Bundestag* et de ses commissions définis par l'article 43, alinéa 1er ne sont pas affectés par ce qui précède.

V Le Président fédéral

Article 54
Élection

1. Le Président fédéral est élu sans débat par l'Assemblée fédérale. Est éligible tout Allemand ayant le droit de vote pour les élections au *Bundestag* et âgé de quarante ans révolus.

2. La durée des fonctions du Président fédéral est de cinq ans. Une seule réélection immédiate est permise.

3. L'Assemblée fédérale se compose des membres du *Bundestag* et d'un nombre égal de membres élus à la proportionnelle par les représentations du peuple dans les *Länder*.

4. L'Assemblée fédérale se réunit au plus tard trente jours avant l'expiration des fonctions du Président fédéral ou, en cas de cessation anticipée, au plus tard trente jours après celle-ci. Elle est convoquée par le président du *Bundestag*.

5. A l'expiration de la législature, le délai prévu à l'alinéa 4, première phrase commence à courir à compter du jour de la première réunion du *Bundestag*.

6. Est élu celui qui obtient les voix de la majorité des membres de l'Assemblée fédérale. Si aucun candidat n'atteint cette majorité au cours de deux tours de scrutin, est élu au tour de scrutin suivant celui qui réunit sur son nom le plus grand nombre de voix.

7. Les modalités seront réglées par une loi fédérale.

Article 55
Incompatibilités

1. Le Président fédéral ne peut appartenir ni au gouvernement ni à un organe législatif de la Fédération ou d'un *Land*.

2. Le Président fédéral ne peut exercer aucune autre fonction publique rémunérée, aucune profession industrielle ou commerciale ni aucun métier, et il ne peut faire partie ni de la direction ni du conseil d'administration d'une entreprise poursuivant des buts lucratifs.

Article 56
Serment d'entrée en fonctions

1. Lors de son entrée en fonctions, le Président fédéral prête le serment suivant devant les membres du *Bundestag* et du *Bundesrat* réunis : « Je jure de consacrer mes forces au bien du peuple allemand, d'accroître ce qui lui est profitable, d'écarter de lui tout dommage, de respecter et de défendre la Loi fondamentale et les lois de la Fédération, de remplir mes devoirs avec conscience et d'être juste envers tous. Que Dieu me vienne en aide ! »

2. Le serment peut également être prêté sans formule religieuse.

Article 57
Suppléance

En cas d'empêchement du Président fédéral ou de vacance anticipée de ses fonc-

(1) Inséré par la loi fédérale du 24 juin 1968.

tions, ses pouvoirs sont exercés par le président du *Bundesrat*.

Article 58
Contreseing

Pour être valables, les ordres et décisions du Président fédéral doivent être contresignés par le Chancelier fédéral ou par le ministre fédéral compétent. Ceci ne s'applique pas à la nomination et à la révocation du Chancelier fédéral, à la dissolution du *Bundestag* en vertu de l'article 63 et à la requête prévue par l'article 69, alinéa 3.

Article 59
Représentation internationale de la Fédération

1. Le Président fédéral représente la Fédération sur le plan international. Il conclut au nom de la Fédération les traités avec les États étrangers. Il accrédite et reçoit les représentants diplomatiques.

2. Les traités réglant les relations politiques de la Fédération, ou relatifs à des matières qui relèvent de la compétence législative fédérale, requièrent l'approbation ou le concours des organes respectivement compétents en matière de législation fédérale, sous la forme d'une loi fédérale. Les dispositions régissant l'administration fédérale s'appliquent par analogie aux accords administratifs.

Article 59a (1)

Article 60
Nomination et révocation des juges fédéraux, des fonctionnaires fédéraux et des militaires, droit de grâce

1. Le Président fédéral nomme et révoque les juges fédéraux, les fonctionnaires fédéraux, les officiers et les sous-officiers, sauf disposition légale contraire.

2. Il exerce au nom de la Fédération le droit de grâce dans les cas individuels.

3. Il peut déléguer ces pouvoirs à d'autres autorités.

4. L'article 46, alinéas 2 à 4 s'applique par analogie au Président fédéral.

Article 61
Mise en accusation devant la Cour constitutionnelle fédérale

1. Le *Bundestag* ou le *Bundesrat* peut mettre le Président fédéral en accusation devant la Cour constitutionnelle fédérale pour violation délibérée de la Loi fondamentale ou d'une autre loi fédérale. La demande de mise en accusation doit être présentée par un quart au moins des membres du *Bundestag* ou un quart des voix du *Bundesrat*. La décision de mise en accusation doit être prise à la majorité des deux tiers des membres du *Bundestag* ou des deux tiers des voix du *Bundesrat*. L'accusation est soutenue par un représentant de l'organe qui accuse.

2. Si la Cour constitutionnelle fédérale constate que le Président fédéral s'est rendu coupable d'une violation délibérée de la Loi fondamentale ou d'une autre loi fédérale, elle peut le déclarer déchu de ses fonctions. Par une ordonnance provisoire elle peut, après la mise en accusation, décider qu'il est empêché d'exercer ses fonctions.

VI Le Gouvernement fédéral

Article 62
Composition

Le Gouvernement fédéral se compose du Chancelier fédéral et des ministres fédéraux.

Article 63
Élection et nomination du Chancelier

1. Le Chancelier fédéral est élu sans débat par le *Bundestag* sur proposition du Président fédéral.

2. Est élu celui qui réunit sur son nom les voix de la majorité des membres du *Bundestag*. L'élu doit être nommé par le Président fédéral.

3. Si le candidat proposé n'est pas élu, le *Bundestag* peut élire un Chancelier fédéral à la majorité de ses membres dans les quatorze jours qui suivent le scrutin.

(1) Article intitulé : *« Constatation de l'état de défense »*, introduit en 1956 et abrogé en 1968.

4. A défaut d'élection dans ce délai, il est procédé immédiatement à un nouveau tour de scrutin, à l'issue duquel est élu celui qui obtient le plus grand nombre de voix. Si l'élu réunit sur son nom les voix de la majorité des membres du *Bundestag,* le Président fédéral doit le nommer dans les sept jours qui suivent l'élection. Si l'élu n'atteint pas cette majorité, le Président fédéral doit, soit le nommer dans les sept jours, soit dissoudre le *Bundestag*.

Article 64
Nomination et révocation des ministres fédéraux

1. Les ministres fédéraux sont nommés et révoqués par le Président fédéral sur proposition du Chancelier fédéral.

2. Lors de leur prise de fonctions, le Chancelier fédéral et les ministres fédéraux prêtent devant le *Bundestag* le serment prévu à l'article 56.

Article 65
Attributions au sein du Gouvernement fédéral

Le Chancelier fédéral fixe les grandes orientations de la politique et en assume la responsabilité. Dans le cadre de ces grandes orientations, chaque ministre fédéral dirige son département de façon autonome et sous sa propre responsabilité. Le Gouvernement fédéral tranche les divergences d'opinion entre les ministres fédéraux.

Le Chancelier fédéral dirige les affaires du Gouvernement selon un règlement intérieur adopté par le Gouvernement fédéral et approuvé par le Président fédéral.

Article 65a (1)
Autorité et commandement sur les forces armées

Le ministre fédéral de la Défense exerce l'autorité et le commandement sur les forces armées.

Article 66
Incompatibilités

Le Chancelier fédéral et les ministres fédéraux ne peuvent exercer aucune autre fonction publique rémunérée, aucune profession industrielle et commerciale ni aucun métier, et ils ne peuvent faire partie ni de la direction ni, sauf approbation du *Bundestag,* du conseil d'administration d'une entreprise poursuivant des buts lucratifs.

Article 67
Motion de défiance constructive

1. Le *Bundestag* ne peut exprimer sa défiance envers le Chancelier fédéral qu'en élisant un successeur à la majorité de ses membres et en demandant au Président fédéral de révoquer le Chancelier fédéral. Le Président fédéral doit faire droit à la demande et nommer l'élu.

2. Quarante-huit heures doivent s'écouler entre le dépôt de la motion et l'élection.

Article 68
Motion de confiance, dissolution du *Bundestag*

1. Si une motion de confiance proposée par le Chancelier fédéral n'obtient pas l'approbation de la majorité des membres du *Bundestag,* le Président fédéral peut, sur proposition du Chancelier fédéral, dissoudre le *Bundestag* dans les vingt et un jours. Le droit de dissolution s'éteint dès que le *Bundestag* a élu un autre Chancelier fédéral à la majorité de ses membres.

2. Quarante-huit heures doivent s'écouler entre le dépôt de la motion et le vote.

Article 69
Suppléant du Chancelier, durée des fonctions des membres du Gouvernement

1. Le Chancelier fédéral désigne comme suppléant un ministre fédéral.

2. Les fonctions du Chancelier fédéral ou d'un ministre fédéral prennent toujours fin avec la réunion d'un nouveau *Bundestag ;* les fonctions d'un ministre fédéral prennent également fin avec toute autre vacance des fonctions de Chancelier fédéral.

3. Le Chancelier fédéral, à la requête du Président fédéral, ou un ministre fédéral, à la requête du Chancelier fédéral ou du Président fédéral, est tenu de conti-

(1) Inséré par la loi fédérale du 19 mars 1956 et amendé par la loi fédérale du 24 juin 1968.

nuer à gérer les affaires jusqu'à la nomination de son successeur.

VII La législation de la Fédération

Article 70
Répartition des compétences législatives entre la Fédération et les *Länder*

1. Les *Länder* ont le droit de légiférer dans les cas où la présente Loi fondamentale ne confère pas à la Fédération des pouvoirs de légiférer.

2. La délimitation des compétences de la Fédération et des *Länder* s'effectue selon les dispositions de la présente Loi fondamenfale relatives aux compétences législatives exclusives et concurrentes.

Article 71
Compétence législative exclusive de la Fédération, notion

Dans le domaine de la compétence législative exclusive de la Fédération, les *Länder* n'ont le pouvoir de légiférer que si une loi fédérale les y autorise expressément et dans la mesure prévue par cette loi.

Article 72
Compétence législative concurrente de la Fédération, notion

1. Dans le domaine de la compétence législative concurrente, les *Länder* ont le pouvoir de légiférer aussi longtemps, et pour autant que la Fédération ne fait pas usage de son droit de légiférer.

2. Dans ce domaine, la Fédération a le droit de légiférer s'il existe un besoin de réglementation législative fédérale parce que

1° une question ne peut pas être réglée efficacement par la législation de différents *Länder,* ou que

2° la réglementation d'une question par une loi de *Land* pourrait affecter les intérêts d'autres *Länder* ou de l'ensemble, ou que

3° la sauvegarde de l'unité juridique ou économique l'exige, et notamment la sauvegarde de l'homogénéité des conditions de vie au-delà du territoire d'un *Land.*

Article 73
Compétence législative exclusive de la Fédération, liste des matières

La Fédération a la compétence législative exclusive dans les matières ci-dessous :

1° [1] affaires étrangères ainsi que défense, y compris la protection de la population civile ;

2° nationalité dans la Fédération ;

3° liberté de circulation et d'établissement, régime des passeports, immigration et émigration, et extradition ;

4° monnaie, papier-monnaie et monnaie métallique, poids et mesures ainsi que définition légale du temps ;

5° unité du territoire douanier et commercial, traités de commerce et de navigation, libre circulation des marchandises, échanges commerciaux et monétaires avec l'étranger, y compris la police des douanes et des frontières ;

6° chemins de fer fédéraux et trafic aérien ;

7° postes et télécommunications ;

8° statut des personnels au service de la Fédération et des collectivités de droit public dépendant directement de la Fédération ;

9° concurrence et protection de la propriété industrielle, droits d'auteur et droits d'édition ;

10° [2] coopération de la Fédération et des *Länder*

a) en matière de police criminelle

b) pour protéger l'ordre constitutionnel libéral et démocratique, l'existence et la sécurité de la Fédération ou d'un *Land* (protection de la constitution), et

c) pour protéger contre des menées sur le territoire fédéral qui, par l'emploi de la force ou des préparatifs en ce sens, mettent en danger les intérêts extérieurs de la République fédérale d'Allemagne,

ainsi que création d'un office fédéral de police criminelle et répression internationale de la criminalité ;

11° statistique à finalité fédérale.

(1) Amendé par les lois fédérales du 26 mars 1954 et du 24 juin 1968.
(2) Inséré par la loi fédérale du 28 juillet 1972.

Article 74

Compétence législative concurrente de la Fédération, liste des matières

La compétence législative concurrente s'étend aux domaines ci-dessous :

1° droit civil, droit pénal et régime pénitentiaire, organisation judiciaire, procédure judiciaire, barreau, notariat et activité de conseil juridique ;

2° état civil ;

3° droit d'association et de réunion ;

4° droit de séjour et d'établissement des étrangers ;

4a° (1) législation des armes et des explosifs ;

5° protection du patrimoine culturel allemand contre le transfert à l'étranger ;

6° affaires concernant les réfugiés et expulsés ;

7° assistance sociale ;

8° nationalité dans les *Länder ;*

9° dommages de guerre et réparations ;

10° (2) pensions des mutilés de guerre et des familles de victimes de guerre et assistance aux anciens prisonniers de guerre ;

10a° (3) sépultures de guerre et sépultures des autres victimes de la guerre et victimes de la tyrannie ;

11° droit économique (mines, industrie, économie de l'énergie, artisanat, professions industrielles et commerciales, banque et bourse, assurances de droit privé) ;

11a° (4) production et utilisation de l'énergie nucléaire à des fins pacifiques, construction et exploitation d'installations servant à ces fins, protection contre les dangers occasionnés par la libération d'énergie nucléaire ou par des radiations ionisantes, et élimination des substances radioactives ;

12° droit du travail, y compris les relations au sein de l'entreprise, la protection des travailleurs et le placement, ainsi que sécurité sociale, y compris l'assurance-chômage ;

13° (5) réglementation des allocations de formation et promotion de la recherche scientifique ;

14° droit de l'expropriation en tant qu'il s'applique aux matières visées aux articles 73 et 74 ;

15° placement du sol, des ressources naturelles et des moyens de production, sous un régime de propriété collective ou d'autres formes de gestion collective ;

16° prévention des abus de puissance économique ;

17° promotion de la production agricole et forestière, sécurité du ravitaillement, importation et exportation de produits agricoles et forestiers, pêche hauturière et pêche côtière, et protection des côtes ;

18° mutations des biens fonciers, droit de l'aménagement foncier urbain et régime des baux ruraux, logement, politique de l'habitat et de la maison familiale ;

19° mesures contre les épidémies et épizooties dangereuses pour la collectivité, admission aux professions médicales et paramédicales et aux activités thérapeutiques à caractère commercial, régime des produits médicaux, pharmaceutiques, stupéfiants et des toxiques ;

19a° (6) financement des hôpitaux et tarification des soins hospitaliers ;

20° (7) mesures de protection relative aux produits alimentaires courants et d'agrément, aux produits d'usage domestique, aux fourrages, aux semences et plants agricoles et forestiers, protection des plantes contre les maladies et les parasites, ainsi que protection des animaux ;

21° navigation maritime et cabotage, ainsi que la signalisation maritime, navigation intérieure, service météorologique, voies navigables maritimes et voies navigables intérieures servant au trafic public ;

22° (8) circulation routière, véhicules automobiles, construction et entretien de routes pour le trafic à grande distance, ainsi que perception et répartition de taxes pour l'utilisation de voies publiques par des véhicules ;

---

(1) Inséré par la loi du 28 juillet 1972 et amendé par la loi du 23 août 1976.
(2) Amendé par la loi fédérale du 16 juin 1965.
(3) Inséré par la loi fédérale du 16 juin 1965.
(4) Inséré par la loi fédérale du 23 décembre 1959.
(5) Amendé par la loi fédérale du 12 mai 1969.
(6) Inséré par la loi fédérale du 12 mai 1969.
(7) Amendé par la loi fédérale du 18 mars 1971.
(8) Amendé par la loi fédérale du 12 mai 1969.

23° chemins de fer autres que les chemins de fer fédéraux, à l'exception des chemins de fer de montagne ;
24° [1] élimination des déchets, lutte contre la pollution atmosphérique, lutte contre le bruit.

Article 74a [2]
Compétence législative concurrente de la Fédération, traitements et pensions des personnels de la fonction publique

1. La compétence législative concurrente s'étend en outre aux traitements et pensions des personnels de la fonction publique placés dans un rapport de service et de fidélité de droit public, pour autant que la Fédération ne dispose pas de la compétence législative exclusive en vertu de l'article 73 n° 8.

2. Les lois fédérales prises en application de l'alinéa 1er requièrent l'approbation du *Bundesrat*.

3. L'approbation du *Bundesrat* est également requise pour les lois fédérales prises en vertu de l'article 73 n° 8, dans la mesure où elles prévoient pour la structure et le calcul des traitements et pensions, y compris l'évaluation des fonctions, des barèmes différents ou des montants minima et maxima différents de ceux fixés par des lois fédérales prises en application de l'alinéa 1er.

4. Les alinéas 1 et 2 sont applicables par analogie aux traitements et pensions des juges des *Länder*. L'alinéa 3 est applicable par analogie aux lois prises en application de l'article 98, alinéa 1er.

Article 75 [3]
Lois-cadres de la Fédération, liste des matières

1. Sous réserve des conditions prévues à l'article 72, la Fédération a le droit d'édicter des dispositions-cadres dans les matières ci-dessous :
1° statut des personnes au service des *Länder*, des communes et d'autres collectivités de droit public, pour autant que l'article 74a n'en dispose pas autrement ;
1a° principes généraux de l'enseignement supérieur ;
2° statut général de la presse et du cinéma ;
3° chasse, protection de la nature et conservation des sites ;
4° répartition des terres, aménagement du territoire et régime des eaux ;
5° déclaration du domicile et cartes d'identité.

Article 76
Projets de loi

1. Les projets de loi sont déposés au *Bundestag* par le Gouvernement fédéral, par des membres du *Bundestag* ou par le *Bundesrat*.

2. [4] Les projets du Gouvernement fédéral sont d'abord soumis au *Bundesrat*. Le *Bundesrat* a le droit de prendre position sur ces projets dans un délai de six semaines. Le Gouvernement fédéral peut transmettre au bout de trois semaines au *Bundestag* un projet qu'il a qualifié exceptionnellement de particulièrement urgent en le soumettant au *Bundesrat*, même si l'avis du *Bundesrat* ne lui est pas encore parvenu ; il doit transmettre au *Bundestag* l'avis du *Bundesrat* immédiatement après réception.

3. [5] Les projets du *Bundesrat* sont transmis dans les trois mois au *Bundestag* par le Gouvernement fédéral. A cette occasion, celui-ci doit exprimer son point de vue.

Article 77
Procédure législative

1. Les lois fédérales sont adoptées par le *Bundestag*. Après leur adoption, le président du *Bundestag* les transmet immédiatement au *Bundesrat*.

2.[6] Dans les trois semaines qui suivent la réception du texte de loi adopté, le *Bundesrat* peut demander la convocation d'une commission formée de membres du *Bundestag* et du *Bundesrat* en vue de la délibération commune de textes. La compo-

---

(1) Amendé par la loi fédérale du 14 avril 1972.
(2) Inséré par la loi fédérale du 18 mars 1971.
(3) Le *1°* a été amendé par la loi fédérale du 18 mars 1971, le *1a°* a été inséré par la loi fédérale du 12 mai 1969, les alinéas 2 et 3 insérés par la loi fédérale du 12 mai 1969, ont été abrogés par celle du 18 mars 1971.
(4) Amendé par la loi fédérale du 15 novembre 1968.
(5) Amendé par la loi fédérale du 17 juillet 1969.
(6) Amendé par la loi fédérale du 15 novembre 1968

sition et la procédure de cette commission sont fixées par un règlement intérieur adopté par le *Bundestag* et qui doit être approuvé par le *Bundesrat*. Les membres du *Bundesrat* délégués dans cette commission ne sont pas liés par des instructions. Lorsque l'approbation du *Bundesrat* est requise pour une loi, le *Bundestag* et le Gouvernement fédéral peuvent également demander la convocation de la commission. Si la commission propose une modification du texte de loi adopté, le *Bundestag* doit prendre une nouvelle délibération.

3. (1) Si une loi ne requiert pas l'approbation du *Bundesrat*, celui-ci peut faire opposition dans un délai de deux semaines à une loi adoptée par le *Bundestag*, dès que la procédure prévue à l'alinéa 2 est achevée. Dans le cas prévu à l'alinéa 2, dernière phrase, le délai d'opposition court à compter de la réception du texte de loi adopté de nouveau par le *Bundestag* et, dans tous les autres cas, de la réception de la communication du président de la commission prévue à l'alinéa 2, selon laquelle la procédure devant la commission est terminée.

4. Si l'opposition est votée à la majorité des voix du *Bundesrat*, elle peut être levée par une délibération prise à la majorité des membres du *Bundestag*. Si le *Bundesrat* a voté l'opposition à une majorité des deux tiers au moins de ses voix, la levée de l'opposition par le *Bundestag* requiert une majorité des deux tiers et, au moins, la majorité des membres du *Bundestag*.

Article 78
Adoption de la loi

Une loi adoptée par le *Bundestag* est parfaite si le *Bundesrat* l'approuve, s'il ne fait pas la demande prévue à l'article 77, alinéa 2, s'il ne fait pas opposition dans le délai prévu à l'article 77, alinéa 3, ou s'il retire cette opposition, ou si elle est levée par un vote du *Bundestag*.

Article 79
Révisions de la Loi fondamentale

1. La Loi fondamentale ne peut être révisée que par une loi qui en modifie ou en complète expressément le texte. En ce qui concerne les traités internationaux ayant pour objet un règlement de paix, la préparation d'un règlement de paix ou l'abolition d'un régime d'occupation, ou qui sont destinés à servir la défense de la République fédérale, il suffit, pour mettre au clair que les dispositions de la Loi fondamentale ne font pas obstacle à la conclusion et à la mise en vigueur des traités, d'un supplément au texte de la Loi fondamentale qui se limite à cette clarification (2).

2. Une telle loi doit être approuvée par les deux tiers des membres du *Bundestag* et les deux tiers des voix du *Bundesrat*.

3. Toute révision de la présente Loi fondamentale qui toucherait à l'organisation de la Fédération en *Länder*, au principe de la participation des *Länder* à la législation ou aux principes énoncés aux articles 1 et 20, est interdite.

Article 80
Édiction de règlements

1. Le Gouvernement fédéral, un ministre fédéral ou les gouvernements des *Länder* peuvent être autorisés par la loi à édicter des règlements. Cette loi doit déterminer le contenu, le but et l'étendue de l'autorisation accordée. Le règlement doit mentionner son fondement juridique. S'il est prévu dans une loi qu'une autorisation peut être subdéléguée, un règlement est nécessaire pour la délégation de l'autorisation.

2. Sont soumis à l'approbation du *Bundesrat*, sauf disposition contraire de la loi fédérale, les règlements du Gouvernement fédéral ou d'un ministre fédéral relatifs aux principes et aux tarifs d'utilisation des installations des chemins de fer fédéraux et des postes et télécommunications, à la construction et à l'exploitation de chemins de fer, ainsi que les règlements qui sont pris sur le fondement de lois fédérales soumises à l'approbation du *Bundesrat* ou dont les *Länder* assurent l'exécution par délégation de la Fédération ou à titre de compétence propre.

Article 80a (3)
Application des règles de droit pour l'état de tension

1. Si la présente Loi fondamentale ou une loi fédérale relative à la défense, y

(1) Amendé par la loi fédérale du 15 novembre 1968.
(2) La 2e phrase a été insérée par la loi du 26 mars 1954.
(3) Inséré par la loi fédérale du 24 juin 1968.

compris la protection de la population civile, spécifie que des règles de droit peuvent être appliquées seulement dans les conditions du présent article, l'application en dehors de l'état de défense n'est permise que si le *Bundestag* a constaté la survenance de l'état de tension ou s'il a approuvé expressément cette application. La constatation de l'état de tension et l'approbation expresse, dans les cas visés à l'article 12a, alinéa 5, première phrase et alinéa 6, deuxième phrase, requièrent une majorité des deux tiers des suffrages exprimés.

2. Les mesures prises en vertu des règles de droit visées à l'alinéa 1er doivent être rapportées si le *Bundestag* l'exige.

3. Par dérogation à l'alinéa 1er, l'application de telles règles de droit est également permise sur le fondement et dans les conditions d'une décision prise par un organe international dans le cadre d'un traité d'alliance, avec l'accord du Gouvernement fédéral. Les mesures prises en vertu du présent alinéa doivent être rapportées si le *Bundestag* l'exige à la majorité de ses membres.

Article 81

État de nécessité législative

1. Si, dans le cas prévu à l'article 68, le *Bundestag* n'est pas dissous, le Président fédéral peut, à la demande du Gouvernement fédéral et avec l'approbation du *Bundesrat*, déclarer l'état de nécessité législative à propos d'un projet de loi que rejette le *Bundestag* bien que le Gouvernement fédéral l'ait déclaré urgent. Il en est de même lorsqu'un projet de loi a été rejeté bien que le Chancelier fédéral y ait lié la demande prévue à l'article 68.

2. Si, après déclaration de l'état de nécessité législative, le *Bundestag* rejette à nouveau le projet ou s'il l'adopte dans une rédaction que le Gouvernement fédéral a déclaré inacceptable, la loi est considérée comme parfaite dans la mesure où le *Bundesrat* l'approuve. Il en est de même si le projet n'est pas voté par le *Bundestag* dans un délai de quatre semaines après un nouveau dépôt.

3. Pendant la durée des fonctions d'un Chancelier fédéral, tout autre projet de loi rejeté par le *Bundestag* peut également être adopté selon les dispositions des alinéas 1 et 2 dans un délai de six mois à compter de la première déclaration de l'état de nécessité législative. A l'expiration de ce délai, l'état de nécessité législative ne pourra pas être déclaré une seconde fois pendant la durée des fonctions du même Chancelier fédéral.

4. La Loi fondamentale ne peut être ni révisée, ni abrogée, ni suspendue, en totalité ou en partie, par une loi adoptée en application de l'alinéa 2.

Article 82

Signature, promulgation et entrée en vigueur des lois et règlements

1. Les lois adoptées conformément aux dispositions de la présente Loi fondamentale sont, après contreseing, signées par le Président fédéral et promulguées au *Journal officiel fédéral*. Les règlements sont signés par l'autorité qui les édicte et promulgués au *Journal officiel fédéral*, sauf disposition contraire de la loi.

2. Toute loi et tout règlement doivent fixer le jour de leur entrée en vigueur. A défaut d'une telle disposition, ils entrent en vigueur le quatorzième jour qui suit celui de la parution au *Journal officiel fédéral*.

VIII L'exécution des lois fédérales et l'Administration fédérale

Article 83

Répartition des compétences entre la Fédération et les *Länder*

Sauf disposition contraire prévue ou admise par la présente Loi fondamentale, les *Länder* exécutent les lois fédérales à titre de compétence propre.

Article 84

Exécution à titre de compétence propre des *Länder*, contrôle fédéral

1. Lorsque les *Länder* exécutent les lois fédérales à titre de compétence propre, ils règlent l'organisation des administrations et la procédure administrative, à moins que des lois fédérales n'en disposent autrement avec l'approbation du *Bundesrat*.

2. Le Gouvernement fédéral peut édicter des prescriptions administratives générales avec l'approbation du *Bundesrat*.

3. Le Gouvernement fédéral contrôle que les *Länder* exécutent les lois fédérales conformément au droit en vigueur. A cet effet, le Gouvernement fédéral peut envoyer des délégués auprès des autorités administratives suprêmes des *Länder* et également, avec l'approbation de celles-ci ou en cas de refus avec l'approbation du *Bundesrat*, auprès des autorités administratives subordonnées.

4. S'il n'est pas remédié aux carences relevées par le Gouvernement fédéral dans l'exécution des lois fédérales dans les *Länder*, le *Bundesrat* se prononce à la demande du Gouvernement fédéral ou du *Land*, sur la violation du droit par le *Land*. La Cour constitutionnelle fédérale peut être saisie d'un recours contre la décision du *Bundesrat*.

5. Une loi fédérale, qui requiert l'approbation du *Bundesrat*, peut conférer au Gouvernement fédéral, en vue d'assurer l'exécution des lois fédérales, le pouvoir de donner des instructions spéciales pour des cas particuliers. Sauf si le Gouvernement fédéral estime qu'il y a urgence, elles doivent être adressées aux autorités administratives suprêmes des *Länder*.

Article 85
Exécution par délégation de la Fédération

1. Lorsque les *Länder* exécutent les lois fédérales par délégation de la Fédération, l'organisation des administrations reste de la compétence des *Länder*, à moins que des lois fédérales n'en disposent autrement avec l'approbation du *Bundesrat*.

2. Le Gouvernement fédéral peut édicter des prescriptions administratives générales, avec l'approbation du *Bundesrat*. Il peut réglementer de façon uniforme la formation des fonctionnaires et des employés. Les directeurs des autorités administratives de niveau intermédiaire doivent être nommés avec son accord.

3. Les administrations des *Länder* sont soumises aux instructions des autorités fédérales suprêmes compétentes. Sauf si le Gouvernement fédéral estime qu'il y a urgence, les instructions doivent être adressées aux autorités administratives suprêmes des *Länder*. Les autorités administratives suprêmes des *Länder* doivent assurer l'exécution de l'instruction.

4. Le contrôle fédéral porte sur la légalité et l'opportunité de l'exécution. Le Gouvernement fédéral peut exiger à cet effet des rapports ainsi que la communication des dossiers et envoyer des délégués auprès de toutes les administrations.

Article 86
Administration propre à la Fédération

Lorsque la Fédération exécute les lois au moyen d'une administration fédérale, ou de collectivités de droit public ou d'établissements de droit public directement rattachés à elle, le Gouvernement fédéral édicte les prescriptions administratives générales, sauf disposition législative spéciale. Il règle l'organisation des administrations, sauf disposition contraire de la loi.

Article 87 (1)
Matières d'administration propre à la Fédération

1. Sont gérés par l'Administration fédérale et dotés d'une infrastructure administrative propre les affaires étrangères, l'administration fédérale des finances, les chemins de fer fédéraux, les postes fédérales et, dans les conditions de l'article 89, l'administration des voies navigables fédérales et de la navigation. Peuvent être institués par loi fédérale une administration de police fédérale des frontières et des services centraux en matière de renseignements généraux, de police criminelle et de collecte de documents à des fins de protection de la Constitution et de protection contre des menées sur le territoire fédéral qui, par l'emploi de la force ou par des préparatifs en ce sens, mettent en danger les intérêts extérieurs de la République fédérale d'Allemagne.

2. Sont gérés comme des collectivités de droit public rattachées directement à la Fédération, ceux des organismes de sécu-

(1) Inséré par la loi fédérale du 19 mars 1956 et amendé par les lois fédérales du 24 juin 1968 et du 28 juillet 1972.

rité sociale dont la compétence dépasse le territoire d'un *Land.*

3. En outre, pour des matières relevant de la compétenee législative de la Fédération, une loi fédérale peut créer des autorités administratives supérieures fédérales indépendantes et de nouveaux établissements et collectivités de droit public rattachés directement à la Fédération. Si de nouvelles tâches incombent à la Fédération dans les domaines où elle a la compétence législative, des autorités administratives fédérales de niveau intermédiaire et inférieur peuvent être créées en cas de besoin impérieux avec l'approbation du *Bundesrat* et de la majorité des membres du *Bundestag.*

Article 87a (1)

Mise sur pied et missions des forces armées

1. La Fédération met sur pied des forces armées pour la défense. Leurs effectifs et les traits essentiels de leur organisation doivent apparaître dans le budget.

2. En dehors de la défense, les forces armées ne doivent être engagées que dans la mesure où la présente Loi fondamentale l'autorise expressément.

3. Pendant l'état de défense ou de tension, les forces armées sont habilitées à protéger des objectifs civils et à assumer des missions de police de la circulation, dans la mesure où cela est nécessaire à l'accomplissement de leur mission de défense. Pendant l'état de défense ou de tension, la protection d'objectifs civils peut également être confiée aux forces armées pour renforcer l'effet des mesures de police ; dans ce cas, les forces armées coopèrent avec les autorités compétentes.

4. Si les conditions de l'article 91, alinéa 2 sont réunies et si les forces de police ainsi que la police fédérale des frontières sont insuffisantes, le Gouvernement fédéral peut, pour écarter un danger menaçant l'existence ou l'ordre constitutionnel libéral et démocratique de la Fédération ou d'un *Land,* engager des forces armées pour assister la police et la police fédérale des frontières dans la protection d'objectifs civils et dans la lutte contre des insurgés organisés et armés militairement. L'engagement des forces armées doit cesser dès que le *Bundestag* ou le *Bundesrat* l'exige.

Article 87b (1)

Administration de l'armée fédérale

1. L'administration de l'armée fédérale est assurée par une administration fédérale dotée d'une infrastructure administrative propre. Elle assume les tâches de gestion du personnel et de couverture directe des besoins matériels des forces armées. Les tâches concernant les pensions des mutilés et les constructions ne peuvent être conférées à l'administration de l'armée fédérale que par une loi soumise à l'approbation du *Bundesrat.* Sont également soumises à l'approbation du Bundesrat les lois qui autorisent l'armée fédérale à effectuer des actes portant atteinte aux droits des tiers ; cette disposition ne s'applique pas aux lois concernant la gestion du personnel.

2. Par ailleurs, des lois fédérales ayant pour objet la défense, y compris le recrutement de l'armée et la protection de la population civile, peuvent disposer avec l'approbation du *Bundesrat* qu'elles seront exécutées en totalité ou en partie, soit par une administration fédérale dotée d'une infrastructure administrative propre, soit par les *Länder* par délégation de la Fédération. Si de telles lois sont exécutées par les *Länder* par délégation de la Fédération, elles peuvent disposer avec l'approbation du *Bundesrat* que les pouvoirs conférés en vertu de l'article 85 au Gouvernement fédéral et aux autorités fédérales suprêmes compétentes seront transférés en totalité ou en partie à des autorités fédérales supérieures ; il peut être prévu en même temps que ces autorités n'ont pas besoin de l'approbation du *Bundesrat* pour l'édiction de prescriptions administratives générales prévues à l'article 85, alinéa 2, première phrase.

Article 87c (2)

Administration des *Länder* par délégation de la Fédération dans le domaine de l'énergie nucléaire

Les lois adoptées sur le fondement de l'article 74 n° 11a peuvent disposer avec

(1) Inséré par la loi fédérale du 19 mars 1956.
(2) Inséré par la loi fédérale du 23 décembre 1959.

l'approbation du *Bundesrat* qu'elles seront exécutées par les *Länder* par délégation de la Fédération.

Article 87d (1)

Administration de la navigation aérienne

1. L'administration de la navigation aérienne est assurée par une administration fédérale. Une loi fédérale optera entre une forme d'organisation de droit public ou de droit privé.

2. Des lois fédérales soumises à l'approbation du *Bundesrat* peuvent décider que les *Länder* assureront certaines tâches administratives de la navigation aérienne par délégation de la Fédération.

Article 88

Banque fédérale

La Fédération crée une banque d'émission en tant que banque fédérale. Ses missions et compétences peuvent, dans le cadre de l'Union européenne, être transférées à la Banque centrale européenne, qui est indépendante et dont l'objectif principal est de maintenir la stabilité des prix (2).

Article 89

Voies navigables fédérales

1. La Fédération est propriétaire des anciennes voies navigables du *Reich*.

2. La Fédération administre les voies navigables fédérales par des administrations qui lui sont propres. Elle assume, en matière de navigation intérieure, les tâches d'administration d'État qui dépassent le cadre d'un *Land* et, en matière de navigation maritime, les tâches qui lui sont conférées par la loi. A la demande d'un *Land*, elle peut déléguer à celui-ci, l'administration des voies navigables situées sur le seul territoire de ce *Land*. Si une voie navigable traverse le territoire de plusieurs *Länder*, la Fédération peut en confier l'administration au *Land* que proposent les *Länder* concernés.

3. En matière de gestion, d'aménagement et de construction de voies navigables, les impératifs de l'utilisation des sols et de la gestion des eaux doivent être sauvegardés en accord avec les *Länder*.

Article 90

Routes et autoroutes fédérales

1. La Fédération est propriétaire des anciennes autoroutes et routes du *Reich*.

2. Les *Länder* ou les collectivités publiques dotées de l'autonomie administrative compétentes selon le droit du *Land* administrent par délégation de la Fédération les autoroutes et autres routes fédérales pour le trafic à grande distance.

3. A la demande d'un *Land*, la Fédération peut placer sous administration fédérale la gestion des autoroutes et autres routes fédérales pour le trafic à grande distance qui sont situées sur le territoire de ce *Land*.

Article 91 (3)

État de crise intérieure

1. Pour écarter un danger menaçant l'existence ou l'ordre constitutionnel libéral et démocratique de la Fédération ou d'un *Land*, un *Land* peut requérir des forces de police d'autres *Länder* ainsi que des forces (4) et équipements d'autres administrations et de la police fédérale des frontières.

2. Si le *Land* où le danger menace n'est pas lui-même prêt à ou en mesure de combattre ce danger, le Gouvernement fédéral peut placer sous son pouvoir d'instruction la police de ce *Land* et les forces de police d'autres *Länder* ainsi qu'engager des unités de la police fédérale des frontières. La décision doit être rapportée après l'élimination du danger et, en outre, à tout moment à la demande du *Bundesrat*. Si le danger s'étend au territoire de plus d'un *Land*, le Gouvernement fédéral peut donner des instructions aux gouvernements des *Länder* dans la mesure où cela est nécessaire pour le combattre efficacement ; les deux premières phrases (du présent alinéa) n'en sont pas affectées.

---

(1) Inséré par la loi fédérale du 6 février 1961.
(2) La seconde phase a été ajoutée par la loi fédérale du 21 décembre 1992.
(3) Amendé par la loi fédérale du 24 juin 1968.
(4) Par exemple corps de protection civile, corps du génie civil d'urgence, corps de sapeurs pompiers, etc.

VIIIa Les tâches communes (1)

Article 91a
Participation de la Fédération sur la base de lois fédérales

1. La Fédération participe à l'accomplissement des tâches des *Länder* dans les secteurs suivants, si ces tâches sont importantes pour l'ensemble et si cette participation de la Fédération est nécessaire à l'amélioration des conditions de vie (tâches communes) :
1° extension et construction d'établissements d'enseignement supérieur, y compris les centres hospitaliers universitaires,
2° amélioration de la structure économique régionale,
3° amélioration des structures agricoles et de la protection des côtes.

2. Une loi fédérale soumise à l'approbation du *Bundesrat* définira plus précisément les tâches communes. Elle doit contenir les principes généraux de leur accomplissement.

3. La loi prend des dispositions relatives à la procédure et à des institutions en vue d'un plan-cadre commun. L'inscription d'un projet au plan-cadre requiert l'approbation du *Land* sur le territoire duquel il sera réalisé.

4. La Fédération supporte la moitié des dépenses dans chaque *Land,* dans les cas visés à l'alinéa 1er, n° 1 et 2. Dans les cas visés à l'alinéa 1er, n° 3, la Fédération en supporte au moins la moitié ; la participation doit être fixée de façon uniforme pour tous les *Länder*. Les modalités seront réglées par la loi. La disponibilité des crédits reste subordonnée à l'inscription aux budgets de la Fédération et des *Länder*.

5. A leur demande, le Gouvernement fédéral et le *Bundesrat* sont informés de l'état de la réalisation des tâches communes.

Article 91b
Coopération de la Fédération et des *Länder* sur la base de conventions

Sur le fondement de conventions, la Fédération et les *Länder* peuvent coopérer pour la planification de l'enseignement et pour la promotion de centres et de projets de recherche scientifique d'intérêt suprarégional. La répartition des coûts est réglée dans la convention.

IX Le pouvoir judiciaire

Article 92 (2)
Organisation judiciaire

Le pouvoir de rendre la justice est confié aux juges ; il est exercé par la Cour constitutionnelle fédérale, par les cours fédérales prévues par la présente Loi fondamentale et par les tribunaux des *Länder*.

Article 93
Compétences de la Cour constitutionnelle fédérale

1. La Cour constitutionnelle fédérale statue :
1° sur l'interprétation de la présente Loi fondamentale, à l'occasion de litiges sur l'étendue des droits et obligations d'un organe fédéral suprême ou d'autres parties investies de droits propres, soit par la présente Loi fondamentale, soit par le règlement intérieur d'un organe fédéral suprême ;
2° en cas de divergences d'opinion ou de doutes sur la compatibilité formelle et matérielle, soit du droit fédéral ou du droit d'un *Land* avec la présente Loi fondamentale, soit du droit d'un *Land* avec toute autre règle du droit fédéral, sur demande du Gouvernement fédéral, d'un gouvernement de *Land,* ou d'un tiers des membres du *Bundestag ;*
3° en cas de divergences d'opinion sur les droits et obligations de la Fédération et des *Länder,* notamment en ce qui concerne l'exécution par les *Länder* du droit fédéral et l'exercice du contrôle fédéral ;
4° sur les autres litiges de droit public entre la Fédération et les *Länder,* entre différents *Länder* ou à l'intérieur d'un *Land,* lorsqu'ils ne sont justiciables d'aucune autre voie de recours juridictionnel ;

(1) Inséré par la loi fédérale du 12 mai 1969.
(2) Amendé par la loi fédérale du 18 juin 1968.

4a° [1] sur les recours constitutionnels qui peuvent être formés par quiconque estime avoir été lésé par la puissance publique dans l'un de ses droits fondamentaux ou dans l'un de ses droits garantis par les articles 20 alinéa 4, 33, 38, 101, 103 et 104 ;
4b° [1] sur les recours constitutionnels des communes et des groupements de communes, pour violation par une loi du droit d'auto-administration prévu par l'article 28, à condition toutefois, s'il s'agit d'une loi de *Land,* qu'aucun recours ne puisse être introduit devant le tribunal constitutionnel dudit *Land ;*
5° dans les autres cas prévus par la présente Loi fondamentale.

2. La Cour constitutionnelle fédérale intervient en outre dans les autres cas où une loi fédérale lui attribue compétence.

Article 94
Composition de la Cour constitutionnelle fédérale

1. La Cour constitutionnelle fédérale se compose de juges fédéraux et d'autres membres. Les membres de la Cour constitutionnelle fédérale sont élus pour moitié par le *Bundestag* et pour moitié par le *Bundesrat.* Ils ne peuvent appartenir ni au *Bundestag,* ni au *Bundesrat,* ni au Gouvernement fédéral, ni aux organes correspondants d'un *Land.*

2. [1] Une loi fédérale règle son organisation ainsi que sa procédure et détermine les cas dans lesquels ses décisions ont force de loi. Elle peut imposer l'épuisement préalable des voies de recours juridictionnel comme condition du recours constitutionnel et prévoir une procédure particulière d'admission.

Article 95 [2]
Cours suprêmes de la Fédération, chambre commune

1. Dans les domaines de la juridiction ordinaire, de la juridiction administrative, de la juridiction financière, de la juridiction du travail et de la juridiction sociale, la Fédération institue en tant que cours suprêmes la Cour fédérale de justice, la Cour fédérale administrative, la Cour fédérale des finances, la Cour fédérale du travail et la Cour fédérale du contentieux social.

2. Les juges de ces cours suprêmes sont nommés par le ministre fédéral compétent pour la matière considérée, conjointement avec une commission chargée de l'élection des juges, composée des ministres des *Länder* compétents pour la matière considérée et d'un nombre égal de membres élus par le *Bundestag.*

3. Une chambre commune aux cours suprêmes mentionnées à l'alinéa 1er sera instituée en vue de sauvegarder l'unité de la jurisprudence. Les modalités seront réglées par une loi fédérale.

Article 96 [3]
Autres tribunaux fédéraux, exercice de la justice fédérale par des tribunaux des *Länder*

1. La Fédération peut créer un tribunal fédéral pour les affaires de concurrence et de protection de la propriété industrielle.

2. La Fédération peut créer sous forme de tribunaux fédéraux des tribunaux pénaux militaires pour les forces armées. Ces tribunaux n'exercent de juridiction pénale qu'à l'égard des membres des forces armées opérant à l'étranger ou embarqués à bord de navires de guerre ainsi qu'en cas d'état de défense. Les modalités seront réglées par un loi fédérale. Ces tribunaux relèvent du ministre fédéral de la Justice. Les juges titulaires de ces tribunaux doivent satisfaire aux conditions requises pour l'exercice des fonctions de juge.

3. La Cour fédérale de justice fait fonction de cour suprême pour les tribunaux visés aux alinéas 1 et 2.

4. [4] La Fédération peut créer des tribunaux fédéraux pour connaître du contentieux disciplinaire et des recours des personnes liées à elle par un rapport de service et de fidélité de droit public.

---

(1) Inséré par la loi fédérale du 29 janvier 1969.
(2) Amendé par la loi fédérale du 18 juin 1968.
(3) L'article 96 initial a été supprimé par la loi du 18 juin 1968. L'article 96 actuel est l'ancien article 96a inséré par la loi fédérale du 19 mars 1956 et amendé par les lois fédérales du 6 mars 1961, 18 juin 1968, 12 mai 1969 et 26 août 1969.
(4) Amendé par la loi fédérale du 12 mai 1969.

5. (1) En ce qui concerne les procédures pénales dans les matières de l'article 26, alinéa 1er et de la sûreté de l'État, une loi fédérale prise avec l'approbation du *Bundesrat* peut prévoir que des tribunaux des *Länder* exerceront la justice fédérale.

Article 97

Indépendance des juges

1. Les juges sont indépendants et ne sont soumis qu'à la loi.

2. Les juges nommés définitivement à titre principal dans un emploi permanent ne peuvent, avant l'expiration de leurs fonctions et contre leur gré, être révoqués, suspendus définitivement ou temporairement de leurs fonctions, mutés à un autre emploi ou mis à la retraite, qu'en vertu d'une décision de justice, et uniquement pour les motifs et dans les formes prévus par la loi. La législation peut fixer les limites d'âge auxquelles les juges nommés à vie sont admis à faire valoir leurs droits à la retraite. En cas de modification de l'organisation des tribunaux ou de leurs ressorts territoriaux, les juges pourront être mutés à un autre tribunal ou relevés de leurs fonctions, en conservant toutefois le bénéfice de l'intégralité de leur traitement.

Article 98 (2)

Statut des juges dans la Fédération et les *Länder*

1. Le statut des juges fédéraux doit être réglé par une loi fédérale spéciale.

2. Si, dans l'exercice de ses fonctions ou en-dehors de celles-ci, un juge fédéral contrevient aux principes de la Loi fondamentale ou à l'ordre constitutionnel d'un *Land*, la Cour constitutionnelle fédérale peut, à la demande du *Bundestag* et à la majorité des deux tiers, ordonner la mutation du juge à d'autres fonctions ou sa mise à la retraite. Si le juge y contrevient intentionnellement, la révocation peut être prononcée.

3. Le statut des juges des *Länder* est fixé par des lois spéciales de *Land*. La Fédération peut édicter des lois-cadres dans la mesure où l'article 74a, alinéa 4 n'en dispose pas autrement.

4. Les *Länder* peuvent décider que la nomination des juges des *Länder* appartient au ministre de la Justice du *Land* conjointement avec une commission chargée de l'élection des juges.

5. Les *Länder* peuvent adopter pour les juges des *Länder* une réglementation correspondant à celle prévue à l'alinéa 2 ci-dessus. Le droit constitutionnel des *Länder* n'est pas affecté par ce qui précède. La Cour constitutionnelle fédérale statue sur les accusations de violation de la Constitution portées contre les juges.

Article 99 (3)

Jugement par la Cour constitutionnelle fédérale et les Cours suprêmes de la Fédération de litiges régis par le droit d'un *Land*

Une loi de *Land* peut attribuer à la Cour constitutionnelle fédérale le jugement de litiges constitutionnels internes au *Land* et aux cours suprêmes mentionnées à l'article 95, alinéa 1er, le jugement en dernière instance d'affaires dans lesquelles le droit de *Land* est applicable.

Article 100

Contrôle concret des normes

1. Si un tribunal estime qu'une loi dont la validité conditionne sa décision est inconstitutionnelle, il doit surseoir à statuer et soumettre la question à la décision du tribunal compétent pour les litiges constitutionnels du *Land* s'il s'agit de la violation de la Constitution d'un *Land*, à la décision de la Cour constitutionnelle fédérale s'il s'agit de la violation de la présente Loi fondamentale. Il en est de même s'il s'agit de la violation de la présente Loi fondamentale par le droit d'un *Land* ou de l'incompatibilité d'une loi de *Land* avec une loi fédérale.

2. Si, au cours d'un litige, il y a doute sur le point de savoir si une règle de droit international public fait partie intégrante du droit fédéral et si elle crée directement des droits et obligations pour les

(1) Inséré par la loi fédérale du 26 août 1969.
(2) Amendé par la loi fédérale du 18 mars 1971.
(3) Amendé par la loi fédérale du 18 juin 1968.

individus (article 25), le tribunal doit soumettre la question à la décision de la Cour constitutionnelle fédérale.

3. [1] Si, lors de l'interprétation de la Loi fondamentale, le tribunal constitutionnel d'un *Land* entend s'écarter d'une décision de la Cour constitutionnelle fédérale ou du tribunal constitutionnel d'un autre *Land*, il doit soumettre la question à la décision de la Cour constitutionnelle fédérale.

Article 101
Interdiction de tribunaux d'exception

1. Les tribunaux d'exception sont interdits. Nul ne doit être soustrait à son juge légal.

2. Seule la loi peut créer des tribunaux pour des matières spéciales.

Article 102
Abolition de la peine de mort

La peine de mort est abolie.

Article 103
Droit à être entendu, interdiction des lois pénales rétroactives et du cumul des peines

1. Devant les tribunaux, chacun a le droit d'être entendu.

2. Un acte n'est passible d'une peine que s'il était punissable selon la loi en vigueur avant qu'il ait été commis.

3. Nul ne peut être puni plusieurs fois pour le même acte en vertu du droit pénal commun.

Article 104
Garanties juridiques en cas de détention

1. La liberté de la personne ne peut être restreinte qu'en vertu d'une loi formelle et dans le respect des formes qui y sont prescrites. Les personnes arrêtées ne doivent être maltraitées ni moralement, ni physiquement.

2. Seul le juge peut se prononcer sur le caractère licite et sur la prolongation d'une privation de liberté. Pour toute privation de liberté non ordonnée par le juge, une décision juridictionnelle devra être immédiatement provoquée. La police ne peut, de sa propre autorité, détenir quelqu'un sous sa garde au-delà du jour qui suit son arrestation. Les modalités devront être réglées par la loi.

3. Toute personne soupçonnée d'avoir commis une infraction pénale et provisoirement détenue pour cette raison, doit être conduite, au plus tard le lendemain de son arrestation devant un juge qui doit lui notifier les motifs de l'arrestation, l'interroger et lui donner la possibilité de formuler ses objections. Le juge doit immédiatement, soit délivrer un mandat d'arrêt écrit et motivé, soit ordonner la mise en liberté.

4. Toute décision juridictionnelle ordonnant ou prolongeant une privation de liberté doit immédiatement être portée à la connaissance d'un parent de la personne détenue ou d'une personne jouissant de sa confiance.

X Les finances

Article 104a [2]
Répartition des dépenses entre la Fédération et les *Länder*

1. La Fédération et les *Länder* supportent chacun pour leur part les dépenses résultant de l'accomplissement de leurs tâches respectives, pour autant que la présente Loi fondamentale n'en dispose pas autrement.

2. Lorsque les *Länder* agissent par délégation de la Fédération, celle-ci supporte les dépenses qui en résultent.

3. Les lois fédérales accordant des prestations pécuniaires et exécutées par les *Länder* peuvent disposer que ces prestations soient supportées en totalité ou en partie par la Fédération. Si une telle loi dispose que la Fédération assume la moité des dépenses ou plus, elle est exécutée par délégation de la Fédération. Si elle dispose que les *Länder* supportent le quart des dépenses ou plus, elle requiert l'approbation du *Bundesrat*.

(1) Amendé par la loi fédérale du 18 juin 1968.
(2) Inséré par la loi fédérale du 12 mai 1969.

4. La Fédération peut accorder aux *Länder* des aides financières destinées aux investissements particulièrement importants des *Länder* et des communes (ou groupements de communes) lorsque ceux-ci sont nécessaires, soit pour parer une perturbation de l'équilibre global de l'économie, soit pour compenser les inégalités de développement économique existant à l'intérieur du territoire fédéral, soit pour promouvoir la croissance économique. Les dispositions d'application, notamment celles relatives à la nature des investissements à encourager, sont fixées par une loi fédérale soumise à l'approbation du *Bundesrat* ou par un accord administratif conclu en application de la loi de finances fédérale.

5. La Fédération et les *Länder* supportent les dépenses d'administration de leurs services respectifs et sont responsables les uns vis-à-vis des autres du bon fonctionnement de leur administration. Les modalités seront fixées par une loi fédérale qui requiert l'approbation du *Bundesrat*.

Article 105

Compétence législative

1. La Fédération a la compétence législative exclusive en matière de droits de douane et monopoles fiscaux.

2. (1) La Fédération a la compétence législative concurrente pour les autres impôts lorsque tout ou partie de leur produit lui revient ou lorsque les conditions prévues à l'article 72, alinéa 2 sont réunies.

2a. (2) Les *Länder* ont le pouvoir de légiférer en matière d'impôts locaux sur la consommation et certains éléments du train de vie, aussi longtemps et pour autant que ces impôts ne sont pas similaires à des impôts régis par la législation fédérale.

3. Les lois fédérales relatives aux impôts dont tout ou partie du produit revient aux *Länder* ou aux communes (ou groupements de communes) requièrent l'approbation du *Bundesrat*.

Article 106 (3)

Répartition du produit des impôts

1. Le produit des monopoles fiscaux et des impôts suivants revient à la Fédération :

1° droits de douane,
2° impôts sur la consommation pour autant qu'ils ne sont pas attribués aux *Länder* en application de l'alinéa 2, ou conjointement à la Fédération et aux *Länder* en application de l'alinéa 3, ou aux communes en application de l'alinéa 6,
3° impôt sur les transports routiers de marchandises,
4° impôts sur les mouvements de capitaux, impôt sur les assurances et impôt sur les effets de commerce,
5° prélèvements exceptionnels sur le patrimoine et prélèvements perçus en exécution de la péréquation des charges résultant de la guerre,
6° prélèvement additionnel à l'impôt sur le revenu et à l'impôt sur les sociétés,
7° taxes et prélèvements opérés dans le cadre des Communautés européennes.

2. Le produit des impôts suivants revient aux *Länder :*

1° impôt sur la fortune,
2° impôt sur les successions,
3° impôt sur les véhicules à moteur,
4° impôts sur les mutations et les transactions pour autant qu'ils ne sont pas attribués à la Fédération en application de l'alinéa 1er, ni conjointement à la Fédération et aux *Länder* en application de l'alinéa 3,
5° impôt sur la bière,
6° prélèvement sur les établissements de jeu.

3. Le produit de l'impôt sur le revenu, de l'impôt sur les sociétés et de l'impôt sur le chiffre d'affaires revient conjointement à la Fédération et aux *Länder* (impôts communs) pour autant, en ce qui concerne le produit de l'impôt sur le revenu, que celui-ci ne soit pas attribué aux communes en application de l'alinéa 5. Le produit de l'impôt sur le revenu et de l'impôt sur les sociétés est réparti par moitiés entre la Fédération et les *Länder*. En ce qui concerne le produit de l'impôt sur le chiffre d'affaires, les quotes-parts de la Fédération et des *Länder* sont fixées par une loi fédérale qui requiert l'approbation du *Bundesrat*. Leur détermination doit répondre aux principes suivants :

1° Dans le cadre des recettes ordinaires, la Fédération et les *Länder* ont un droit égal à

(1) Amendé par la loi fédérale du 12 mai 1969.
(2) Inséré par la loi fédérale du 12 mai 1969.
(3) Amendé par les lois fédérales du 23 décembre 1955, du 24 décembre 1956 et du 12 mai 1969.

la couverture des dépenses qui leur sont nécessaires. Pour ce, le montant des dépenses doit être arrêté en fonction d'un plan financier pluriannuel.

2° Les besoins financiers de la Fédération et des *Länder* doivent être ajustés entre eux de telle sorte qu'une juste péréquation soit obtenue, qu'une surimposition des contribuables soit évitée et que l'homogénéité des conditions de vie sur le territoire fédéral soit sauvegardée.

4. Les quotes-parts de la Fédération et des *Länder* dans le produit de l'impôt sur le chiffre d'affaires doivent faire l'objet d'une nouvelle fixation si le rapport entre les recettes et les dépenses de la Fédération et des *Länder* se modifie de manière sensible. Si une loi fédérale impose aux *Länder* des dépenses supplémentaires ou leur retire des recettes, la charge supplémentaire — dès lors qu'elle est de courte durée — peut être compensée par des dotations versées par la Fédération en application d'une loi fédérale qui requiert l'approbation du *Bundesrat*. Cette loi détermine les principes applicables au calcul de ces dotations et à leur répartition entre les *Länder*.

5. Les communes reçoivent une quote-part des recettes de l'impôt sur le revenu, laquelle est rétrocédée par les *Länder* à leurs communes au prorata de l'impôt sur le revenu payé par leurs habitants. Les modalités sont fixées par une loi fédérale qui requiert l'approbation du *Bundesrat*. Cette loi peut décider que les communes fixeront les taux d'imposition de la part communale.

6. Le produit des impôts réels revient aux communes ; le produit des impôts locaux sur la consommation et sur certains éléments du train de vie revient aux communes ou, dans les conditions prévues par la législation des *Länder*, aux groupements de communes. Il doit être accordé aux communes le droit de fixer les taux de perception des impôts réels dans les limites définies par la loi. Si un *Land* ne comporte pas de commune, le produit des impôts réels et des impôts locaux sur la consommation et certains éléments du train de vie revient au *Land*. La Fédération et les *Länder* peuvent participer, par voie de prélèvement, au produit de la taxe professionnelle. Les modalités de ce prélèvement seront fixées par une loi fédérale qui requiert l'approbation du *Bundesrat*. Les impôts réels et la quote-part communale de l'impôt sur le revenu peuvent, dans les conditions fixées par la législation des *Länder*, être retenus comme bases de calcul pour les prélèvements.

7. Sur la part des *Länder* dans le produit total des impôts communs, il est prélevé un pourcentage fixé par la législation du *Land* au bénéfice des communes et groupements de communes. En outre, la législation du *Land* détermine si et dans quelle mesure le produit des impôts du *Land* est attribué aux communes (ou groupements de communes).

8. Si la Fédération réalise dans certains *Länder* ou dans certaines communes (ou groupements de communes) des installations particulières entraînant directement pour ces *Länder* ou communes (ou groupements de communes) une augmentation des dépenses ou une diminution des recettes (charges spéciales), la Fédération accorde la compensation nécessaire dans la mesure où il serait abusif d'exiger des *Länder* ou des communes (ou groupements de communes) qu'ils supportent ces charges spéciales. La compensation tient compte des indemnisations versées par des tiers et des avantages financiers résultant de ces projets pour les *Länder* et les communes.

9. Sont également considérées comme recettes et dépenses des *Länder* au sens du présent article les recettes et les dépenses des communes (ou groupements de communes).

Article 107 (1)

Péréquation financière

1. Le produit des impôts de *Land* ainsi que la quote-part des *Länder* dans le produit de l'impôt sur le revenu et de l'impôt sur les sociétés sont attribués aux différents *Länder* dans la mesure où ces impôts ont été encaissés sur leur territoire par les administrations des finances (produit local). En ce qui concerne l'impôt sur les sociétés et l'im-

(1) Amendé par les lois fédérales du 23 décembre 1955 et du 12 mai 1969.

pôt sur les salaires, une loi fédérale requérant l'approbation du *Bundesrat* précise les dispositions relatives à la détermination du produit local ainsi qu'aux modalités et à l'ampleur de sa répartition. La loi peut aussi définir les règles de délimitation et de répartition du produit local d'autres impôts. La quote-part revenant aux *Länder* dans le produit de l'impôt sur le chiffre d'affaires est attribuée à chaque *Land* au prorata du nombre d'habitants ; à concurrence d'une fraction qui ne pourra dépasser le quart de la part revenant aux *Länder,* une loi fédérale requérant l'approbation du *Bundesrat* peut prévoir des quotes-parts complémentaires au bénéfice des *Länder* dont les recettes par tête d'habitant au titre des impôts de *Land* et au titre des impôts sur le revenu et sur les sociétés sont inférieures à la moyenne de l'ensemble des *Länder.*

2. La loi doit assurer une compensation appropriée des inégalités de capacité financière entre les *Länder,* en tenant compte de la capacité et des besoins financiers des communes (ou groupements de communes). La loi doit définir les conditions d'existence des droits à péréquation des *Länder* bénéficiaires et des obligations de péréquation des *Länder* prestataires ainsi que les critères de détermination des versements de péréquation. Elle peut également disposer que la Fédération, sur ses ressources propres, accorde aux *Länder* à faible capacité financière, des dotations destinées à les aider à couvrir leurs besoins financiers généraux (dotations complémentaires).

Article 108 (1)

Administration financière

1. Les droits de douane, les monopoles fiscaux, les impôts de consommation régis par la législation fédérale, y compris l'impôt sur le chiffre d'affaires à l'importation, ainsi que les taxes et prélèvements opérés dans le cadre des Communautés européennes sont gérés par les administrations fédérales des finances. Une loi fédérale définit l'organisation de ces administrations. Les directeurs des autorités administratives de niveau intermédiaire sont nommés après consultation des gouvernements des *Länder.*

2. Les autres impôts sont gérés par les administrations financières des *Länder.* L'organisation de ces administrations et la formation uniforme de leurs fonctionnaires peuvent être réglées par une loi fédérale approuvée par le *Bundesrat.* Les directeurs des autorités administratives de niveau intermédiaire sont nommés en accord avec le Gouvernement fédéral.

3. Lorsque les administrations financières des *Länder* gèrent des impôts dont tout ou partie du produit revient à la Fédération, elles agissent par délégation de la Fédération. L'article 85, alinéas 3 et 4 est applicable, sous cette réserve que le ministre fédéral des Finances est substitué au Gouvernement fédéral.

4. Une loi fédérale requérant l'approbation du *Bundesrat* peut prévoir que certains impôts soient gérés conjointement par les administrations des finances de la Fédération et des *Länder,* ou bien que les impôts énumérés à l'alinéa 1er soient gérés par les administrations financières des *Länder,* ou que les autres impôts soient gérés par les administrations des finances de la Fédération, à condition et pour autant que l'application des lois fiscales s'en trouve substantiellement améliorée ou facilitée. La gestion des impôts dont le produit est attribué aux seules communes (ou groupements de communes), et qui relève normalement des administrations financières des *Länder,* peut être confiée en totalité ou en partie par les *Länder* aux communes (ou groupements de communes).

5. Une loi fédérale définit la procédure que doivent suivre les administrations fédérales des finances. Une loi fédérale peut définir avec l'approbation du *Bundesrat* la procédure que doivent suivre les administrations financières des *Länder* et dans les cas visés à l'alinéa 4, 2e phrase, les communes (ou groupements de communes).

6. Une loi fédérale règle de façon uniforme la juridiction financière.

7. Pour autant que la gestion incombe aux administrations financières des *Länder* ou aux communes (ou groupements de communes), le Gouvernement fédéral peut édicter des prescriptions administrati-

(1) Amendé par la loi fédérale du 12 mai 1969.

ves générales avec l'approbation du *Bundesrat*.

Article 109 (1)
Gestion budgétaire de la Fédération et des *Länder*

1. La Fédération et les *Länder* sont autonomes et indépendants les uns des autres dans leur gestion budgétaire.

2. Dans leur politique budgétaire, la Fédération et les *Länder* doivent tenir compte des exigences de l'équilibre global de l'économie.

3. Une loi fédérale requérant l'approbation du *Bundesrat* peut établir pour la Fédération et les *Länder* des principes communs de droit budgétaire, de politique budgétaire conjoncturelle et de planification financière pluriannuelle.

4. En vue de parer à une perturbation de l'équilibre global de l'économie, une loi fédérale requérant l'approbation du *Bundesrat*, peut

1° prescrire les plafonds, les conditions et l'échelonnement dans le temps des emprunts des collectivités territoriales et des syndicats de communes, et

2° obliger la Fédération et les *Länder* à conserver en dépôt auprès de la Banque fédérale allemande des avoirs non productifs d'intérêts (réserves de compensation conjoncturelle). Seul le Gouvernement fédéral peut être autorisé à édicter des règlements. Ces règlements requièrent l'approbation du *Bundesrat*. Ils doivent être abrogés si le *Bundesrat* le demande ; les modalités seront réglées par une loi fédérale.

Article 110 (2)
Budget et loi de finances de la Fédération

1. Toutes les recettes et dépenses de la Fédération doivent être inscrites au budget ; dans le cas des entreprises fédérales à gestion commerciale et des patrimoines de la Fédération ayant une affectation spéciale, il suffit d'inscrire les crédits venant du budget général ou les versements au budget général. Les recettes et les dépenses doivent s'équilibrer.

2. Le budget est établi sur une base annuelle pour une ou plusieurs années budgétaires et arrêté par la loi de finances avant le début de la première année. Il peut être prévu que certaines parties du budget valent pour des durées différentes, divisées en années budgétaires.

3. Conformément à l'alinéa 2, 1re phrase, le projet de loi de finances ainsi que les projets de loi de finances rectificatives et les projets de rectification du budget sont déposés au *Bundestag* en même temps qu'ils sont transmis au *Bundesrat ;* le *Bundesrat* est en droit de prendre position sur ces projets dans un délai de six semaines, réduit à trois semaines pour les projets rectificatifs.

4. La loi de finances ne doit contenir que des dispositions se rapportant aux recettes et aux dépenses de la Fédération et à la période pour laquelle elle est adoptée. La loi de finances peut prévoir que ses dispositions ne deviendront caduques qu'avec la promulgation de la loi de finances suivante, ou à une date ultérieure en cas d'autorisation dans le cadre de l'article 115.

Article 111
Gestion budgétaire provisoire

1. Si la loi arrêtant le budget de l'année suivante n'a pas été adoptée avant la clôture de l'année budgétaire en cours, le Gouvernement fédéral est autorisé, jusqu'à l'entrée en vigueur de cette loi, à effectuer toutes les dépenses nécessaires,

a) pour maintenir en activité les institutions créées par la loi et exécuter les mesures légalement décidées,
b) pour acquitter les obligations juridiquement certaines de la Fédération,
c) pour poursuivre les travaux de construction, les acquisitions ou la fourniture de prestations, ou pour continuer à accorder des aides à ces fins, pour autant que des crédits aient déjà été ouverts pour de telles dépenses au budget d'une année antérieure.

2. Si les dépenses visées à l'alinéa 1er ne sont couvertes ni par des recettes prévues par une loi spéciale et provenant de la perception d'impôts, de taxes et de toutes

(1) Amendé par les lois fédérales du 8 juin 1967 et du 12 mars 1969.
(2) Amendé par la loi fédérale du 12 mai 1969.

autres sources, ni par les réserves des fonds de roulement, le Gouvernement fédéral peut se procurer par voie d'emprunt les liquidités nécessaires à la continuité de la gestion financière, jusqu'à concurrence du quart du montant total du budget venu à expiration.

Article 112 (1)

Dépassements de crédits et dépenses extraordinaires

Les dépassements de crédits et les dépenses extraordinaires doivent être approuvés par le ministre fédéral des Finances. Cette approbation ne peut être donnée qu'en cas de nécessité imprévue et impérieuse. Les modalités pourront être réglées par une loi fédérale.

Article 113 (1)

Approbation du Gouvernement fédéral pour toute augmentation des dépenses ou diminution des recettes

1. Les lois qui augmentent les dépenses budgétaires proposées par le Gouvernement fédéral ou qui impliquent des dépenses nouvelles ou qui en entraîneront pour l'avenir doivent être approuvées par le Gouvernement fédéral. Il en est de même des lois qui impliquent des diminutions de recettes ou qui en entraîneront pour l'avenir. Le Gouvernement fédéral peut demander au *Bundestag* d'ajourner le vote de ces lois. Le Gouvernement fédéral dispose alors d'un délai de six semaines pour faire connaître sa position au *Bundestag*.

2. Dans les quatre semaines qui suivent l'adoption de la loi, le Gouvernement fédéral peut demander au *Bundestag* une nouvelle délibération.

3. Lorsque la loi est parfaite au sens de l'article 78, le Gouvernement fédéral ne dispose que d'un délai de six semaines pour refuser son approbation, sous réserve d'avoir préalablement recouru, soit à la procédure prévue à l'alinéa 1er, troisième et quatrième phrases, soit à celle prévue à l'alinéa 2. A l'expiration de ce délai, l'approbation est considérée comme acquise.

Article 114 (1)

Reddition et vérification des comptes

1. Le ministre fédéral des Finances doit dans l'année qui suit une année budgétaire présenter au *Bundestag* et au *Bundesrat* un compte retraçant toutes les recettes et les dépenses, ainsi qu'un état des avoirs et des dettes, en vue d'obtenir le quitus du Gouvernement fédéral.

2. La Cour fédérale des comptes, dont les membres bénéficient de l'indépendance reconnue aux juges, vérifie les comptes ainsi que la rentabilité et la régularité de la gestion budgétaire et économique. Elle doit faire rapport directement chaque année tant au Gouvernement fédéral qu'au *Bundestag* et au *Bundesrat*. Au surplus, les attributions de la Cour fédérale des comptes seront réglées par une loi fédérale.

Article 115 (1)

Recours à l'emprunt

1. La souscription d'emprunts ainsi que les engagements sous forme de cautions, de garanties ou de sûretés de toute nature, qui pourraient engendrer des dépenses pour les années budgétaires à venir, doivent être autorisés par une loi fédérale qui en fixe ou permet d'en fixer le montant. Le produit des emprunts ne doit pas dépasser le montant des crédits d'investissements inscrits au budget, il ne peut être dérogé à cette règle que pour lutter contre une perturbation de l'équilibre économique global. Les modalités seront réglées par une loi fédérale.

2. Pour les patrimoines de la Fédération ayant une affectation spéciale, des dérogations à l'alinéa 1er peuvent être autorisées par une loi fédérale.

Xa L'état de défense (2)

Article 115a

Notion et constatation

1. Il appartient au *Bundestag* avec l'approbation du *Bundesrat*, de constater

(1) Amendé par la loi fédérale du 12 mai 1969.
(2) La section Xa tout entière a été insérée par la loi fédérale du 24 juin 1968.

que le territoire fédéral fait l'objet d'une agression armée, ou qu'une telle agression est imminente (état de défense). La constatation est faite à la demande du Gouvernement fédéral et requiert la majorité des deux tiers des voix exprimées correspondant au moins à la majorité des membres composant le *Bundestag*.

2. Si la situation exige impérativement une action immédiate et si par suite d'obstacles insurmontables le *Bundestag* n'a pu se réunir en temps utile, ou ne peut délibérer faute de quorum, cette constatation sera faite par la commission commune à la majorité des deux tiers des voix exprimées correspondant au moins à la majorité de ses membres.

3. Conformément à l'article 82, la constatation est promulguée par le Président fédéral au *Journal officiel fédéral*. Si cette promulgation ne peut être accomplie en temps voulu, elle intervient sous une autre forme ; elle sera reprise au *Journal officiel fédéral* dès que les circonstances le permettront.

4. Si le territoire fédéral fait l'objet d'une agression armée et que les organes fédéraux compétents sont dans l'impossibilité de constater l'état de défense conformément à l'alinéa 1er, première phrase, cette constatation est réputée avoir été faite et promulguée au moment où l'agression a débuté. Le Président fédéral fait connaître cette date dès que les circonstances le permettent.

5. Si la constatation de l'état de défense a été promulguée et que le territoire fédéral fait l'objet d'une agression armée, le Président fédéral peut, avec l'approbation du *Bundestag,* procéder à des déclarations internationales sur l'existence de l'état de défense. Dans les circonstances prévues à l'alinéa 2, la commission commune se substitue au *Bundestag*.

Article 115b

Transfert au Chancelier de l'autorité et du commandement sur les forces armées

La promulgation de l'état de défense emporte transfert au Chancelier fédéral de l'autorité et du commandement sur les forces armées.

Article 115c

Compétence législative élargie de la Fédération

1. Pendant l'état de défense, la Fédération a la compétence législative concurrente même dans les domaines relevant de la compétence législative des *Länder*. Ces lois requièrent l'approbation du *Bundesrat*.

2. Si les circonstances l'exigent pendant l'état de défense, des lois fédérales prises pour l'état de défense peuvent :
1° édicter en matière d'indemnisation pour expropriation une réglementation provisoire dérogeant à l'article 14, alinéa 3, deuxième phrase;
2° fixer pour l'application de mesures privatives de liberté un délai dérogeant à l'article 104, alinéa 2, troisième phrase et alinéa 3, première phrase, sans toutefois que l'allongement du délai puisse excéder quatre jours, pour le cas où le juge ne pourrait assumer ses fonctions dans le délai prévu pour les circonstances normales.

3. (1) Si cela est nécessaire pour faire échec à une agression en cours ou à une menace imminente d'agression, une loi fédérale prise avec l'approbation du *Bundesrat* peut, pour l'état de défense, organiser l'administration et les finances de la Fédération et des *Länder* en dérogation aux sections VIII, VIIIa et X, sous réserve de sauvegarder, notamment du point de vue financier, les possibilités d'existence des *Länder,* communes et groupements de communes.

4. Les lois fédérales adoptées en vertu des alinéas 1 et 2 n° 1, peuvent, pour la préparation de leur exécution, être appliquées dès avant l'entrée en vigueur de l'état de défense.

Article 115d

Procédure législative applicable aux projets urgents

1. La compétence législative de la Fédération s'exerce pendant l'état de défense conformément aux alinéas 2 et 3, par dérogation aux articles 76 alinéa 2, 77 alinéa 1er, deuxième phrase et alinéas 2 à 4, 78 et 82 alinéa 2.

(1) Amendé par la loi fédérale du 12 mai 1969.

2. Les projets de lois du Gouvernement fédéral qui ont été déclarés urgents sont transmis au *Bundesrat* en même temps qu'ils sont déposés au *Bundestag*. Le *Bundestag* et le *Bundesrat* délibèrent immédiatement en commun sur ces projets. Si l'adoption d'une loi requiert l'approbation du *Bundesrat,* celle-ci est donnée à la majorité des voix. Les modalités seront réglées par un règlement intérieur qui est voté par le *Bundestag* et requiert l'approbation du *Bundesrat*.

3. Pour la promulgation des lois, l'article 115a, alinéa 3, deuxième phrase s'applique par analogie.

Article 115e
Pouvoirs de la commission commune

1. Si, pendant l'état de défense, la commission commune constate à la majorité des deux tiers des voix exprimées, correspondant à la majorité des membres la composant, que des obstacles insurmontables s'opposent à la réunion en temps utile du *Bundestag* ou que celui-ci ne peut délibérer faute de quorum, la commission commune se substitue au *Bundestag* au *Bundesrat,* et exerce l'ensemble de leurs prérogatives.

2. La Loi fondamentale ne peut être ni révisée ni suspendue ou abrogée en totalité ou en partie, par une loi de la commission commune. La commission commune n'a pas compétence pour édicter les lois prévues à l'article 23 alinéa 1er deuxième phrase (1), à l'article 24 alinéa 1er ou à l'article 29.

Article 115f
Attributions du Gouvernement fédéral ;

1. Le Gouvernement fédéral peut, pendant l'état de défense et pour autant que les circonstances l'exigent :
1° engager la police fédérale des frontières sur l'ensemble du territoire fédéral ;
2° donner des instructions, non seulement à l'administration fédérale, mais aussi aux gouvernements des *Länder* et, s'il l'estime urgent, aux autorités administratives des *Länder,* et déléguer ce pouvoir à des membres des gouvernements de *Länder* désignés par lui.

2. Le *Bundestag,* le *Bundesrat* et la commission commune doivent être immédiatement informés des mesures prises en vertu de l'alinéa 1er.

Article 115g
Statut de la Cour constitutionnelle fédérale

Il ne peut être porté atteinte ni au statut ni à l'exercice des missions constitutionnelles de la Cour constitutionnelle fédérale et de ses juges. La loi relative à la Cour constitutionnelle fédérale ne peut être modifiée par une loi de la commission commune que pour autant que, de l'avis même de la Cour constitutionnelle, cela est nécessaire pour la maintenir en état de remplir ses fonctions. Jusqu'à l'édiction d'une telle loi, la Cour constitutionnelle fédérale peut prendre les mesures nécessaires à son maintien en activité. Les décisions intervenant sur la base des phrases 2 et 3 sont adoptées par la Cour constitutionnelle fédérale à la majorité des juges présents.

Article 115h
Fonctionnement des organes constitutionnels

1. Les législatures du *Bundestag* ou des représentations du peuple dans les *Länder* qui arrivent à échéance pendant l'état de défense, prennent fin six mois après la cessation de l'état de défense. Le mandat du Président fédéral arrivant à échéance pendant l'état de défense, ainsi que l'exercice de ses pouvoirs par le président du *Bundesrat* par suite de vacance anticipée des fonctions, prennent fin neuf mois après la cessation de l'état de défense. Le mandat d'un membre de la Cour constitutionnelle fédérale arrivant à échéance pendant l'état de défense prend fin six mois après la cessation de l'état de défense.

2. Si l'élection par la commission commune d'un nouveau Chancelier fédéral s'avère nécessaire, celle-ci élit un nouveau Chancelier fédéral à la majorité de ses membres ; le Président fédéral fait une proposition à la commission commune. La commission commune ne peut exprimer sa

---

(1) La mention de l'article 23 a été introduite en vertu de la loi fédérale du 21 décembre 1992.

défiance envers le Chancelier fédéral qu'en élisant un successeur à la majorité des deux tiers de ses membres.

3. La dissolution du *Bundestag* est exclue pour la durée de l'état de défense.

Article 115i
Attributions des gouvernements des *Länder*

1. Lorsque les organes fédéraux compétents sont dans l'impossibilité de prendre les mesures qui s'imposent pour écarter le danger et lorsque la situation exige impérativement une action autonome et immédiate dans certaines parties du territoire fédéral, les gouvernements des *Länder* ou les autorités désignées par eux, ou leurs délégués, sont habilités à prendre dans leur ressort les mesures envisagées par l'article 115f, alinéa 1er.

2. Les mesures prévues à l'alinéa 1er peuvent à tout moment être rapportées par le Gouvernement fédéral ainsi que par les ministres-présidents des *Länder*, pour ce qui concerne les administrations des *Länder* et les autorités subordonnées de l'administration fédérale.

Article 115k
Durée de validité des lois et règlements exceptionnels

1. Aussi longtemps qu'elles sont applicables, les lois prises en vertu des articles 115c, 115e et 115g, et les règlements pris sur la base de ces lois ont pour effet de suspendre toute disposition contraire. Ceci ne vaut pas pour les dispositions qui ont été édictées antérieurement sur la base de ces articles 115c, 115e et 115g.

2. Les lois adoptées par la commission commune ainsi que les règlements pris sur la base de ces lois deviennent caducs au plus tard six mois après la cessation de l'état de défense.

3. (1) Les lois comportant des dispositions dérogatoires aux articles 91a, 91b, 104a, 106 et 107, restent en vigueur au plus tard jusqu'à la clôture du second exercice budgétaire qui suit la cessation de l'état de défense. Après la cessation de l'état de défense, elles peuvent être modifiées par une loi fédérale prise avec l'approbation du *Bundesrat*, afin d'assurer la transition avec une réglementation conforme aux sections VIIIa et X.

Article 115l
Abrogation des lois et mesures exceptionnelles, fin de l'état de défense, conclusion de la paix

1. Le *Bundestag* peut à tout moment avec l'accord du *Bundesrat* rapporter les lois adoptées par la commission commune. Le *Bundesrat* peut demander au *Bundestag* qu'il se prononce à ce sujet. Les autres mesures prises par la commission commune ou par le Gouvernement fédéral pour écarter le danger doivent être levées si le *Bundestag* et le *Bundesrat* en décident ainsi.

2. Le *Bundestag* peut avec l'accord du *Bundesrat* proclamer à tout moment la cessation de l'état de défense, par une décision qui doit être promulguée par le Président fédéral. Le *Bundesrat* peut demander au *Bundestag* qu'il se prononce à ce sujet. La cessation de l'état de défense doit être déclarée immédiatement, lorsque les conditions nécessaires à sa constatation ne sont plus réunies.

3. La conclusion de la paix est décidée par une loi fédérale.

XI Dispositions transitoires et finales

Article 116
Notion d'« Allemand », réintégration dans la nationalité allemande

1. Sauf réglementation législative contraire, est Allemand au sens de la présente Loi fondamentale, quiconque possède la nationalité allemande ou a été admis sur le territoire du *Reich* allemand tel qu'il existait au 31 décembre 1937, en qualité de réfugié ou d'expulsé appartenant au peuple allemand, ou de conjoint ou de descendant de ces derniers.

2. Les anciens nationaux allemands déchus de leur nationalité entre le 30 janvier

(1) Amendé par la loi fédérale du 12 mai 1969.

1933 et le 8 mai 1945, pour des raisons politiques, raciales ou religieuses ainsi que leurs descendants doivent être réintégrés à leur demande dans la nationalité allemande. Ils sont considérés comme n'ayant pas été déchus de leur nationalité s'ils ont fixé leur domicile en Allemagne après le 8 mai 1945 et s'ils n'ont pas exprimé une volonté contraire.

Article 117
Disposition transitoire relative aux articles 3 et 11

1. Toute règle contraire à l'article 3, alinéa 2 reste en vigueur jusqu'à ce qu'elle ait été mise en conformité avec cette disposition de la Loi fondamentale, mais pas au-delà du 31 mars 1953.

2. Les lois qui, en raison de la pénurie actuelle de logement, restreignent la liberté de circulation et d'établissement demeureront en vigueur jusqu'à leur abrogation par une loi fédérale.

Article 118
Restructuration des *Länder* du sud-ouest

Par dérogation aux dispositions de l'article 29, la restructuration des territoires des *Länder* de Bade, de Wurtemberg-Bade et Wurtemberg-Hohenzollern, peut être effectuée par voie d'accord entre les *Länder* intéressés. A défaut d'accord, la restructuration sera organisée par une loi fédérale qui devra prévoir une consultation populaire (1).

Article 119
Décrets-lois relatifs aux réfugiés et expulsés

En ce qui concerne les réfugiés et les expulsés, et notamment leur répartition entre les *Länder*, le Gouvernement fédéral peut, dans l'attente d'une réglementation législative fédérale, édicter avec l'approbation du *Bundesrat*, des règlements ayant valeur législative. Ceux-ci peuvent autoriser le Gouvernement fédéral à donner des instructions spéciales pour des cas particuliers. Sauf péril en la demeure, ces instructions doivent être adressées aux autorités administratives suprêmes des *Länder*.

Article 120 (2)
Frais d'occupation et charges résultant de la guerre

1. La Fédération supporte les frais d'occupation et les autres charges intérieures et extérieures résultant de la guerre selon les modalités déterminées par des lois fédérales. Lorsque les charges nées de la guerre ont fait l'objet de lois fédérales avant le 1er octobre 1969, les dépenses sont, dans leurs rapports mutuels, supportées par la Fédération et les *Länder* dans les conditions fixées par ces lois fédérales. Lorsque les dépenses au titre des charges nées de la guerre, qui n'ont pas fait l'objet de lois fédérales et qui ne le feront pas à l'avenir, ont été effectuées avant le 1er octobre 1965 par les *Länder*, les communes (ou groupements de communes) ou organismes délégués à cet effet, la Fédération n'est pas tenue de les prendre en charge même après cette date. La Fédération supporte les subventions aux charges de l'assurance sociale, y compris l'assurance-chômage et l'assistance-chômage. La péréquation des charges résultant de la guerre, effectuée par le présent alinéa entre la Fédération et les *Länder*, n'affecte pas la réglementation législative concernant les réclamations indemnitaires liées aux événements de guerre.

2. Les recettes reviennent à la Fédération dès le moment où celle-ci prend en charge les dépenses.

Article 120a (3)
Mise en œuvre de la péréquation des charges

1. Les lois relatives à la mise en œuvre de la péréquation des charges peuvent disposer avec l'approbation du *Bundesrat*, qu'elles sont, en ce qui concerne les prestations de péréquation, exécutées pour partie par la Fédération pour partie par les *Länder* par délégation de la Fédération, et que les pouvoirs conférés à cet effet au Gouvernement fédéral et aux autorités fédérales suprêmes compétentes en vertu de l'article 85, sont transférés totalement ou partiel-

(1) Le *Land* de Bade-Wurtemberg a été effectivement créé à partir des anciens *Länder* énumérés dans le présent article, en vertu de la loi fédérale du 4 mai 1951.
(2) Amendé par les lois fédérales du 30 juillet 1965 et du 28 juillet 1969.
(3) Inséré par la loi fédérale du 14 août 1952.

lement à l'Office fédéral de péréquation. L'exercice de ces pouvoirs par l'Office fédéral de péréquation n'est pas soumis à l'approbation du *Bundesrat* ; les instructions de cet office doivent, sauf cas d'urgence, être adressées aux autorités suprêmes des *Länder* (Office de péréquation de *Land*).

2. Ces dispositions n'affectent pas l'article 87, alinéa 3, deuxième phrase.

Article 121
Notion de « majorité des membres »

Au sens de la présente Loi fondamentale, la majorité des membres du *Bundestag* et de l'Assemblée fédérale est la majorité du nombre légal de leurs membres.

Article 122
Transfert des compétences législatives antérieures

1. A partir de la première réunion du *Bundestag,* les lois seront exclusivement adoptées par les autorités législatives établies par la présente Loi fondamentale.

2. Les organes législatifs et les organes participant à la législation à titre consultatif, dont les compétences prennent fin en vertu de l'alinéa 1er, sont dissous à cette date.

Article 123
Maintien en vigueur de l'ancien droit et d'anciens traités

1. Le droit en vigueur antérieurement à la première réunion du *Bundestag* demeure en vigueur dans la mesure où il n'est pas contraire à la Loi fondamentale.

2. Les traités conclus par le Reich allemand et portant sur des matières qui selon la présente Loi fondamentale relèvent de la compétence législative des *Länder,* demeurent en vigueur s'ils sont valables et le restent au regard des principes généraux du droit et sous réserve de tous les droits et objections des parties, jusqu'à ce que les organes compétents en vertu de la présente Loi fondamentale concluent de nouveaux traités, ou jusqu'à ce que ces traités prennent fin pour d'autres raisons en vertu des dispositions qu'ils contiennent.

Article 124
Maintien en vigueur en qualité de droit fédéral dans les matières relevant de la compétence législative exclusive

Le droit relatif à des matières qui relèvent de la compétence législative exclusive de la Fédération devient du droit fédéral dans les limites de son champ d'application territoriale.

Article 125
Maintien en vigueur en qualité de droit fédéral dans les matières relevant de la compétence législative concurrente

Le droit relatif à des matières qui relèvent de la compétence législative concurrente de la Fédération devient du droit fédéral dans les limites de son champ d'application territorial (1),
1° lorsqu'il s'applique de façon uniforme dans une ou plusieurs zones d'occupation,
2° lorsqu'il a modifié l'ancien droit du Reich après le 8 mai 1945.

Article 126
Litiges portant sur la qualification de l'ancien droit

La Cour constitutionnelle fédérale statue sur les contestations portant sur la qualification du droit antérieur comme droit fédéral.

Article 127
Droit de la Bizone

Dans l'année qui suit la promulgation de la présente Loi fondamentale, le Gouvernement fédéral peut, avec l'approbation des gouvernements des *Länder* concernés, étendre aux *Länder* de Bade, Grand-Berlin, Rhénanie-Palatinat et Wurtemberg-Hohenzollern, le droit de la Bizone, pour autant que celui-ci reste en vigueur en tant que droit fédéral en vertu des articles 124 et 125.

Article 128
Maintien du pouvoir de donner des instructions

Lorsque le droit maintenu en vigueur prévoit le pouvoir de donner des instructions au sens de l'article 84, alinéa 5,

(1) C'est-à-dire loi de Land ou de zone.

ce pouvoir demeure jusqu'à ce qu'une loi en dispose autrement.

Article 129
Maintien des habilitations

1. Lorsque des règles de droit maintenues en vigueur à titre de droit fédéral sont attributives soit d'une compétence d'édicter des règlements ou des prescriptions administratives générales, soit d'une compétence d'édicter des actes administratifs individuels, ces compétences sont transférées aux organes qui en sont dorénavant investis. En cas de doute, le Gouvernement fédéral décide avec l'accord du *Bundesrat* ; la décision doit être publiée.

2. Lorsque des dispositions législatives maintenues en vigueur à titre de droit de *Land* sont attributives de telles compétences, celles-ci sont exercées par les organes compétents selon le droit de *Land.*

3. Lorsque des dispositions législatives au sens des alinéas 1 et 2 sont attributives de compétences de modifier, de compléter ou d'édicter des règlements ayant valeur législative, celles-ci sont caduques.

4. Les prescriptions des alinéas 1 et 2 s'appliquent par analogie lorsque des dispositions législatives renvoient à des dispositions qui ont cessé d'être en vigueur ou à des institutions qui ont disparu.

Article 130
Rattachement des institutions existantes

1. Les organes administratifs et autres institutions de l'administration publique ou de la justice dont l'existence n'est pas fondée sur le droit de *Land* ou sur des traités conclus entre *Länder,* ainsi que l'Union administrative des chemins de fer du Sud-Ouest de l'Allemagne et le Conseil d'administration des postes et télécommunications de la zone française d'occupation, relèvent du Gouvernement fédéral. Celui-ci organise leur transfert, leur dissolution ou leur liquidation, avec l'approbation du *Bundesrat.*

2. L'autorité disciplinaire suprême sur les agents de ces administrations et institutions est exercée par le ministre fédéral compétent.

3. Les collectivités et établissements de droit public qui ne relèvent pas directement d'un *Land* et qui ne sont pas fondés sur des traités conclus entre *Länder,* sont placés sous contrôle de l'autorité fédérale suprême compétente.

Article 131
Situation juridique des anciens membres de la fonction publique

Une loi fédérale détermine la condition juridique des personnes, y compris les réfugiés et expulsés, qui, ayant été au service de la fonction publique au 8 mai 1945, ont quitté cette dernière pour des raisons indépendantes du droit de la fonction publique ou du droit des conventions collectives, et n'ont pas été jusqu'à présent réemployées, ou ne l'ont pas été dans des conditions correspondant à celles de leur ancienne situation. Il en sera de même des personnes, y compris les réfugiés et expulsés, qui, à la date du 8 mai 1945, étaient titulaires d'un droit à pension de retraite et qui, pour des raisons autres que celles relevant du droit de la fonction publique ou du droit des conventions collectives, ne perçoivent plus de pension ou ne perçoivent plus de pension correspondant à leur ancienne situation. Jusqu'à l'entrée en vigueur de la loi fédérale, et sauf réglementation législative contraire des *Länder,* les demandes visant à faire établir des droits dans ce domaine sont irrecevables.

Article 132
Suspension provisoire de garanties des personnels de la fonction publique

1. Durant les six mois qui suivent la première réunion du *Bundestag,* les fonctionnaires et juges nommés à vie en fonctions lors de l'entrée en vigueur de la présente Loi fondamentale, pourront être mis à la retraite ou en disponibilité ou affectés à un poste bénéficiant d'une rémunération moindre, si les qualités personnelles ou professionnelles nécessaires à l'exercice de leurs fonctions leur font défaut. Cette disposition est applicable par analogie aux employés dont le contrat n'est pas résiliable. Pour les employés dont le contrat est résiliable, les délais de préavis supérieurs à ceux prévus par les conventions collectives pourront être supprimés dans le même délai de six mois.

2. Cette disposition ne s'applique pas aux membres de la fonction publique

qui ne tombent pas sous le coup des dispositions sur la « libération du national-socialisme et du militarisme » ou qui sont des victimes reconnues de la persécution nationale-socialiste, sauf motif important inhérent à leur personne.

3. Les voies de recours juridictionnel prévues à l'article 19, alinéa 4 sont ouvertes aux personnes affectées par ces mesures.

4. Les modalités seront réglées par un règlement du Gouvernement fédéral qui requiert l'approbation du *Bundesrat*.

Article 133
Succession juridique de l'administration de la Bizone

La Fédération succède aux droits et obligations de l'administration de la Bizone.

Article 134
Succession du patrimoine du Reich

1. Les biens du Reich deviennent en principe biens de la Fédération.

2. Pour autant que selon leur destination primitive, ces biens étaient affectés principalement à des tâches administratives qui en vertu de la présente Loi fondamentale ne sont pas des tâches administratives de la Fédération, ils doivent être transférés à titre gratuit, soit aux organismes assumant désormais ces tâches, soit aux *Länder* lorsque ces biens, eu égard à leur utilisation actuelle et pas seulement provisoire, sont affectés à des tâches administratives dont l'exécution revient dorénavant aux *Länder* en vertu de la présente Loi fondamentale. La Fédération peut aussi transférer d'autres biens aux *Länder*.

3. Les biens qui avaient été mis à titre gratuit à la disposition du Reich par les *Länder* et communes (ou groupements de communes) redeviennent des biens des *Länder* et des communes (ou groupements de communes) dans la mesure où la Fédération n'en a pas besoin pour ses propres tâches administratives.

4. Les modalités seront réglées par une loi fédérale qui requiert l'approbation du *Bundesrat*.

Article 135
Succession du patrimoine d'anciens *Länder* et collectivités publiques

1. Si, entre le 8 mai 1945 et l'entrée en vigueur de la présente Loi fondamentale, l'appartenance d'un territoire à un *Land* a été modifiée, le *Land* auquel le territoire appartient désormais devient, dans ce territoire, propriétaire des biens du *Land* dont relevait le territoire.

2. Les biens des *Länder* ainsi que d'autres organismes et collectivités de droit public qui n'existent plus, sont transférés pour autant que, selon leur destination primitive, ils étaient affectés principalement à des tâches administratives ou que, d'après leur utilisation actuelle et non pas seulement provisoire, ils sont affectés principalement à des tâches administratives, au *Land* ou à la collectivité ou à l'établissement de droit public qui assume désormais lesdites tâches.

3. Dans la mesure où ils ne sont pas compris dans les biens visés à l'alinéa 1er, les biens fonciers des *Länder* ayant disparu sont, accessoires compris, transférés au *Land* sur le territoire duquel ils sont situés.

4. Pour autant que l'intérêt prépondérant de la Fédération ou l'intérêt particulier d'un territoire l'exigent, une réglementation dérogeant aux alinéas 1 à 3 pourra être édictée par une loi fédérale.

5. Pour le surplus, la succession et le partage seront réglés par une loi fédérale soumise à l'approbation du *Bundesrat*, dans la mesure où ils n'auront pas été effectués avant le 1er janvier 1952 par voie d'accord entre les *Länder* ou les collectivités ou établissements de droit public intéressés.

6. Les participations de l'ancien *Land* de Prusse dans des entreprises de droit privé sont transférées à la Fédération. Les modalités seront réglées par une loi fédérale qui pourra également contenir des dispositions dérogatoires.

7. Dans la mesure où des biens devant, en vertu des alinéas 1 à 3, revenir à un *Land* ou à une collectivité ou à un établissement de droit public ont fait, de la part de l'ayant-droit, l'objet, par loi de *Land*, en vertu d'une loi de *Land* ou de toute autre manière, d'une aliénation avant l'entrée en vigueur de la Loi fondamentale, le

transfert de propriété est réputé avoir été opéré antérieurement à ladite aliénation.

Article 135a (1)

Anciennes obligations

1. Le législateur fédéral peut également, sur la base des compétences qui lui sont réservées par les articles 134, alinéa 4 et 135, alinéa 5, prévoir que ne seront pas, ou pas intégralement exécutées :

1° les obligations du Reich ainsi que les obligations de l'ancien *Land* de Prusse et d'autres collectivités et établissements de droit public ayant cessé d'exister,

2° les obligations de la Fédération ou d'autres collectivités et établissements de droit public, connexes au transfert de biens en application des articles 89, 90, 134 et 135, ainsi que les obligations résultant, pour ces sujets de droit, des mesures prises par les titulaires désignés au n° 1,

3° les obligations des *Länder* et communes (ou groupements de communes) découlant de mesures prises par ces sujets de droit antérieurement au 1er août 1945, soit en exécution d'ordres des puissances d'occupation, soit pour remédier, dans le cadre de fonctions administratives incombant au Reich ou déléguées par le Reich, à des situations de détresse engendrées par la guerre.

2. L'alinéa 1er s'applique de manière analogue aux obligations de la République démocratique allemande ou de ses sujets de droit, aux obligations de la Fédération ou d'autres collectivités et établissements de droit public qui sont en relation avec le transfert des biens de la République démocratique allemande à la Fédération, aux *Länder* et aux communes, ainsi qu'aux obligations résultant de mesures prises par la République démocratique allemande ou de ses sujets de droit.

Article 136

Première réunion du *Bundesrat*

1. Le *Bundesrat* se réunira pour la première fois le jour de la première réunion du *Bundestag*.

2. Jusqu'à l'élection du premier Président fédéral, les pouvoirs de celui-ci seront exercés par le président du *Bundesrat*. Ce dernier ne peut prononcer la dissolution du *Bundestag*.

Article 137

Éligibilité des membres de la fonction publique

1. L'éligibilité des fonctionnaires, des employés du service public, des militaires de carrière, des militaires engagés à temps et des juges peut être limitée par la loi, dans la Fédération, les *Länder* et les communes.

2. (2) La première élection du *Bundestag*, de la première Assemblée fédérale et du premier Président fédéral sera régie par la loi électorale que doit adopter le Conseil parlementaire.

3. La compétence reconnue à la Cour constitutionnelle fédérale par l'article 41, alinéa 2 est, jusqu'à la création de celle-ci, exercée par la Cour supérieure allemande de la Bizone statuant conformément aux dispositions de son règlement de procédure.

Article 138

Notariat de l'Allemagne du sud

Les modifications des institutions notariales existant dans les *Länder* de Bade (3), Bavière, Wurtemberg-Bade et Wurtemberg-Hohenzollern (3), sont soumises à l'approbation des gouvernements de ces *Länder*.

Article 139

Maintien des règles de droit relatives à la dénazification

Les règles de droit édictées pour la « libération du peuple allemand du national-socialisme et du militarisme » ne sont pas affectées par les dispositions de la présente Loi fondamentale.

Article 140

Droit des sociétés religieuses

Les dispositions des articles 136, 137, 138, 139 et 141 de la Constitution

(1) Modifié par le traité d'unification du 31 août 1990.
(2) Amendé par la loi fédérale du 19 mars 1956.
(3) Cf. les articles 29 et 118.

allemande du 11 août 1919 font partie intégrante de la présente Loi fondamentale ([1]).

Article 141
Clause de Brême

L'article 7, alinéa 3, première phrase n'est pas applicable dans un *Land* dans lequel une réglementation contraire de ce *Land* était en vigueur au 1er janvier 1949.

Article 142
Droits fondamentaux dans les Constitutions des *Länder*

Nonobstant l'article 31, les dispositions des Constitutions des *Länder* demeurent également en vigueur pour autant qu'elles garantissent des droits fondamentaux en accord avec les articles 1 à 18 de la présente Loi fondamentale.

Article 142a ([2])

Article 143 ([3])
Dérogations temporaires aux dispositions de la Loi fondamentale

1. Le droit applicable dans le territoire mentionné à l'article 3 du traité d'Union peut jusqu'au 31 décembre 1992 au plus tard, déroger aux dispositions de la présente Loi fondamentale dans la mesure où et aussi longtemps qu'une totale mise en conformité à l'ordre établi par la Loi fondamentale n'aura pas encore pu être réalisée par suite des différences de situation. Les dérogations ne doivent pas enfreindre l'article 19, alinéa 2, et doivent être compatibles avec les principes mentionnés à l'article 79, alinéa 3.

2. Les dérogations aux sections II, VIII, VIIIa, IX, X et XI, sont permises jusqu'au 31 décembre 1995 au plus tard.

3. Nonobstant les alinéas 1 et 2, l'article 41 du traité d'Union et les règles prises pour sa mise en œuvre sont également applicables, même lorsqu'ils prévoient que des atteintes à la propriété sur le territoire mentionné à l'article 3 dudit traité ont un caractère définitif.

Article 144
Ratification de la Loi fondamentale

1. La présente Loi fondamentale doit être adoptée par les représentations du peuple dans les deux tiers des *Länder* allemands dans lesquels elle doit tout d'abord s'appliquer.

2. Lorsque l'application de la présente Loi fondamentale est soumise à des restrictions dans l'un des *Länder* énumérés à l'article 23, ou dans une partie de l'un de ces *Länder*, ce *Land* ou cette partie de *Land* a le droit d'envoyer des représentants au *Bundestag* conformément à l'article 38 et des représentants au *Bundesrat* conformément à l'article 50.

Article 145
Promulgation de la Loi fondamentale

1. Le Conseil parlementaire constate en séance publique, avec la participation des députés du Grand-Berlin, l'adoption de la présente Loi fondamentale, la signe et promulgue.

2. La présente Loi fondamentale entre en vigueur à l'expiration du jour de sa promulgation.

3. Elle doit être publiée au *Journal officiel fédéral*.

Article 146 ([3])
Durée de validité de la Loi fondamentale

La présente Loi fondamentale, qui, l'unité et la liberté de l'Allemagne ayant été parachevées, vaut pour le peuple allemand tout entier, devient caduque le jour de l'entrée en vigueur d'une Constitution adoptée par le peuple allemand en pleine liberté de décision.

Bonn sur le Rhin, le 23 mai 1949

---

(1) Cf. Extrait de la Constitution allemande du 11 août 1919 (Constitution de Weimar) *infra* p. 63.
(2) Abrogé par la loi fédérale du 24 juin 1968.
(3) Nouvelle rédaction issue du traité d'unification du 31 août 1990.

Annexe
Articles de la Constitution allemande du 11 août 1919 demeurant en vigueur (Constitution de Weimar) (1)

Article 136

1. Les droits et devoirs civils et civiques ne seront ni conditionnés, ni limités par l'exercice de la liberté religieuse.

2. La jouissance des droits civils et civiques ainsi que l'admission aux fonctions publiques sont indépendantes de la confession religieuse.

3. Nul n'est tenu de déclarer ses convictions religieuses. Les autorités publiques n'ont le droit de s'enquérir de l'appartenance à une société religieuse que lorsque des droits ou des obligations en découlent ou qu'un recensement statistique ordonné par la loi l'exige.

4. Nul ne peut être astreint à un acte cultuel, ni à une solennité cultuelle, ni à participer à des exercices religieux, ni à se servir d'une formule religieuse de serment.

Article 137

1. Il n'existe pas d'Église d'État.

2. La liberté de former des sociétés religieuses est garantie. Elle peuvent se fédérer sans aucune restriction à l'intérieur du territoire du Reich.

3. Chaque société religieuse règle et administre ses affaires de façon autonome, dans les limites de la loi applicable à tous. Elle confère ses fonctions sans intervention de l'État ni des collectivités communales civiles.

4. Les sociétés religieuses acquièrent la personnalité juridique conformément aux prescriptions générales du droit civil.

5. Les sociétés religieuses qui étaient antérieurement des collectivités de droit public conservent ce caractère. Les mêmes droits doivent être, à leur demande, accordés aux autres sociétés religieuses lorsqu'elles présentent de par leur constitution et le nombre de leurs membres, des garanties de durée. Lorsque plusieurs sociétés religieuses ayant le caractère de collectivité de droit public se groupent en une union, cette union est également une collectivité de droit public.

6. Les sociétés religieuses qui sont des collectivités de droit public ont le droit de lever des impôts, sur la base des rôles civils d'impôts, dans les conditions fixées par le droit de *Land*.

7. Sont assimilées aux sociétés religieuses les associations qui ont pour but de servir en commun une croyance philosophique.

8. La réglementation complémentaire que pourrait nécessiter l'application de ces dispositions incombe à la législation de *Land*.

Article 138

1. Les aides accordées par l'État aux sociétés religieuses en vertu d'une loi, d'une convention ou de titres juridiques particuliers seront rachetées conformément aux lois des *Länder*. Les principes y applicables sont établis par le Reich.

2. Le droit de propriété et les autres droits des sociétés et associations religieuses sur leurs établissements, fondations et autres biens, destinés au service du culte, à l'enseignement et à la bienfaisance, sont garantis.

Article 139

Les dimanches et jours fériés légaux restent protégés par la loi en tant que jours

(1) Formant « partie intégrante » de la Loi fondamentale du 23 mai 1949 en vertu de son article 140.

de repos physique et de recueillement spirituel.

Article 141

Dans la mesure où le besoin d'un culte divin et d'un ministère pastoral existe dans l'armée, dans les hôpitaux, dans les établissements pénitentiaires ou dans d'autres établissements publics, les sociétés religieuses sont autorisées à accomplir des actes religieux, à l'exclusion toutefois de toute contrainte.

II - Belgique

Constitution du Royaume de Belgique
du 17 février 1994 ([1])

Au nom du peuple belge
Le Congrès national, décrète :

Titre premier
De la Belgique fédérale, de ses composantes et de son territoire

Article premier

La Belgique est un État fédéral qui se compose des communautés et des régions.

Article 2

La Belgique comprend trois communautés : la Communauté française, la Communauté flamande et la Communauté germanophone.

Article 3

La Belgique comprend trois régions : la Région wallonne, la Région flamande et la Région Bruxelloise.

Article 4

La Belgique comprend quatre régions linguistiques : la région de langue française, la région de langue néerlandaise, la région bilingue de Bruxelles-Capitale et la région de langue allemande.

Chaque commune du Royaume fait partie d'une de ces régions linguistiques.

Les limites des quatre régions linguistiques ne peuvent être changées ou rectifiées que par une loi adoptée à la majorité des suffrages dans chaque groupe linguistique de chacune des Chambres, à la condition que la majorité des membres de chaque groupe se trouve réunie et pour autant que le total des votes positifs émis dans les deux groupes linguistiques atteigne les deux tiers des suffrages exprimés.

Article 5

La Région wallonne comprend les provinces suivantes : le Brabant wallon, le Hainaut, Liège, le Luxembourg et Namur. La Région flamande comprend les provinces suivantes : Anvers, le Brabant flamand, la Flandre occidentale, la Flandre orientale et le Limbourg.

Il appartient à la loi de diviser, s'il y a lieu, le territoire en un plus grand nombre de provinces.

Une loi peut soustraire certains territoires dont elle fixe les limites, à la division en provinces, les faire relever directement du pouvoir exécutif fédéral et les soumettre à un statut propre. Cette loi doit être adoptée à la majorité prévue à l'article 4, dernier alinéa.

Article 6

Les subdivisions des provinces ne peuvent être établies que par la loi.

Article 7

Les limites de l'État, des provinces et des communes ne peuvent être changées ou rectifiées qu'en vertu d'une loi.

(1) Source : *Moniteur belge,* du 17 février 1994. Le texte du 7 février 1831 publié dans notre précédente édition a été profondément remanié, à la suite des révisions du 5 mai 1993 et du 17 février 1994, dans nombre de ses articles, comme dans l'ordonnance générale du texte. Les mentions des révisions par articles, figurant dans cette première édition ont donc été supprimées. Nous remercions tout particulièrement pour son aide, M. Francis Delpérée, doyen de la faculté de droit de l'Université catholique de Louvain.

Titre II
Des Belges et de leurs droits

Article 8

La qualité de Belge s'acquiert, se conserve et se perd d'après les règles déterminées par la loi civile.

La Constitution et les autres lois relatives aux droits politiques, déterminent quelles sont, outre cette qualité, les conditions nécessaires pour l'exercice de ces droits.

Article 9

La naturalisation est accordée par le pouvoir législatif fédéral.

Article 10

Il n'y a dans l'État aucune distinction d'ordres.

Les Belges sont égaux devant la loi ; seuls ils sont admissibles aux emplois civils et militaires, sauf les exceptions qui peuvent être établies par une loi pour des cas particuliers.

Article 11

La jouissance des droits et libertés reconnus aux Belges doit être assurée sans discrimination. À cette fin, la loi et le décret garantissent notamment les droits et libertés des minorités idéologiques et philosophiques.

Article 12

La liberté individuelle est garantie.

Nul ne peut être poursuivi que dans les cas prévus par la loi, et dans la forme qu'elle prescrit.

Hors le cas de flagrant délit, nul ne peut être arrêté qu'en vertu de l'ordonnance motivée du juge, qui doit être signifiée au moment de l'arrestation, ou au plus tard dans les vingt-quatre heures.

Article 13

Nul ne peut être distrait, contre son gré, du juge que la loi lui assigne.

Article 14

Nulle peine ne peut être établie ni appliquée qu'en vertu de la loi.

Article 15

Le domicile est inviolable ; aucune visite domiciliaire ne peut avoir lieu que dans les cas prévus par la loi et dans la forme qu'elle prescrit.

Article 16

Nul ne peut être privé de sa propriété que pour cause d'utilité publique, dans les cas et de la manière établis par la loi, et moyennant une juste et préalable indemnité.

Article 17

La peine de la confiscation des biens ne peut être établie.

Article 18

La mort civile est abolie ; elle ne peut être rétablie.

Article 19

La liberté des cultes, celle de leur exercice public, ainsi que la liberté de manifester ses opinions en toute matière, sont garanties, sauf la répression des délits commis à l'occasion de l'usage de ces libertés.

Article 20

Nul ne peut être contraint de concourir d'une manière quelconque aux actes et aux cérémonies d'un culte, ni d'en observer les jours de repos.

Article 21

L'État n'a le droit d'intervenir ni dans la nomination ni dans l'installation des ministres d'un culte quelconque, ni de défendre à ceux-ci de correspondre avec leurs supérieurs, et de publier leurs actes, sauf, en ce dernier cas, la responsabilité ordinaire en matière de presse et de publication.

Le mariage civil devra toujours précéder la bénédiction nuptiale, sauf les exceptions à établir par la loi, s'il y a lieu.

Article 22

Chacun a droit au respect de sa vie privée et familiale, sauf dans les cas et conditions fixés par la loi.

La loi, le décret ou la règle visée à l'article 134 garantissent la protection de ce droit.

Article 23

Chacun a le droit de mener une vie conforme à la dignité humaine.

À cette fin, la loi, le décret ou la règle visée à l'article 134 garantissent, en tenant compte des obligations correspondantes, les droits économiques, sociaux et culturels, et déterminent les conditions de leur exercice.

Ces droits comprennent notamment :
1° le droit au travail et au libre choix d'une activité professionnelle dans le cadre d'une politique générale de l'emploi, visant entre autres à assurer un niveau d'emploi aussi stable et élevé que possible, le droit à des conditions de travail et à une rémunération équitables ainsi que le droit d'information, de consultation et de négociation collective ;
2° le droit à la sécurité sociale, à la protection de la santé et à l'aide sociale, médicale et juridique ;
3° le droit à un logement décent ;
4° le droit à la protection d'un environnement sain ;
5° le droit à l'épanouissement culturel et social.

Article 24

1. L'enseignement est libre ; toute mesure préventive est interdite ; la répression des délits n'est réglée que par la loi ou le décret.

La communauté assure le libre choix des parents.

La communauté organise un enseignement qui est neutre. La neutralité implique notamment le respect des conceptions philosophiques, idéologiques ou religieuses des parents et des élèves.

Les écoles organisées par les pouvoirs publics offrent, jusqu'à la fin de l'obligation scolaire, le choix entre l'enseignement d'une des religions reconnues et celui de la morale non confessionnelle.

2. Si une communauté, en tant que pouvoir organisateur, veut déléguer des compétences à un ou plusieurs organes autonomes, elle ne le pourra que par décret adopté à la majorité des deux tiers de suffrages exprimés.

3. Chacun a droit à l'enseignement dans le respect des libertés et droits fondamentaux. L'accès à l'enseignement est gratuit jusqu'à la fin de l'obligation scolaire.

Tous les élèves soumis à l'obligation scolaire ont droit, à charge de la communauté, à une éducation morale ou religieuse.

4. Tous les élèves ou étudiants, parents, membres du personnel et établissements d'enseignement sont égaux devant la loi ou le décret. La loi et le décret prennent en compte les différences objectives, notamment les caractéristiques propres à chaque pouvoir organisateur, qui justifient un traitement approprié.

5. L'organisation, la reconnaissance ou le subventionnement de l'enseignement par la communauté sont réglés par la loi ou le décret.

Article 25

La presse est libre ; la censure ne pourra jamais être établie ; il ne peut être exigé de cautionnement des écrivains, éditeurs ou imprimeurs.

Lorsque l'auteur est connu et domicilié en Belgique, l'éditeur, l'imprimeur ou le distributeur ne peut être poursuivi.

Article 26

Les Belges ont le droit de s'assembler paisiblement et sans armes, en se conformant aux lois qui peuvent régler l'exercice de ce droit, sans néanmoins le soumettre à une autorisation préalable.

Cette disposition ne s'applique point aux rassemblements en plein air, qui restent entièrement soumis aux lois de police.

Article 27

Les Belges ont le droit de s'associer ; ce droit ne peut être soumis à aucune mesure préventive.

Article 28

Chacun a le droit d'adresser aux autorités publiques des pétitions signées par une ou plusieurs personnes.

Les autorités constituées ont seules le droit d'adresser des pétitions en nom collectif.

Article 29

Le secret des lettres est inviolable.

La loi détermine quels sont les agents responsables de la violation du secret des lettres confiées à la poste.

Article 30

L'emploi des langues usitées en Belgique est facultatif ; il ne peut être réglé que par la loi, et seulement pour les actes de l'autorité publique et pour les affaires judiciaires.

Article 31

Nulle autorisation préalable n'est nécessaire pour exercer des poursuites contre les fonctionnaires publics, pour faits de leur administration, sauf ce qui est statué à l'égard des ministres et des membres des Gouvernements de communauté et de région.

Article 32

Chacun a le droit de consulter chaque document administratif et de s'en faire remettre copie, sauf dans les cas et conditions fixés par la loi, le décret ou la règle visée à l'article 134.

Titre III
Des pouvoirs

Article 33

Tous les pouvoirs émanent de la nation.

Ils sont exercés de la manière établie par la Constitution.

Article 34

L'exercice de pouvoirs déterminés peut être attribué par un traité ou par une loi à des institutions de droit international public.

Article 35

L'autorité fédérale n'a de compétences que dans les matières que lui attribuent formellement la Constitution et les lois portées en vertu de la Constitution même.

Les communautés ou les régions, chacune pour ce qui la concerne, sont compétentes pour les autres matières, dans les conditions et selon les modalités fixées par la loi. Cette loi doit être adoptée à la majorité prévue à l'article 4, dernier alinéa.

Disposition transitoire

La loi visée à l'alinéa 2 détermine la date à laquelle le présent article entre en vigueur. Cette date ne peut pas être antérieure à la date d'entrée en vigueur du nouvel article à insérer au titre III de la Constitution, déterminant les compétences exclusives de l'autorité fédérale.

Article 36

Le pouvoir législatif fédéral s'exerce collectivement par le Roi, la Chambre des représentants et le Sénat.

Article 37

Au Roi appartient le pouvoir exécutif fédéral, tel qu'il est réglé par la Constitution.

Article 38

Chaque communauté a les attributions qui lui sont reconnues par la Constitution ou par les lois prises en vertu de celle-ci.

Article 39

La loi attribue aux organes régionaux qu'elle crée et qui sont composés de mandataires élus, la compétence de régler les matières qu'elle détermine à l'exception de celles visées aux articles 30 et 127 à 129, dans le ressort et selon le mode qu'elle établit. Cette loi doit être adoptée à la majorité prévue à l'article 4, dernier alinéa.

Article 40

Le pouvoir judiciaire est exercé par les cours et tribunaux.

Les arrêts et jugements sont exécutés au nom du Roi.

Article 41

Les intérêts exclusivement communaux ou provinciaux sont réglés par les conseils communaux ou provinciaux, d'après les principes établis par la Constitution.

Chapitre premier
Des Chambres fédérales

Article 42

Les membres des deux Chambres représentent la nation, et non uniquement ceux qui les ont élus.

Article 43

1. Pour les cas déterminés dans la Constitution, les membres élus de chaque

Chambre sont répartis en un groupe linguistique français et un groupe linguistique néerlandais, de la manière fixée par la loi.

2. Les sénateurs visés à l'article 67, § 1er, 2°, 4° et 7°, forment le groupe linguistique français du Sénat. Les sénateurs visés à l'article 67 § 1er, 1°, 3° et 6°, forment le groupe linguistique néerlandais du Sénat.

Article 44

Les Chambres se réunissent de plein droit, chaque année, le deuxième mardi d'octobre, à moins qu'elles n'aient été réunies antérieurement par le Roi.

Les Chambres doivent rester réunies chaque année au moins quarante jours.

Le Roi prononce la clôture de la session.

Le Roi a le droit de convoquer extraordinairement les Chambres.

Article 45

Le Roi peut ajourner les Chambres. Toutefois, l'ajournement ne peut excéder le terme d'un mois, ni être renouvelé dans la même session sans l'assentiment des Chambres.

Article 46

Le Roi n'a le droit de dissoudre la Chambre des représentants que si celle-ci, à la majorité absolue de ses membres :
1° soit rejette une motion de confiance au Gouvernement fédéral et ne propose pas au Roi, dans un délai de trois jours à compter du jour du rejet de la motion, la nomination d'un successeur au Premier ministre ;
2° soit adopte une motion de méfiance à l'égard du Gouvernement fédéral et ne propose pas simultanément au Roi la nomination d'un successeur au Premier ministre.

Les motions de confiance et de méfiance ne peuvent être votées qu'après un délai de quarante-huit heures suivant le dépôt de la motion.

En outre, le Roi peut, en cas de démission du Gouvernement fédéral, dissoudre la Chambre des représentants après avoir reçu son assentiment exprimé à la majorité absolue de ses membres.

La dissolution de la Chambre des représentants entraîne la dissolution du Sénat.

L'acte de dissolution contient convocation des électeurs dans les quarante jours et des Chambres dans les deux mois.

Article 47

Les séances des Chambres sont publiques.

Néanmoins chaque Chambre se forme en comité secret, sur la demande de son président ou de dix membres.

Elle décide ensuite, à la majorité absolue, si la séance doit être reprise en public sur le même sujet.

Article 48

Chaque Chambre vérifie les pouvoirs de ses membres et juge les contestations qui s'élèvent à ce sujet.

Article 49

On ne peut être à la fois membre des deux Chambres.

Article 50

Le membre de l'une des deux Chambres, nommé par le Roi en qualité de ministre et qui l'accepte, cesse de siéger et reprend son mandat lorsqu'il a été mis fin par le Roi à ses fonctions de ministre. La loi prévoit les modalités de son remplacement dans la Chambre concernée.

Article 51

Le membre de l'une des deux Chambres nommé par le Gouvernement fédéral à toute autre fonction salariée que celle de ministre et qui l'accepte, cesse immédiatement de siéger et ne reprend ses fonctions qu'en vertu d'une nouvelle élection.

Article 52

À chaque session, chacune des Chambres nomme son président, ses vice-présidents, et compose son bureau.

Article 53

Toute résolution est prise à la majorité absolue des suffrages, sauf ce qui sera établi par les règlements des Chambres à l'égard des élections et présentations.

En cas de partage des voix, la proposition mise en délibération est rejetée.

Aucune des deux Chambres ne peut prendre de résolution qu'autant que la majorité de ses membres se trouve réunie.

Article 54

Sauf pour les budgets ainsi que pour les lois qui requièrent une majorité spéciale, une motion motivée, signée par les trois quarts au moins des membres d'un des groupes linguistiques et introduite après le dépôt du rapport et avant le vote final en séance publique, peut déclarer que les dispositions d'un projet ou d'une proposition de loi qu'elle désigne sont de nature à porter gravement atteinte aux relations entre les communautés.

Dans ce cas, la procédure parlementaire est suspendue et la motion est déférée au Conseil des ministres qui, dans les trente jours, donne son avis motivé sur la motion et invite la Chambre saisie à se prononcer soit sur cet avis, soit sur le projet ou la proposition éventuellement amendés.

Cette procédure ne peut être appliquée qu'une seule fois par les membres d'un groupe linguistique à l'égard d'un même projet ou d'une même proposition de loi.

Article 55

Les votes sont émis par assis et levé ou par appel nominal ; sur l'ensemble des lois, il est toujours voté par appel nominal. Les élections et présentations de candidats se font au scrutin secret.

Article 56

Chaque Chambre a le droit d'enquête.

Article 57

Il est interdit de présenter en personne des pétitions aux Chambres.

Chaque Chambre a le droit de renvoyer aux ministres les pétitions qui lui sont adressées. Les ministres sont tenus de donner des explications sur leur contenu, chaque fois que la Chambre l'exige.

Article 58

Aucun membre de l'une ou de l'autre Chambre ne peut être poursuivi ou recherché à l'occasion des opinions et votes émis par lui dans l'exercice de ses fonctions.

Article 59

Aucun membre de l'une ou de l'autre Chambre ne peut, pendant la durée de la session, être poursuivi ni arrêté en matière de répression, qu'avec l'autorisation de la Chambre dont il fait partie, sauf le cas de flagrant délit.

Aucune contrainte par corps ne peut être exercée contre un membre de l'une ou de l'autre Chambre durant la session, qu'avec la même autorisation.

La détention ou la poursuite d'un membre de l'une ou de l'autre Chambre est suspendue pendant la session et pour toute sa durée, si la Chambre le requiert.

Article 60

Chaque Chambre détermine, par son règlement, le mode suivant lequel elle exerce ses attributions.

Section première
De la Chambre des représentants

Article 61

Les membres de la Chambre des représentants sont élus directement par les citoyens âgés de dix-huit ans accomplis et ne se trouvant pas dans l'un des cas d'exclusion prévus par la loi.

Chaque électeur n'a droit qu'à un vote.

Article 62

La constitution des collèges électoraux est réglée par la loi.

Les élections se font par le système de représentation proportionnelle que la loi détermine.

Le vote est obligatoire et secret. Il a lieu à la commune, sauf les exceptions à déterminer par la loi.

Article 63

1. La Chambre des représentants compte cent-cinquante membres.

2. Chaque circonscription électorale compte autant de sièges que le chiffre de sa population contient de fois le diviseur fédéral, obtenu en divisant le chiffre de la population du Royaume par cent-cinquante.

Les sièges restants sont attribués aux circonscriptions électorales ayant le plus grand excédent de population non encore représenté.

3. La répartition des membres de la Chambre des représentants entre les circonscriptions électorales est mise en rapport avec la population par le Roi.

Le chiffre de la population de chaque circonscription électorale est déterminé tous les dix ans par un recensement de la population ou par tout autre moyen défini par la loi. Le Roi en publie les résultats dans un délai de six mois.

Dans les trois mois de cette publication, le Roi détermine le nombre de sièges attribués à chaque circonscription électorale.

La nouvelle répartition est appliquée à partir des élections générales suivantes.

4. La loi détermine les circonscriptions électorales ; elle détermine également les conditions requises pour être électeur et la marche des opérations électorales.

Article 64

Pour être éligible, il faut :
1° être Belge ;
2° jouir des droits civils et politiques ;
3° être âgé de vingt et un ans accomplis ;
4° être domicilié en Belgique.

Aucune autre condition d'éligibilité ne peut être requise.

Article 65

Les membres de la Chambre des représentants sont élus pour quatre ans.

La Chambre est renouvelée tous les quatre ans.

Article 66

Chaque membre de la Chambre des représentants jouit d'une indemnité annuelle de douze mille francs.

Il a droit, en outre, au libre parcours sur toutes les voies de communication exploitées ou concédées par l'État.

La loi détermine les moyens de transport que les représentants peuvent utiliser gratuitement en dehors des voies ci-dessus prévues.

Une indemnité annuelle à imputer sur la dotation destinée à couvrir les dépenses de la Chambre des représentants peut être attribuée au président de cette assemblée.

La Chambre détermine le montant des retenues qui peuvent être faites sur l'indemnité à titre de contribution aux caisses de retraite ou de pension qu'elle juge à propos d'instituer.

Section II
Du Sénat

Article 67

1. Sans préjudice de l'article 72, le Sénat se compose de septante-et-un sénateurs, dont :
1° vingt-cinq sénateurs élus conformément à l'article 61, par le collège électoral néerlandais ;
2° quinze sénateurs élus conformément à l'article 61, par le collège électoral français ;
3° dix sénateurs désignés par le Conseil de la Communauté flamande, dénommé Conseil flamand, en son sein ;
4° dix sénateurs désignés par le Conseil de la Communauté française en son sein ;
5° un sénateur désigné par le Conseil de la Communauté germanophone en son sein ;
6° six sénateurs désignés par les sénateurs visés aux 1° et 3° ;
7° quatre sénateurs désignés par les sénateurs visés aux 2° et 4°.

2. Au moins un des sénateurs visés au § 1er, 1°, 3° et 6°, est domicilié, le jour de son élection, dans la région bilingue de Bruxelles-Capitale.

Au moins six des sénateurs visés au § 1er, 2°, 4° et 7°, sont domiciliés, le jour de leur élection, dans la région bilingue de Bruxelles-Capitale. Si quatre au moins des sénateurs visés au § 1er, 2°, ne sont pas domiciliés, le jour de leur élection, dans la région bilingue de Bruxelles-Capitale, au moins deux des sénateurs visés au § 1er, 4°, doivent être domiciliés, le jour de leur élection, dans la région bilingue de Bruxelles-Capitale.

Article 68

1. Le nombre total de sénateurs visés à l'alinéa 67, § 1er, 1°, 2°, 3°, 4°, 6° et 7°, est réparti au sein de chaque groupe linguistique en fonction du chiffre électoral des listes obtenu à l'élection des sénateurs visés à l'article 67, § 1er, 1° et 2°, suivant le

système de la représentation proportionnelle que la loi détermine.

Pour la désignation des sénateurs visés à l'article 67, § 1er, 3° et 4°, sont uniquement prises en considération les listes sur lesquelles au moins un sénateur visé à l'article 67, § 1er, 1° et 2°, est élu et pour autant qu'un nombre suffisant de membres élus sur ces listes siège, selon le cas, au sein du Conseil de la Communauté flamande ou du Conseil de la Communauté française.

Pour la désignation des sénateurs visés à l'article 67, § 1er, 6° et 7°, sont uniquement prises en considération les listes sur lesquelles au moins un sénateur visé à l'article 67, § 1er, 1° et 2°, est élu.

2. Pour l'élection des sénateurs visés à l'article 67, § 1er, 1° et 2°, le vote est obligatoire et secret. Il a lieu à la commune, sauf les exceptions que la loi détermine.

3. Pour l'élection des sénateurs visés à l'article 67, § 1er, 1° et 2°, la loi détermine les circonscriptions électorales et la composition des collèges électoraux ; elle détermine en outre les conditions auxquelles il faut satisfaire pour pouvoir être électeur, de même que le déroulement des opérations électorales.

La loi règle la désignation des sénateurs visés à l'article 67, § 1er, 3° à 5°, à l'exception des modalités désignées par une loi adoptée à la majorité prévue à l'article 4, dernier alinéa, qui sont réglées par décret par les Conseils de communauté, chacun en ce qui le concerne. Ce décret doit être adopté à la majorité des deux tiers des suffrages exprimés, à condition que la majorité des membres du Conseil concerné soit présente.

Le sénateur visé à l'article 67, § 1er, 5°, est désigné par le Conseil de la Communauté germanophone à la majorité absolue des suffrages exprimés.

La loi règle la désignation des sénateurs visés à l'article 67, § 1er, 6° et 7°.

Article 69

Pour être élu ou désigné sénateur, il faut :

1° être Belge ;

2° jouir des droits civils et politiques ;

3° être âgé de vingt et un ans accomplis.

4° être domicilié en Belgique ;

Article 70

Les sénateurs visés à l'article 67, § 1er, 1°, 2°, sont élus pour quatre ans. Les sénateurs visés à l'article 67, § 1er, 6° et 7°, sont désignés pour quatre ans. Le Sénat est renouvelé intégralement tous les quatre ans.

L'élection des sénateurs visés à l'article 67, § 1er, 1° et 2°, coïncide avec les élections pour la Chambre des représentants.

Article 71

Les sénateurs ne reçoivent pas de traitement.

Ils ont droit, toutefois, à être indemnisés de leurs débours ; cette indemnité est fixée à quatre mille francs par an.

Ils ont droit, en outre, au libre parcours sur toutes les voies de communication exploitées ou concédées par l'État.

La loi détermine les moyens de transport qu'ils peuvent utiliser gratuitement en dehors des voies ci-dessus prévues.

Article 72

Les enfants du Roi, ou à leur défaut, les descendants belges de la branche de la famille royale appelée à régner, sont de droit sénateurs à l'âge de dix-huit ans. Ils n'ont voix délibérative qu'à l'âge de vingt et un ans. Ils ne sont pas pris en compte pour la détermination du quorum des présences.

Article 73

Toute assemblée du Sénat qui serait tenue hors du temps de la session de la Chambre des représentants, est nulle de plein droit.

Chapitre II
Du pouvoir législatif fédéral

Article 74

Par dérogation à l'article 36, le pouvoir législatif fédéral s'exerce collectivement par le Roi et la Chambre des représentants pour :

1° l'octroi des naturalisations ;

2° les lois relatives à la responsabilité civile et pénale des ministres du Roi ;

3° les budgets et les comptes de l'État, sans préjudice de l'article 174, alinéa 1er, deuxième phrase ;

4° la fixation du contingent de l'armée.

Article 75

Le droit d'initiative appartient à chacune des branches du pouvoir législatif fédéral.

Sauf pour les matières visées à l'article 77, les projets de loi soumis aux Chambres à l'initiative du Roi, sont déposés à la Chambre des réprésentants et transmis ensuite au Sénat.

Les projets de loi portant assentiment aux traités soumis aux Chambres à l'initiative du Roi, sont déposés au Sénat et transmis ensuite à la Chambre des représentants.

Article 76

Un projet de loi ne peut être adopté par une Chambre qu'après avoir été voté article par article.

Les Chambres ont le droit d'amender et de diviser les articles et les amendements proposés.

Article 77

La Chambre des représentants et le Sénat sont compétents sur un pied d'égalité pour :
1° la déclaration de révision de la Constitution et la révision de la Constitution ;
2° les matières qui doivent être réglées par les deux Chambres législatives en vertu de la Constitution ;
3° les lois visées aux articles 5, 39, 43, 50, 68, 71, 77, 82, 115, 117, 118, 121, 123, 127 à 131, 135 à 137, 140 à 143, 145, 146, 163, 165, 166, 167, § 1er, alinéa 3, § 4 et § 5, 169, 170, § 2, alinéa 2, § 3, alinéas 2 et 3, § 4, alinéa 2, et 175 à 177, ainsi que les lois prises en exécution des lois et articles susvisés ;
4° les lois à adopter à la majorité prévue à l'article 4, dernier alinéa, ainsi que les lois prises en exécution de celles-ci ;
5° les lois visées à l'article 34 ;
6° les lois portant assentiment aux traités ;
7° les lois adoptées conformément à l'article 169 afin de garantir le respect des obligations internationales ou supranationales ;
8° les lois relatives au Conseil d'État ;
9° l'organisation des cours et tribunaux ;
10° les lois portant approbation d'accords de coopération conclus entre l'État, les communautés et les régions.

Une loi adoptée à la majorité prévue à l'article 4, dernier alinéa, peut désigner d'autres lois pour lesquelles la Chambre des représentants et le Sénat sont compétents sur un pied d'égalité.

Article 78

Dans les matières autres que celles visées aux articles 74 et 77, le projet de loi adopté par la Chambre des représentants est transmis au Sénat.

À la demande de quinze de ses membres au moins, le Sénat examine le projet de loi. Cette demande est formulée dans les quinze jours de la réception du projet.

Le Sénat peut, dans un délai ne pouvant dépasser les soixante jours :
— décider qu'il n'y a pas lieu d'amender le projet de loi ;
— adopter le projet après l'avoir amendé.

Si le Sénat n'a pas statué dans le délai imparti ou s'il a fait connaître à la Chambre des représentants sa décision de ne pas amender le projet de loi, celui-ci est transmis au Roi par la Chambre des représentants.

Si le projet a été amendé, le Sénat le transmet à la Chambre des représentants, qui se prononce définitivement, soit en adoptant, soit en rejetant en tout ou en partie les amendements adoptés par le Sénat.

Article 79

Si, à l'occasion de l'examen visé à l'article 78, dernier alinéa, la Chambre des représentants adopte un nouvel amendement, le projet de loi est renvoyé au Sénat, qui se prononce sur le projet amendé. Le Sénat peut, dans un délai ne pouvant dépasser les quinze jours :
— décider de se rallier au projet amendé par la Chambre des représentants ;
— adopter le projet après l'avoir à nouveau amendé.

Si le Sénat n'a pas statué dans le délai imparti ou s'il a fait connaître à la Chambre des représentants sa décision de se rallier au projet voté par la Chambre des représentants, celle-ci le transmet au Roi.

Si le projet a été à nouveau amendé, le Sénat le transmet à la Chambre des représentants, qui se prononce définitivement, soit en adoptant, soit en amendant le projet de loi.

Article 80

Si, lors du dépôt d'un projet de loi visé à l'article 78, le Gouvernement fédéral demande l'urgence, la commission parlementaire de concertation visée à l'article 82 détermine les délais dans lesquels le Sénat aura à se prononcer.

À défaut d'accord au sein de la commission, le délai d'évocation du Sénat est ramené à sept jours et le délai d'examen visé à l'article 78, alinéa 3, à trente jours.

Article 81

Si le Sénat, en vertu de son droit d'initiative, adopte une proposition de loi dans les matières visées à l'article 78, le projet de loi est transmis à la Chambre des représentants.

Dans un délai ne pouvant dépasser les soixante jours, la Chambre se prononce définitivement, soit en rejetant, soit en adoptant le projet de loi.

Si la Chambre amende le projet de loi, celui-ci est renvoyé au Sénat, qui délibère selon les règles prévues à l'article 79

En cas d'application de l'article 79, alinéa 3, la Chambre statue définitivement dans les quinze jours.

À défaut pour la Chambre de décider dans les délais prescrits aux alinéas 2 et 4, la commission parlementaire de concertation visée à l'article 82 se réunit dans les quinze jours et fixe le délai dans lequel la Chambre aura à se prononcer.

En cas de désaccord au sein de la commission, la Chambre doit se prononcer dans les soixante jours.

Article 82

Une commission parlementaire de concertation composée paritairement de membres de la Chambre des représentants et du Sénat règle les conflits de compétence survenant entre les deux Chambres et peut, d'un commun accord, allonger à tout moment les délais d'examen prévus aux articles 78 à 81.

À défaut de majorité dans les deux composantes de la commission, celle-ci statue à la majorité des deux tiers de ses membres.

Une loi détermine la composition et le fonctionnement de la commission ainsi que le mode de calcul des délais énoncés dans les articles 78 à 81.

Article 83

Toute proposition de loi et tout projet de loi précise s'il s'agit d'une matière visée à l'article 74, à l'article 77 ou à l'article 78.

Article 84

L'interprétation des lois par voie d'autorité n'appartient qu'à la loi.

Chapitre III
Du Roi et du Gouvernement fédéral

Section première
Du Roi

Article 85

Les pouvoirs constitutionnels du Roi sont héréditaires dans la descendance directe, naturelle et légitime de S. M. Léopold-Georges-Chrétien-Frédéric de Saxe-Cobourg, par ordre de primogéniture.

Sera déchu de ses droits à la couronne, le descendant visé à l'alinéa 1er, qui se serait marié sans le consentement du Roi ou de ceux qui, à son défaut, exercent ses pouvoirs dans les cas prévus par la Constitution.

Toutefois, il pourra être relevé de cette déchéance par le Roi ou par ceux qui, à son défaut, exercent ses pouvoirs dans les cas prévus par la Constitution, et ce moyennant l'assentiment des deux Chambres.

Article 86

À défaut de descendance de S. M. Léopold - Georges - Chrétien - Frédéric de Saxe-Cobourg, le Roi pourra nommer son successeur, avec l'assentiment des Chambres, émis de la manière prescrite par l'article 87.

S'il n'y a pas eu de nomination faite d'après le mode ci-dessus, le trône sera vacant.

Article 87

Le Roi ne peut être en même temps chef d'un autre État, sans l'assentiment des deux Chambres.

Aucune des deux Chambres ne peut délibérer sur cet objet, si deux tiers au moins des membres qui la composent ne sont présents, et la résolution n'est adoptée qu'autant qu'elle réunit au moins les deux tiers des suffrages.

Article 88

La personne du Roi est inviolable ; ses ministres sont responsables.

Article 89

La loi fixe la liste civile pour la durée de chaque règne.

Article 90

À la mort du Roi, les Chambres s'assemblent sans convocation, au plus tard le dixième jour après celui du décès. Si les Chambres ont été dissoutes antérieurement, et que la convocation ait été faite, dans l'acte de dissolution, pour une époque postérieure au dixième jour, les anciennes Chambres reprennent leurs fonctions, jusqu'à la réunion de celles qui doivent les remplacer.

À dater de la mort du Roi et jusqu'à la prestation du serment de son successeur au trône ou du Régent, les pouvoirs constitutionnels du Roi sont exercés, au nom du peuple belge, par les ministres réunis en conseil, et sous leur responsabilité.

Article 91

Le Roi est majeur à l'âge de dix-huit ans accomplis.

Le Roi ne prend possession du trône qu'après avoir solennellement prêté, dans le sein des Chambres réunies, le serment suivant :

« Je jure d'observer la Constitution et les lois du peuple belge, de maintenir l'indépendance nationale et l'intégrité du territoire. »

Article 92

Si, à la mort du Roi, son successeur est mineur, les deux Chambres se réunissent en une seule assemblée, à l'effet de pourvoir à la régence et à la tutelle.

Article 93

Si le Roi se trouve dans l'impossibilité de régner, les ministres, après avoir fait constater cette impossibilité, convoquent immédiatement les Chambres. Il est pourvu à la tutelle et à la régence par les Chambres réunies.

Article 94

La régence ne peut être conférée qu'à une seule personne.

Le Régent n'entre en fonction qu'après avoir prêté le serment prescrit par l'article 91.

Article 95

En cas de vacance du trône, les Chambres, délibérant en commun, pourvoient provisoirement à la régence, jusqu'à la réunion des Chambres intégralement renouvelées ; cette réunion a lieu au plus tard dans les deux mois. Les Chambres nouvelles, délibérant en commun, pourvoient définitivement à la vacance.

Section II
Du Gouvernement fédéral

Article 96

Le Roi nomme et révoque ses ministres.

Le Gouvernement fédéral remet sa démission au Roi si la Chambre des représentants, à la majorité absolue de ses membres, adopte une motion de méfiance proposant au Roi la nomination d'un successeur au Premier ministre, ou propose au Roi la nomination d'un successeur au Premier ministre dans les trois jours du rejet d'une motion de confiance. Le Roi nomme Premier ministre le successeur proposé, qui entre en fonction au moment où le nouveau Gouvernement prête serment.

Article 97

Seuls les Belges peuvent être ministres.

Article 98

Aucun membre de la famille royale ne peut être ministre.

Article 99

Le Conseil des ministres compte quinze membres au plus.

Le Premier ministre éventuellement excepté, le Conseil des ministres compte autant de ministres d'expression française que d'expression néerlandaise.

Article 100

Les ministres ont leur entrée dans chacune des Chambres et doivent être entendus quand ils le demandent.

La Chambre des représentants peut requérir la présence des ministres. Le Sénat peut requérir leur présence pour la discussion d'un projet ou d'une proposition de loi visés à l'article 77 ou d'un projet de loi visé à l'article 78 ou pour l'exercice de son droit d'enquête visé à l'article 56. Pour les autres matières, il peut demander leur présence.

Article 101

Les ministres sont responsables devant la Chambre des représentants.

Aucun ministre ne peut être poursuivi ou recherché à l'occasion des opinions émises par lui dans l'exercice de ses fonctions.

Article 102

En aucun cas, l'ordre verbal ou écrit du Roi ne peut soustraire un ministre à la responsabilité.

Article 103

La Chambre des représentants a le droit d'accuser les ministres et de les traduire devant la Cour de cassation, qui seule a le droit de les juger, chambres réunies, sauf ce qui sera statué par la loi, quant à l'exercice de l'action civile par la partie lésée et aux crimes et délits que des ministres auraient commis hors l'exercice de leurs fonctions.

La loi détermine les cas de responsabilité, les peines à infliger aux ministres et le mode de procéder contre eux, soit sur l'accusation admise par la Chambre des représentants, soit sur la poursuite des parties lésées.

Disposition transitoire.

Jusqu'à ce qu'il y soit pourvu par la loi visée à l'alinéa 2, la Chambre des représentants aura un pouvoir discrétionnaire pour accuser un ministre, et la Cour de cassation pour le juger, dans les cas visés par les lois pénales et par application des peines qu'elles prévoient.

Article 104

Le Roi nomme et révoque les secrétaires d'État fédéraux.

Ceux-ci sont membres du Gouvernement fédéral. Ils ne font pas partie du Conseil des ministres. Ils sont adjoints à un ministre.

Le Roi détermine leurs attributions et les limites dans lesquelles ils peuvent recevoir le contreseing.

Les dispositions constitutionnelles qui concernent les ministres sont applicables aux secrétaires d'État fédéraux, à l'exception des articles 90, alinéa 2, 93 et 99.

Section III
Des compétences

Article 105

Le Roi n'a d'autres pouvoirs que ceux que lui attribuent formellement la Constitution et les lois particulières portées en vertu de la Constitution même.

Article 106

Aucun acte du Roi ne peut avoir d'effet, s'il n'est contresigné par un ministre, qui, par cela seul, s'en rend responsable.

Article 107

Le Roi confère les grades dans l'armée.

Il nomme aux emplois d'administration générale et de relation extérieure, sauf les exceptions établies par les lois.

Il ne nomme à d'autres emplois qu'en vertu de la disposition expresse d'une loi.

Article 108

Le Roi fait les règlements et arrêtés nécessaires pour l'exécution des lois, sans pouvoir jamais ni suspendre les lois elles-mêmes ni dispenser de leur exécution.

Article 109

Le Roi sanctionne et promulgue les lois.

Article 110

Le Roi a le droit de réduire ou de remettre les peines prononcées par les juges, sauf ce qui est statué relativement aux ministres et aux membres des Gouvernements de communauté et de région.

Article 111

Le Roi ne peut faire grâce au ministre ou au membre d'un Gouvernement de communauté ou de région condamné par la Cour de cassation, que sur la demande de la Chambre des représentants ou du Conseil concerné.

Article 112

Le Roi a le droit de battre monnaie en exécution de la loi.

Article 113

Le Roi a le droit de conférer des titres de noblesse, sans pouvoir jamais y attacher aucun privilège.

Article 114

Le Roi confère les ordres militaires, en observant, à cet égard, ce que la loi prescrit.

Chapitre IV
Des communautés et des régions

Section première
Des organes

Sous-section première
Des Conseils de communauté et de région

Article 115

1. Il y a un Conseil de la Communauté française et un Conseil de la Communauté flamande, dénommé Conseil flamand, dont la composition et le fonctionnement sont fixés par la loi, adoptée à la majorité prévue à l'article 4, dernier alinéa.

Il y a un Conseil de la Communauté germanophone dont la composition et le fonctionnement sont fixés par la loi.

2. Sans préjudice de l'article 137, les organes régionaux visés à l'article 39, comprennent, pour chaque région, un Conseil.

Article 116

1. Les Conseils sont composés de mandataires élus.

2. Chaque Conseil de communauté est composé de membres élus directement en qualité de membre du Conseil de communauté concerné ou en qualité de membre d'un Conseil de région.

Sauf en cas d'application de l'article 137, chaque Conseil de région est composé de membres élus directement en qualité de membre du Conseil de région concerné ou en qualité de membre d'un Conseil de communauté.

Article 117

Les membres des Conseils sont élus pour une période de cinq ans. Les Conseils sont intégralement renouvelés tous les cinq ans.

À moins qu'une loi, adoptée à la majorité prévue à l'article 4, dernier alinéa, n'en dispose autrement, les élections pour les Conseils ont lieu le même jour et coïncident avec les élections pour le Parlement européen.

Article 118

1. La loi règle les élections visées à l'article 116, § 2, ainsi que la composition et le fonctionnement des Conseils. Sauf pour ce qui concerne le Conseil de la Communauté germanophone, cette loi est adoptée à la majorité prévue à l'article 4, dernier alinéa.

2. Une loi, adoptée à la majorité prévue à l'article 4, dernier alinéa, désigne celles des matières relatives à l'élection, à la composition et au fonctionnement du Conseil de la Communauté française, du Conseil de la Région wallonne et du Conseil de la Communauté flamande qui sont réglées par ces Conseils, chacun en ce qui le concerne, par décret ou par une règle visée à l'article 134, selon le cas. Ce décret et cette règle visée à l'article 134 sont adoptés à la majorité des deux tiers des suffrages exprimés, à condition que la majorité des membres du Conseil concerné soit présente.

Article 119

Le mandat de membre d'un Conseil est incompatible avec celui de membre de la Chambre des représentants. Il est en outre incompatible avec le mandat de sénateur visé à l'article 67, § 1er, 1°, 2°, 6° et 7°.

Article 120

Tout membre d'un Conseil bénéficie des immunités prévues aux articles 58 et 59.

Sous-section II
Des Gouvernements de communauté et de région

Article 121

1. Il y a un Gouvernement de la Communauté française et un Gouvernement de la Communauté flamande dont la composition et le fonctionnement sont fixés par la loi, adoptée à la majorité prévue à l'article 4, dernier alinéa.

Il y a un Gouvernement de la Communauté germanophone dont la composition et le fonctionnement sont fixés par la loi.

2. Sans préjudice de l'article 137, les organes régionaux visés à l'article 39 comprennent, pour chaque région, un Gouvernement.

Article 122

Les membres de chaque Gouvernement de communauté ou de région sont élus par leur Conseil.

Article 123

1. La loi règle la composition et le fonctionnement des Gouvernements de communauté et de région. Sauf pour ce qui concerne le Gouvernement de la Communauté germanophone, cette loi est adoptée à la majorité prévue à l'article 4, dernier alinéa.

2. Une loi, adoptée à la majorité prévue à l'article 4, dernier alinéa, désigne les matières relatives à la composition et au fonctionnement du Gouvernement de la Communauté française, du Gouvernement de la Région wallonne et du Gouvernement de la Communauté flamande, qui sont réglées par leurs Conseils, chacun en ce qui le concerne, par décret ou par une règle visée à l'article 134, selon le cas. Ce décret et cette règle visée à l'article 134 sont adoptés à la majorité des deux tiers des suffrages exprimés, à condition que la majorité des membres du Conseil concerné soit présente.

Article 124

Aucun membre d'un Gouvernement de communauté ou de région ne peut être poursuivi ou recherché à l'occasion des opinions ou votes émis par lui dans l'exercice de ses fonctions.

Article 125

Les Conseils de communauté et de région, chacun pour ce qui le concerne, ont le droit d'accuser les membres de leur Gouvernement et de les traduire devant la Cour de cassation, qui seule a le droit de les juger, chambres réunies, sauf ce qui sera statué par la loi, quant à l'exercice de l'action civile par la partie lésée et aux crimes et délits que des membres des Gouvernements de communauté et de région auraient commis hors l'exercice de leurs fonctions.

Une loi déterminera les cas de responsabilité, les peines à infliger aux membres des Gouvernements de communauté et de région et le mode de procéder contre eux, soit sur l'accusation admise par leur Conseil, soit sur la poursuite des parties lésées.

Les lois visées aux alinéas 1er et 2 doivent être adoptées à la majorité prévue à l'article 4, dernier alinéa.

Disposition transitoire

Jusqu'à ce qu'il y soit pourvu par la loi visée à l'alinéa 2, les Conseils de communauté et de région auront un pouvoir discrétionnaire pour accuser un membre de leur Gouvernement, et la Cour de cassation pour le juger, dans les cas visés par les lois pénales et par l'application des peines qu'elles prévoient.

Article 126

Les dispositions constitutionnelles relatives aux membres des Gouvernements de communauté et de région, ainsi que les lois d'exécution visées à l'article 125, dernier alinéa, s'appliquent aux secrétaires d'État régionaux.

Section II
Des compétences

Sous-section première
Des compétences des communautés

Article 127

1. Les Conseils de la Communauté française et de la Communauté flamande, chacun pour ce qui le concerne, règlent par décret :

1° les matières culturelles ;

2° l'enseignement, à l'exception :

a) de la fixation du début et de la fin de l'obligation scolaire ;
b) des conditions minimales pour la délivrance des diplômes ;
c) du régime des pensions ;
3° la coopération entre les communautés, ainsi que la coopération internationale, y compris la conclusion de traités, pour les matières visées aux 1° et 2°.

Une loi adoptée à la majorité prévue à l'article 4, dernier alinéa, arrête les matières culturelles visées au 1°, les formes de coopération visées au 3°, ainsi que les modalités de conclusion de traités, visées au 3°.

2. Ces décrets ont force de loi respectivement dans la région de langue française et dans la région de langue néerlandaise, ainsi qu'à l'égard des institutions établies dans la région bilingue de Bruxelles-Capitale qui, en raison de leurs activités, doivent être considérées comme appartenant exclusivement à l'une ou à l'autre communauté.

Article 128

1. Les conseils de la Communauté française et de la Communauté flamande règlent par décret, chacun en ce qui le concerne, les matières personnalisables, de même qu'en ces matières, la coopération entre les communautés et la coopération internationale, y compris la conclusion de traités.

Une loi adoptée à la majorité prévue à l'article 4, dernier alinéa, arrête ces matières personnalisables, ainsi que les formes de coopération et les modalités de conclusion de traités.

2. Ces décrets ont force de loi respectivement dans la région de langue française et dans la région de langue néerlandaise, ainsi que, sauf si une loi adoptée à la majorité prévue à l'article 4, dernier alinéa, en dispose autrement, à l'égard des institutions établies dans la région bilingue de Bruxelles-Capitale qui, en raison de leur organisation, doivent être considérées comme appartenant à l'une ou à l'autre communauté.

Article 129

1. Les Conseils de la Communauté française et de la Communauté flamande, chacun pour ce qui le concerne, règlent par décret, à l'exclusion du législateur fédéral, l'emploi des langues pour :
1° les matières administratives ;
2° l'enseignement dans les établissements créés, subventionnés ou reconnus par les pouvoirs publics;
3° les relations sociales entre les employeurs et leur personnel, ainsi que les actes et documents des entreprises imposés par la loi et les règlements.

2. Ces décrets ont force de loi respectivement dans la région de langue française et dans la région de langue néerlandaise, excepté en ce qui concerne :
— les communes ou groupes de communes contigus à une autre région linguistique et où la loi prescrit ou permet l'emploi d'une autre langue que celle de la région dans laquelle ils sont situés. Pour ces communes, une modification aux règles sur l'emploi des langues dans les matières visées au § 1er ne peut être apportée que par une loi adoptée à la majorité prévue à l'article 4, dernier alinéa ;
— les services dont l'activité s'étend au-delà de la région linguistique dans laquelle ils sont établis ;
— les institutions fédérales et internationales désignées par la loi dont l'activité est commune à plus d'une communauté.

Article 130

1. Le Conseil de la Communauté germanophone règle par décret.
1° les matières culturelles ;
2° les matières personnalisables ;
3° l'enseignement dans les limites fixées par l'article 127, § 1er, 2° ;
4° la coopération entre les communautés, ainsi que la coopération internationale, y compris la conclusion de traités, pour les matières visées au 1°; 2° et 3°.

La loi arrête les matières culturelles et personnalisables visées au 1° et 2°, ainsi que les formes de coopération visées au 4° et le mode selon lequel les traités sont conclus.

2. Ces décrets ont force de loi dans la région de langue allemande.

Article 131

La loi arrête les mesures en vue de prévenir toute discrimination pour des raisons idéologiques et philosophiques.

Article 132

Le droit d'initiative appartient au Gouvernement de communauté et aux membres du Conseil de communauté.

Article 133

L'interprétation des décrets par voie d'autorité n'appartient qu'au décret.

Sous-section II
Des compétences des régions

Article 134

Les lois prises en exécution de l'article 39 déterminent la force juridique des règles que les organes qu'elles créent prennent dans les matières qu'elles déterminent.

Elles peuvent conférer à ces organes le pouvoir de prendre des décrets ayant force de loi dans le ressort et selon le mode qu'elles établissent.

Sous-section III
Dispositions spéciales

Article 135

Une loi adoptée à la majorité prévue à l'article 4, dernier alinéa, désigne les autorités qui, pour la Région bilingue de Bruxelles-Capitale, exercent les compétences non dévolues aux communautés dans les matières visées à l'article 128, § 1er.

Article 136

Il y a des groupes linguistiques au Conseil de la Région de Bruxelles-Capitale, et des Collèges, compétents pour les matières communautaires ; leurs composition, fonctionnement, compétences et, sans préjudice de l'article 175, leur financement, sont réglés par une loi adoptée à la majorité prévue à l'article 4, dernier alinéa.

Les Collèges forment ensemble le Collège réuni qui fait fonction d'organe de concertation et de coordination entre les deux communautés.

Article 137

En vue de l'application de l'article 39, le Conseil de la Communauté française et le Conseil de la Communauté flamande ainsi que leurs Gouvernements peuvent exercer les compétences respectivement de la Région wallonne et de la Région flamande, dans les conditions et selon les modalités fixées par la loi. Cette loi doit être adoptée à la majorité prévue à l'article 4, dernier alinéa.

Article 138

Le Conseil de la Communauté française, d'une part, et le Conseil de la Région wallonne et le groupe linguistique français du Conseil de la Région de Bruxelles-Capitale, d'autre part, peuvent décider d'un commun accord et chacun par décret que le Conseil et le Gouvernement de la Région wallonne dans la région de langue française et le groupe linguistique français du Conseil de la Région de Bruxelles-Capitale et son Collège dans la région bilingue de Bruxelles-Capitale exercent, en tout ou en partie, des compétences de la Communauté française.

Ces décrets sont adoptés à la majorité des deux tiers des suffrages exprimés au sein du Conseil de la Communauté française et à la majorité absolue des suffrages exprimés au sein du Conseil de la Région wallonne et du groupe linguistique français du Conseil de la Région de Bruxelles-Capitale, à condition que la majorité des membres du Conseil ou du groupe linguistique concerné soit présente. Ils peuvent régler le financement des compétences qu'ils désignent, ainsi que le transfert du personnel, des biens, droits et obligations qui les concernent.

Ces compétences sont exercées, selon le cas, par voie de décrets, d'arrêtés ou de règlements.

Article 139

Sur proposition de leurs Gouvernements respectifs, le Conseil de la Communauté germanophone et le Conseil de la Région wallonne peuvent, chacun par décret, décider d'un commun accord que le Conseil et le Gouvernement de la Communauté germanophone exercent, dans la région de langue allemande, en tout ou en partie, des compétences de la Région wallonne.

Ces compétences sont exercées, selon le cas, par voie de décrets, d'arrêtés ou de règlements.

Article 140

Le Conseil et le Gouvernement de la Communauté germanophone exercent par voie d'arrêtés et de règlements toute autre compétence qui leur est attribuée par la loi.

L'article 159 est applicable à ces arrêtés et règlements.

Chapitre V
De la Cour d'arbitrage, de la prévention et du règlement des conflits

Section première
De la prévention des conflits de compétence

Article 141

La loi organise la procédure tendant à prévenir les conflits entre la loi, le décret et les règles visées à l'article 134, ainsi qu'entre les décrets entre eux et entre les règles visées à l'article 134 entre elles.

Section II
De la Cour d'arbitrage

Article 142

Il y a, pour toute la Belgique, une Cour d'arbitrage, dont la composition, la compétence et le fonctionnement sont déterminés par la loi.

Cette Cour statue par voie d'arrêt sur :

1° les conflits visés à l'article 141 ;

2° la violation par une loi, un décret ou une règle visée à l'article 134, des articles 10, 11 et 24 ;

3° la violation par une loi, un décret ou une règle visée à l'article 134, des articles de la Constitution que la loi détermine.

La Cour peut être saisie par toute autorité que la loi désigne, par toute personne justifiant d'un intérêt ou, à titre préjudiciel, par toute juridiction.

Les lois visées à l'alinéa 1er, à l'alinéa 2, 3°, et à l'alinéa 3, sont adoptées à la majorité prévue à l'article 4, dernier alinéa.

Section III
De la prévention et du règlement des conflits d'intérêts

Article 143

1. Dans l'exercice de leurs compétences respectives, l'État fédéral, les communautés, les régions et la Commission communautaire commune agissent dans le respect de la loyauté fédérale, en vue d'éviter des conflits d'intérêts.

2. Le Sénat se prononce, par voie d'avis motivé, sur les conflits d'intérêts entre les assemblées qui légifèrent par voie de loi, de décret et de règle visée à l'article 134, dans les conditions et suivant les modalités qu'une loi adoptée à la majorité prévue à l'article 4, dernier alinéa, détermine.

3. Une loi adoptée à la majorité prévue à l'article 4, dernier alinéa, organise la procédure tendant à prévenir et à régler les conflits d'intérêts entre le Gouvernement fédéral, les Gouvernements de communauté et de région et le Collège réuni de la Commission communautaire commune.

Disposition transitoire

Pour ce qui concerne la prévention et le règlement des conflits d'intérêts, la loi ordinaire du 9 août 1980 de réformes institutionnelles reste d'application ; elle ne peut être abrogée, complétée, modifiée ou remplacée que par les lois visées aux §§ 2 et 3.

Chapitre VI
Du pouvoir judiciaire

Article 144

Les contestations qui ont pour objet des droits civils sont exclusivement du ressort des tribunaux.

Article 145

Les contestations qui ont pour objet des droits politiques, sont du ressort des tribunaux, sauf les exceptions établies par la loi.

Article 146

Nul tribunal, nulle juridiction contentieuse ne peut être établi qu'en vertu d'une loi. Il ne peut être créé de commissions ni de tribunaux extraordinaires, sous quelque dénomination que ce soit.

Article 147

Il y a pour toute la Belgique une Cour de cassation.

Cette Cour ne connaît pas du fond des affaires, sauf le jugement des ministres et des membres des Gouvernements de communauté et de région.

Article 148

Les audiences des tribunaux sont publiques, à moins que cette publicité ne soit dangereuse pour l'ordre ou les mœurs ; et, dans ce cas, le tribunal le déclare par un jugement.

En matière de délits politiques et de presse, le huis clos ne peut être prononcé qu'à l'unanimité.

Article 149

Tout jugement est motivé. Il est prononcé en audience publique.

Article 150

Le jury est établi en toutes matières criminelles et pour les délits politiques et de presse.

Article 151

Les juges de paix et les juges des tribunaux sont directement nommés par le Roi.

Les conseillers des cours d'appel et les présidents et vice-présidents des tribunaux de première instance de leur ressort sont nommés par le Roi, sur deux listes doubles, présentées l'une par ces cours, l'autre par les conseils provinciaux et le Conseil de la Région de Bruxelles-Capitale, selon le cas.

Les conseillers de la Cour de cassation sont nommés par le Roi, sur deux listes doubles, présentées l'une par la Cour de cassation, l'autre alternativement par la Chambre des représentants et par le Sénat.

Dans ces deux cas, les candidats portés sur une liste peuvent également être portés sur l'autre.

Toutes les présentations sont rendues publiques, au moins quinze jours avant la nomination.

Les cours choisissent dans leur sein leurs présidents et vice-présidents.

Article 152

Les juges sont nommés à vie. Ils sont mis à la retraite à un âge déterminé par la loi et bénéficient de la pension prévue par la loi.

Aucun juge ne peut être privé de sa place ni suspendu que par un jugement.

Le déplacement d'un juge ne peut avoir lieu que par une nomination nouvelle et de son consentement.

Article 153

Le Roi nomme et révoque les officiers du ministère public près des cours et des tribunaux.

Article 154

Les traitements des membres de l'ordre judiciaire sont fixés par la loi.

Article 155

Aucun juge ne peut accepter d'un Gouvernement des fonctions salariées, à moins qu'il ne les exerce gratuitement et sauf les cas d'incompatibilité déterminés par la loi.

Article 156

Il y a cinq cours d'appel en Belgique :

1° celle de Bruxelles, dont le ressort comprend les provinces du Brabant wallon, du Brabant flamand et la Région bilingue de Bruxelles-Capitale ;

2° celle de Gand, dont le ressort comprend les provinces de Flandre occidentale et de Flandre orientale ;

3° celle d'Anvers, dont le ressort comprend les provinces d'Anvers et de Limbourg ;

4° celle de Liège, dont le ressort comprend les provinces de Liège, de Namur et de Luxembourg ;

5° celle de Mons, dont le ressort comprend la province de Hainaut.

Article 157

Des lois particulières règlent l'organisation des tribunaux militaires, leurs attributions, les droits et obligations des membres de ces tribunaux, et la durée de leurs fonctions.

Il y a des tribunaux de commerce dans les lieux déterminés par la loi. Elle règle leur organisation, leurs attributions, le mode de nomination de leurs membres, et la durée des fonctions de ces derniers.

La loi règle aussi l'organisation des juridictions du travail, leurs attributions, le mode de nomination de leurs membres, et la durée des fonctions de ces derniers.

Article 158

La Cour de cassation se prononce sur les conflits d'attributions, d'après le mode réglé par la loi.

Article 159

Les cours et tribunaux n'appliqueront les arrêtés et règlements généraux, provinciaux et locaux, qu'autant qu'ils seront conformes aux lois.

Chapitre VII
Du Conseil d'État et des juridictions administratives

Article 160

Il y a pour toute la Belgique un Conseil d'État, dont la composition, la compétence et le fonctionnement sont déterminés par la loi. Toutefois, la loi peut attribuer au Roi le pouvoir de régler la procédure conformément aux principes qu'elle fixe.

Le Conseil d'État statue par voie d'arrêt en tant que juridiction administrative et donne des avis dans les cas déterminés par la loi.

Article 161

Aucune juridiction administrative ne peut être établie qu'en vertu d'une loi.

Chapitre VIII
Des institutions provinciales ou communales

Article 162

Les institutions provinciales et communales sont réglées par la loi.

La loi consacre l'application des principes suivants :

1° l'élection directe des membres des conseils provinciaux et communaux ;

2° l'attribution aux conseils provinciaux et communaux de tout ce qui est d'intérêt provincial et communal, sans préjudice de l'approbation de leurs actes, dans les cas et suivant le mode que la loi détermine ;

3° la décentralisation d'attributions vers les institutions provinciales et communales ;

4° la publicité des séances des conseils provinciaux et communaux dans les limites établies par la loi ;

5° la publicité des budgets et des comptes ;

6° l'intervention de l'autorité de tutelle ou du pouvoir législatif fédéral, pour empêcher que la loi ne soit violée ou l'intérêt général blessé.

En exécution d'une loi adoptée à la majorité prévue à l'article 4, dernier alinéa, l'organisation et l'exercice de la tutelle administrative peuvent être réglés par les Conseils de communauté ou de région.

En exécution d'une loi adoptée à la majorité déterminée à l'article 4, dernier alinéa, le décret ou la règle visée à l'article 134 règle les conditions et le mode suivant lesquels plusieurs provinces ou plusieurs communes peuvent s'entendre ou s'associer. Toutefois, il ne peut être permis à plusieurs conseils provinciaux ou à plusieurs conseils communaux de délibérer en commun.

Article 163

Les compétences exercées dans les Régions wallonne et flamande par des organes provinciaux élus sont exercées, dans la région bilingue de Bruxelles-Capitale, par les Communautés française et flamande et par la Commission communautaire commune, chacune en ce qui concerne les matières relevant de leurs compétences en vertu des articles 127 et 128 et, en ce qui concerne les autres matières, par la Région de Bruxelles-Capitale.

Toutefois, une loi adoptée à la majorité prévue à l'article 4, dernier alinéa, règle les modalités selon lesquelles la Région de Bruxelles-Capitale ou toute institution dont les membres sont désignés par celle-ci exerce les compétences visées à l'alinéa 1er qui ne relèvent pas des matières visées à l'article 39. Une loi adoptée à la même majorité règle l'attribution aux institutions prévues à l'article 136 de tout ou partie des compétences visées à l'alinéa 1er qui relèvent des matières visées aux articles 127 et 128.

Article 164

La rédaction des actes de l'état civil et la tenue des registres sont exclusivement dans les attributions des autorités communales.

Article 165

1. La loi crée des agglomérations et des fédérations de communes. Elle détermine leur organisation et leur compétence en consacrant l'application des principes énoncés à l'article 162.

Il y a pour chaque agglomération et pour chaque fédération un conseil et un collège exécutif.

Le président du collège exécutif est élu par le conseil, en son sein ; son élection est ratifiée par le Roi ; la loi règle son statut.

Les articles 159 et 190 s'appliquent aux arrêtés et règlements des agglomérations et des fédérations de communes.

Les limites des agglomérations et des fédérations de communes ne peuvent être changées ou rectifiées qu'en vertu d'une loi.

2. La loi crée l'organe au sein duquel chaque agglomération et les fédérations de communes les plus proches se concertent aux conditions et selon le mode qu'elle fixe, pour l'examen de problèmes communs de caractère technique qui relèvent de leur compétence respective.

3. Plusieurs fédérations de communes peuvent s'entendre ou s'associer entre elles ou avec une ou plusieurs agglomérations dans les conditions et selon le mode à déterminer par la loi pour régler et gérer en commun des objets qui relèvent de leur compétence. Il n'est pas permis à leurs conseils de délibérer en commun.

Article 166

1. L'article 165 s'applique à l'agglomération à laquelle appartient la capitale du Royaume, sous réserve de ce qui est prévu ci-après.

2. Les compétences de l'agglomération à laquelle la capitale du Royaume appartient sont, de la manière déterminée par une loi adoptée à la majorité prévue à l'article 4, dernier alinéa, exercées par les organes de la Région de Bruxelles-Capitale créés en vertu de l'article 39.

3. Les organes visés à l'article 136 :
1° ont, chacun pour sa communauté, les mêmes compétences que les autres pouvoirs organisateurs pour les matières culturelles, d'enseignement et personnalisables ;
2° exercent, chacun pour sa communauté, les compétences qui leur sont déléguées par les Conseils de la Communauté française et de la Communauté flamande ;
3° règlent conjointement les matières visées au 1° qui sont d'intérêt commun.

Titre IV
Des relations internationales

Article 167

1. Le Roi dirige les relations internationales, sans préjudice de la compétence des communautés et des régions de régler la coopération internationale, y compris la conclusion de traités, pour les matières qui relèvent de leurs compétences de par la Constitution ou en vertu de celle-ci.

Le Roi commande les forces armés, et constate l'état de guerre ainsi que la fin des hostilités. Il en donne connaissance aux Chambres aussitôt que l'intérêt et la sûreté de l'État le permettent, en y joignant les communications convenables.

Nulle cession, nul échange, nulle adjonction de territoire, ne peut avoir lieu qu'en vertu d'une loi.

2. Le Roi conclut les traités, à l'exception de ceux qui portent sur les matières visées au § 3. Ces traités n'ont d'effet qu'après avoir reçu l'assentiment des Chambres.

3. Les Gouvernements de communauté et de région visés à l'article 121 concluent, chacun pour ce qui le concerne, les traités portant sur les matières qui relèvent de la compétence de leur Conseil. Ces traités n'ont d'effet qu'après avoir reçu l'assentiment du Conseil.

4. Une loi adoptée à la majorité prévue à l'article 4, dernier alinéa, arrête les modalités de conclusion des traités visés au § 3 et des traités ne portant pas exclusivement sur les matières qui relèvent de la compétence des communautés ou des régions par ou en vertu de la Constitution.

5. Le Roi peut dénoncer les traités conclus avant le 18 mai 1993 et portant sur les matières visées au § 3, d'un commun accord avec les Gouvernements de communauté et de région concernés.

Le Roi dénonce ces traités si les Gouvernements de communauté et de région concernés l'y invitent. Une loi adoptée à la majorité prévue à l'article 4, dernier alinéa, règle la procédure en cas de désaccord entre les Gouvernements de communauté et de région concernés.

Article 168

Dès l'ouverture des négociations en vue de toute révision des traités instituant les Communautés européennes et des traités et actes qui les ont modifiés ou complétés, les Chambres en sont informées. Elles ont connaissance du projet de traité avant sa signature.

Article 169

Afin de garantir le respect des obligations internationales ou supranationales, les pouvoirs visés aux articles 36 et 37 peuvent, moyennant le respect des conditions fixées par la loi, se substituer temporairement aux organes visés aux articles 115 et 121. Cette loi doit être adoptée à la majorité prévue à l'article 4, dernier alinéa.

Titre V
Des finances

Article 170

1. Aucun impôt au profit de l'État ne peut être établi que par une loi.

2. Aucun impôt au profit de la communauté ou de la région ne peut être établi que par un décret ou une règle visée à l'article 134.

La loi détermine, relativement aux impositions visées à l'alinéa 1er, les exceptions dont la nécessité est démontrée.

3. Aucune charge, aucune imposition ne peut être établie par la province que par une décision de son conseil.

La loi détermine, relativement aux impositions visées à l'alinéa 1er, les exceptions dont la nécessité est démontrée.

La loi peut supprimer en tout ou en partie les impositions visées à l'alinéa 1er.

4. Aucune charge, aucune imposition ne peut être établie par l'agglomération, par la fédération de communes et par la commune que par une décision de leur conseil.

La loi détermine, relativement aux impositions visées à l'alinéa 1er, les exceptions dont la nécessité est démontrée.

Article 171

Les impôts au profit de l'État, de la communauté et de la région sont votés annuellement.

Les règles qui les établissent n'ont force que pour un an si elles ne sont renouvelées.

Article 172

Il ne peut être établi de privilège en matière d'impôts.

Nulle exemption ou modération d'impôt ne peut être établie que par une loi.

Article 173

Hors les provinces, les polders et wateringues et les cas formellement exceptés par la loi, le décret et les règles visées à l'article 134, aucune rétribution ne peut être exigée des citoyens qu'à titre d'impôt au profit de l'État, de la communauté, de la région, de l'agglomération, de la fédération de communes ou de la commune.

Article 174

Chaque année, la Chambre des représentants arrête la loi des comptes et vote le budget. Toutefois, la Chambre des représentants et le Sénat fixent annuellement, chacun en ce qui le concerne, leur dotation de fonctionnement.

Toutes les recettes et dépenses de l'État doivent être portées au budget et dans les comptes.

Article 175

Une loi adoptée à la majorité prévue à l'article 4, dernier alinéa, fixe le système de financement pour la Communauté française et pour la Communauté flamande.

Les Conseils de la Communauté française et de la Communauté flamande règlent par décret, chacun en ce qui le concerne, l'affectation de leurs recettes.

Article 176

Une loi fixe le système de financement de la Communauté germanophone.

Le Conseil de la Communauté germanophone règle l'affectation des recettes par décret.

Article 177

Une loi adoptée à la majorité prévue à l'article 4, dernier alinéa, fixe le système de financement des régions.

Les Conseils de région déterminent, chacun pour ce qui le concerne, l'affectation de leurs recettes par les règles prévues à l'article 134.

Article 178

Dans les conditions et suivant les modalités déterminées par la loi adoptée à la majorité prévue à l'article 4, dernier alinéa, le Conseil de la Région de Bruxelles-Capitale transfère, par la règle visée à l'article 134, des moyens financiers à la Commission communautaire commune et aux Commissions communautaires française et flamande.

Article 179

Aucune pension, aucune gratification à la charge du trésor public, ne peut être accordée qu'en vertu d'une loi.

Article 180

Les membres de la Cour des comptes sont nommés par la Chambre des représentants et pour le terme fixé par la loi.

Cette Cour est chargée de l'examen et de la liquidation des comptes de l'administration générale et de tous comptables envers le trésor public. Elle veille à ce qu'aucun article des dépenses du budget ne soit dépassé et qu'aucun transfert n'ait lieu. La Cour exerce également un contrôle général sur les opérations relatives à l'établissement et au recouvrement des droits acquis par l'État, y compris les recettes fiscales. Elle arrête les comptes des différentes administrations de l'État et est chargée de recueillir à cet effet tout renseignement et toute pièce comptable nécessaire. Le compte général de l'État est soumis à la Chambre des représentants avec les observations de la Cour des comptes.

Cette Cour est organisée par une loi.

Article 181

1. Les traitements et pensions des ministres des cultes sont à la charge de l'État ; les sommes nécessaires pour y faire face sont annuellement portées au budget.

2. Les traitements et pensions des délégués des organisations reconnues par la loi qui offrent une assistance morale selon une conception philosophique non confessionnelle sont à la charge de l'État ; les sommes nécessaires pour y faire face sont annuellement portées au budget.

Titre VI
De la force publique

Article 182

Le mode de recrutement de l'armée est déterminé par la loi. Elle règle également l'avancement, les droits et les obligations des militaires.

Article 183

Le contingent de l'armée est voté annuellement. La loi qui le fixe, n'a de force que pour un an, si elle n'est pas renouvelée.

Article 184

L'organisation et les attributions de la gendarmerie font l'objet d'une loi.

Article 185

Aucune troupe étrangère ne peut être admise au service de l'État, occuper ou traverser le territoire qu'en vertu d'une loi.

Article 186

Les militaires ne peuvent être privés de leurs grades, honneurs et pensions que de la manière déterminée par la loi.

Titre VII
Dispositions générales

Article 187

La Constitution ne peut être suspendue en tout ni en partie.

Article 188

À compter du jour où la Constitution sera exécutoire, toutes les lois, décrets, arrêtés, règlements et autres actes qui y sont contraires sont abrogés.

Article 189

Le texte de la Constitution est établi en français, en néerlandais et en allemand.

Article 190

Aucune loi, aucun arrêté ou règlement d'administration générale, provinciale ou communale, n'est obligatoire qu'après avoir été publié dans la forme déterminée par la loi.

Article 191

Tout étranger qui se trouve sur le territoire de la Belgique jouit de la protection accordée aux personnes et aux biens, sauf les exceptions établies par la loi.

Article 192

Aucun serment ne peut être imposé qu'en vertu de la loi. Elle en détermine la formule.

Article 193

La nation belge adopte les couleurs rouge, jaune et noire, et pour armes du Royaume, le « Lion Belgique » avec la légende : « L'union fait la force ».

Article 194

La ville de Bruxelles est la capitale de la Belgique et le siège du Gouvernement fédéral.

Titre VIII
De la révision de la Constitution

Article 195

Le pouvoir législatif a le droit de déclarer qu'il y a lieu à la révision de telle disposition constitutionnelle qu'il désigne.

Après cette déclaration, les deux Chambres sont dissoutes de plein droit.

Il en sera convoqué deux nouvelles, conformément à l'article 46.

Ces Chambres statuent d'un commun accord avec le Roi, sur les points soumis à la révision.

Dans ce cas, les Chambres ne pourront délibérer si deux tiers au moins des membres qui composent chacune d'elles ne sont présents ; et nul changement ne sera adopté s'il ne réunit au moins les deux tiers des suffrages.

Article 196

Aucune révision de la Constitution ne peut être engagée ni poursuivie en temps de guerre ou lorsque les Chambres se trouvent empêchées de se réunir librement sur le territoire fédéral.

Article 197

Pendant une régence, aucun changement ne peut être apporté à la Constitution en ce qui concerne les pouvoirs constitutionnels du Roi et les articles 85 à 88, 91 à 95, 106 et 197 de la Constitution.

Article 198

D'un commun accord avec le Roi, les Chambres constituantes peuvent adapter la numérotation des articles et des subdivisions des articles de la Constitution ainsi que les subdivisions de celle-ci en titres, chapitres et sections, modifier la terminologie des dispositions non soumises à révision pour les mettre en concordance avec la terminologie des nouvelles dispositions et assurer la concordance entre les textes français, néerlandais et allemand de la Constitution.

Dans ces cas, les Chambres ne pourront délibérer si deux tiers au moins des membres qui composent chacune d'elles ne sont présents ; et les changements ne seront adoptés que si l'ensemble des modifications réunit au moins les deux tiers des suffrages exprimés.

Titre IX
Entrée en vigueur et dispositions transitoires

I - Les dispositions de l'article 85 seront pour la première fois d'application à la descendance de S.A.R. le Prince Albert, Félix, Humbert, Théodore, Christian, Eugène, Marie, Prince de Liège, Prince de Belgique, étant entendu que le mariage de S.A.R. la Princesse Astrid, Joséphine, Charlotte, Fabrizia, Elisabeth, Paola, Marie, Princesse de Belgique, avec Lorenz, Archiduc d'Autriche-Este, est censé avoir obtenu le consentement visé à l'article 85, alinéa 2.

Jusqu'à ce moment les dispositions suivantes restent d'application.

Les pouvoirs constitutionnels du Roi sont héréditaires dans la descendance directe, naturelle et légitime de S. M. Léopold, Georges, Chrétien, Frédéric de

Saxe-Cobourg, de mâle en mâle, par ordre de primogéniture et à l'exclusion perpétuelle des femmes et de leur descendance.

Sera déchu de ses droits à la couronne, le prince qui se serait marié sans le consentement du Roi ou de ceux qui, à son défaut, exercent ses pouvoirs dans les cas prévus par la Constitution.

Toutefois, il pourra être relevé de cette déchéance par le Roi ou par ceux qui, à son défaut, exercent ses pouvoirs dans les cas prévus par la Constitution, et ce moyennant l'assentiment des deux Chambres.

II - L'article 32 entre en vigueur le 1er janvier 1995.

III - L'article 125 est d'application pour les faits postérieurs au 8 mai 1993.

IV - Les prochaines élections des Conseils, conformément aux dispositions des articles 115, § 2, 116, § 2, 118 et 119, à l'exclusion de l'article 117, auront lieu le même jour que les prochaines élections générales de la Chambre des représentants. Les élections suivantes des Conseils, conformément aux articles 115, § 2, 116 § 2, 118 et 119, auront lieu le même jour que les deuxièmes élections du Parlement européen suivant l'entrée en vigueur des articles 115, § 2, 118, 120, 121, § 2, 123 et 124.

Jusqu'aux prochaines élections pour la Chambre des représentants, les articles 116, § 2, 117 et 119 ne sont pas d'application.

V - 1. Jusqu'au prochain renouvellement intégral de la Chambre des représentants, par dérogation aux articles 43, § 2, 46, 63, 67, 68, 69, 3°, 70, 74, 100, 101, 111, 151, alinéa 3, 174, alinéa 1er, et 180, alinéa 2, dernière phrase, les dispositions suivantes restent d'application.

a) Le pouvoir législatif fédéral s'exerce collectivement par le Roi, la Chambre des représentants et le Sénat.

b) Le Roi a le droit de dissoudre les Chambres simultanément et l'acte de dissolution contient convocation des électeurs dans les quarante jours et des Chambres dans les deux mois.

c) La Chambre des représentants compte 212 membres et le diviseur fédéral est obtenu en divisant le chiffre de la population du Royaume par 212.

d) Le Sénat se compose:

1° de 106 membres élus, à raison de la population de chaque province, conformément à l'article 61. Les dispositions de l'article 62 sont applicables à l'élection de ces sénateurs;

2° de membres élus par les conseils provinciaux, dans la proportion d'un sénateur pour 200 000 habitants. Tout excédent de 125 000 habitants au moins donne droit à un sénateur de plus. Toutefois, chaque conseil provincial nomme au moins trois sénateurs ;
Ces membres ne peuvent appartenir à l'assemblée qui les élit, ni en avoir fait partie au cours des deux ans précédant le jour de leur élection ;

3° de membres élus par le Sénat à concurrence de la moitié du nombre des sénateurs élus par les conseils provinciaux. Si ce nombre est impair, il est majoré d'une unité.
Ces membres sont désignés par les sénateurs élus en application des 1° et 2°.
L'élection des sénateurs élus en application des 2° et 3° se fait d'après le système de la représentation proportionnelle que la loi détermine.
S'il faut pourvoir, après le 31 décembre 1994 au remplacement d'un sénateur qui a été élu par le conseil provincial du Brabant, le Sénat élit un membre selon les conditions fixées par la loi. Pour cette loi la Chambre des représentants et le Sénat sont compétents sur un pied d'égalité.

e) Pour être élu sénateur, il faut, sans préjudice de l'article 69, 1 °, 2° et 4°, avoir atteint l'âge de quarante ans accomplis.

f) Les sénateurs sont élus pour quatre ans.

g) Les ministres n'ont voix délibérative dans l'une ou l'autre Chambre que quand ils en sont membres.

Ils ont leur entrée dans chacune des Chambres et doivent être entendus quand ils le demandent.

Les Chambres peuvent requérir la présence des ministres.

h) Le Roi ne peut faire grâce au ministre ou au membre d'un Gouvernement de communauté ou de région condamné par la Cour de cassation que sur la demande de l'une des deux Chambres ou du Conseil concerné.

i) Les conseillers de la Cour de cassation sont nommés par le Roi, sur deux listes doubles, présentées l'une par le Sénat, l'autre par la Cour de cassation.

j) Les Chambres arrêtent, chaque année, la loi des comptes et votent le budget.

k) La Cour des comptes soumet le compte général de l'État, avec ses observations, à la Chambre des représentants et au Sénat.

2. Les articles 50, 75, alinéas 2 et 3, 77 à 83, 96, alinéa 2, et 99, alinéa 1er, entrent en vigueur à partir du prochain renouvellement intégral de la Chambre des représentants.

VI - 1. Jusqu'au 31 décembre 1994, par dérogation à l'article 5, alinéa 1er, les provinces sont : Anvers, le Brabant, la Flandre occidentale, la Flandre orientale, le Hainaut, Liège, le Limbourg, le Luxembourg et Namur.

2. La prochaine élection pour les conseils provinciaux coïncidera avec les prochaines élections communales et aura lieu le deuxième dimanche d'octobre 1994. Pour autant que la loi visée au § 3, alinéa 1er, soit entrée en vigueur, les électeurs seront convoqués ce même dimanche pour l'élection des conseils provinciaux du Brabant wallon et du Brabant flamand.

3. Les membres du personnel et le patrimoine de la province de Brabant seront répartis entre la province du Brabant wallon, la province du Brabant flamand, la Région de Bruxelles-Capitale, les autorités et institutions visées aux articles 135 et 136, ainsi que l'autorité fédérale, suivant les modalités réglées par une loi adoptée à la majorité prévue à l'article 4, dernier alinéa.

Après le prochain renouvellement des conseils provinciaux et jusqu'au moment de leur répartition, le personnel et le patrimoine restés communs sont gérés conjointement par la province du Brabant wallon, la province du Brabant flamand et les autorités compétentes dans la région bilingue de Bruxelles-Capitale.

4. Jusqu'au 31 décembre 1994, les conseillers des cours d'appel et les présidents et vice-présidents des tribunaux de première instance de leur ressort, par dérogation à l'article 151, alinéa 2, sont nommés par le Roi, sur deux listes doubles, présentées l'une par ces cours, l'autre par les conseils provinciaux.

5. Jusqu'au 31 décembre 1994, le ressort de la cour d'appel de Bruxelles, par dérogation à l'article 156, 1°, comprend la province de Brabant.

III - Danemark

Constitution du Royaume de Danemark
du 5 juin 1953 [1]

Chapitre premier

Article premier

La présente Constitution est applicable à tous les territoires du Royaume de Danemark.

Article 2

La forme du gouvernement est celle d'une monarchie constitutionnelle. Le pouvoir royal se transmet héréditairement aux hommes et aux femmes selon les règles établies par la loi de succession au trône du 27 mars 1953 [2].

Article 3

Le pouvoir législatif est exercé par le Roi et le *Folketing* [3] en commun. Le pouvoir exécutif est exercé par le Roi. Le pouvoir judiciaire est exercé par les tribunaux.

Article 4

L'Église évangélique luthérienne est l'Église nationale danoise et jouit, comme telle, du soutien de l'État.

Chapitre II

Article 5

Le Roi ne peut, sans le consentement du *Folketing* être souverain d'autres pays.

Article 6

Le Roi doit appartenir à l'Église évangélique luthérienne.

Article 7

Le Roi est majeur à l'âge de 18 ans révolus. Il en est de même de l'héritier présomptif du trône.

Article 8

Avant d'exercer ses pouvoirs, le Roi fait par écrit, en Conseil des ministres, une déclaration solennelle d'observer inviolablement la Constitution. Il est dressé de l'acte de déclaration deux originaux identiques, dont l'un est remis au *Folketing* pour être conservé dans ses archives, l'autre étant déposé dans les archives du Royaume. Si, pour cause d'absence ou pour tout autre motif, le Roi est empêché de faire cette déclaration immédiatement après son avènement, le Conseil des ministres est entretemps chargé de la régence, sauf disposition de loi contraire. Si le Roi a déjà fait cette déclaration comme héritier présomptif, il exerce ses pouvoirs dès son avènement.

Article 9

Les dispositions relatives à l'administration de la régence en cas de minorité, maladie ou absence du Roi sont fixées par une loi. Si, en cas de vacance du trône, il n'y a pas d'héritier présomptif, le *Folketing* élira un Roi et déterminera le futur ordre de succession.

Article 10

1. La liste civile du Roi sera fixée par une loi pour la durée de son règne. Cette même loi déterminera également quels châteaux et autres domaines de l'État seront mis à la disposition du Roi.

2. La liste civile ne pourra être grevée d'aucune dette.

---

(1) Texte publié par la Direction générale de presse et des relations culturelles du ministère des Affaires étrangères du Danemark, communiqué par l'ambassade du Danemark à Paris. Il est à jour au 1er mars 1994.
(2) Le texte est publié en annexe, *infra*, p. 105.
(3) L'Assemblée du peuple.

Article 11

Une dotation pourra être attribuée par une loi aux membres de la maison royale. La jouissance de cette dotation ne peut avoir lieu en dehors du Royaume sans le consentement du *Folketing*.

Chapitre III

Article 12

Dans les limites prévues par la présente Constitution, le Roi est investi de l'autorité suprême sur toutes les affaires du Royaume, et il exerce cette autorité par les ministres.

Article 13

Le Roi est irresponsable ; sa personne est inviolable et sacrée. Les ministres sont responsables de la conduite du Gouvernement ; leur responsabilité est spécifiée par la loi.

Article 14

Le Roi nomme et révoque le Premier ministre et les autres ministres. Il fixe leur nombre ainsi que la répartition de leurs tâches. La signature du Roi au bas des décisions concernant la législation et le gouvernement les rend exécutoires, quand elle est accompagnée du contreseing d'un ou de plusieurs ministres. Chaque ministre qui l'a contresignée est responsable d'une décision.

Article 15

1. Aucun ministre ne peut rester en fonction après que le *Folketing* lui a refusé sa confiance.

2. Si le *Folketing* retire sa confiance au Premier ministre, celui-ci doit demander la démission du ministère, à moins que de nouvelles élections ne soient décrétées. Un ministère qui a fait l'objet d'un vote de méfiance ou qui a offert sa démission demeure en fonction jusqu'à la nomination d'un nouveau ministère. Les ministres ne peuvent alors qu'expédier les affaires courantes pour assurer la continuité de leur fonction.

Article 16

Les ministres peuvent être mis en accusation par le Roi ou par le *Folketing* pour leur gestion. La Haute Cour de justice connaît des accusations ainsi portées contre les ministres.

Article 17

1. La réunion des ministres constitue le Conseil des ministres, où siège l'héritier présomptif du trône lorsqu'il est majeur. Le Roi en a la présidence, sauf dans le cas prévu à l'article 8 et dans les cas où le pouvoir législatif aurait investi le Conseil des ministres des attributions de la régence en vertu de l'article 9.

2. Le Conseil des ministres délibère sur toutes les lois et mesures gouvernementales importantes.

Article 18

Lorsque le Roi est empêché de tenir le Conseil des ministres, il peut faire traiter l'affaire en Conseil de cabinet. Celui-ci se compose de tous les ministres sous la présidence du Premier ministre. Chaque ministre doit y émettre un vote, qui sera consigné au procès-verbal, et la décision y est prise à la majorité des voix. Le procès-verbal des délibérations, signé par les ministres présents, est soumis par le Premier ministre au Roi, qui décide s'il veut approuver immédiatement la proposition du Conseil de cabinet ou se faire rapporter l'affaire en Conseil des ministres.

Article 19

1. Le Roi agit au nom du Royaume dans les affaires internationales. Pourtant, il ne peut, sans le consentement du *Folketing,* faire aucun acte ayant pour résultat d'étendre ou de réduire le territoire du Royaume, ni accepter aucune obligation dont l'accomplissement nécessite le concours du *Folketing* ou qui soit par ailleurs d'importance considérable. Le Roi ne peut non plus, sans le consentement du *Folketing,* dénoncer une convention internationale conclue avec l'assentiment du *Folketing*.

2. Abstraction faite des mesures de défense dues à une agression armée contre le Royaume ou des forces danoises, le Roi ne peut, sans le consentement du *Folketing,* employer la force militaire contre aucun État étranger. Les mesures que le Roi serait amené à prendre en vertu de cette disposition devront être aussitôt soumises au *Folketing*. Si le *Folketing* n'est pas en session, il devra être convoqué de toute urgence.

3. Le *Folketing* nomme, parmi ses membres, une commission de politique extérieure que le Gouvernement consulte avant toute décision importante de politique extérieure. Les règles précises concernant cette commission de politique extérieure seront fixées par la loi.

Article 20

1. Les attributions dont sont investies les autorités du Royaume aux termes de la présente Constitution peuvent être déléguées par une loi et, dans une mesure à déterminer, à des autorités en vertu d'une convention passée par accord réciproque avec d'autres États en vue de promouvoir la coopération et l'ordre juridique internationaux.

2. Pour l'adoption d'un projet de loi à cet effet, une majorité des cinq sixièmes des membres du *Folketing* est requise. Si cette majorité n'est pas obtenue, mais bien celle qui est nécessaire pour l'adoption de projets de lois ordinaires, et que le Gouvernement maintienne le projet, celui-ci sera soumis aux électeurs du *Folketing* pour être approuvé ou rejeté, conformément aux règles fixées à l'article 42 concernant les référendums.

Article 21

Le Roi peut faire déposer des projets de loi sur le bureau du *Folketing* et y faire mettre une question en délibération.

Article 22

Un projet de loi adopté par le *Folketing* aura force de loi lorsqu'il aura été sanctionné par le Roi, trente jours au plus tard après le vote définitif. Le Roi ordonne la promulgation de la loi et en surveille l'exécution.

Article 23

Dans les cas de grande urgence, et dans l'impossibilité de réunir le *Folketing*, le Roi peut décréter des lois provisoires, qui ne peuvent toutefois être contraires à la Constitution et qui devront toujours être présentées au *Folketing* aussitôt après sa réunion, pour être approuvées ou rejetées.

Article 24

Le Roi a le droit de grâce et d'amnistie. Il ne peut faire grâce aux ministres des peines qui leur sont infligées par la Haute Cour de justice qu'avec le consentement du *Folketing*.

Article 25

Soit directement, soit par l'intermédiaire des autorités compétentes, le Roi accorde des concessions et des dispenses aux prescriptions des lois, qui sont soit en usage d'après les règles en vigueur avant le 5 juin 1849, soit autorisées par une loi rendue depuis cette date.

Article 26

Le Roi a le droit de faire frapper monnaie conformément à la loi.

Article 27

1. La nomination des fonctionnaires est régie par la loi. Nul ne pourra être nommé fonctionnaire sans avoir la nationalité danoise. Tout fonctionnaire nommé par le Roi fait une déclaration solennelle d'observer la Constitution.

2. Les conditions de révocation, de mutation et de mise à la retraite des fonctionnaires sont régies par la loi, sous réserve des dispositions prévues à ce sujet à l'article 64.

3. Sans leur consentement, les fonctionnaires nommés par le Roi ne peuvent être déplacés qu'à condition qu'ils ne subissent aucune réduction du traitement attaché à leur charge et qu'il leur soit laissé le choix entre une telle mutation et la retraite avec pension selon les règles générales.

Chapitre IV

Article 28

Le *Folketing* est constitué par une assemblée unique se composant de 179 membres au plus, dont deux sont élus aux îles Féroé et deux au Groenland.

Article 29

1. Est électeur au *Folketing* toute personne de nationalité danoise qui a domicile fixe dans le Royaume et qui a atteint l'âge requis pour l'exercice du droit de vote comme prévu au paragraphe 2 ci-dessous, à moins que cette personne n'ait été interdite. Une loi déterminera dans quelle mesure une condamnation pénale et des subventions qualifiées par la loi de secours de l'Assis-

tance publique entraîneront la déchéance du droit de vote.

2. L'âge requis pour l'exercice du droit de vote est celui qui aura obtenu la majorité des voix à un référendum organisé aux termes de la loi du 25 mars 1953. L'âge électoral pourra en tout temps être modifié par une loi. Un tel projet de loi, voté par le *Folketing,* ne pourra être sanctionné par le Roi que lorsque la disposition portant modification de l'âge requis pour l'exercice du droit de vote aura été soumise, conformément aux règles prévues à l'article 42, paragraphe 5, à un référendum et que celui-ci n'aura pas eu pour résultat le rejet de cette disposition.

Article 30

1. Est éligible au *Folketing* toute personne ayant qualité d'électeur à cette assemblée, sauf les personnes ayant été condamnées pour un acte qui, dans l'opinion publique, les rend indignes d'être membres du *Folketing.*

2. Les fonctionnaires élus au *Folketing* ne sont pas tenus d'obtenir la permission du Gouvernement pour accepter cette élection.

Article 31

1. Les élections des membres du *Folketing* ont lieu au suffrage universel et direct, par vote secret.

2. L'exercice du droit de vote est régi par la loi électorale qui, en vue d'assurer une représentation, dans d'égales proportions, des différentes opinions des électeurs, fixe le mode de scrutin et décide, notamment, si le régime de la représentation proportionnelle doit être appliqué concurremment ou non avec le scrutin uninominal.

3. Pour la répartition territoriale des sièges, il sera tenu compte du nombre des habitants, du nombre des électeurs et de la densité de la population.

4. La loi électorale déterminera les règles à suivre en ce qui concerne l'élection des suppléants et les conditions de leur entrée au *Folketing,* ainsi que la procédure à suivre dans les cas où un deuxième tour de scrutin deviendrait nécessaire.

5. Des règles spéciales sur la représentation du Groenland au *Folketing* pourront être fixées par une loi.

Article 32

1. Les membres du *Folketing* sont élus pour quatre ans.

2. Le Roi peut décréter, à n'importe quel moment, de nouvelles élections ayant pour effet de faire cesser les mandats parlementaires existants une fois que ces nouvelles élections ont eu lieu. Cependant, après la nomination d'un nouveau ministère, de nouvelles élections ne peuvent être décrétées avant que le Premier ministre ne se soit présenté devant le *Folketing.*

3. Il appartient au Premier ministre de veiller à ce que les nouvelles élections aient lieu avant l'expiration de la législature.

4. Les mandats ne cessent dans aucun cas avant que de nouvelles élections n'aient eu lieu.

5. Des règles spéciales pourront être fixées par la loi concernant l'entrée en vigueur et l'expiration des mandats parlementaires des îles Féroé et du Groenland.

6. Si un membre du *Folketing* perd son éligibilité, il est, de ce fait, déchu de son mandat.

7. Tout nouveau membre du *Folketing* fait, après la validation de son élection, une déclaration solennelle d'observer la Constitution.

Article 33

Le *Folketing* décide lui-même de la validité des élections de ses membres, ainsi que de la question de savoir si un membre a perdu son éligibilité.

Article 34

Le *Folketing* est inviolable. Quiconque attente à sa sûreté ou à sa liberté, quiconque donne ou exécute un ordre à cet effet, se rend coupable de haute trahison.

Chapitre V

Article 35

1. Le *Folketing* nouvellement élu se réunit à midi le douzième jour ouvrable qui suit le jour des élections, pour autant qu'il n'ait pas été convoqué avant ce jour par le Roi.

2. Immédiatement après la vérification des pouvoirs, le *Folketing* se constitue par élection de son président et de ses vice-présidents.

Article 36

1. L'année parlementaire commence le premier mardi du mois d'octobre et prend fin le même mardi de l'année suivante.

2. Le premier jour de l'année parlementaire, à midi, les membres se réunissent en séance pour procéder à l'ouverture de la nouvelle session du *Folketing*.

Article 37

Le *Folketing* se réunit dans le lieu où le Gouvernement a son siège. Dans des cas extraordinaires, toutefois, le *Folketing* peut se réunir en un autre lieu du Royaume.

Article 38

1. A la première séance de l'année parlementaire, le Premier ministre fait un compte rendu de la situation générale du Royaume, ainsi que des mesures envisagées par le Gouvernement.

2. Sur la base de ce compte rendu, un débat général a lieu.

Article 39

Le président du *Folketing* convoque l'assemblée en indiquant l'ordre du jour. Il appartient au président de convoquer le *Folketing* quand les deux cinquièmes au moins de ses membres ou le Premier ministre lui adressent une requête écrite à cet effet en indiquant un ordre du jour.

Article 40

En vertu de leur charge, les ministres ont accès au *Folketing* et ont le droit d'y demander la parole pendant les débats aussi souvent qu'ils le désirent, en observant par ailleurs, le règlement intérieur. Ils n'ont le droit de vote que s'ils sont en même temps membres du *Folketing*.

Article 41

1. Tout membre du *Folketing* a le droit de faire des propositions de lois ou de résolutions.

2. Une proposition de loi ne peut être définitivement adoptée avant d'avoir été discutée trois fois au *Folketing*.

3. Deux cinquièmes des membres du *Folketing* peuvent demander au président qu'il ne soit procédé à la troisième lecture que douze jours ouvrables, au plus tôt, après l'adoption de la proposition en deuxième lecture. Cette demande doit être formulée par écrit et signée par les membres qui y ont part. Un tel sursis ne peut toutefois être accordé quand il s'agit de propositions de lois portant fixation du budget, de lois portant ouverture de crédits supplémentaires ou provisoires, de lois autorisant des emprunts d'État, de lois portant octroi de nationalité, de lois d'expropriation, de lois établissant des impôts indirects et, dans les cas d'urgence, de propositions de lois dont la mise en vigueur ne peut être différée eu égard au but de la loi.

4. En cas de nouvelles élections et à l'expiration de l'année parlementaire, toutes les propositions de lois ou les délibérations qui n'ont pas été définitivement votées deviennent caduques.

Article 42

1. Lorsqu'un projet (ou proposition) de loi a été adopté par le *Folketing*, un tiers des membres de l'assemblée peuvent demander au président, dans les trois jours ouvrables qui suivent le vote définitif du projet, que le projet en question soit soumis à un référendum. Cette demande doit être formulée par écrit et signée par les membres qui y ont part.

2. Sauf les cas prévus au paragraphe 7, un projet de loi susceptible d'être soumis à un référendum aux termes du paragraphe 6 ne peut être sanctionné par le Roi avant l'expiration du délai prévu au paragraphe premier ou avant que le référendum requis n'ait eu lieu.

3. Lorsque le référendum est requis au sujet d'une proposition de loi, le *Folketing* peut décider de retirer la proposition dans un délai de cinq jours ouvrables à partir de son adoption définitive.

4. Si le *Folketing* ne prend pas la décision prévue au paragraphe 3, l'avis que la proposition de loi devra être soumise à un référendum doit être notifié sans retard au Premier ministre, qui procède ensuite à la publication de la proposition de loi en l'accompagnant d'un communiqué annonçant le référendum. Le référendum devra avoir lieu à une date fixée par le Premier ministre, douze jours ouvrables au plus tôt, et dix-huit jours ouvrables au plus tard, après ladite publication.

5. Lors du référendum, les électeurs votent pour ou contre la proposition de loi. Pour faire tomber la proposition de loi, il faut que la majorité des votants et au moins

les 30 pour cent de tous les électeurs inscrits aient voté contre la proposition.

6. Ne peuvent être soumis au référendum les projets de lois des finances portant sur le budget ordinaire, le budget extraordinaire ou le budget provisoire, les projets de lois autorisant des emprunts d'État, de lois portant fixation d'appointements ou de pension de retraite, de lois portant octroi de nationalité, de lois d'expropriation, de lois établissant des impôts directs ou indirects ni les projets de lois portant sur l'observation d'engagements contractés par traité. Il en est de même en ce qui concerne les projets de lois prévus aux articles 8, 9, 10 et 11, ainsi que les décisions prévues à l'article 19 et qui seraient formulées sous forme de lois, à moins que pour ces dernières une loi particulière ne décide qu'un référendum doit avoir lieu. Lors des révisions de la Constitution, les règles prévues à l'article 88 seront d'application.

7. Dans les cas particulièrement urgents, un projet de loi susceptible d'être soumis à un référendum peut être sanctionné par le Roi immédiatement après son adoption par le *Folketing* si le projet contient une disposition à cet effet. Si un tiers des membres du *Folketing* requiert un référendum sur le projet de loi ou sur la loi sanctionnée, en vertu des règles prévues au paragraphe premier, un tel référendum doit avoir lieu conformément aux règles qui précèdent. En cas de rejet de ladite loi par référendum, le Premier ministre en fera publication sans délai inutile et, au plus tard, dans les quinze jours qui suivent le référendum. A partir de la date de cette publication, la loi devient caduque.

8. Les règles concernant l'organisation d'un référendum, en particulier dans quelle mesure le référendum doit avoir lieu aux îles Féroé et au Groenland, seront fixées par une loi.

Article 43

Aucun impôt ne peut être établi, modifié ou supprimé que par une loi ; aucune troupe ne peut non plus être levée, aucun emprunt d'État contracté qu'en vertu d'une loi.

Article 44

1. Aucun étranger ne peut acquérir la nationalité danoise qu'en vertu d'une loi.

2. L'accès des étrangers au droit de posséder des biens immeubles sera soumis à des règles fixées par la loi.

Article 45

1. Un projet de loi budgétaire doit être soumis au *Folketing* quatre mois au plus tard avant l'ouverture de l'exercice budgétaire.

2. S'il est prévu que la discussion du budget ne pourra être terminée avant le début de la période budgétaire suivante, un projet de budget provisoire doit être présenté au *Folketing*.

Article 46

1. Les impôts ne peuvent être perçus avant l'adoption par le *Folketing* du budget ordinaire ou d'un budget provisoire.

2. Aucune dépense ne devra être faite si elle n'est autorisée dans le budget ordinaire, dans un budget extraordinaire ou un budget provisoire votés par le *Folketing*.

Article 47

1. Les comptes de l'État doivent être présentés au *Folketing* six mois au plus tard après l'expiration de la période budgétaire.

2. Le *Folketing* élit un certain nombre de vérificateurs des comptes. Ceux-ci sont chargés de vérifier les comptes annuels de l'État en veillant à ce que toutes les recettes de l'État y soient portées et qu'aucune dépense n'ait été faite sans avoir été autorisée dans le budget ou dans une autre loi portant ouverture d'un crédit. Ils peuvent requérir tous renseignements utiles ainsi que la communication de toutes pièces justificatives. Les règles détaillées concernant le nombre et l'activité de ces vérifications seront fixées par une loi.

3. Les comptes annuels de l'État, avec les observations des vérificateurs, sont soumis à la délibération du *Folketing*.

Article 48

Le *Folketing* établit son règlement intérieur qui fixe les règles à suivre pour la procédure parlementaire et le maintien de l'ordre.

Article 49

Les séances du *Folketing* sont publiques. Toutefois, le président, ou un nombre de membres déterminé par le règlement intérieur, ou un ministre, peuvent demander que le public quitte la salle, sur quoi l'assemblée décide, sans discussion préalable, si les débats auront lieu en séance publique ou à huis clos.

Article 50

Le *Folketing* ne délibère valablement que si plus de la moitié de ses membres sont présents et prennent part aux votes.

Article 51

Le *Folketing* peut nommer des commissions formées de ses membres pour étudier des questions d'intérêt général. Ces commissions ont le droit de requérir, tant des particuliers que des autorités publiques, toutes informations écrites ou orales.

Article 52

L'élection par le *Folketing* des membres des commissions ou des missions a lieu en respectant la représentation proportionnelle.

Article 53

Chaque membre du *Folketing* peut, avec l'assentiment de l'assemblée, demander la discussion de toute question concernant les affaires publiques et, sur le sujet, solliciter des ministres une explication.

Article 54

Des pétitions ne peuvent être transmises au *Folketing* que par un de ses membres.

Article 55

Une loi disposera que le *Folketing* nomme une ou deux personnes, qui ne seront pas membres du *Folketing,* pour contrôler l'administration civile et militaire de l'État.

Article 56

Les membres du *Folketing* ne sont liés que par leur conviction et non par un mandat impératif de leurs électeurs.

Article 57

Aucun membre du *Folketing* ne peut, sans le consentement de celui-ci, être mis en accusation ni être détenu sous n'importe quelle forme, à moins qu'il n'ait été pris en flagrant délit. Pour des opinions exprimées au *Folketing,* aucun de ses membres ne peut être tenu responsable en dehors de cette assemblée sans le consentement de celle-ci.

Article 58

Les membres du *Folketing* reçoivent une indemnité parlementaire dont le montant est fixé par la loi électorale.

Chapitre VI

Article 59

1. La Haute Cour de justice se compose d'un nombre allant jusqu'à quinze des membres ordinaires ayant la plus grande ancienneté de la Cour suprême du Royaume, et d'un nombre égal de membres élus pour six ans par le *Folketing* en respectant la représentation proportionnelle. Pour chacun des membres élus, il est nommé un ou plusieurs suppléants. Les membres du *Folketing* ne peuvent être élus membres de la Haute Cour de justice ni en faire fonction. Si, dans un cas spécial, certains des membres de la Cour suprême sont empêchés de prendre part à la délibération et au jugement d'une affaire, un nombre égal des membres de la Haute Cour élus les derniers par le *Folketing* se retirent.

2. La Haute Cour de justice élit son président parmi ses membres.

3. Lorsque la Haute Cour de justice est saisie d'une affaire, les membres de la cour élus par le *Folketing* conservent leur siège à la cour pour le jugement de cette affaire, même si la durée de leur mandat vient à expirer.

4. Des règles plus détaillées concernant la Haute Cour de justice sont fixées par une loi.

Article 60

1. La Haute Cour de justice juge les actions intentées contre les ministres par le Roi ou le *Folketing.*

2. Avec le consentement du *Folketing,* le Roi peut aussi faire inculper devant la Haute Cour de justice d'autres personnes pour des crimes qu'il juge particulièrement dangereux pour l'État.

Article 61

L'exercice du pouvoir judiciaire ne peut être réglé que par la loi. Aucun tribunal d'exception investi d'autorité judiciaire ne peut être établi.

Article 62

L'exercice du pouvoir judiciaire sera toujours maintenu séparé de l'administration. Des règles à cet effet seront fixées par la loi.

Article 63

1. Les tribunaux ont compétence pour connaître de toutes les questions concernant les limites des attributions des autorités publiques. Toutefois, celui qui veut saisir les tribunaux d'une telle question n'est pas, par ce fait, dispensé de se conformer, provisoirement, aux ordres des autorités administratives.

2. Le jugement des questions relatives aux limites des attributions des autorités publiques peut être déféré à un ou plusieurs tribunaux administratifs dont les décisions seront, toutefois, susceptibles de recours devant la Cour suprême du Royaume. La réglementation de cette matière sera fixée par la loi.

Article 64

Dans l'exercice de leurs fonctions, les magistrats doivent seulement se conformer à la loi. Ils ne peuvent être révoqués qu'en vertu d'un jugement, ni déplacés contre leur gré, sauf dans le cas d'une réorganisation des tribunaux. Toutefois, le magistrat qui a 65 ans accomplis peut être mis en disponibilité sans diminution de traitement jusqu'à ce qu'il ait atteint l'âge de la retraite.

Article 65

1. La publicité de la justice et l'instruction verbale des causes doivent être observées dans toute la mesure du possible.

2. L'instruction criminelle se fera avec le concours de simples citoyens. Une loi déterminera dans quelles matières et sous quelles formes aura lieu ce concours, en spécifiant notamment les affaires qui seront traitées avec l'assistance de jurés.

Chapitre VII

Article 66

Le statut de l'Église nationale sera réglé par la loi.

Article 67

Les citoyens ont le droit de se réunir en communautés pour le culte de Dieu conformément à leurs convictions, pourvu qu'ils n'enseignent ni ne pratiquent rien qui soit contraire aux bonnes mœurs ou à l'ordre public.

Article 68

Nul n'est tenu de contribuer personnellement à un autre culte que le sien.

Article 69

Les conditions des Églises dissidentes sont fixées par la loi.

Article 70

Nul ne peut, en raison de sa foi ou de ses origines, être privé de la jouissance intégrale de ses droits civils et politiques, ni se soustraire à l'accomplissement de ses devoirs civiques ordinaires.

Chapitre VIII

Article 71

1. La liberté individuelle est inviolable. Aucun citoyen danois ne peut, en raison de ses convictions politiques ou religieuses ou de ses origines, être exposé à la détention sous quelque forme que ce soit.

2. La détention ne peut avoir lieu que dans les conditions prévues par la loi.

3. Tout individu arrêté sera, dans les vingt-quatre heures, traduit devant un juge. S'il ne peut être mis en liberté immédiatement, le juge décidera par une ordonnance motivée, qui sera rendue le plus tôt possible, et au plus tard dans les trois jours, s'il doit être détenu, et, dans le cas où il pourrait être mis en liberté sous caution, le juge fixera la nature et le montant de cette caution. En ce qui concerne le Groenland, il peut être dérogé à cette disposition par une loi, si une telle mesure s'impose eu égard aux circonstances locales.

4. L'intéressé peut immédiatement et séparément interjeter appel devant une juridiction supérieure de l'ordonnance rendue par le juge.

5. Nul ne peut être détenu préventivement pour une infraction sanctionnée uniquement par une peine d'amende ou de simple emprisonnement.

6. En dehors de l'instruction et de la procédure criminelle, la légalité d'une détention qui n'est pas décrétée par une autorité judiciaire ou qui n'est pas prévue par la législation sur le statut des étrangers, devra être soumise à l'appréciation des tribunaux ordinaires ou d'une autre autorité judiciaire sur la demande du détenu ou de celui qui agit en son nom. Des règles à cet égard seront fixées par la loi.

7. Le traitement des personnes prévues au paragraphe 6 sera soumis à la surveillance d'une commission de contrôle nommée par le *Folketing* et à laquelle les intéressés seront admis à recourir.

Article 72

Le domicile est inviolable. Toute visite domiciliaire, toute saisie ou tout contrôle de lettres ou d'autres papiers, toute violation du secret de la correspondance postale, télégraphique et téléphonique ne pourront se faire, si aucune loi ne justifie une exception particulière, qu'après une décision judiciaire.

Article 73

1. La propriété est inviolable. Nul ne peut être contraint de se dessaisir de sa propriété si ce n'est pour cause d'utilité publique. L'expropriation ne peut avoir lieu qu'en vertu d'une loi et moyennant indemnité complète.

2. Lorsqu'un projet de loi portant expropriation a été adopté, un tiers des membres du *Folketing* peuvent exiger, dans les trois jours ouvrables qui suivent le vote définitif du projet, que celui-ci ne soit pas présenté à la sanction royale avant que de nouvelles élections au *Folketing* n'aient eu lieu et que le projet n'ait été adopté de nouveau par le *Folketing* ainsi constitué.

3. Les tribunaux peuvent être saisis de toute question relative à la légalité de l'acte d'expropriation et au montant de l'indemnité. La vérification du montant de l'indemnité peut être déférée par une loi à des tribunaux institués à cet effet.

Article 74

Toute restriction à la liberté du travail et à l'égalité des possibilités d'y accéder, qui ne serait pas fondée sur des raisons d'utilité publique, sera abolie par la loi.

Article 75

1. Dans l'intérêt du bien commun, il convient de s'efforcer à ce que tout citoyen apte au travail ait la possibilité de travailler dans des conditions propres à assurer son existence.

2. Quiconque est hors d'état de pourvoir à sa subsistance et celle des siens, et dont l'entretien n'est pas à la charge d'une autre personne, a droit aux secours des autorités publiques, à condition toutefois de se soumettre aux obligations prescrites par la loi à cet égard.

Article 76

Tous les enfants ayant l'âge de l'instruction obligatoire ont droit à l'enseignement gratuit dans les écoles publiques primaires. Les parents ou tuteurs qui se chargent eux-mêmes de faire donner aux enfants une instruction égale à celle qui est généralement exigée dans les écoles publiques primaires, ne sont pas tenus de faire instruire les enfants dans les écoles publiques.

Article 77

Chacun a le droit de publier ses idées par la voie de la presse, par écrit ou par la parole, mais sous sa responsabilité devant les tribunaux. La censure et autres mesures préventives ne pourront jamais être rétablies.

Article 78

1. Les citoyens ont le droit de former sans autorisation préalable des associations à toutes fins légitimes.

2. Les associations qui usent, dans leur action ou dans la poursuite de leurs buts, de violence, de provocation à la violence ou d'autres moyens punissables pour influencer les personnes d'opinion différente devront être dissoutes par jugement.

3. Aucune association ne peut être dissoute par voie de mesures gouvernementales. Cependant, une association peut être provisoirement interdite, mais dans ce cas, sa dissolution devra être poursuivie immédiatement devant les tribunaux.

4. La Cour suprême du Royaume pourra être saisie des affaires concernant la dissolution d'associations politiques, sans que le requérant ait besoin d'une autorisation spéciale.

5. Les effets juridiques de la dissolution seront fixés par la loi.

Article 79

Les citoyens ont le droit, sans autorisation préalable, de se réunir non armés. La police a le droit d'assister aux réunions publiques. Les réunions en plein air peuvent être interdites lorsqu'elles risquent de compromettre la paix publique.

Article 80

En cas d'émeute, la force armée, lorsqu'elle n'est pas attaquée, ne peut intervenir qu'après avoir trois fois, au nom du Roi et de la loi, sommé vainement la foule de se disperser.

Article 81

Tout homme en état de porter les armes est tenu de contribuer de sa personne à la défense de la patrie, conformément aux règles prescrites par la loi.

Article 82

Le droit des communes de s'administrer librement sous la surveillance de l'État sera réglé par la loi.

Article 83

Tout privilège attaché par la législation à la noblesse, au titre et au rang est aboli.

Article 84

Aucun fief, majorat, fidéicommis en bien-fonds ou autre fidéicommis familier ne pourra être érigé à l'avenir.

Article 85

Les dispositions des articles 71, 78 et 79 ne sont applicables aux forces de la défense nationale qu'avec les restrictions résultant des lois militaires.

Chapitre IX

Article 86

L'âge requis pour être électeur aux conseils municipaux et aux conseils paroissiaux est celui qui est exigé en tout temps pour les élections législatives. En ce qui concerne les îles Féroé et le Groenland, l'âge électoral pour les conseils municipaux et les conseils paroissiaux est fixé par une loi ou en vertu d'une loi.

Article 87

Les ressortissants islandais qui, en vertu de la loi sur la dissolution de l'Union dano-islandaise et d'autres lois, sont assimilés aux citoyens danois, conservent les droits attachés à la nationalité danoise prévus par la Constitution.

Chapitre X

Article 88

Si le *Folketing* vote la proposition d'une nouvelle disposition à insérer dans la Constitution et que le Gouvernement veuille y donner suite, il sera décrété de nouvelles élections législatives. Si le projet est adopté sans amendement par le *Folketing* constitué à la suite de ces élections, il sera présenté, dans les six mois qui suivent le vote définitif, aux électeurs du *Folketing* pour être approuvé ou rejeté au scrutin direct. Les règles spéciales de ce référendum seront fixées par une loi. Si la majorité des votants, réunissant au moins 40 pour cent de tous les électeurs inscrits, ont voté pour la décision du *Folketing* et que le Roi la sanctionne, elle aura force de loi constitutionnelle.

Chapitre XI

Article 89

La présente Constitution entre aussitôt en vigueur. Toutefois, le dernier Parlement élu en vertu de la Constitution du Royaume de Danemark du 5 juin 1915 avec modifications du 10 septembre 1920 continuera à se réunir jusqu'à ce que de nouvelles élections aient eu lieu conformément aux règles prévues au chapitre IV. Jusqu'à ce que de nouvelles élections aient eu lieu, les règles prévues pour le Parlement par la Constitution du Royaume de Danemark du 5 juin 1915 avec modifications du 10 septembre 1920 resteront en vigueur.

Annexe
Loi de succession au trône

Article premier

Le trône se transmet héréditairement dans la lignée issue du Roi Christian X et de la Reine Alexandrine.

Article 2

A la mort d'un Roi, le trône échoit à son fils ou à sa fille, de telle sorte qu'un fils ait le pas sur une fille et, en cas d'une pluralité d'enfants du même sexe, que l'aîné ait le pas sur le plus jeune. Si l'un des enfants du Roi est décédé, cet enfant est représenté par sa descendance selon les règles de la succession linéale et celles qui sont prévues à l'alinéa précédent.

Article 3

Si un Roi vient à décéder sans laisser de descendants ayant droit à la succession, le trône échoit à son frère ou, s'il n'a pas de frère, sa sœur. En cas d'une pluralité de frères ou de sœurs du Roi, ou si l'un de ses frères ou sœurs est décédé, les dispositions de l'article 2 seront applicables par analogie.

Article 4

S'il n'existe aucun successeur prévu aux articles 2 et 3, le trône échoit à la ligne collatérale la plus proche dans la descendance du Roi Christian X et de la Reine Alexandrine selon les règles de la succession linéale et avec les mêmes droits de priorité des hommes sur les femmes et des aînés sur les plus jeunes prévus aux articles 2 et 3.

Article 5

Seuls les enfants nés d'une union légitime ont le droit de succéder au trône.

Le consentement du Parlement est exigé pour le mariage du Roi.

Si une personne ayant droit de succession au trône contracte mariage sans l'assentiment du Roi, donné en Conseil des ministres, elle sera déchue du droit de succession au trône pour elle-même ainsi que pour les enfants nés dudit mariage et leurs descendants.

Article 6

Les dispositions des articles 2 à 5 s'appliquent de même au cas où un Roi abdiquerait le trône.

Article 7

La présente loi entrera en vigueur conjointement avec la Constitution du Royaume de Danemark du 5 juin 1953.

IV - Espagne

Constitution du Royaume d'Espagne du 27 décembre 1978 [1]

Don Juan Carlos I, Roi d'Espagne, à tous ceux qui auront connaissance de la présente, faisons savoir : que les Cortes *ont approuvé et que le peuple espagnol a ratifié la Constitution suivante :*

Préambule

La nation espagnole, désireuse d'établir la justice, la liberté et la sécurité et de promouvoir le bien de tous ceux qui la composent, proclame, en faisant usage de sa souveraineté, sa volonté de :

garantir la vie en commun démocratique dans le cadre de la Constitution et des lois, conformément à un ordre économique et social juste ;

consolider un État de droit qui assurera le règne de la loi, en tant qu'expression de la volonté populaire ;

protéger tous les Espagnols et les peuples d'Espagne dans l'exercice des droits de l'homme, de leurs cultures et de leurs traditions, de leurs langues et de leurs institutions ;

promouvoir le progrès de la culture et de l'économie afin d'assurer à tous une digne qualité de vie ;

établir une société démocratique avancée, et

collaborer au renforcement de relations pacifiques et de coopération efficace avec tous les peuples de la terre.

C'est pourquoi, les *Cortes* approuvent et le peuple espagnol ratifie la Constitution suivante :

Titre préliminaire

Article premier

1. L'Espagne se constitue en un État de droit social et démocratique qui défend comme valeurs supérieures de son ordre juridique la liberté, la justice, l'égalité et le pluralisme politique.

2. La souveraineté nationale réside dans le peuple espagnol ; tous les pouvoirs de l'État émanent de lui.

3. La forme politique de l'État espagnol est la monarchie parlementaire.

Article 2

La Constitution a pour fondement l'unité indissoluble de la nation espagnole, patrie commune et indivisible de tous les Espagnols. Elle reconnaît et garantit le droit à l'autonomie des nationalités et des régions qui la composent et la solidarité entre elles.

Article 3

1. Le castillan est la langue espagnole officielle de l'État. Tous les Espagnols ont le devoir de la savoir et le droit de l'utiliser.

2. Les autres langues espagnoles seront également officielles dans les communautés autonomes respectives, conformément à leurs statuts.

3. La richesse des différentes modalités linguistiques de l'Espagne est un patrimoine culturel qui doit être l'objet d'une protection et d'un respect particuliers.

Article 4

1. Le drapeau de l'Espagne se compose de trois bandes horizontales rouge,

---

(1) Texte communiqué par le consulat général d'Espagne à Paris. La traduction en langue française a été réalisée par les services du ministère espagnol des Affaires étrangères, sous la direction scientifique du Centre d'études constitutionnelles de la présidence du Gouvernement. Elle a été légèrement adaptée pour tenir compte de la terminologie constitutionnelle française. Il est à jour au 1er mars 1994.

jaune et rouge, la bande jaune étant deux fois plus large que chacune des bandes rouges.

2. Les statuts pourront reconnaître des drapeaux et des emblèmes propres aux communautés autonomes. Ils seront utilisés à côté du drapeau de l'Espagne dans leurs édifices publics et à leurs cérémonies officielles.

Article 5

La capitale de l'État est la ville de Madrid.

Article 6

Les partis politiques expriment le pluralisme politique, ils concourent à la formation et à la manifestation de la volonté populaire et sont un instrument fondamental de la participation politique. Ils se forment et exercent leur activité librement, dans le respect de la Constitution et de la loi. Leur structure interne et leur fonctionnement doivent être démocratiques.

Article 7

Les syndicats de travailleurs et les associations patronales contribuent à la défense et à la promotion des intérêts économiques et sociaux qui leur sont propres. Ils se forment et exercent leur activité librement, dans le respect de la Constitution et de la loi. Leur structure interne et leur fonctionnement doivent être démocratiques.

Article 8

1. Les forces armées, constituées par l'armée de terre, la marine et l'armée de l'air, ont pour mission de garantir la souveraineté et l'indépendance de l'Espagne et de défendre son intégrité territoriale et son ordre constitutionnel.

2. Une loi organique définira les bases de l'organisation militaire, conformément aux principes de la présente Constitution.

Article 9

1. Les citoyens et les pouvoirs publics sont soumis à la Constitution et aux autres normes de l'ordre juridique.

2. Les pouvoirs publics sont tenus de promouvoir les conditions nécessaires pour que la liberté et l'égalité de l'individu et des groupes auxquels il s'intègre soient réelles et effectives, de supprimer les obstacles qui empêchent ou entravent leur plein épanouissement et de faciliter la participation de tous les citoyens à la vie politique, économique, culturelle et sociale.

3. La Constitution garantit le principe de la légalité, la hiérarchie et la publicité des normes, la non-rétroactivité des dispositions impliquant des sanctions qui ne favorisent pas ou qui restreignent des droits individuels, la sécurité juridique, la responsabilité des pouvoirs publics et l'interdiction de toute action arbitraire de leur part.

Titre I
Des droits et des devoirs fondamentaux

Article 10

1. La dignité de la personne, les droits inviolables qui lui sont inhérents, le libre développement de la personnalité, le respect de la loi et des droits d'autrui sont le fondement de l'ordre politique et de la paix sociale.

2. Les normes relatives aux droits fondamentaux et aux libertés que reconnaît la Constitution seront interprétées conformément à la Déclaration universelle des droits de l'homme et aux traités et accords internationaux portant sur les mêmes matières ratifiés par l'Espagne.

Chapitre premier
Des Espagnols et des étrangers

Article 11

1. La nationalité espagnole s'acquiert, se conserve et se perd conformément aux dispositions de la loi.

2. Aucun Espagnol d'origine ne peut être privé de sa nationalité.

3. L'État pourra conclure des traités de double nationalité avec les pays ibéro-américains ou avec ceux qui ont maintenu ou qui maintiennent des liens particuliers avec l'Espagne. Les Espagnols pourront se faire naturaliser, sans perdre leur nationalité d'origine, dans ces pays, même si ceux-ci ne reconnaissent pas à leurs citoyens un droit réciproque.

Article 12

Les Espagnols sont majeurs à dix-huit ans.

Article 13

1. Les étrangers jouiront en Espagne des libertés publiques garanties au présent titre, dans les termes qu'établiront les traités et la loi.

2. Seuls les Espagnols seront titulaires des droits reconnus à l'article 23, exception faite, en vertu de critères de réciprocité, des dispositions que pourra établir un traité ou une loi concernant le droit de suffrage actif et passif ([1]) dans les élections municipales.

3. L'extradition ne sera accordée qu'en application d'un traité ou de la loi, conformément au principe de la réciprocité. Les délits politiques sont exclus de l'extradition, les actes de terrorisme n'étant pas considérés comme tels.

4. La loi établira les termes selon lesquels les citoyens d'autres pays et les apatrides pourront jouir du droit d'asile en Espagne.

Chapitre deux
Droits et libertés

Article 14

Les Espagnols sont égaux devant la loi ; ils ne peuvent faire l'objet d'aucune discrimination pour des raisons de naissance, de race, de sexe, de religion, d'opinion ou pour n'importe quelle autre condition ou circonstance personnelle ou sociale.

Section première
Des droits fondamentaux et des libertés publiques

Article 15

Tous ont droit à la vie et à l'intégrité physique et morale, sans qu'en aucun cas ils puissent être soumis à la torture ni à des peines ou à des traitements inhumains ou dégradants. La peine de mort est abolie, exception faite des dispositions que pourront prévoir les lois pénales militaires en temps de guerre.

Article 16

1. La liberté idéologique, religieuse et de culte des individus et des communautés est garantie, sans autres limitations, quant à ses manifestations, que celles qui sont nécessaires au maintien de l'ordre public protégé par la loi.

2. Nul ne pourra être obligé à déclarer son idéologie, sa religion ou ses croyances.

3. Aucune confession n'aura le caractère de religion d'État. Les pouvoirs publics tiendront compte des croyances religieuses de la société espagnole et entretiendront de ce fait des relations de coopération avec l'Église catholique et les autres confessions.

Article 17

1. Toute personne a droit à la liberté et à la sécurité. Nul ne peut être privé de sa liberté si ce n'est conformément aux dispositions du présent article et dans les cas et sous la forme prévus par la loi.

2. La garde à vue ne pourra pas durer plus que le temps strictement nécessaire pour réaliser les vérifications tendant à l'éclaircissement des faits et, en tout cas, le détenu devra être mis en liberté ou à la disposition de l'autorité judiciaire dans le délai maximum de soixante-douze heures.

3. Toute personne détenue doit être informée immédiatement, et d'une façon qui lui soit compréhensible, de ses droits et des raisons de sa détention et ne peut pas être obligée à faire une déclaration. L'assistance d'un avocat est garantie au détenu dans les enquêtes policières ou les poursuites judiciaires, dans les termes établis par la loi.

4. La loi définira une procédure d'*Habeas Corpus* pour mettre immédiatement à disposition judiciaire toute personne détenue illégalement. De même, la loi déterminera la durée maximale de la détention provisoire.

Article 18

1. Le droit à l'honneur, à l'intimité personnelle et familiale et à sa propre image est garanti à chacun.

2. Le domicile est inviolable. On ne pourra y entrer ou le perquisitionner sans le consentement de celui qui y habite ou sans décision judiciaire, hormis en cas de flagrant délit.

3. Le secret des communications et, en particulier, des communications postales, télégraphiques et téléphoniques est garanti, sauf décision judiciaire.

(1) La mention « et passif » a été ajoutée par le premier amendement constitutionnel adopté pour tenir compte du traité sur l'Union européenne signé le 7 février 1992.

4. La loi limitera l'usage de l'informatique pour garantir l'honneur et l'intimité personnelle et familiale des citoyens et le plein exercice de leurs droits.

Article 19

Les Espagnols ont le droit de choisir librement leur résidence et de circuler sur le territoire national.

De même, ils ont le droit d'entrer en Espagne et d'en sortir librement dans les termes établis par la loi. Ce droit ne pourra pas être limité pour des motifs politiques ou idéologiques.

Article 20

1. On reconnaît et on protège le droit :

a) d'exprimer et de diffuser librement les pensées, les idées et les opinions par la parole, l'écrit ou tout autre moyen de reproduction ;

b) à la production et à la création littéraires, artistiques, scientifiques et techniques ;

c) à la liberté d'enseignement en chaire ;

d) de communiquer ou de recevoir librement une information véridique par n'importe quel moyen de diffusion. La loi définira le droit à l'invocation de la clause de conscience et au secret professionnel dans l'exercice de ces libertés.

2. L'exercice de ces droits ne peut être restreint par aucune forme de censure préalable.

3. La loi réglementera l'organisation et le contrôle parlementaire des moyens de communication sociale dépendant de l'État ou d'une entité publique et garantira l'accès à ces moyens aux groupes sociaux et politiques significatifs, dans le respect du pluralisme de la société et des différentes langues de l'Espagne.

4. Ces libertés trouvent leur limite dans le respect des droits reconnus au présent titre, dans les préceptes des lois qui le développent et, en particulier, dans le droit à l'honneur, à l'intimité, à sa propre image et à la protection de la jeunesse et de l'enfance.

5. On ne pourra procéder à la saisie de publications, d'enregistrements et d'autres moyens d'information qu'en vertu d'une décision judiciaire.

Article 21

1. Le droit de réunion pacifique et sans armes est reconnu. L'exercice de ce droit n'exigera pas une autorisation préalable.

2. Les autorités seront informées préalablement des réunions devant se dérouler dans des lieux de circulation publique et des manifestations ; elles ne pourront les interdire que si des raisons fondées permettent de prévoir que l'ordre public sera perturbé, mettant en danger des personnes ou des biens.

Article 22

1. Le droit d'association est reconnu.

2. Les associations qui poursuivent des fins ou utilisent des moyens définis comme constituant un délit sont illégales.

3. Les associations constituées sur la base du présent article devront s'inscrire dans un registre aux seuls effets de leur publicité.

4. Les associations ne pourront être dissoutes ou leurs activités suspendues qu'en vertu d'une décision judiciaire motivée.

5. Les associations secrètes et celles qui ont un caractère paramilitaire sont interdites.

Article 23

1. Les citoyens ont le droit de participer aux affaires publiques, directement ou par l'intermédiaire de représentants librement élus à des élections périodiques au suffrage universel.

2. De même, ils ont le droit d'accéder, dans des conditions d'égalité, aux fonctions et aux charges publiques, compte tenu des exigences requises par les lois.

Article 24

1. Toute personne a le droit d'obtenir la protection effective des juges et des tribunaux pour exercer ses droits et ses intérêts légitimes, sans qu'en aucun cas cette protection puisse lui être refusée.

2. De même, tous ont droit au juge ordinaire déterminé préalablement par la loi, de se défendre et de se faire assister par un avocat, d'être informés de l'accusation portée contre eux, d'avoir un procès public sans délais indus et avec toutes les garanties, d'utiliser les preuves pertinentes pour leur

défense, de ne pas déclarer contre eux-mêmes, de ne pas s'avouer coupables et d'être présumés innocents.

La loi réglementera les cas dans lesquels, pour des raisons de parenté ou relevant du secret professionnel, nul ne sera obligé à déclarer sur des faits présumés délictueux.

Article 25

1. Nul ne peut être condamné ou sanctionné pour des actions ou des omissions qui, lorsqu'elles se sont produites, ne constituaient pas un délit, une faute ou une infraction administrative, conformément à la législation en vigueur à ce moment.

2. Les peines privatives de liberté et les mesures de sécurité tendront à la rééducation et à la réinsertion dans la société et ne pourront pas comporter des travaux forcés. Le condamné à une peine de prison jouira, pendant l'accomplissement de celle-ci, des droits fondamentaux définis à ce chapitre, à l'exception de ceux qui auraient été expressément limités par le contenu du jugement qui le condamne, le sens de la peine et la loi pénitentiaire. Dans tous les cas, il aura droit à un travail rémunéré et aux prestations correspondantes de la sécurité sociale, ainsi qu'à l'accès à la culture et au plein épanouissement de sa personnalité.

3. L'Administration civile ne pourra pas imposer des sanctions impliquant, de façon directe ou subsidiaire, une privation de liberté.

Article 26

Dans le cadre de l'Administration civile et des organisations professionnelles, les tribunaux d'honneur sont interdits.

Article 27

1. Tous ont droit à l'éducation. La liberté d'enseignement est reconnue.

2. L'éducation aura pour objet le plein épanouissement de la personnalité humaine, dans le respect des principes démocratiques de vie en commun et des droits et libertés fondamentales.

3. Les pouvoirs publics garantissent le droit des parents à ce que leurs enfants reçoivent la formation religieuse et morale en accord avec leurs propres convictions.

4. L'enseignement élémentaire *(enseñanza general básica)* est obligatoire et gratuit.

5. Les pouvoirs publics garantissent le droit de tous à l'éducation, par une programmation générale de l'enseignement, avec la participation effective de tous les secteurs concernés et la création d'établissements d'enseignement.

6. La liberté de créer des établissements d'enseignement, dans le respect des principes constitutionnels, est reconnue aux personnes physiques et juridiques.

7. Les professeurs, les parents et, s'il y a lieu, les élèves participeront au contrôle et à la gestion de tous les centres soutenus par l'Administration avec des fonds publics, dans les termes déterminés par la loi.

8. Les pouvoirs publics inspecteront et homologueront le système éducatif pour garantir le respect des lois.

9. Les pouvoirs publics aideront les établissements d'enseignement réunissant les conditions établies par la loi.

10. L'autonomie des universités est reconnue, dans les termes établis par la loi.

Article 28

1. Tous ont le droit de se syndiquer librement. En ce qui concerne les forces armées ou les institutions et autres corps soumis à la discipline militaire, la loi pourra limiter l'exercice de ce droit ou les en excepter ; pour ce qui est des fonctionnaires publics, la loi régira les particularités de son exercice. La liberté syndicale comprend le droit de créer des syndicats ou de s'affilier à celui de son choix, ainsi que le droit, pour les syndicats, d'établir des confédérations et d'instituer des organisations syndicales internationales ou de s'y affilier. Nul ne pourra être obligé à s'affilier à un syndicat.

2. Le droit à la grève est reconnu aux travailleurs pour la défense de leurs intérêts. La loi réglementant l'exercice de ce droit établira les garanties nécessaires pour assurer le maintien des services essentiels de la communauté.

Article 29

1. Tous les Espagnols jouiront du droit de pétition individuelle et collective, par écrit, sous la forme et avec les effets fixés par la loi.

2. Les membres des forces armées ou des institutions et autres corps soumis à

la discipline militaire ne pourront exercer ce droit qu'à titre individuel et conformément à leur législation particulière.

Section 2
Des droits et des devoirs des citoyens

Article 30

1. Les Espagnols ont le droit et le devoir de défendre l'Espagne.

2. La loi déterminera les obligations militaires des Espagnols et régira, avec les garanties pertinentes, l'objection de conscience ainsi que les autres causes d'exemption du service militaire obligatoire. Elle pourra imposer, s'il y a lieu, une prestation sociale qui se substituera à celui-ci.

3. Un service civil pourra être établi à des fins relevant de l'intérêt général.

4. Une loi pourra réglementer les devoirs des citoyens dans les cas de risque grave, de catastrophe ou de calamité publique.

Article 31

1. Tous contribueront aux dépenses publiques, en fonction de leur capacité économique, par un système fiscal juste fondé sur des principes d'égalité et de progressivité qui n'aura, en aucun cas, l'effet d'une confiscation.

2. Les dépenses publiques assureront une répartition équitable des ressources publiques et elles seront programmées et réalisées en fonction des principes d'efficacité et d'économie.

3. On ne pourra imposer de prestations personnelles ou patrimoniales de caractère public que conformément à la loi.

Article 32

1. L'homme et la femme ont le droit de contracter mariage en pleine égalité juridique.

2. La loi déterminera les formes du mariage, l'âge et la capacité requis pour le contracter, les droits et les devoirs des conjoints, les causes de séparation et de dissolution et leurs effets.

Article 33

1. Le droit à la propriété privée et à l'héritage est reconnu.

2. La fonction sociale de ces droits délimitera leur contenu, conformément aux lois.

3. Nul ne pourra être privé de ses biens et de ses droits, sauf pour une cause justifiée d'utilité publique ou d'intérêt social contre l'indemnité correspondante et conformément aux dispositions de la loi.

Article 34

1. Le droit de fondation est reconnu à des fins relevant de l'intérêt général, conformément à la loi.

2. Les dispositions de l'article 22, paragraphes 2 et 4, régiront également les fondations.

Article 35

1. Tous les Espagnols ont le devoir de travailler et le droit au travail, au libre choix de leur profession ou de leur métier, à la promotion par le travail et à une rémunération suffisante pour satisfaire leurs besoins et ceux de leur famille, sans qu'en aucun cas ils puissent faire l'objet d'une discrimination pour des raisons de sexe.

2. La loi établira un statut des travailleurs.

Article 36

La loi réglementera les particularités propres du régime juridique des ordres professionnels et l'exercice des professions exigeant un diplôme. La structure interne et le fonctionnement des ordres devront être démocratiques.

Article 37

1. La loi garantira le droit à la négociation collective en matière de travail entre les représentants des travailleurs et des chefs d'entreprise, ainsi que le caractère contraignant des conventions.

2. On reconnaît aux travailleurs et aux chefs d'entreprise le droit de recourir à des procédures de conflit collectif. La loi régissant l'exercice de ce droit, sans préjudice des limitations qu'elle pourra établir, inclura les garanties nécessaires pour assurer le fonctionnement des services essentiels de la communauté.

Article 38

La liberté d'entreprise est reconnue dans le cadre de l'économie de marché. Les pouvoirs publics garantissent et protègent son exercice et la défense de la productivité conformément aux exigences de l'économie générale et, s'il y a lieu, de la planification.

Chapitre trois

Des principes directeurs de la politique sociale et économique

Article 39

1. Les pouvoirs publics assurent la protection sociale, économique et juridique de la famille.

2. Les pouvoirs publics assurent également la protection intégrale des enfants, qui sont égaux devant la loi indépendamment de leur filiation, et celle de la mère, quel que soit son état civil. La loi rendra possible la recherche de la paternité.

3. Les parents doivent prêter assistance dans tous les domaines à leurs enfants, qu'ils soient nés dans le mariage ou hors de celui-ci, pendant leur minorité et dans les autres cas prévus par la loi.

4. Les enfants jouiront de la protection prévue par les accords internationaux qui veillent sur leurs droits.

Article 40

1. Les pouvoirs publics créeront les conditions favorables au progrès social et économique et à une distribution du revenu régional et personnel plus équitable dans le cadre d'une politique de stabilité économique. Ils poursuivront, en particulier, une politique orientée vers le plein emploi.

2. De même, les pouvoirs publics poursuivront une politique assurant la formation et la réadaptation professionnelles ; ils veilleront à la sécurité et à l'hygiène du travail et garantiront le repos nécessaire, par la limitation de la journée de travail, les congés payés périodiques et la promotion d'équipements appropriés.

Article 41

Les pouvoirs publics assureront à tous les citoyens un régime public de Sécurité sociale garantissant une assistance et des prestations sociales suffisantes dans les cas de nécessité et, tout particulièrement, de chômage. L'assistance et les prestations complémentaires seront facultatives.

Article 42

L'État veillera tout particulièrement à la sauvegarde des droits économiques et sociaux des travailleurs espagnols à l'étranger et orientera sa politique vers leur retour.

Article 43

1. Le droit à la protection de la santé est reconnu.

2. Il incombe aux pouvoirs publics d'organiser et de protéger la santé publique par des mesures préventives et les prestations et services nécessaires. La loi établira les droits et les devoirs de tous à cet égard.

3. Les pouvoirs publics encourageront l'éducation sanitaire, l'éducation physique et le sport. Ils faciliteront, en outre, l'utilisation appropriée des loisirs.

Article 44

1. Les pouvoirs publics encourageront et protègeront l'accès à la culture, à laquelle tous ont droit.

2. Les pouvoirs publics encourageront la science et la recherche scientifique et technique au profit de l'intérêt général.

Article 45

1. Tous ont le droit de jouir d'un environnement approprié pour développer leur personnalité et le devoir de le préserver.

2. Les pouvoirs publics veilleront à l'utilisation rationnelle de toutes les ressources naturelles, afin de protéger et améliorer la qualité de la vie et de défendre et restaurer l'environnement, en ayant recours à l'indispensable solidarité collective.

3. Ceux qui violeront les dispositions du paragraphe précédent encourront, selon les termes fixés par la loi, des sanctions pénales ou, s'il y a lieu, administratives et ils auront l'obligation de réparer les dommages causés.

Article 46

Les pouvoirs publics garantiront la conservation et encourageront l'enrichissement du patrimoine historique, culturel et artistique des peuples d'Espagne et des biens qui le composent, quels que soient son régime juridique et son appartenance. La loi pénale sanctionnera les attentats contre ce patrimoine.

Article 47

Tous les Espagnols ont le droit de disposer d'un logement digne et approprié. Les pouvoirs publics contribueront à créer les conditions nécessaires et établiront les normes pertinentes pour rendre effectif ce droit, en réglementant l'utilisation du sol conformément à l'intérêt général pour empêcher la spéculation.

La communauté participera aux plus-values résultant des mesures en matière d'urbanisme adoptées par les entités publiques.

Article 48

Les pouvoirs publics contribueront à créer les conditions assurant la participation libre et efficace de la jeunesse au développement politique, social, économique et culturel.

Article 49

Les pouvoirs publics poursuivront une politique de prévision, de traitement, de réhabilitation et d'intégration des handicapés physiques, sensoriels et psychiques à qui ils assureront les soins spécialisés dont ils auront besoin et ils leur accorderont une protection particulière pour qu'ils jouissent des droits que le présent titre octroie à tous les citoyens.

Article 50

Les pouvoirs publics garantiront, moyennant le versement de pensions appropriées et périodiquement mises à jour, des ressources suffisantes aux citoyens pendant le troisième âge. De même, et indépendamment des obligations familiales, ils favoriseront leur bien-être par un système de services sociaux qui veilleront à leurs problèmes particuliers dans les domaines de la santé, du logement, de la culture et des loisirs.

Article 51

1. Les pouvoirs publics garantiront la défense des consommateurs et des usagers en protégeant, par des procédés efficaces, leur sécurité, leur santé et leurs intérêts économiques légitimes.

2. Les pouvoirs publics favoriseront l'information et l'éducation des consommateurs et des usagers, ils encourageront leurs organisations et les entendront sur les questions qui pourraient les concerner dans les termes établis par la loi.

3. Dans le cadre des dispositions des deux paragraphes précédents, la loi réglementera le commerce intérieur et le régime d'autorisation de produits commerciaux.

Article 52

La loi réglementera les organisations professionnelles qui contribuent à la défense des intérêts économiques qui leur sont propres. Leur structure interne et leur fonctionnement devront être démocratiques.

Chapitre quatre
Des garanties des libertés et des droits fondamentaux

Article 53

1. Les droits et les libertés reconnus au chapitre deux du présent titre sont contraignants pour tous les pouvoirs publics. Seule une loi qui, dans tous les cas, devra respecter leur contenu essentiel, pourra réglementer l'exercice de ces droits et de ces libertés qui seront protégés conformément aux dispositions de l'article 161, paragraphe 1, *a*.

2. Tout citoyen pourra demander la protection des libertés et des droits reconnus à l'article 14 et à la section première du chapitre deux devant les tribunaux ordinaires par une action fondée sur les principes de priorité et de la procédure sommaire et, le cas échéant, par le recours individuel *de amparo* devant le Tribunal constitutionnel. Ce recours sera applicable à l'objection de conscience, reconnue à l'article 30.

3. La reconnaissance, le respect et la protection des principes reconnus au chapitre trois inspireront la législation positive, la pratique judiciaire et l'action des pouvoirs publics. Ils ne pourront être allégués devant la juridiction ordinaire que conformément aux dispositions des lois qui les développeront.

Article 54

Une loi organique réglementera l'institution du *Defensor del Pueblo* (1), en tant que haut mandataire des *Cortes generales*

(1) Défenseur du peuple.

désigné par celles-ci pour défendre les droits figurant au présent titre ; à cette fin, il pourra contrôler les activités de l'Administration, faisant rapport aux *Cortes generales*.

Chapitre cinq
De la suspension des droits et des libertés

Article 55

1. Les droits reconnus aux articles 17 et 18, paragraphes 2 et 3, aux articles 19 et 20, paragraphes 1 *a* et *d* et 5, aux articles 21 et 28, paragraphe 2, et à l'article 37, paragraphe 2, pourront être suspendus dans les cas où il aura été décidé de déclarer l'état d'exception ou l'état de siège, dans les termes prévus par la Constitution. Toutefois, en cas de déclaration de l'état d'exception, il ne peut être dérogé aux dispositions de l'article 17, paragraphe 3.

2. Une loi organique pourra déterminer la forme et les cas où, à titre individuel et avec l'intervention judiciaire nécessaire et le contrôle parlementaire adéquat, les droits reconnus aux articles 17, paragraphe 2, et 18, paragraphes 2 et 3, peuvent être suspendus à l'égard de certaines personnes, dans le cadre des enquêtes sur l'action de bandes armées ou d'éléments terroristes.

L'utilisation injustifiée ou abusive des facultés reconnues dans ladite loi organique entraînera une responsabilité pénale pour violation des droits et des libertés reconnus par les lois.

Titre II
De la Couronne

Article 56

1. Le Roi est le chef de l'État, symbole de son unité et de sa permanence. Il est l'arbitre et le modérateur du fonctionnement régulier des institutions, il assume la plus haute représentation de l'État espagnol dans les relations internationales, tout particulièrement avec les nations de sa communauté historique, et il exerce les fonctions que lui attribuent expressément la Constitution et les lois.

2. Son titre est celui de Roi d'Espagne et il pourra utiliser les autres titres qui reviennent à la Couronne.

3. La personne du Roi est inviolable et n'est pas soumise à responsabilité. Ses actes seront toujours contresignés dans la forme établie à l'article 64, faute de quoi ils ne seront pas valables, sauf en ce qui concerne la disposition de l'article 65, paragraphe 2.

Article 57

1. La Couronne d'Espagne est héréditaire pour les successeurs de S.M. Juan Carlos I de Bourbon, légitime héritier de la dynastie historique. La succession au trône suivra l'ordre régulier de primogéniture et de représentation, la ligne antérieure étant toujours préférée aux postérieures, dans la même ligne, le degré le plus proche au plus lointain, au même degré, l'homme à la femme et, dans le même sexe, la personne la plus âgée à la moins âgée.

2. Le Prince héritier, dès sa naissance ou dès que se produit le fait qui l'appelle à cette fonction, a la dignité de Prince des Asturies et porte les autres titres attachés traditionnellement au successeur de la Couronne d'Espagne.

3. Si toutes les lignes appelées à la succession en droit sont éteintes, les *Cortes generales* pourvoiront à la succession de la Couronne dans la forme qui conviendra le mieux aux intérêts de l'Espagne.

4. Les personnes qui, ayant droit à la succession au trône, contracteraient un mariage malgré l'interdiction expresse du Roi et des *Cortes generales* seront exclues de la succession à la Couronne ainsi que leurs descendants.

5. Les problèmes résultant d'une abdication et d'une renonciation au trône, ainsi que toute incertitude de fait ou de droit survenant dans l'ordre de succession à la Couronne seront résolus par une loi organique.

Article 58

La *Reina consorte* ([1]) ou le consort de la Reine ne pourra pas assumer des fonctions constitutionnelles, sauf en ce qui concerne les dispositions sur la régence.

(1) Epouse du Roi régnant.

Article 59

1. Si le Roi est mineur, le père ou la mère du Roi ou, à défaut de ceux-ci, le parent majeur le plus proche pour succéder à la Couronne, selon l'ordre établi par la Constitution, exercera immédiatement la régence ; il l'exercera tant que durera la minorité du Roi.

2. Si le Roi est inhabile à exercer son autorité et que cette incapacité est reconnue par les *Cortes generales,* le Prince héritier de la Couronne, s'il est majeur, exercera immédiatement la régence. S'il ne l'est pas, on procédera de la manière prévue au paragraphe précédent, jusqu'à ce que le Prince héritier atteigne l'âge de la majorité.

3. Si elle ne peut être attribuée à aucune des personnes prévues pour l'assumer, la régence sera désignée par les *Cortes generales* et elle sera composée d'une, trois ou cinq personnes.

4. Pour exercer la régence, il faut être espagnol et majeur.

5. La régence sera exercée par mandat constitutionnel et toujours au nom du Roi.

Article 60

1. Le tuteur du Roi mineur sera la personne que le Roi défunt aura nommée dans son testament, à condition qu'elle soit majeure et espagnole de naissance. Si le Roi ne l'a pas nommé, le tuteur sera le père ou la mère tant qu'ils resteront veufs. A défaut de ceux-ci, les *Cortes generales* nommeront le tuteur ; toutefois, seuls le père, la mère ou les ascendants directs du Roi pourront cumuler les fonctions de Régent et de tuteur.

2. L'exercice de la tutelle est également incompatible avec celui de toute charge ou représentation politique.

Article 61

1. Le Roi, au moment où il sera proclamé devant les *Cortes generales,* jurera de remplir fidèlement ses fonctions, d'observer et faire observer la Constitution et les lois et de respecter les droits des citoyens et des communautés autonomes.

2. Le Prince héritier, dès sa majorité, et le Régent ou les Régents, au moment où ils prendront possession de leurs fonctions, prêteront le même serment et jureront fidélité au Roi.

Article 62

Il incombe au Roi de :

a) sanctionner et promulguer les lois ;
b) convoquer et dissoudre les *Cortes generales* et fixer la date des élections selon les dispositions prévues dans la Constitution ;
c) convoquer les électeurs pour qu'ils se prononcent par la voie d'un référendum dans les cas prévus par la Constitution ;
d) proposer le candidat au poste de président du Gouvernement et, s'il y a lieu, le nommer et mettre fin à ses fonctions, dans les termes prévus par la Constitution ;
e) nommer et destituer les membres du Gouvernement, sur la proposition de son président ;
f) expédier les décrets décidés en Conseil des ministres, nommer aux emplois civils et militaires et décerner les honneurs et les distinctions, conformément aux lois ;
g) être informé des affaires d'État et présider, à cet effet, les séances du Conseil des ministres, lorsqu'il le jugera opportun, à la demande du président du Gouvernement ;
h) exercer le commandement suprême des forces armées ;
i) exercer le droit de grâce conformément à la loi, qui ne peut autoriser de grâces générales ;
j) exercer le haut patronage des académies royales.

Article 63

1. Le Roi accrédite les ambassadeurs et autres représentants diplomatiques. Les représentants étrangers en Espagne sont accrédités auprès de lui.

2. Il incombe au Roi d'exprimer le consentement de l'État à souscrire à des engagements sur le plan international par des traités, conformément à la Constitution et aux lois.

3. Il incombe au Roi, sur autorisation préalable des *Cortes generales,* de déclarer la guerre et de conclure la paix.

Article 64

1. Les actes du Roi seront contresignés par le président du Gouvernement et, s'il y a lieu, par les ministres compétents. Les actes par lesquels le Roi propose et nomme

le président du Gouvernement et déclare la dissolution prévue à l'article 99 seront contresignés par le président du Congrès.

2. Les personnes qui contresigneront les actes du Roi en seront responsables.

Article 65

1. Le Roi reçoit sur le budget de l'État une somme globale pour l'entretien de sa famille et de sa Maison et il la répartit librement.

2. Le Roi nomme et relève librement de leurs fonctions les membres civils et militaires de sa Maison.

Titre III
Des *Cortes generales*

Chapitre premier
Des Chambres

Article 66

1. Les *Cortes generales* représentent le peuple espagnol et se composent du Congrès des députés et du Sénat.

2. Les *Cortes generales* exercent le pouvoir législatif de l'État, votent le budget, contrôlent l'action du Gouvernement et assument les autres compétences que leur attribue la Constitution.

3. Les *Cortes generales* sont inviolables.

Article 67

1. Nul ne pourra être membre des deux Chambres simultanément, ni cumuler le siège de membre d'une assemblée de communauté autonome avec celui de député au Congrès.

2. Les membres des *Cortes generales* ne seront liés par aucun mandat impératif.

3. Les réunions de parlementaires qui se tiendront sans convocation réglementaire ne lieront pas les Chambres ; les parlementaires impliqués ne pourront pas exercer leurs fonctions ni se prévaloir de leurs privilèges.

Article 68

1. Le Congrès se compose au minimum de 300 et au maximum de 400 députés, élus au suffrage universel, libre, égal, direct et secret, dans les termes établis par la loi.

2. La circonscription électorale est la province. Les populations de Ceuta et de Melilla seront représentées chacune par un député. La loi déterminera le nombre total de députés, assignera une représentation minimale initiale à chaque circonscription et répartira les autres sièges proportionnellement à la population.

3. Les élections se dérouleront dans chaque circonscription sur la base de la représentation proportionnelle.

4. Le Congrès est élu pour quatre ans. Le mandat des députés expire quatre ans après leur élection ou le jour de la dissolution de la Chambre.

5. Tous les Espagnols jouissant pleinement de leurs droits politiques sont électeurs et éligibles.

La loi reconnaîtra et l'État facilitera l'exercice du droit de suffrage aux Espagnols qui se trouvent hors du territoire de l'Espagne.

6. Les élections auront lieu entre les trente et les soixante jours qui suivront la fin du mandat. Le Congrès élu devra être convoqué dans les vingt-cinq jours qui suivront les élections.

Article 69

1. Le Sénat est la chambre de représentation territoriale.

2. Dans chaque province, quatre sénateurs seront élus au suffrage universel, libre, égal, direct et secret par les électeurs de chacune d'elles, dans les termes que fixera une loi organique.

3. Dans les provinces insulaires, chaque île ou groupe d'îles ayant un *cabildo* ou conseil insulaire constituera une circonscription en vue de l'élection des sénateurs ; trois sénateurs seront élus dans chacune des îles les plus grandes — Grande Canarie, Majorque et Tenerife — et un sénateur dans chacune des îles ou groupes d'îles suivants : Ibiza-Formentera, Minorque, Fuerteventura, Gomera, Hierro, Lanzarote et La Palma.

4. Les populations de Ceuta et de Melilla éliront chacune deux sénateurs.

5. Les communautés autonomes désigneront en outre un sénateur, ainsi qu'un autre pour chaque million d'habitants de leur territoire respectif. La désignation incombera à l'assemblée législative ou, à

défaut de celle-ci, à l'organe collégial supérieur de la communauté autonome, conformément aux dispositions des statuts qui assureront, dans tous les cas, la représentation proportionnelle adéquate.

6. Le Sénat est élu pour quatre ans. Le mandat des sénateurs expire quatre ans après leur élection ou le jour de la dissolution de la Chambre.

Article 70

1. La loi électorale déterminera les causes d'inéligibilité et d'incompatibilité des députés et des sénateurs ; elles concerneront, en tout cas :

a) les membres du Tribunal constitutionnel ;

b) les hautes charges de l'Administration de l'État déterminées par la loi, à l'exception des membres du Gouvernement ;

c) le *Defensor del Pueblo* ;

d) les magistrats, juges et procureurs en exercice ;

e) les militaires de carrière et les membres des forces et des corps de sûreté et de la police en activité ;

f) les membres des comités électoraux.

2. La validité des actes constatant l'élection des membres des deux Chambres sera soumise au contrôle judiciaire, dans les termes établis par la loi électorale.

Article 71

1. Les députés et les sénateurs jouiront de la prérogative de l'inviolabilité pour les opinions exprimées dans l'exercice de leurs fonctions.

2. Pendant la durée de leur mandat, les députés et les sénateurs jouiront également de l'immunité et ne pourront être détenus qu'en cas de flagrant délit. Ils ne pourront pas être inculpés ni poursuivis en justice sans l'autorisation préalable de leur Chambre.

3. Dans les procès contre des députés et des sénateurs, la juridiction compétente incombe à la Chambre criminelle du Tribunal suprême.

4. Les députés et les sénateurs percevront un traitement qui sera fixé par leurs Chambres respectives.

Article 72

1. Les Chambres établissent leurs propres règlements, votent de façon autonome leur budget et fixent, d'un commun accord, le statut du personnel des *Cortes generales*. Les règlements et leur révision seront soumis à un vote final sur l'ensemble qui devra réunir la majorité absolue.

2. Les Chambres élisent leur président respectif et les autres membres de leur bureau. Les séances conjointes seront présidées par le président du Congrès et seront régies par un règlement des *Cortes generales* adopté à la majorité absolue de chaque Chambre.

3. Les présidents des Chambres exercent, au nom de celles-ci, tous les pouvoirs administratifs et les fonctions de police à l'intérieur de leurs sièges respectifs.

Article 73

1. Les Chambres se réuniront annuellement en deux sessions ordinaires : la première de septembre à décembre et la seconde de février à juin.

2. Les Chambres pourront se réunir en sessions extraordinaires à la demande du Gouvernement, de la députation permanente ou de la majorité absolue des membres de l'une ou l'autre d'entre elles. Les sessions extraordinaires devront être convoquées sur un ordre du jour déterminé et elles seront closes dès que celui-ci sera épuisé.

Article 74

1. Les Chambres se réuniront en séance commune pour exercer les compétences qui ne revêtent pas un caractère législatif et que le titre II attribue expressément aux *Cortes generales*.

2. Les décisions des *Cortes generales* prévues aux articles 94, paragraphe 1, 145, paragraphe 2, et 158, paragraphe 2, seront adoptées à la majorité de chacune des Chambres. Dans le premier cas, la procédure commencera par le Congrès et dans les deux autres par le Sénat. Dans les deux cas, s'il n'y a pas accord entre le Sénat et le Congrès, une commission mixte, comprenant un nombre égal de députés et de sénateurs, s'efforcera de l'obtenir. La commission présentera un texte qui sera voté par les deux Chambres. Si celui-ci n'est pas adopté dans la forme établie, le Congrès décidera à la majorité absolue.

Article 75

1. Les Chambres se réuniront en séances plénières et en commissions.

2. Les Chambres pourront déléguer aux commissions législatives permanentes l'adoption de projets ou de propositions de loi. Cependant, les Chambres, réunies en séance plénière, pourront à tout moment demander qu'un débat et un vote aient lieu sur n'importe quel projet ou proposition de loi qui aurait fait l'objet de cette délégation.

3. La révision constitutionnelle, les questions internationales, les lois organiques et les lois-cadres ainsi que le budget général de l'État ne sont pas soumis aux dispositions du paragraphe précédent.

Article 76

1. Le Congrès et le Sénat et, s'il y a lieu, les deux Chambres conjointement, pourront nommer des commissions d'enquête sur toute question d'intérêt public. Leurs conclusions ne lieront pas les tribunaux et n'affecteront pas les décisions judiciaires ; le résultat de l'enquête pourra être toutefois communiqué au ministère public qui prendra, le cas échéant, les mesures opportunes.

2. La comparution, à la demande des Chambres, sera obligatoire. La loi définira les sanctions pouvant être imposées en cas de manquement à cette obligation.

Article 77

1. Les Chambres peuvent recevoir des pétitions individuelles et collectives, toujours sous forme écrite ; leur présentation directe par des manifestations de citoyens est interdite.

2. Les Chambres peuvent remettre au Gouvernement les pétitions qu'elles reçoivent. Le Gouvernement est tenu de s'expliquer sur leur contenu chaque fois que les Chambres l'exigeront.

Article 78

1. Dans chaque Chambre il y aura une députation permanente composée au minimum de vingt et un membres qui représenteront les groupes parlementaires, proportionnellement à leur importance numérique.

2. Les députations permanentes seront présidées par le président de leur Chambre respective. Elles auront pour fonctions celle que prévoit l'article 73, celle d'assumer les facultés qui incombent aux Chambres, conformément aux articles 86 et 116, au cas où celles-ci auraient été dissoutes ou que leur mandat aurait expiré, et celle de veiller aux pouvoirs des Chambres lorsqu'elles ne sont pas réunies.

3. Lorsque le mandat des Chambres a expiré ou que celles-ci ont été dissoutes, les députations permanentes continueront à exercer leurs fonctions jusqu'à la constitution des nouvelles *Cortes generales*.

4. Lorsque la Chambre correspondante se réunira, la députation permanente rendra compte des questions qu'elle aura traitées et de ses décisions.

Article 79

1. Pour adopter des décisions, les Chambres doivent être réunies de façon réglementaire et la majorité de leurs membres doivent être présents.

2. Ces décisions, pour être valides, devront être adoptées à la majorité des membres présents, sans préjudice des majorités spéciales que la Constitution ou les lois organiques déterminent et de celles que les règlements des Chambres établissent pour l'élection de personnes.

3. Le vote des sénateurs et des députés est personnel et ne peut être délégué.

Article 80

Les séances plénières des Chambres seront publiques, sauf décision contraire de chaque Chambre, prise à la majorité absolue ou conformément au règlement.

Chapitre deux
De l'élaboration des lois

Article 81

1. Les lois organiques sont celles qui se réfèrent au développement des droits fondamentaux et des libertés publiques, celles qui approuvent les statuts d'autonomie et le régime électoral général, ainsi que les autres lois prévues dans la Constitution.

2. Les lois organiques seront adoptées, modifiées ou abrogées à la majorité absolue du Congrès, par un vote final sur l'ensemble du projet.

Article 82

1. Les *Cortes generales* pourront déléguer au Gouvernement la faculté d'édicter des normes ayant force de loi sur des matières déterminées ne figurant pas à l'article précédent.

2. La délégation législative devra être octroyée par une loi-cadre, lorsqu'elle aura pour objet d'élaborer des textes rédigés par articles, ou par une loi ordinaire, lorsqu'il s'agira de refondre plusieurs textes légaux en un seul.

3. La délégation législative devra être octroyée au Gouvernement de façon expresse pour une matière concrète et pour un délai déterminé. La délégation s'épuise avec l'usage qu'en fait le Gouvernement par la publication de la norme correspondante. Elle ne pourra être considérée comme étant accordée de façon implicite ou pour une durée indéterminée. La sous-délégation à des autorités autres que le Gouvernement lui-même ne pourra pas non plus être autorisée.

4. Les lois-cadres délimiteront avec précision l'objet et la portée de la délégation législative et les principes et les critères qui doivent présider à l'usage qui en est fait.

5. L'autorisation de refondre des textes légaux déterminera le domaine normatif auquel se réfère le contenu de la délégation en spécifiant si elle se limite à la simple formulation d'un texte unique ou si elle comprend celle de régulariser, clarifier et harmoniser les textes légaux qui doivent être refondus.

6. Sans nuire à la compétence propre des tribunaux, les lois de délégation pourront établir, dans chaque cas, des formules complémentaires de contrôle.

Article 83

Les lois-cadres ne pourront en aucun cas :

a) autoriser la modification de la loi-cadre elle-même ;
b) habiliter à dicter des normes ayant un caractère rétroactif.

Article 84

Si une proposition de loi ou un amendement est contraire à une délégation législative en vigueur, le Gouvernement est habilité à s'opposer à ce qu'il lui soit donné cours. Dans ce cas, une proposition de loi, portant abrogation totale ou partielle de la loi de délégation, pourra être présentée.

Article 85

Les dispositions du Gouvernement contenant une législation déléguée seront appelées décrets législatifs.

Article 86

1. En cas de nécessité extraordinaire et urgente, le Gouvernement pourra édicter des dispositions législatives provisoires qui prendront la forme de décrets-lois et qui ne pourront pas affecter l'ordonnancement des institutions fondamentales de l'État, les droits, les devoirs et les libertés des citoyens, régis par le titre I, le régime des communautés autonomes ni le droit électoral général.

2. Les décrets-lois devront être immédiatement soumis au Congrès des députés qui procédera à un débat et à un vote sur l'ensemble ; il sera convoqué à cet effet, s'il n'est pas en session, dans le délai de trente jours suivant leur promulgation. Le Congrès devra se prononcer expressément dans le délai de trente jours sur leur validation ou leur abrogation ; le règlement établira, à cette fin, une procédure spéciale et sommaire.

3. Pendant le délai fixé au paragraphe précédent les *Cortes generales* pourront donner cours aux décrets-lois selon la procédure d'urgence, comme dans le cas de projets de loi.

Article 87

1. L'initiative en matière législative incombe au Gouvernement, au Congrès et au Sénat, conformément à la Constitution et aux règlements des Chambres.

2. Les assemblées des communautés autonomes pourront demander au Gouvernement d'adopter un projet de loi ou transmettre au bureau du Congrès une proposition de loi, en délégant, pour la défendre devant cette Chambre, trois membres au maximum de l'assemblée.

3. Une loi organique réglera la forme et les conditions dans lesquelles s'exercera l'initiative populaire pour la présentation de propositions de loi. Dans tous les cas, au moins 500 000 signatures accréditées seront nécessaires. Cette initiative ne s'appliquera pas aux matières propres d'une loi organique, aux questions fiscales ou de caractère international, ni à la prérogative de grâce.

Article 88

Les projets de loi seront adoptés en Conseil des ministres qui les soumettra au Congrès accompagnés d'un exposé des motifs et des antécédents nécessaires pour se prononcer à leur égard.

Article 89

1. La procédure que doivent suivre les propositions de loi sera établie par les règlements des Chambres, sans que la priorité due aux projets de loi empêche l'exercice de l'initiative législative dans les termes définis à l'article 87.

2. Les propositions de loi que le Sénat prendra en considération, conformément à l'article 87, seront transmises au Congrès afin d'y suivre leur cours en tant que telles.

Article 90

1. Dès qu'un projet de loi ordinaire ou organique aura été approuvé par le Congrès des députés, son président en rendra compte aussitôt au président du Sénat qui le soumettra à la délibération de celui-ci.

2. Le Sénat, dans le délai de deux mois à partir du jour de la réception du texte, peut, par un message motivé, lui opposer son veto ou y apporter des amendements. Le veto devra être approuvé à la majorité absolue. Le projet ne pourra pas être soumis au Roi pour qu'il le sanctionne à moins que le Congrès ne ratifie le texte initial à la majorité absolue, en cas de veto, ou à la majorité simple, une fois écoulé le délai de deux mois suivant la présentation du veto, ou ne se prononce sur les amendements, en les acceptant ou en les rejetant à la majorité simple.

3. Le délai de deux mois dont dispose le Sénat pour opposer son veto ou amender le projet sera réduit à vingt jours francs pour les projets que le Gouvernement ou le Congrès des députés auront déclarés urgents.

Article 91

Le roi sanctionnera, dans un délai de quinze jours, les lois approuvées par les *Cortes generales ;* il les promulguera et ordonnera leur publication immédiate.

Article 92

1. Les décisions politiques d'une importance particulière pourront être soumises à tous les citoyens par la voie d'un référendum consultatif.

2. La convocation des électeurs en vue d'un référendum incombe au Roi, sur la proposition du président du Gouvernement, autorisée préalablement par le Congrès des députés.

3. Une loi organique définira les conditions et la procédure des différentes modalités de référendum prévues dans la présente Constitution.

Chapitre trois
Des traités internationaux

Article 93

Une loi organique pourra autoriser la conclusion de traités attribuant à une organisation ou à une institution internationale l'exercice de compétences dérivées de la Constitution. Il incombe aux *Cortes generales* ou au Gouvernement, selon les cas, de garantir l'exécution de ces traités et des résolutions émanant de organismes internationaux ou supranationaux qui bénéficient de ce transfert de compétences.

Article 94

1. L'État ne pourra manifester son consentement à s'engager par des traités ou par des accords sans l'autorisation préalable des *Cortes generales* dans les cas suivants :

a) traités à caractère politique ;
b) traités ou accords à caractère militaire ;
c) traités ou accords qui affectent l'intégrité territoriale de l'État ou les droits et les devoirs fondamentaux établis au titre I ;
d) traités ou accords qui impliquent des obligations financières pour les finances publiques ;
e) traités ou accords qui entraînent la modification ou l'abrogation d'une loi ou exigent l'adoption de mesures législatives pour leur exécution.

2. Le Congrès et le Sénat seront immédiatement informés de la conclusion des autres traités ou accords.

Article 95

1. La conclusion d'un traité international contenant des dispositions contraires à la Constitution devra être précédée d'une révision de celle-ci.

2. Le Gouvernement ou l'une ou l'autre Chambre peut faire appel au Tribu-

nal constitutionnel pour qu'il déclare s'il y a ou non contradiction.

Article 96

1. Les traités internationaux régulièrement conclus et une fois publiés officiellement en Espagne feront partie de l'ordre juridique interne. Leurs dispositions ne pourront être abrogées, modifiées ou suspendues que sous la forme prévue dans les traités eux-mêmes ou conformément aux normes générales du droit international.

2. La dénonciation des traités et accords internationaux exige la même procédure que celle qui est prévue pour leur approbation à l'article 94.

Titre IV
Du Gouvernement et de l'Administration

Article 97

Le Gouvernement dirige la politique intérieure et extérieure, l'Administration civile et militaire et la défense de l'État. Il exerce la fonction exécutive et le pouvoir réglementaire conformément à la Constitution et aux lois.

Article 98

1. Le Gouvernement se compose du président, le cas échéant des vice-présidents, des ministres et des autres membres déterminés par la loi.

2. Le président dirige l'action du Gouvernement et coordonne les fonctions de ses autres membres, sans préjudice de la compétence et de la responsabilité directe de ceux-ci dans leur gestion.

3. Les membres du Gouvernement ne pourront exercer d'autres fonctions représentatives que celles qui sont propres au mandat parlementaire, aucune autre fonction publique que celle découlant de leur charge, ni aucune activité professionnelle ou commerciale.

4. La loi définira le statut et les incompatibilités des membres du Gouvernement.

Article 99

1. Après chaque renouvellement du Congrès des députés et dans les autres cas prévus à cet effet par la Constitution, le Roi, après consultation des représentants désignés par les groupes politiques ayant une représentation parlementaire, proposera, par l'intermédiaire du président du Congrès, un candidat à la présidence du Gouvernement.

2. Le candidat proposé conformément aux dispositions du paragraphe précédent exposera devant le Congrès des députés le programme politique du Gouvernement qu'il entend former et demandera la confiance de la Chambre.

3. Si le Congrès des députés accorde à la majorité absolue de ses membres la confiance au candidat, le Roi le nommera président. Si cette majorité n'est pas atteinte, la même proposition fera l'objet d'un nouveau vote quarante-huit heures après le premier et l'on considérera que la confiance a été accordée si elle a réuni la majorité simple.

4. Si, après avoir procédé aux votes mentionnés, la confiance n'est pas accordée pour l'investiture, des propositions successives seront présentées sous la forme prévue aux paragraphes précédents.

5. Si dans le délai de deux mois à partir du premier vote d'investiture aucun candidat n'a obtenu la confiance du Congrès, le Roi, avec le contreseing du président du Congrès, dissoudra les deux Chambres et convoquera de nouvelles élections.

Article 100

Sur la proposition du président du Gouvernement, le Roi nomme les autres membres du Gouvernement et met fin à leurs fonctions.

Article 101

1. Les fonctions des membres du Gouvernement prennent fin à la suite d'élections générales, dans les cas de perte de la confiance parlementaire, prévus par la Constitution, ou à la suite de la démission ou du décès du président du Gouvernement.

2. Le Gouvernement démissionnaire continuera à exercer ses fonctions jusqu'à l'installation du nouveau Gouvernement.

Article 102

1. La responsabilité criminelle du président et des autres membres du Gouver-

nement pourra être engagée s'il y a lieu, devant la chambre criminelle du Tribunal suprême.

2. Si l'accusation concerne un cas de trahison ou tout autre délit contre la sûreté de l'État commis dans l'exercice de leurs fonctions, elle ne pourra être portée que sur l'initiative du quart des membres du Congrès et avec l'approbation de la majorité absolue de celui-ci.

3. La prérogative royale de grâce ne sera applicable à aucun des cas mentionnés au présent article.

Article 103

1. L'Administration publique sert avec objectivité les intérêts généraux et agit conformément aux principes d'efficacité, hiérarchie, décentralisation, déconcentration et coordination et se soumet pleinement à la loi et au droit.

2. Les organes de l'Administration de l'État sont créés, régis et coordonnés conformément à la loi.

3. La loi définira le statut des fonctionnaires publics et réglementera l'accès à la fonction publique conformément aux principes de mérite et de capacité ; elle définira les conditions particulières dans lesquelles les fonctionnaires peuvent exercer le droit syndical, le système d'incompatibilités et les garanties d'impartialité dans l'exercice de leurs fonctions.

Article 104

1. Les forces et les corps de sécurité, sous l'autorité du Gouvernement, auront pour mission de protéger le libre exercice des droits et des libertés et de garantir la sécurité des citoyens.

2. Une loi organique déterminera les fonctions, les principes d'action fondamentaux et les statuts des forces et des corps de sécurité.

Article 105

La loi réglementera :

a) le droit des citoyens d'être entendus directement ou par l'intermédiaire des organisations et des associations reconnues par la loi, au cours du processus d'élaboration des dispositions administratives qui les concernent ;

b) l'accès des citoyens aux archives et aux registres administratifs sauf en ce qui concerne la sécurité et la défense de l'État, l'enquête sur des délits et l'intimité des personnes ;

c) la procédure que doivent suivre les actes administratifs et qui garantira, s'il y a lieu, à l'intéressé le droit d'être entendu.

Article 106

1. Les tribunaux contrôlent le pouvoir réglementaire et la légalité de l'action administrative, ainsi que la soumission de celle-ci aux fins qui la justifient.

2. Les particuliers, selon les termes établis par la loi, auront le droit d'être indemnisés pour tout dommage causé à leurs biens et à leurs droits, sauf dans les cas de force majeure, chaque fois que ce dommage sera la conséquence du fonctionnement des services publics.

Article 107

Le Conseil d'État est l'organe consultatif suprême du Gouvernement. Une loi organique réglementera sa composition et ses compétences.

Titre V
Des relations entre le Gouvernement et les *Cortes generales*

Article 108

Le Gouvernement est solidairement responsable de sa gestion politique devant le Congrès des députés.

Article 109

Les Chambres et leurs commissions pourront, par l'intermédiaire de leurs présidents, demander les informations et l'aide dont elles ont besoin au Gouvernement et à ses départements et à n'importe quel autre organe de l'État et des communautés autonomes.

Article 110

1. Les Chambres et leurs commissions peuvent exiger la présence des membres du Gouvernement.

2. Les membres du Gouvernement ont accès aux séances des Chambres et à leurs commissions ; ils ont le droit de s'y

faire entendre et ils peuvent demander que des fonctionnaires de leurs départements leur fournissent des informations.

Article 111

1. Le Gouvernement et chacun de ses membres sont soumis aux interpellations et aux questions que leur posent les membres des Chambres. Leur règlement réservera un temps minimum hebdomadaire à ce type de débat.

2. Toute interpellation pourra donner lieu à une motion par laquelle la Chambre fera connaître sa position.

Article 112

Le président du Gouvernement, après délibération du Conseil des ministres, peut poser au Congrès des députés la question de confiance sur son programme ou sur une déclaration de politique générale. On considérera que la confiance lui a été accordée lorsque la majorité simple des députés se sera prononcée en sa faveur.

Article 113

1. Le Congrès des députés peut mettre en jeu la responsabilité politique du Gouvernement en adoptant à la majorité absolue une motion de censure.

2. La motion de censure devra être proposée au moins par le dixième des députés et elle devra inclure le nom d'un candidat à la présidence du Gouvernement.

3. La motion de censure ne pourra être votée avant l'expiration d'un délai de cinq jours à partir de la date de son dépôt. Des motions alternatives pourront être présentées pendant les deux premiers jours.

4. Si la motion de censure n'est pas adoptée par le Congrès, ses signataires ne pourront pas en présenter une autre pendant la même session.

Article 114

1. Si le Congrès refuse sa confiance au Gouvernement, celui-ci présentera sa démission au Roi. On procédera ensuite à la désignation du président du Gouvernement, conformément aux dispositions de l'article 99.

2. Si le Congrès adopte une motion de censure, le Gouvernement présentera sa démission au Roi et l'on considérera que le candidat désigné dans la motion a reçu l'investiture de la Chambre aux effets prévus à l'article 99. Le Roi le nommera président du Gouvernement.

Article 115

1. Le président du Gouvernement, après délibération du Conseil des ministres, et sous sa seule responsabilité, pourra proposer la dissolution du Congrès, du Sénat ou des *Cortes generales* qui sera décrétée par le Roi. Le décret de dissolution fixera la date des élections.

2. La proposition de dissolution ne pourra pas être présentée lorsqu'une motion de censure est en cours.

3. On ne pourra pas procéder à une nouvelle dissolution avant que ne se soit écoulé le délai d'une année à partir de la dissolution précédente, exception faite des dispositions de l'article 99, paragraphe 5.

Article 116

1. Une loi organique réglementera l'état d'alerte, l'état d'exception et l'état de siège, ainsi que les compétences et les limitations correspondantes.

2. L'état d'alerte sera déclaré par le Gouvernement par un décret pris en Conseil des ministres pour une période maximum de quinze jours. Il en sera rendu compte au Congrès des députés qui se réunira immédiatement à cet effet et sans l'autorisation duquel ce délai ne pourra pas être prorogé. Le décret déterminera le territoire auquel s'appliquent les effets de la déclaration.

3. L'état d'exception sera déclaré par le Gouvernement par un décret pris en Conseil des ministres, après autorisation du Congrès des députés. L'autorisation et la proclamation de l'état d'exception devront déterminer expressément les effets de celuici, le territoire auquel il s'applique et sa durée, qui ne pourra pas excéder une période de trente jours, renouvelable pour la même durée et dans les mêmes conditions.

4. L'état de siège sera déclaré à la majorité absolue du Congrès des députés sur la proposition exclusive du Gouvernement. Le Congrès déterminera le territoire auquel il s'applique, sa durée et ses conditions.

5. On ne pourra pas procéder à la dissolution du Congrès aussi longtemps que sera en vigueur l'état d'alerte, l'état d'exception ou l'état de siège. Les Chambres seront automatiquement convoquées au cas où

elles ne seraient pas en session. Leur fonctionnement, ainsi que celui des autres pouvoirs constitutionnels de l'État, ne pourra pas être interrompu tant que seront en vigueur les états mentionnés.

Lorsque le Congrès aura été dissous ou que son mandat aura expiré et que se produit l'une ou l'autre des situations donnant lieu à l'un des états indiqués, les compétences du Congrès seront assumées par sa députation permanente.

6. La déclaration de l'état d'alerte, de l'état d'exception et de l'état de siège ne modifiera pas le principe de la responsabilité du Gouvernement et de ses agents reconnu dans la Constitution et dans les lois.

Titre VI
Du pouvoir judiciaire

Article 117

1. La justice émane du peuple et elle est administrée au nom du Roi par des juges et des magistrats qui constituent le pouvoir judiciaire et sont indépendants, inamovibles, responsables et soumis exclusivement à l'empire de la loi.

2. Les juges et les magistrats ne pourront être destitués, suspendus, transférés ou mis à la retraite que pour l'une des causes et avec les garanties prévues par la loi.

3. L'exercice du pouvoir juridictionnel, dans tous les types de procès, aussi bien pour rendre un jugement que pour le faire exécuter, incombe exclusivement aux juges et aux tribunaux déterminés par les lois, selon les normes de compétence et de procédure que celles-ci établissent.

4. Les juges et les tribunaux n'exerceront pas d'autres fonctions que celles indiquées au paragraphe précédent et celles qui leur seront expressément attribuées par la loi en garantie de n'importe quel droit.

5. Le principe de l'unité juridictionnelle est la base de l'organisation et du fonctionnement des tribunaux. La loi réglementera l'exercice de la juridiction militaire dans le domaine strictement limité à l'armée et dans le cas d'un état de siège, conformément aux principes de la Constitution.

6. Les tribunaux d'exception sont interdits.

Article 118

Il est obligatoire de respecter les jugements et autres décisions fermes des juges et des tribunaux, ainsi que d'apporter la collaboration requise par ceux-ci pendant le procès et dans l'exécution du jugement.

Article 119

La justice sera gratuite lorsque la loi l'établira et, dans tous les cas, pour tous ceux qui justifieront l'insuffisance de leurs ressources pour ester en justice.

Article 120

1. Les actes judiciaires seront publics, à l'exception des cas prévus par les lois sur la procédure.

2. La procédure sera principalement orale, surtout en matière criminelle.

3. Les jugements seront toujours motivés et seront prononcés en audience publique.

Article 121

Les dommages causés par une erreur judiciaire, ainsi que ceux qui résulteront du fonctionnement anormal de l'administration de la justice, donneront droit à une indemnité à la charge de l'État, conformément à la loi.

Article 122

1. La loi organique du pouvoir judiciaire déterminera la constitution, le fonctionnement et l'organisation des tribunaux, ainsi que le statut juridique des juges et des magistrats de carrière, qui formeront un corps unique, et du personnel chargé de l'administration de la justice.

2. Le Conseil général du pouvoir judiciaire est l'organe de gouvernement de ce dernier. La loi organique définira son statut, le régime d'incompatibilités de ses membres et leurs fonctions, en particulier en ce qui concerne les nominations, les promotions, les inspections et le régime disciplinaire.

3. Le Conseil général du pouvoir judiciaire sera formé par le président du Tribunal suprême, qui le présidera, et par vingt membres nommés par le Roi pour une période de cinq ans : douze de ces membres seront choisis parmi des juges et des magistrats de toutes les catégories judiciaires, conformément aux dispositions de la loi organique, quatre sur la proposition du

Congrès des députés et quatre sur celle du Sénat ; dans ces deux cas, ils seront élus à la majorité des trois cinquièmes des membres parmi des avocats et autres juristes dont la compétence est reconnue et qui exercent leur profession depuis plus de quinze ans.

Article 123

1. Le Tribunal suprême, dont la juridiction s'étend à toute l'Espagne, est l'organe juridictionnel suprême, sauf en ce qui concerne les dispositions sur les garanties constitutionnelles.

2. Le président du Tribunal suprême sera nommé par le Roi, sur la proposition du Conseil général du pouvoir judiciaire, sous la forme déterminée par la loi.

Article 124

1. Le ministère public, sans préjudice des fonctions confiées à d'autres organes, a pour mission de promouvoir l'action de la justice en défense de la légalité, des droits des citoyens et de l'intérêt public protégé par la loi, d'office ou à la demande des intéressés, de veiller à l'indépendance des tribunaux et de rechercher devant ceux-ci la satisfaction de l'intérêt social.

2. Le ministère public exerce ses fonctions par l'intermédiaire de ses propres organes conformément aux principes de l'unité d'action et de la dépendance hiérarchique et, dans tous les cas, à ceux de la légalité et de l'impartialité.

3. La loi définira le statut organique du ministère public.

4. Le procureur général de l'État sera nommé par le Roi, sur proposition du Gouvernement, et après consultation du Conseil général du pouvoir judiciaire.

Article 125

Les citoyens pourront exercer l'action populaire et participer à l'administration de la justice par l'institution du jury, sous la forme et pour les procès à caractère pénal que la loi déterminera, ainsi que devant les tribunaux coutumiers et traditionnels.

Article 126

La police judiciaire dépend des juges, des tribunaux et du ministère public en ce qui concerne la recherche du délit et la découverte et arrestation du délinquant, dans les termes établis par la loi.

Article 127

1. Les juges et les magistrats, ainsi que les procureurs, tant qu'ils seront en activité, ne pourront pas exercer d'autres fonctions publiques ni appartenir à des partis politiques ou à des syndicats. La loi établira le système et les modalités d'association professionnelle des juges, magistrats et procureurs.

2. La loi établira le régime des incompatibilités des membres du pouvoir judiciaire qui devra assurer leur complète indépendance.

Titre VII
Économie et finances

Article 128

1. Toute la richesse du pays dans ses différentes formes et quel que soit celui à qui elle appartient est subordonnée à l'intérêt général.

2. L'initiative publique est reconnue dans l'activité économique. Une loi pourra réserver au secteur public des ressources ou des services essentiels, tout particulièrement en cas de monopole, et décider également le contrôle d'entreprises lorsque l'intérêt général l'exigera.

Article 129

1. La loi établira les formes de participation des intéressés à la Sécurité sociale et aux activités des organismes publics dont la fonction touche directement la qualité de la vie ou le bien-être général.

2. Les pouvoirs publics encourageront de manière efficace les différentes formes de participation à l'entreprise et favoriseront, par une législation adéquate, les sociétés coopératives. Ils créeront aussi les moyens qui facilitent l'accès des travailleurs à la propriété des moyens de production.

Article 130

1. Les pouvoirs publics veilleront à la modernisation et au développement de tous les secteurs économiques et, en particulier, de l'agriculture, de l'élevage, de la pêche et de l'artisanat, afin de rendre plus égal le niveau de vie de tous les Espagnols.

2. Aux mêmes fins, on accordera un traitement spécial aux zones de montagne.

Article 131

1. L'État pourra, par une loi, planifier l'activité économique générale pour veiller aux besoins collectifs, équilibrer et harmoniser le développement régional et sectoriel et stimuler la croissance des revenus et de la richesse et leur plus juste distribution.

2. Le Gouvernement élaborera les projets de planification compte tenu des prévisions qui lui seront fournies par les communautés autonomes, ainsi que des conseils et de la collaboration des syndicats et autres organisations professionnelles, patronales et économiques. On constituera à cette fin un conseil dont la composition et les fonctions seront définies par une loi.

Article 132

1. La loi réglementera le régime juridique des biens appartenant au domaine public et des biens communaux, en s'inspirant des principes d'inaliénabilité, d'imprescriptibilité et d'insaisissabilité ; elle réglementera également leur désaffectation.

2. Appartiennent au domaine public de l'État les biens déterminés par la loi et, dans tous les cas, la zone maritimo-terrestre, les plages, les eaux territoriales et les ressources naturelles de la zone économique et du plateau continental.

3. Une loi réglementera le patrimoine de l'État et le patrimoine national, ainsi que leur administration, leur défense et leur conservation.

Article 133

1. Le pouvoir originaire d'imposition incombe exclusivement à l'État, au moyen d'une loi.

2. Les communautés autonomes et les collectivités locales pourront créer et percevoir des impôts, conformément à la Constitution et aux lois.

3. Tout avantage fiscal relatif aux impôts de l'État devra être établi en vertu d'une loi.

4. Les administrations publiques ne pourront contracter des obligations financières et engager des dépenses que conformément aux lois.

Article 134

1. Il incombe au Gouvernement d'élaborer le budget général de l'État et aux *Cortes generales* de l'examiner, de l'amender et de l'adopter.

2. Le budget général de l'État aura un caractère annuel et comprendra la totalité des dépenses et des recettes du secteur public de l'État. On y consignera le montant des avantages fiscaux qui affectent les impôts de l'État.

3. Le Gouvernement devra présenter au Congrès des députés le budget général de l'État au moins trois mois avant l'expiration de celui de l'année précédente.

4. Si la loi de finances n'est pas adoptée avant le premier jour de l'exercice budgétaire correspondant, on considérera que le budget de l'année précédente est automatiquement prorogé jusqu'à l'adoption du nouveau budget.

5. Après l'adoption du budget général de l'État, le Gouvernement pourra présenter des projets de loi comportant une augmentation des dépenses publiques ou une réduction des recettes correspondant au même exercice budgétaire.

6. Toute proposition ou tout amendement qui entraînerait une augmentation des crédits ou une réduction des recettes budgétaires devra recevoir l'accord du Gouvernement pour suivre son cours.

7. La loi de finances ne peut pas créer d'impôts. Elle pourra les modifier lorsqu'une loi fiscale spécifique le déterminera.

Article 135

1. Le Gouvernement devra être autorisé par une loi pour émettre une dette publique ou lancer un emprunt.

2. Les crédits destinés au paiement des intérêts et au recouvrement du capital de la dette publique de l'État seront toujours considérés comme étant inclus dans l'état des dépenses du budget et ne pourront pas faire l'objet d'un amendement ou d'une modification tant qu'ils seront conformes aux conditions de la loi d'émission.

Article 136

1. La Cour des comptes est l'organe de contrôle suprême des comptes et de la gestion économique de l'État, ainsi que du secteur public.

Elle dépendra directement des *Cortes generales* et exercera ses fonctions par délégation de celles-ci en ce qui concerne l'examen et la vérification des comptes généraux de l'État.

2. Les comptes de l'État et du secteur public étatique seront rendus à la Cour des comptes et seront examinés par celle-ci.

La Cour des comptes, sans préjudice de ses propres compétences, remettra aux *Cortes generales* un rapport annuel par lequel elle communiquera, s'il y a lieu, les infractions ou les responsabilités qui, à son avis, se seraient produites.

3. Les membres de la Cour des comptes jouiront de la même indépendance et de la même inamovibilité et seront soumis aux mêmes incompatibilités que les juges.

4. Une loi organique réglementera la composition, l'organisation et les fonctions de la Cour des comptes.

Titre VIII
De l'organisation territoriale de l'État

Chapitre premier
Principes généraux

Article 137

L'État, dans son organisation territoriale, se compose de communes, de provinces et des communautés autonomes qui se constitueront. Toutes ces entités jouissent d'une autonomie pour la gestion de leurs intérêts respectifs.

Article 138

1. L'État garantit l'application effective du principe de solidarité consacré à l'article 2 de la Constitution, en veillant à l'établissement d'un équilibre économique approprié et juste entre les différentes parties du territoire espagnol, compte tenu tout particulièrement des circonstances propres au caractère insulaire.

2. Les différences entre les statuts des diverses communautés autonomes ne pourront impliquer, en aucun cas, des privilèges économiques ou sociaux.

Article 139

1. Tous les Espagnols ont les mêmes droits et les mêmes obligations dans n'importe quelle partie du territoire de l'État.

2. Aucune autorité ne pourra adopter des mesures qui directement ou indirectement entraveraient la liberté de circulation et d'établissement des personnes et la libre circulation des biens sur tout le territoire espagnol.

Chapitre deux
De l'Administration locale

Article 140

La Constitution garantit l'autonomie des communes. Celles-ci auront pleine personnalité juridique. Leur gouvernement et leur administration incombent à leurs conseils municipaux respectifs, formés par les maires et les conseillers. Les conseillers seront élus par les habitants de la commune au suffrage universel, égal, libre, direct et secret, sous la forme établie par la loi. Les maires seront élus par les conseillers ou par les habitants inscrits. La loi déterminera les conditions dans lesquelles il conviendra d'établir le régime du conseil ouvert [1].

Article 141

1. La province est une entité locale ayant une personnalité juridique propre, déterminée par le groupement de communes, ainsi qu'une division territoriale en vue de mener à bien les activités de l'État. Toute modification des limites provinciales devra être approuvée par les *Cortes generales* au moyen d'une loi organique.

2. Le Gouvernement et l'administration autonome des provinces seront confiés à des délégations ou autres corporations à caractère représentatif.

3. On pourra créer des groupements de communes différents de la province.

4. Dans les archipels, les îles disposeront, en outre, de leur propre administration sous forme d'assemblées ou de conseils.

Article 142

Les finances locales devront disposer des moyens suffisants pour l'exercice des

(1) Réunion du conseil municipal avec l'ensemble de la population.

fonctions que la loi attribue aux collectivités respectives ; ces moyens proviendront essentiellement de leur propre imposition et de leur participation à celle de l'État et des communautés autonomes.

Chapitre trois
Des communautés autonomes

Article 143

1. En application du droit à l'autonomie reconnu à l'article 2 de la Constitution, les provinces limitrophes ayant des caractéristiques historiques, culturelles et économiques communes, les territoires insulaires et les provinces ayant une entité régionale historique pourront se gouverner eux-mêmes et se constituer en communautés autonomes, conformément aux dispositions du présent titre et des statuts respectifs.

2. Le droit d'initiative, en matière d'autonomie, incombe à tous les conseils généraux intéressés ou à l'organe interinsulaire correspondant et aux deux tiers des communes dont la population représente au moins la majorité du corps électoral de chaque province ou de chaque île. Ces conditions devront être remplies dans le délai de six mois à partir de l'adoption du premier accord en la matière par l'une des collectivités locales intéressées.

3. L'initiative, si elle n'aboutit pas, ne pourra pas être reprise avant cinq ans.

Article 144

Les *Cortes generales* pourront, par une loi organique, et pour des motifs d'intérêt national :

a) autoriser la constitution d'une communauté autonome lorsque son territoire ne dépasse pas celui d'une province et ne réunit pas les conditions de l'article 143, paragraphe 1 ;

b) autoriser ou, s'il y a lieu, décider un statut d'autonomie pour des territoires qui ne sont pas intégrés dans l'organisation provinciale ;

c) exercer le droit d'initiative en se substituant aux collectivités locales auxquelles se réfère l'article 143 paragraphe 2.

Article 145

1. On n'admettra, en aucun cas, la fédération de communautés autonomes.

2. Les statuts pourront prévoir les cas, les conditions et les termes dans lesquels les communautés autonomes pourront conclure des accords entre elles pour la gestion et la prestation de services qui leur sont propres, ainsi que le caractère et les effets de la communication correspondante aux *Cortes generales*. Dans les autres cas, les accords de coopération entre les communautés autonomes requerront l'autorisation des *Cortes generales*.

Article 146

Le projet de statut sera élaboré par une assemblée composée des membres du conseil général ou de l'organe interinsulaire des provinces concernées et par les députés et les sénateurs élus dans chacune d'elles ; il sera transmis aux *Cortes generales* pour qu'il lui soit donné cours en tant que loi.

Article 147

1. Selon les termes de la présente Constitution, les statuts seront la norme institutionnelle de base de chaque communauté autonome et l'État les reconnaîtra et les protégera comme partie intégrante de son ordre juridique.

2. Les statuts d'autonomie devront contenir :

a) le nom de la communauté qui correspondra le mieux à son identité historique ;

b) la délimitation de son territoire ;

c) la dénomination, l'organisation et le siège des institutions autonomes propres ;

d) les compétences assumées dans le cadre établi par la Constitution et les bases pour le transfert des services correspondant à ces compétences.

3. Toute révision des statuts suivra la procédure établie par ceux-ci et exigera, en tout cas, l'approbation des *Cortes generales,* au moyen d'une loi organique.

Article 148

1. Les communautés autonomes pourront assumer des compétences dans les matières suivantes :

1° l'organisation de leurs institutions de gouvernement autonome ;

2° les modifications des limites des communes comprises dans leur territoire et, en général, les fonctions qui incombent à l'administration de l'État en ce qui concerne les collectivités locales et dont le transfert est autorisé par la législation sur le régime local ;
3° l'aménagement du territoire, l'urbanisme et le logement ;
4° les travaux publics intéressant la communauté autonome sur son propre territoire ;
5° les chemins de fer et les routes dont le parcours se trouve intégralement sur le territoire de la communauté autonome et, dans les mêmes conditions, le transport assuré par ces moyens ou par câble ;
6° les ports de refuge, les ports et les aéroports de plaisance et, en général, ceux qui n'ont pas d'activités commerciales ;
7° l'agriculture et l'élevage conformément à l'ordonnancement général de l'économie ;
8° les eaux et forêts et l'exploitation forestière ;
9° la gestion en matière de protection de l'environnement ;
10° les projets, la construction et l'exploitation des installations hydrauliques, des canaux et des systèmes d'irrigation présentant un intérêt pour la communauté autonome, et les eaux minérales et thermales ;
11° la pêche dans les eaux intérieures, l'exploitation des fruits de mer et l'aquiculture, la chasse et la pêche fluviale ;
12° les foires locales ;
13° le développement de l'activité économique de la communauté autonome dans le cadre des objectifs fixés par la politique économique nationale ;
14° l'artisanat ;
15° les musées, les bibliothèques et les conservatoires de musique présentant un intérêt pour la communauté autonome ;
16° le patrimoine monumental présentant un intérêt pour la communauté autonome ;
17° le développement de la culture, de la recherche et, s'il y a lieu, de l'enseignement de la langue de la communauté autonome ;
18° la promotion et l'aménagement du tourisme sur leur territoire ;
19° la promotion du sport et l'utilisation adéquate des loisirs ;
20° l'assistance sociale ;
21° la santé et l'hygiène ;
22° la surveillance et la protection de leurs édifices et de leurs installations. La coordination et d'autres fonctions en rapport avec les polices locales selon les dispositions que déterminera une loi organique.

2. Au terme d'une période de cinq ans et par la révision de leurs statuts, les communautés autonomes pourront étendre successivement leurs compétences dans le cadre établi à l'article 149.

Article 149

1. L'État jouit d'une compétence exclusive dans les matières suivantes :
1° la réglementation des conditions fondamentales qui garantissent l'égalité de tous les Espagnols dans l'exercice de leurs droits et dans l'accomplissement des devoirs constitutionnels ;
2° la nationalité, l'immigration, l'émigration, la condition des étrangers et le droit d'asile ;
3° les relations internationales ;
4° la défense et les forces armées ;
5° l'administration de la justice ;
6° la législation commerciale, pénale et pénitentiaire ; la législation de la procédure, sans préjudice des spécificités nécessaires qui, dans ce domaine, découlent des particularités du droit spécifique des communautés autonomes ;
7° la législation du travail, sans préjudice de son application par les organes des communautés autonomes ;
8° la législation civile, sans préjudice de la conservation, de la modification et du développement, par les communautés autonomes, des droits civils, des droits découlant des *fueros* (1) ou des droits particuliers là où ils existent. Dans tous les cas, les règles relatives à l'application et à l'efficacité des normes juridiques, les relations de droit civil concernant les formes de mariage, l'organisation des registres et instruments publics, les bases des obligations contractuelles, les normes visant à résoudre les conflits de lois et la détermination des sources du droit, compte tenu, dans ce dernier cas, des normes de droit foral ou particulier ;
9° la législation en matière de propriété intellectuelle et industrielle ;

(1) Privilèges et franchises anciennement accordés à certaines provinces par des chartes.

10° le régime douanier et tarifaire ; le commerce extérieur ;
11° le système monétaire : devises, change et convertibilité ; les bases de l'organisation du crédit, des banques et des assurances ;
12° la législation en matière de poids et mesures et la détermination de l'heure officielle ;
13° les bases et la coordination de la planification générale de l'activité économique ;
14° les finances générales et la dette de l'État ;
15° le développement et la coordination générale de la recherche scientifique et technique ;
16° la santé publique ; les bases et la coordination générale de la santé ; la législation sur les produits pharmaceutiques ;
17° la législation de base et le régime économique de la Sécurité sociale, sans préjudice de la mise en œuvre de ses services par les communautés autonomes ;
18° les bases du régime juridique des administrations publiques et du régime statutaire de leurs fonctionnaires qui, dans tous les cas, garantiront aux administrés un traitement uniforme devant elles ; la procédure administrative commune, sans préjudice des particularités découlant de l'organisation propre des communautés autonomes ; la législation sur l'expropriation obligatoire ; la législation de base sur les contrats et les concessions administratives et le système de responsabilité de toutes les administrations publiques ;
19° la pêche maritime, sans préjudice des compétences qui, dans l'organisation du secteur, sont attribuées aux communautés autonomes ;
20° la marine marchande et le pavillon des bateaux, l'éclairage des côtes et la signalisation maritime ; les ports d'intérêt général ; les aéroports d'intérêt général ; le contrôle de l'espace aérien, le transit et le transport aériens ; les services météorologiques et l'immatriculation des aéronefs ;
21° les chemins de fer et les transports terrestres qui traversent le territoire de plus d'une communauté autonome ; le régime général des communications ; le trafic et la circulation des véhicules à moteur ; les postes et télécommunications, les câbles aériens et sous-marins et les radiocommunications ;
22° la législation, l'aménagement et la concession des ressources et installations hydrauliques lorsque les eaux traversent plus d'une communauté autonome et l'autorisation de procéder à des installations électriques lorsque leur utilisation affecte une autre communauté ou lorsque le transport d'énergie dépasse les limites de son territoire ;
23° la législation de base sur la protection de l'environnement, sans préjudice des facultés qu'ont les communautés autonomes d'établir des normes complémentaires de protection. La législation de base des eaux et forêts, de l'exploitation forestière et des chemins suivis par les troupeaux ;
24° les travaux publics d'intérêt général ou dont la réalisation concerne plus d'une communauté autonome ;
25° les bases du régime minier et énergétique ;
26° le régime de production, commerce, détention et usage d'armes et d'explosifs ;
27° les normes de base du régime de la presse, de la radio et de la télévision et, en général, de tous les moyens de communication sociale, sans préjudice des facultés qui incombent aux communautés autonomes en ce qui concerne leur développement et leur exécution ;
28° la protection du patrimoine culturel, artistique et monumental espagnol contre son exportation et sa spoliation ; les musées, les bibliothèques et les archives appartenant à l'État, sans porter atteinte à leur gestion par les communautés autonomes ;
29° la sécurité publique, sans préjudice de la possibilité, pour les communautés autonomes, de créer des polices sous la forme qu'établiront leurs statuts respectifs, dans le cadre des dispositions d'une loi organique ;
30° la réglementation des conditions d'obtention, d'expédition et d'homologation de titres universitaires et professionnels et les normes de base pour le développement de l'article 27 de la Constitution, afin de garantir le respect des obligations des pouvoirs publics en cette matière ;
31° la statistique destinée à l'État ;
32° l'autorisation de convoquer les électeurs à des consultations populaires par voie de référendum.

2. Sans préjudice des compétences que pourront assumer les communautés autonomes, l'État considérera le service de

la culture comme un devoir et une attribution essentielle et facilitera la communication culturelle entre les communautés autonomes, en accord avec elles.

3. Les matières qui ne sont pas expressément attribuées à l'État par la Constitution pourront incomber aux communautés autonomes, conformément à leurs statuts respectifs. La compétence dans les matières qui ne figurent pas dans les statuts d'autonomie incombera à l'État, dont les normes prévaudront, en cas de conflit, sur celles des communautés autonomes dans tous les domaines qui ne sont pas attribués à leur compétence exclusive. Le droit étatique aura, dans tous les cas, un caractère supplétif par rapport au droit des communautés autonomes.

Article 150

1. Les *Cortes generales* pourront, dans les matières relevant de la compétence de l'État, attribuer à toutes les communautés autonomes ou à certaines d'entre elles la faculté d'édicter, en ce qui les concerne, des normes législatives dans le cadre des principes, des bases et des directives fixés par une loi étatique. Chaque loi-cadre arrêtera, sans préjudice de la compétence des tribunaux, les modalités de contrôle qu'exerceront les *Cortes generales* sur ces normes législatives des communautés autonomes.

2. L'État pourra transférer ou déléguer aux communautés autonomes, par une loi organique, des facultés relatives à des matières lui appartenant qui, par leur nature même, sont susceptibles d'être transférées ou déléguées. La loi prévoira, dans chaque cas, le transfert correspondant de moyens financiers, ainsi que les formes de contrôle que l'État se réservera.

3. Lorsque l'intérêt général l'exigera, l'État pourra promulguer des lois établissant les principes nécessaires à l'harmonisation des dispositions normatives des communautés autonomes, même pour des matières relevant de la compétence de cellesci. L'appréciation de cette nécessité incombe aux *Cortes generales,* à la majorité absolue de chaque Chambre.

Article 151

1. Il ne sera pas nécessaire de laisser passer le délai de cinq ans auquel se réfère l'article 148, paragraphe 2, lorsque l'initiative du processus d'autonomie est prise dans le délai prévu à l'article 143, paragraphe 2, non seulement par les conseils généraux ou les organes interinsulaires correspondants, mais aussi par les trois quarts des communes de chacune des provinces concernées représentant, au moins, la majorité du corps électoral de chacune d'elles, et que cette initiative est ratifiée, par voie de référendum, par la majorité absolue des électeurs de chaque province, dans les termes qu'une loi organique établira.

2. Dans le cas prévu au paragraphe précédent, la procédure d'élaboration du statut sera la suivante :

1° le Gouvernement convoquera tous les députés et sénateurs élus dans les circonscriptions comprises dans le territoire qui aspire à se gouverner lui-même pour qu'ils se constituent en assemblée, à la seule fin d'élaborer le projet de statut d'autonomie correspondant, avec l'accord de la majorité absolue de ses membres ;

2° dès qu'il sera adopté par l'assemblée de parlementaires, le projet de statut sera remis à la commission constitutionnelle du Congrès qui, dans un délai de deux mois, l'examinera avec le concours et l'assistance d'une délégation de l'assemblée qui en a fait la proposition, afin de déterminer, d'un commun accord, sa formulation définitive ;

3° s'il y a accord, le texte adopté sera soumis, par voie de référendum, au corps électoral des provinces comprises dans le territoire visé par le projet de statut ;

4° si le projet de statut est approuvé, dans chaque province, à la majorité des votes valablement exprimés, il sera déféré aux *Cortes generales.* Les deux Chambres, convoquées en réunion plénière, se prononceront sur le texte par un vote de ratification. Une fois adopté, le statut sera sanctionné par le Roi qui le promulguera en tant que loi ;

5° s'il n'y a pas accord conformément à l'alinéa 2° du présent paragraphe, le projet de statut sera remis en tant que projet de loi aux *Cortes generales.* Le texte adopté par celles-ci sera soumis, par voie de référendum, au corps électoral des provinces faisant partie du territoire visé par le projet de statut. S'il est approuvé par la majorité des votes valablement exprimés dans chaque province, on procédera à sa promulgation selon les dispositions de l'alinéa précédent.

3. En ce qui concerne les alinéas 4° et 5° du paragraphe précédent, le fait que le projet de statut ne soit pas approuvé par une ou plusieurs provinces n'empêchera pas les autres provinces de constituer la communauté autonome envisagée, sous la forme qu'établira la loi organique prévue au paragraphe 1 du présent article.

Article 152

1. Dans les statuts approuvés par la procédure définie à l'article précédent, l'organisation institutionnelle autonome se fondera sur une assemblée législative élue au suffrage universel, suivant un système de représentation proportionnelle qui assurera, en outre, la représentation des différentes zones du territoire, un Conseil de gouvernement qui exercera les fonctions exécutives et administratives et un président, élu par l'assemblée parmi ses membres et nommé par le Roi, qui sera chargé de diriger ledit Conseil de gouvernement, représentation suprême de la communauté autonome et représentation ordinaire de l'État dans celle-ci. Le président et les membres du Conseil de gouvernement seront politiquement responsables devant l'assemblée.

Un tribunal supérieur de justice, sans préjudice de la juridiction propre au Tribunal suprême, sera le plus haut responsable de l'organisation judiciaire sur le territoire de la communauté autonome. Les statuts des communautés autonomes pourront établir les conditions et les formes de participation de celles-ci dans l'organisation des circonscriptions judiciaires du territoire, conformément aux dispositions de la loi organique du pouvoir judiciaire et compte tenu de l'unité et de l'indépendance de celui-ci.

Sans préjudice des dispositions de l'article 123, les recours successifs seront portés, s'il y a lieu, devant des organes judiciaires situés sur le territoire de la communauté autonome où se trouve l'organe compétent en première instance.

2. Une fois sanctionnés et promulgués, les divers statuts ne pourront être modifiés qu'en vertu des procédures qu'ils établiront à cet effet et par un référendum auquel participeront les électeurs inscrits sur les listes correspondantes.

3. Par le groupement de communes limitrophes, les statuts pourront créer des circonscriptions territoriales propres qui jouiront de la pleine personnalité juridique.

Article 153

Le contrôle de l'activité des organes des communautés autonomes sera exercé :

a) par le Tribunal constitutionnel en ce qui concerne la constitutionnalité de leurs dispositions normatives ayant force de loi ;
b) par le Gouvernement, après avis du Conseil d'État, en ce qui concerne l'exercice de fonctions déléguées auxquelles se réfère l'article 150, paragraphe 2 ;
c) par la juridiction du contentieux administratif, en ce qui concerne l'administration autonome et ses normes réglementaires ;
d) par la Cour des comptes, en ce qui concerne les matières économiques et budgétaires.

Article 154

Un délégué, nommé par le Gouvernement, sera chargé de diriger l'administration de l'État sur le territoire de la communauté autonome et de la coordonner, s'il y a lieu, avec l'administration propre de la communauté.

Article 155

1. Si une communauté autonome ne remplit pas les obligations que la Constitution ou d'autres lois lui imposent ou si elle agit de façon à porter gravement atteinte à l'intérêt général de l'Espagne, le Gouvernement, après avoir préalablement mis en demeure le président de la communauté autonome et si cette mise en demeure n'aboutit pas, pourra, avec l'approbation de la majorité absolue du Sénat, prendre les mesures nécessaires pour la contraindre à respecter ces obligations ou pour protéger l'intérêt général mentionné.

2. Pour mener à bien les mesures prévues au paragraphe précédent, le Gouvernement pourra donner des instructions à toutes les autorités des communautés autonomes.

Article 156

1. Les communautés autonomes jouiront de l'autonomie financière pour développer et exercer leurs compétences,

conformément aux principes de coordination avec les finances de l'État et de solidarité entre tous les Espagnols.

2. Les communautés autonomes pourront agir comme délégués ou collaborateurs de l'État pour le recouvrement, la gestion et la liquidation de ses ressources fiscales, conformément aux lois et aux statuts.

Article 157

1. Les ressources des communautés autonomes seront constituées par :

a) les impôts cédés totalement ou partiellement par l'État ; les surtaxes sur des impôts de l'État et autres participations aux recettes de celui-ci ;

b) leurs propres impôts, taxes et contributions spéciales ;

c) les transferts d'un fonds de compensation interterritorial et d'autres crédits inscrits au budget général de l'État ;

d) les revenus provenant de leur patrimoine et des recettes de droit privé ;

e) le produit des opérations de crédit.

2. Les communautés autonomes ne pourront en aucun cas prendre des mesures fiscales à l'encontre de biens situés hors de leur territoire ou qui pourraient constituer un obstacle à la libre circulation des marchandises ou des services.

3. Une loi organique pourra réglementer l'exercice des compétences financières énumérées au paragraphe précédent, les normes visant à résoudre les conflits qui pourraient surgir et les formes possibles de collaboration financière entre les communautés autonomes et l'État.

Article 158

1. Le budget général de l'État pourra affecter des crédits aux communautés autonomes en fonction de l'importance des services et des activités étatiques qu'elles ont assumés et des prestations minimales qu'elles s'engagent à apporter en ce qui concerne les services publics fondamentaux sur tout le territoire espagnol.

2. Afin de corriger des déséquilibres économiques interterritoriaux et de rendre effectif le principe de solidarité, on constituera un fonds de compensation destiné à des dépenses d'investissement dont les ressources seront réparties par les *Cortes generales* entre les communautés autonomes et les provinces, s'il y a lieu.

Titre IX
Du Tribunal constitutionnel

Article 159

1. Le Tribunal constitutionnel se compose de douze membres nommés par le Roi, quatre sur la proposition du Congrès adoptée à la majorité des trois cinquièmes de ses membres, quatre sur la proposition du Sénat adoptée à la même majorité, deux sur la proposition du Gouvernement et deux sur la proposition du Conseil général du pouvoir judiciaire.

2. Les membres du Tribunal constitutionnel devront être nommés parmi des magistrats et des procureurs, des professeurs d'université, des fonctionnaires publics et des avocats ; ils devront tous être des juristes aux compétences reconnues et exerçant leur profession depuis plus de quinze ans.

3. Les membres du Tribunal constitutionnel seront désignés pour une période de neuf ans ; ils seront renouvelés par tiers tous les trois ans.

4. La condition de membre du Tribunal constitutionnel est incompatible avec tout mandat représentatif, l'exercice de fonctions politiques ou administratives, l'exercice d'une charge de direction dans un parti politique ou un syndicat et un emploi au service de ceux-ci, l'exercice de fonctions judiciaires et de fonctions relevant du ministère public et avec toute autre activité professionnelle ou commerciale.

Pour le reste, les incompatibilités affectant les membres du Tribunal constitutionnel seront celles qui sont propres aux membres du pouvoir judiciaire.

5. Les membres du Tribunal constitutionnel seront indépendants et inamovibles pendant la durée de leur mandat.

Article 160

Le président du Tribunal constitutionnel sera nommé parmi ses membres par le Roi, sur la proposition du Tribunal réuni en séance plénière, pour une période de trois ans.

Article 161

1. Le Tribunal constitutionnel exerce sa juridiction sur tout le territoire espagnol et il est compétent pour connaître :

a) du recours en inconstitutionnalité contre des lois et des dispositions normatives ayant force de loi. La déclaration d'inconstitutionnalité d'une norme juridique ayant force de loi, interprétée par la jurisprudence, affectera aussi cette dernière, mais la sentence ou les sentences rendues ne perdront pas la valeur de la chose jugée ;
b) du recours individuel *de amparo* pour violation des droits et des libertés énumérés à l'article 53, paragraphe 2, de la Constitution dans les cas et sous les formes établis par la loi ;
c) des conflits de compétence entre l'État et les communautés autonomes et des conflits de compétence entre les diverses communautés ;
d) des autres matières que lui attribueront la Constitution ou les lois organiques.

2. Le Gouvernement pourra attaquer devant le Tribunal constitutionnel les dispositions et les résolutions adoptées par les organes des communautés autonomes. Le recours entraînera la suspension de la disposition ou de la décision contre laquelle il est porté, mais le Tribunal devra, s'il y a lieu, le ratifier ou l'infirmer dans un délai maximum de cinq mois.

Article 162

Sont en droit :
a) d'introduire un recours en inconstitutionnalité, le président du Gouvernement, le *Defensor del Pueblo,* cinquante députés, cinquante sénateurs, les organes collégiaux exécutifs des communautés autonomes et, le cas échéant, les assemblées de ces communautés ;
b) d'introduire le recours individuel *de amparo,* toute personne physique ou juridique invoquant un intérêt légitime, ainsi que le *Defensor del Pueblo* et le ministère public ;
c) dans les autres cas, la loi organique déterminera les personnes et les organes ayant droit.

Article 163

Lorsqu'un organe judiciaire considérera, au cours d'un procès, qu'une norme ayant force de loi, s'appliquant en la matière et dont dépend la validité de la sentence, pourrait être contraire à la Constitution, il saisira le Tribunal constitutionnel dans les conditions, sous la forme et avec les effets établis par la loi et qui ne seront en aucun cas suspensifs.

Article 164

1. Les jugements du Tribunal constitutionnel seront publiés au *Journal officiel,* en même temps que les opinions particulières ou dissidentes qui auraient été exprimées. Ils ont la valeur de la chose jugée à partir du jour qui suit leur publication et il n'est pas possible de former un recours contre eux. Ceux qui déclarent inconstitutionnelle une loi ou une norme ayant force de loi et tous ceux qui ne se limitent pas à l'estimation subjective d'un droit s'appliquent à tous dans tous leurs effets.

2. Sauf dans les cas où le jugement en dispose autrement, la partie de la loi qui n'est pas déclarée inconstitutionnelle reste en vigueur.

Article 165

Une loi organique régira le fonctionnement du Tribunal constitutionnel, le statut de ses membres, la procédure à suivre devant lui et les conditions pour l'exercice des actions.

Titre X
De la révision constitutionnelle

Article 166

L'initiative en matière de révision constitutionnelle s'exercera selon les dispositions prévues à l'article 87, paragraphes 1 et 2.

Article 167

1. Les projets de révision constitutionnelle devront être adoptés par chacune des deux Chambres à la majorité des trois cinquièmes. S'il n'y a pas accord entre les deux Chambres, on s'efforcera de l'obtenir en créant une commission paritaire de députés et de sénateurs qui soumettra un texte sur lequel le Congrès et le Sénat devront se prononcer par un vote.

2. Si le texte n'est pas adopté selon la procédure indiquée au paragraphe précédent, le Congrès pourra, à condition que le

Sénat ait voté à la majorité absolue en faveur dudit texte, approuver la révision à la majorité des deux tiers.

3. Une fois approuvée par les *Cortes generales,* la révision est soumise à ratification par voie de référendum lorsque, dans les quinze jours qui suivent son approbation, un dixième des membres de l'une ou l'autre Chambre en fait la demande.

Article 168

1. Toute proposition visant à la révision totale de la Constitution ou à une révision partielle du titre préliminaire, du chapitre deux, section première du titre I, ou du titre II, sera approuvée, quant au principe, à la majorité des deux tiers de chaque Chambre et l'on procédera à la dissolution immédiate des *Cortes.*

2. Les Chambres élues devront ratifier la décision et procéder à l'étude du nouveau texte constitutionnel qui devra être approuvé par les deux Chambres à la majorité des deux tiers.

3. Après avoir été approuvée par les *Cortes generales,* la révision sera soumise à ratification, par voie de référendum.

Article 169

On ne pourra pas entreprendre une révision constitutionnelle en temps de guerre ou tant que demeurera en vigueur l'un des états prévus à l'article 116.

Dispositions additionnelles

Première disposition

La Constitution protège et respecte les droits historiques des territoires foraux (1).

La mise à jour générale de ce régime foral s'effectuera, s'il y a lieu, dans le cadre de la Constitution et des statuts d'autonomie.

Deuxième disposition

La déclaration de majorité figurant à l'article 12 de la présente Constitution n'affecte pas, dans le domaine du droit privé, les situations visées par les droits foraux.

Troisième disposition

Toute modification du régime économique et fiscal de l'archipel des îles Canaries devra être précédée d'un rapport préalable de la communauté autonome ou, s'il y a lieu, de l'organe autonome provisoire.

Quatrième disposition

Dans les communautés autonomes où siège plus d'une cour d'appel, les statuts d'autonomie respectifs pourront maintenir les cours existantes en répartissant les compétences entre elles, conformément aux dispositions de la loi organique du pouvoir judiciaire et compte tenu de l'unité et de l'indépendance de celui-ci.

Dispositions transitoires

Première disposition

Dans les territoires jouissant d'un régime provisoire d'autonomie, les organes collégiaux supérieurs pourront, par une décision adoptée à la majorité absolue de leurs membres, exercer le droit d'initiative, en se substituant aux conseils généraux provinciaux ou aux organes interinsulaires correspondants, auxquels ce droit incombe en vertu de l'article 143, paragraphe 2.

Deuxième disposition

Les territoires qui, dans le passé, auraient approuvé par un plébiscite des projets de statut d'autonomie et disposeraient, au moment de la promulgation de la Constitution, de régimes provisoires d'autonomie, pourront prendre immédiatement les mesures prévues à l'article 148, paragraphe 2, lorsque leurs organes collégiaux supérieurs préautonomes le décideront à la majorité absolue ; ceux-ci communiqueront leur décision au Gouvernement. Le projet de statut sera élaboré conformément aux dispositions de l'article 151, paragraphe 2, à la demande de l'organe collégial préautonome.

Troisième disposition

On considère que l'initiative du processus d'autonomie incombant aux

(1) Bénéficiant de *fueros,* cf. *supra* note de l'article 149.

collectivités locales ou à leurs membres en fonction de l'article 143, paragraphe 2, est différée, dans tous ses effets, jusqu'aux premières élections locales, organisées après l'entrée en vigueur de la Constitution.

Quatrième disposition

1. En ce qui concerne la Navarre et son incorporation au conseil général basque ou au régime autonome basque qui le remplacera, l'initiative, au lieu de s'exercer selon les dispositions de l'article 143 de la Constitution, incombe à l'organe foral compétent qui adoptera sa décision à la majorité des membres qui le composent. Pour que cette initiative soit valable, il faudra, en outre, que la décision de l'organe foral compétent soit ratifiée par un référendum expressément convoqué à cet effet et approuvée à la majorité des votes valablement exprimés.

2. Si l'initiative n'aboutit pas, elle ne pourra s'exercer de nouveau que pendant un autre mandat de l'organe foral compétent et, dans tous les cas, après écoulement du délai minimum fixé à l'article 143.

Cinquième disposition

Les villes de Ceuta et de Melilla pourront se constituer en communautés autonomes si leurs conseils municipaux respectifs le décident à la majorité absolue de leurs membres et si les *Cortes generales* l'autorisent par une loi organique, selon les dispositions prévues à l'article 144.

Sixième disposition

Lorsque la commission constitutionnelle du Congrès sera saisie de plusieurs projets de statuts, elle se prononcera dans l'ordre suivant lequel ils auront été déposés et le délai de deux mois mentionné à l'article 151 commencera à courir à partir du moment où la commission aura achevé l'étude du projet ou des projets dont elle aura été saisie successivement.

Septième disposition

Les organismes préautonomes provisoires seront considérés comme dissous dans les cas suivants :

a) dès que seront constitués les organes prévus par les statuts d'autonomie adoptés conformément à la présente Constitution ;

b) dans le cas où l'initiative du processus d'autonomie n'aurait pas abouti pour n'avoir pas rempli les conditions prévues à l'article 143 ;

c) si l'organisme n'a pas exercé le droit que lui reconnaît la première disposition transitoire dans le délai de trois ans.

Huitième disposition

1. Les Chambres qui auront adopté la présente Constitution assumeront, après son entrée en vigueur, les fonctions et les compétences que celle-ci assigne respectivement au Congrès et au Sénat, sans qu'en aucun cas leur mandat s'étende au-delà du 15 juin 1981.

2. En ce qui concerne les dispositions de l'article 99, on considérera que la promulgation de la Constitution crée les bases constitutionnelles pour la mise en œuvre de ces dispositions. A cet effet, on disposera d'une période de trente jours, à partir de la date de la promulgation, pour la mise en œuvre des dispositions de l'article mentionné.

Pendant cette période, l'actuel président du Gouvernement, qui assumera les fonctions et les compétences attachées à cette charge en vertu de la Constitution, pourra soit se prévaloir de la faculté que lui reconnaît l'article 115, soit permettre, par sa démission, que soient mises en œuvre les dispositions de l'article 99 ; dans cette dernière hypothèse, le président du Gouvernement se trouvera dans la situation visée à l'article 101, paragraphe 2.

3. En cas de dissolution des Chambres, conformément à l'article 115, et si une loi n'a pas développé les dispositions prévues aux articles 68 et 69, les normes précédemment en vigueur seront valables aux élections, excepté dans les cas d'inéligibilité et d'incompatibilité où l'on appliquera directement les dispositions de la Constitution figurant à l'article 70, paragraphe 1, *b*), deuxième partie, celles qui se réfèrent à l'âge à partir duquel s'exerce le droit de vote et celles que contient l'article 69, paragraphe 3.

Neuvième disposition

Trois ans après la première élection des membres du Tribunal constitutionnel, on désignera, par tirage au sort, un groupe de quatre membres, ayant la même provenance élective, qui devront abandonner leurs fonctions et être remplacés. A cet effet seulement, on considérera que sont groupés en tant que membres de la même provenance les deux membres désignés sur proposition du Gouvernement et les deux membres proposés par le Conseil général du pouvoir judiciaire. On procédera de la même façon, une fois écoulé un nouveau délai de trois ans, en ce qui concerne les deux groupes n'ayant pas été affectés par le tirage au sort antérieur. A partir de cette date, on s'en tiendra aux dispositions prévues à l'article 159, paragraphe 3.

Disposition abrogatoire

1. La loi 1/1977 du 4 janvier pour la réforme politique est abrogée, ainsi que les lois ci-après, dans la mesure où elles n'auraient pas été abrogées par ladite loi : la loi relative aux principes fondamentaux du Mouvement du 17 mai 1958, le *Fuero* des Espagnols du 17 juillet 1945, le *Fuero* du travail du 9 mars 1938, la loi constitutive des *Cortes* du 17 juillet 1942, la loi sur la succession au chef de l'État du 26 juillet 1947 (modifiés par la loi organique de l'État), ainsi que, dans les mêmes termes, la loi organique de l'État du 10 janvier 1967 et la loi sur le référendum national du 22 octobre 1945.

2. Dans la mesure où il pourrait conserver une certaine validité, on considère comme étant définitivement abrogé le décret royal du 25 octobre 1839, en ce qui pourrait concerner les provinces d'Alava, du Guipuzcoa et de Biscaye.

Dans les mêmes termes, on considère comme définitivement abrogée la loi du 21 juillet 1876.

3. Sont abrogées également toutes les dispositions qui s'opposent à ce qui est établi dans la présente Constitution.

Disposition finale

La présente Constitution entrera en vigueur le jour même où son texte officiel sera publié au *Journal officiel.* Elle sera publiée également dans les autres langues de l'Espagne.

C'est pourquoi,
Nous ordonnons à tous les Espagnols, particuliers et autorités, qu'ils observent et fassent observer la présente Constitution, en tant que Loi fondamentale de l'État.
Palais des Cortes, *le vingt-sept décembre mille neuf cent soixante dix-huit.*

V - France

Constitution de la République française
du 4 octobre 1958 ([1])

Le Gouvernement de la République, conformément à la loi constitutionnelle du 3 juin 1958, a proposé,
Le Peuple français a adopté,
Le Président de la République promulgue la loi constitutionnelle dont la teneur suit :

Préambule

Le peuple français proclame solennellement son attachement aux Droits de l'homme et aux principes de la souveraineté nationale tels qu'ils ont été définis par la Déclaration de 1789, confirmée et complétée par le préambule de la Constitution de 1946.

En vertu de ces principes et de celui de la libre détermination des peuples, la République offre aux territoires d'outre-mer qui manifestent la volonté d'y adhérer des institutions nouvelles fondées sur l'idéal commun de liberté, d'égalité et de fraternité et conçues en vue de leur évolution démocratique.

Article premier

La République et les peuples des territoires d'outre-mer qui, par un acte de libre détermination, adoptent la présente Constitution instituent une Communauté.

La Communauté est fondée sur l'égalité et la solidarité des peuples qui la composent.

Titre premier
De la souveraineté

Article 2

La France est une République indivisible, laïque, démocratique et sociale. Elle assure l'égalité devant la loi de tous les citoyens sans distinction d'origine, de race ou de religion. Elle respecte toutes les croyances.

La langue de la République est le français ([2]).

L'emblème national est le drapeau tricolore, bleu, blanc, rouge.

L'hymne national est *la Marseillaise*.

La devise de la République est « Liberté, Égalité, Fraternité ».

Son principe est : gouvernement du peuple, par le peuple et pour le peuple.

Article 3

La souveraineté nationale appartient au peuple qui l'exerce par ses représentants et par la voie du référendum.

(1) Le texte de la Constitution a été publié au *Journal Officiel de la République française*, n° 234 du 5 octobre 1958. Dans la version présentée ici, ont été introduites les modifications issues des révisions consécutives à l'adoption de la loi constitutionnelle n° 60-525 du 4 juin 1960 tendant à compléter les dispositions du titre XII de la Constitution (*J.O.*, n° 132 des 6, 7 et 8 juin 1960), de la loi n° 62-1292 du 6 novembre 1962, relative à l'élection du Président de la République au suffrage universel (*J.O.*, n° 262 du 7 novembre 1962), des lois constitutionnelles n° 63-1327 du 30 décembre 1963 portant modification des dispositions de l'article 28 de la Constitution (*J.O.* n° 306 du 31 décembre 1963), n° 74-904 du 29 octobre 1974 portant révision de l'article 61 de la Constitution (*J.O.* n° 255 du 30 octobre 1974), n° 76-527 du 18 juin 1976 modifiant l'article 7 de la Constitution (*J.O.* n° 142 du 19 juin 1976), n° 92-554 du 25 juin 1992 ajoutant à la Constitution un titre : « Des Communautés européennes et de l'Union européenne » (*J.O.* n° 147 du 26 juin 1992), n° 93-952 du 27 juillet 1993 modifiant les titres VIII, IX, X et XVI et insérant un nouveau titre : « De la responsabilité pénale des membres du Gouvernement » (*J.O.* n° 172 du 28 juillet 1993) et n° 93-1256 du 25 novembre 1993 relative aux accords internationaux en matière de droit d'asile (*J.O.* n° 274 du 26 novembre 1993). Le texte est donc à jour au 1er mars 1994.
(2) Le second alinéa a été ajouté par la révision du 25 juin 1992.

Aucune section du peuple ni aucun individu ne peut s'en attribuer l'exercice.

Le suffrage peut être direct ou indirect dans les conditions prévues par la Constitution. Il est toujours universel, égal et secret.

Sont électeurs, dans les conditions déterminées par la loi, tous les nationaux français majeurs des deux sexes, jouissant de leurs droits civils et politiques.

Article 4

Les partis et groupements politiques concourent à l'expression du suffrage. Ils se forment et exercent leur activité librement. Ils doivent respecter les principes de la souveraineté nationale et de la démocratie.

Titre II
Le Président de la République

Article 5

Le Président de la République veille au respect de la Constitution. Il assure, par son arbitrage, le fonctionnement régulier des pouvoirs publics ainsi que la continuité de l'État.

Il est le garant de l'indépendance nationale, de l'intégrité du territoire, du respect des accords de Communauté et des traités.

Article 6 (1)

Le Président de la République est élu pour sept ans au suffrage universel direct.

Les modalités d'application du présent article sont fixées par une loi organique.

Article 7 (2)

Le Président de la République est élu à la majorité absolue des suffrages exprimés. Si celle-ci n'est pas obtenue au premier tour de scrutin, il est procédé, le deuxième dimanche suivant, à un second tour. Seuls peuvent s'y présenter les deux candidats qui, le cas échéant après retrait de candidats plus favorisés, se trouvent avoir recueilli le plus grand nombre de suffrages au premier tour.

Le scrutin est ouvert sur convocation du Gouvernement.

L'élection du nouveau président a lieu vingt jours au moins et trente-cinq jours au plus avant l'expiration des pouvoirs du président en exercice.

En cas de vacance de la présidence de la République pour quelque cause que ce soit, ou d'empêchement constaté par le Conseil constitutionnel saisi par le Gouvernement et statuant à la majorité absolue de ses membres, les fonctions du Président de la République, à l'exception de celles prévues aux articles 11 et 12 ci-dessous, sont provisoirement exercées par le président du Sénat et, si celui-ci est à son tour empêché d'exercer ces fonctions, par le Gouvernement.

En cas de vacance ou lorsque l'empêchement est déclaré définitif par le Conseil constitutionnel, le scrutin pour l'élection du nouveau président a lieu, sauf cas de force majeure constaté par le Conseil constitutionnel, vingt jours au moins et trente-cinq jours au plus après l'ouverture de la vacance ou la déclaration du caractère définitif de l'empêchement.

Si, dans les sept jours précédant la date limite du dépôt des présentations de candidatures, une des personnes ayant, moins de trente jours avant cette date, annoncé publiquement sa décision d'être candidate décède ou se trouve empêchée, le Conseil constitutionnel peut décider de reporter l'élection.

Si, avant le premier tour, un des candidats décède ou se trouve empêché, le Conseil constitutionnel prononce le report de l'élection.

En cas de décès ou d'empêchement de l'un des deux candidats les plus favorisés au premier tour avant les retraits éventuels, le Conseil constitutionnel déclare qu'il doit être procédé de nouveau à l'ensemble des opérations électorales ; il en est de même en cas de décès ou d'empêchement de l'un des deux candidats restés en présence en vue du second tour.

Dans tous les cas, le Conseil constitutionnel est saisi dans les conditions fixées

(1) Révision du 6 novembre 1962 (voir note introductive).
(2) Cet article a été modifié par la révision du 6 novembre 1962 et complété dans ses trois derniers alinéas par celle du 18 juin 1976.

au deuxième alinéa de l'article 61 ci-dessous ou dans celles déterminées pour la présentation d'un candidat par la loi organique prévue à l'article 6 ci-dessus.

Le Conseil constitutionnel peut proroger les délais prévus aux troisième et cinquième alinéas sans que le scrutin puisse avoir lieu plus de trente-cinq jours après la date de la décision du Conseil constitutionnel. Si l'application des dispositions du présent alinéa a eu pour effet de reporter l'élection à une date postérieure à l'expiration des pouvoirs du président en exercice, celui-ci demeure en fonction jusqu'à la proclamation de son successeur.

Il ne peut être fait application ni des articles 49 et 50 ni de l'article 89 de la Constitution durant la vacance de la présidence de la République ou durant la période qui s'écoule entre la déclaration du caractère définitif de l'empêchement du Président de la République et l'élection de son successeur.

Article 8

Le Président de la République nomme le Premier ministre. Il met fin à ses fonctions sur la présentation par celui-ci de la démission du Gouvernement.

Sur la proposition du Premier ministre, il nomme les autres membres du Gouvernement et met fin à leurs fonctions.

Article 9

Le Président de la République préside le Conseil des ministres.

Article 10

Le Président de la République promulgue les lois dans les quinze jours qui suivent la transmission au Gouvernement de la loi définitivement adoptée.

Il peut, avant l'expiration de ce délai, demander au Parlement une nouvelle délibération de la loi ou de certains de ses articles. Cette nouvelle délibération ne peut être refusée.

Article 11

Le Président de la République, sur proposition du Gouvernement pendant la durée des sessions ou sur proposition conjointe des deux assemblées, publiées au *Journal officiel,* peut soumettre au référendum tout projet de loi portant sur l'organisation des pouvoirs publics, comportant approbation d'un accord de Communauté ou tendant à autoriser la ratification d'un traité qui, sans être contraire à la Constitution, aurait des incidences sur le fonctionnement des institutions.

Lorsque le référendum a conclu à l'adoption du projet, le Président de la République le promulgue dans le délai prévu à l'article précédent.

Article 12

Le Président de la République peut, après consultation du Premier ministre et des présidents des assemblées, prononcer la dissolution de l'Assemblée nationale.

Les élections générales ont lieu vingt jours au moins et quarante jours au plus après la dissolution.

L'Assemblée nationale se réunit de plein droit le deuxième jeudi qui suit son élection. Si cette réunion a lieu en dehors des périodes prévues pour les sessions ordinaires, une session est ouverte de droit pour une durée de quinze jours.

Il ne peut être procédé à une nouvelle dissolution dans l'année qui suit ces élections.

Article 13

Le Président de la République signe les ordonnances et les décrets délibérés en Conseil des ministres.

Il nomme aux emplois civils et militaires de l'État.

Les conseillers d'État, le grand chancelier de la Légion d'honneur, les ambassadeurs et envoyés extraordinaires, les conseillers maîtres à la Cour des comptes, les préfets, les représentants du Gouvernement dans les territoires d'outre-mer, les officiers généraux, les recteurs des académies, les directeurs des administrations centrales sont nommés en Conseil des ministres.

Une loi organique détermine les autres emplois auxquels il est pourvu en Conseil des ministres ainsi que les conditions dans lesquelles le pouvoir de nomination du Président de la République peut être par lui délégué pour être exercé en son nom.

Article 14

Le Président de la République accrédite les ambassadeurs et les envoyés extraordinaires auprès des puissances étrangères ; les ambassadeurs et les envoyés extraordinaires étrangers sont accrédités auprès de lui.

Article 15

Le Président de la République est le chef des armées. Il préside les conseils et comités supérieurs de la Défense nationale.

Article 16

Lorsque les institutions de la République, l'indépendance de la nation, l'intégrité de son territoire ou l'exécution de ses engagements internationaux sont menacés d'une manière grave et immédiate et que le fonctionnement régulier des pouvoirs publics constitutionnels est interrompu, le Président de la République prend les mesures exigées par ces circonstances, après consultation officielle du Premier ministre, des présidents des assemblées ainsi que du Conseil constitutionnel.

Il en informe la nation par un message.

Ces mesures doivent être inspirées par la volonté d'assurer aux pouvoirs publics constitutionnels, dans les moindres délais, les moyens d'accomplir leur mission. Le Conseil constitutionnel est consulté à leur sujet.

Le Parlement se réunit de plein droit.

L'Assemblée nationale ne peut être dissoute pendant l'exercice des pouvoirs exceptionnels.

Article 17

Le Président de la République a le droit de faire grâce.

Article 18

Le Président de la République communique avec les deux assemblées du Parlement par des messages qu'il fait lire et qui ne donnent lieu à aucun débat.

Hors session, le Parlement est réuni spécialement à cet effet.

Article 19

Les actes du Président de la République autres que ceux prévus aux articles 8 (1er alinéa), 11, 12, 16, 18, 54, 56 et 61 sont contresignés par le Premier ministre et, le cas échéant, par les ministres responsables.

Titre III
Le Gouvernement

Article 20

Le Gouvernement détermine et conduit la politique de la nation.

Il dispose de l'administration et de la force armée.

Il est responsable devant le Parlement dans les conditions et suivant les procédures prévues aux articles 49 et 50.

Article 21

Le Premier ministre dirige l'action du Gouvernement. Il est responsable de la Défense nationale. Il assure l'exécution des lois. Sous réserve des dispositions de l'article 13, il exerce le pouvoir réglementaire et nomme aux emplois civils et militaires.

Il peut déléguer certains de ses pouvoirs aux ministres.

Il supplée, le cas échéant, le Président de la République dans la présidence des conseils et comités prévus à l'article 15.

Il peut, à titre exceptionnel, le suppléer pour la présidence d'un Conseil des ministres en vertu d'une délégation expresse et pour un ordre du jour déterminé.

Article 22

Les actes du Premier ministre sont contresignés, le cas échéant, par les ministres chargés de leur exécution.

Article 23

Les fonctions de membre du Gouvernement sont incompatibles avec l'exercice de tout mandat parlementaire, de toute fonction de représentation professionnelle à caractère national et de tout emploi public ou de toute activité professionnelle.

Une loi organique fixe les conditions dans lesquelles il est pourvu au remplacement des titulaires de tels mandats, fonctions ou emplois.

Le remplacement des membres du Parlement a lieu conformément aux dispositions de l'article 25.

Titre IV
Le Parlement

Article 24

Le Parlement comprend l'Assemblée nationale et le Sénat.

Les députés à l'Assemblée nationale sont élus au suffrage direct.

Le Sénat est élu au suffrage indirect. Il assure la représentation des collectivités territoriales de la République. Les Français établis hors de France sont représentés au Sénat.

Article 25

Une loi organique fixe la durée des pouvoirs de chaque assemblée, le nombre de ses membres, leur indemnité, les conditions d'éligibilité, le régime des inéligibilités et des incompatibilités.

Elle fixe également les conditions dans lesquelles sont élues les personnes appelées à assurer, en cas de vacance du siège, le remplacement des députés ou des sénateurs jusqu'au renouvellement général ou partiel de l'assemblée à laquelle ils appartenaient.

Article 26

Aucun membre du Parlement ne peut être poursuivi, recherché, arrêté, détenu ou jugé à l'occasion des opinions ou votes émis par lui dans l'exercice de ses fonctions.

Aucun membre du Parlement ne peut, pendant la durée des sessions, être poursuivi ou arrêté en matière criminelle ou correctionnelle qu'avec l'autorisation de l'assemblée dont il fait partie, sauf le cas de flagrant délit.

Aucun membre du Parlement ne peut, hors session, être arrêté qu'avec l'autorisation du bureau de l'assemblée dont il fait partie, sauf le cas de flagrant délit, de poursuites autorisées ou de condamnation définitive.

La détention ou la poursuite d'un membre du Parlement est suspendue si l'assemblée dont il fait partie le requiert.

Article 27

Tout mandat impératif est nul.

Le droit de vote des membres du parlement est personnel.

La loi organique peut autoriser exceptionnellement la délégation de vote. Dans ce cas, nul ne peut recevoir délégation de plus d'un mandat.

Article 28 (1)

Le Parlement se réunit de plein droit en deux sessions ordinaires par an.

La première session s'ouvre le 2 octobre, sa durée est de quatre-vingts jours.

La seconde session s'ouvre le 2 avril, sa durée ne peut excéder quatre-vingt-dix jours.

Si le 2 octobre ou le 2 avril est un jour férié, l'ouverture de la session a lieu le premier jour ouvrable qui suit.

Article 29

Le Parlement est réuni en session extraordinaire à la demande du Premier ministre ou de la majorité des membres composant l'Assemblée nationale, sur un ordre du jour déterminé.

Lorsque la session extraordinaire est tenue à la demande des membres de l'Assemblée nationale, le décret de clôture intervient dès que le Parlement a épuisé l'ordre du jour pour lequel il a été convoqué et au plus tard douze jours à compter de sa réunion.

Le Premier ministre peut seul demander une nouvelle session avant l'expiration du mois qui suit le décret de clôture.

Article 30

Hors les cas dans lesquels le Parlement se réunit de plein droit, les sessions extraordinaires sont ouvertes et closes par décret du Président de la République.

Article 31

Les membres du Gouvernement ont accès aux deux assemblées. Ils sont entendus quand ils le demandent.

Ils peuvent se faire assister par des commissaires du Gouvernement.

Article 32

Le président de l'Assemblée nationale est élu pour la durée de la législature.

(1) Les trois derniers alinéas sont issus de la révision du 30 décembre 1963 (voir note introductive).

Le président du Sénat est élu après chaque renouvellement partiel.

Article 33

Les séances des deux assemblées sont publiques. Le compte rendu intégral des débats est publié au *Journal officiel.*

Chaque assemblée peut siéger en comité secret à la demande du Premier ministre ou d'un dixième de ses membres.

Titre V
Des rapports entre le Parlement et le Gouvernement

Article 34

La loi est votée par le Parlement.

La loi fixe les règles concernant :

- les droits civiques et les garanties fondamentales accordées aux citoyens pour l'exercice des libertés publiques ; les sujétions imposées par la Défense nationale aux citoyens en leur personne et en leurs biens ;
- la nationalité, l'état et la capacité des personnes, les régimes matrimoniaux, les successions et libéralités ;
- la détermination des crimes et délits ainsi que les peines qui leur sont applicables ; la procédure pénale ; l'amnistie ; la création de nouveaux ordres de juridiction et le statut des magistrats ;
- l'assiette, le taux et les modalités de recouvrement des impositions de toutes natures ; le régime d'émission de la monnaie.

La loi fixe également les règles concernant :

- le régime électoral des assemblées parlementaires et des assemblées locales ;
- la création de catégories d'établissements publics ;
- les garanties fondamentales accordées aux fonctionnaires civils et militaires de l'État ;
- les nationalisations d'entreprises et les transferts de propriété d'entreprises du secteur public au secteur privé.

La loi détermine les principes fondamentaux :

- de l'organisation générale de la Défense nationale ;
- de la libre administration des collectivités locales, de leurs compétences et de leurs ressources ;
- de l'enseignement ;
- du régime de la propriété, des droits réels et des obligations civiles et commerciales ;
- du droit du travail, du droit syndical et de la Sécurité sociale.

Les lois de finances déterminent les ressources et les charges de l'État dans les conditions et sous les réserves prévues par une loi organique.

Des lois de programme déterminent les objectifs de l'action économique et sociale de l'État.

Les dispositions du présent article pourront être précisées et complétées par une loi organique.

Article 35

La déclaration de guerre est autorisée par le Parlement.

Article 36

L'état de siège est décrété en Conseil des ministres.

Sa prorogation au-delà de douze jours ne peut être autorisée que par le Parlement.

Article 37

Les matières autres que celles qui sont du domaine de la loi ont un caractère réglementaire.

Les textes de forme législative intervenus en ces matières peuvent être modifiés par décrets pris après avis du Conseil d'État. Ceux de ces textes qui interviendraient après l'entrée en vigueur de la présente Constitution ne pourront être modifiés par décret que si le Conseil constitutionnel a déclaré qu'ils ont un caractère réglementaire en vertu de l'alinéa précédent.

Article 38

Le Gouvernement peut, pour l'exécution de son programme, demander au Parlement l'autorisation de prendre par ordonnances, pendant un délai limité, des mesures qui sont normalement du domaine de la loi.

Les ordonnances sont prises en Conseil des ministres après avis du Conseil d'État. Elles entrent en vigueur dès leur publication mais deviennent caduques si le projet de loi de ratification n'est pas déposé devant le Parlement avant la date fixée par la loi d'habilitation.

A l'expiration du délai mentionné au premier alinéa du présent article, les ordonnances ne peuvent plus être modifiées que par la loi dans les matières qui sont du domaine législatif.

Article 39

L'initiative des lois appartient concurremment au Premier ministre et aux membres du Parlement.

Les projets de loi sont délibérés en Conseil des ministres après avis du Conseil d'État et déposés sur le bureau de l'une des deux assemblées. Les projets de loi de finances sont soumis en premier lieu à l'Assemblée nationale.

Article 40

Les propositions et amendements formulés par les membres du Parlement ne sont pas recevables lorsque leur adoption aurait pour conséquence soit une diminution des ressources publiques, soit la création ou l'aggravation d'une charge publique.

Article 41

S'il apparaît au cours de la procédure législative qu'une proposition ou un amendement n'est pas du domaine de la loi ou est contraire à une délégation accordée en vertu de l'article 38, le Gouvernement peut opposer l'irrecevabilité.

En cas de désaccord entre le Gouvernement et le président de l'assemblée intéressée, le Conseil constitutionnel, à la demande de l'un ou de l'autre, statue dans un délai de huit jours.

Article 42

La discussion des projets de loi porte, devant la première assemblée saisie, sur le texte présenté par le Gouvernement.

Une assemblée saisie d'un texte voté par l'autre assemblée délibère sur le texte qui lui est transmis.

Article 43

Les projets et propositions de loi sont, à la demande du Gouvernement ou de l'assemblée qui en est saisie, envoyés pour examen à des commissions spécialement désignées à cet effet.

Les projets et propositions pour lesquels une telle demande n'a pas été faite sont envoyés à l'une des commissions permanentes dont le nombre est limité à six dans chaque assemblée.

Article 44

Les membres du Parlement et le Gouvernement ont le droit d'amendement.

Après l'ouverture du débat, le Gouvernement peut s'opposer à l'examen de tout amendement qui n'a pas été antérieurement soumis à la commission.

Si le Gouvernement le demande, l'assemblée saisie se prononce par un seul vote sur tout ou partie du texte en discussion en ne retenant que les amendements proposés ou acceptés par le Gouvernement.

Article 45

Tout projet ou proposition de loi est examiné successivement dans les deux assemblées du Parlement en vue de l'adoption d'un texte identique.

Lorsque, par suite d'un désaccord entre les deux assemblées, un projet ou une proposition de loi n'a pu être adopté après deux lectures par chaque assemblée ou, si le Gouvernement a déclaré l'urgence, après une seule lecture par chacune d'entre elles, le Premier ministre a la faculté de provoquer la réunion d'une commission mixte paritaire chargée de proposer un texte sur les dispositions restant en discussion.

Le texte élaboré par la commission mixte peut être soumis par le Gouvernement pour approbation aux deux assemblées. Aucun amendement n'est recevable sauf accord du Gouvernement.

Si la commission mixte ne parvient pas à l'adoption d'un texte commun ou si ce texte n'est pas adopté dans les conditions prévues à l'alinéa précédent, le Gouvernement peut, après une nouvelle lecture par l'Assemblée nationale et par le Sénat, demander à l'Assemblée nationale de statuer définitivement. En ce cas, l'Assemblée nationale peut reprendre soit le texte élaboré par la commission mixte, soit le dernier texte voté par elle, modifié le cas échéant par un ou plusieurs des amendements adoptés par le Sénat.

Article 46

Les lois auxquelles la Constitution confère le caractère de lois organiques sont votées et modifiées dans les conditions suivantes.

Le projet ou la proposition n'est soumis à la délibération et au vote de la première assemblée saisie qu'à l'expiration d'un délai de quinze jours après son dépôt.

La procédure de l'article 45 est applicable. Toutefois, faute d'accord entre les deux assemblées, le texte ne peut être adopté par l'Assemblée nationale en dernière lecture qu'à la majorité absolue de ses membres.

Les lois organiques relatives au Sénat doivent être votées dans les mêmes termes par les deux assemblées.

Les lois organiques ne peuvent être promulguées qu'après déclaration par le Conseil constitutionnel de leur conformité à la Constitution.

Article 47

Le Parlement vote les projets de loi de finances dans les conditions prévues par une loi organique.

Si l'Assemblée nationale ne s'est pas prononcée en première lecture dans le délai de quarante jours après le dépôt d'un projet, le Gouvernement saisit le Sénat qui doit statuer dans un délai de quinze jours. Il est ensuite procédé dans les conditions prévues à l'article 45.

Si le Parlement ne s'est pas prononcé dans un délai de soixante-dix jours, les dispositions du projet peuvent être mises en vigueur par ordonnance.

Si la loi de finances fixant les ressources et les charges d'un exercice n'a pas été déposée en temps utile pour être promulguée avant le début de cet exercice, le Gouvernement demande d'urgence au Parlement l'autorisation de percevoir les impôts et ouvre par décret les crédits se rapportant aux services votés.

Les délais prévus au présent article sont suspendus lorsque le Parlement n'est pas en session.

La Cour des comptes assiste le Parlement et le Gouvernement dans le contrôle de l'exécution des lois de finances.

Article 48

L'ordre du jour des assemblées comporte, par priorité et dans l'ordre que le Gouvernement a fixé, la discussion des projets de loi déposés par le Gouvernement et des propositions de loi acceptées par lui.

Une séance par semaine est réservée par priorité aux questions des membres du Parlement et aux réponses du Gouvernement.

Article 49

Le Premier ministre, après délibération du Conseil des ministres, engage devant l'Assemblée nationale la responsabilité du Gouvernement sur son programme ou éventuellement sur une déclaration de politique générale.

L'Assemblée nationale met en cause la responsabilité du Gouvernement par le vote d'une motion de censure. Une telle motion n'est recevable que si elle est signée par un dixième au moins des membres de l'Assemblée nationale. Le vote ne peut avoir lieu que quarante-huit heures après son dépôt. Seuls sont recensés les votes favorables à la motion de censure qui ne peut être adoptée qu'à la majorité des membres composant l'Assemblée. Si la motion de censure est rejetée, ses signataires ne peuvent en proposer une nouvelle au cours de la même session, sauf dans le cas prévu à l'alinéa ci-dessous.

Le Premier ministre peut, après délibération du Conseil des ministres, engager la responsabilité du Gouvernement devant l'Assemblée nationale sur le vote d'un texte. Dans ce cas, ce texte est considéré comme adopté, sauf si une motion de censure, déposée dans les vingt-quatre heures qui suivent, est votée dans les conditions prévues à l'alinéa précédent.

Le Premier ministre a la faculté de demander au Sénat l'approbation d'une déclaration de politique générale.

Article 50

Lorsque l'Assemblée nationale adopte une motion de censure ou lorsqu'elle désapprouve le programme ou une déclaration de politique générale du Gouvernement, le Premier ministre doit remettre au Président de la République la démission du Gouvernement.

Article 51

La clôture des sessions ordinaires ou extraordinaires est de droit retardée pour permettre, le cas échéant, l'application des dispositions de l'article 49.

Titre VI
Des traités et accords internationaux

Article 52

Le Président de la République négocie et ratifie les traités.

Il est informé de toute négociation tendant à la conclusion d'un accord international non soumis à ratification.

Article 53

Les traités de paix, les traités de commerce, les traités ou accords relatifs à l'organisation internationale, ceux qui engagent les finances de l'État, ceux qui modifient des dispositions de nature législative, ceux qui sont relatifs à l'état des personnes, ceux qui comportent cession, échange ou adjonction de territoire, ne peuvent être ratifiés ou approuvés qu'en vertu d'une loi.

Ils ne prennent effet qu'après avoir été ratifiés ou approuvés.

Nulle cession, nul échange, nulle adjonction de territoire n'est valable sans le consentement des populations intéressées.

Article 53-1 (1)

La République peut conclure avec les États européens qui sont liés par des engagements identiques aux siens en matière d'asile et de protection des Droits de l'homme et des libertés fondamentales, des accords déterminant leurs compétences respectives pour l'examen des demandes d'asile qui leur sont présentées.

Toutefois, même si la demande n'entre pas dans leur compétence en vertu de ces accords, les autorités de la République ont toujours le droit de donner asile à tout étranger persécuté en raison de son action en faveur de la liberté ou qui sollicite la protection de la France pour un autre motif.

Article 54 (2)

Si le Conseil constitutionnel, saisi par le Président de la République, par le Premier ministre, par le président de l'une ou l'autre assemblée ou par soixante députés ou soixante sénateurs, a déclaré qu'un engagement international comporte une clause contraire à la Constitution, l'autorisation de le ratifier ou d'approuver l'engagement international en cause ne peut intervenir qu'après la révision de la Constitution.

Article 55

Les traités ou accords régulièrement ratifiés ou approuvés ont, dès leur publication, une autorité supérieure à celle des lois, sous réserve, pour chaque accord ou traité, de son application par l'autre partie.

Titre VII
Le Conseil constitutionnel

Article 56

Le Conseil constitutionnel comprend neuf membres, dont le mandat dure neuf ans et n'est pas renouvelable. Le Conseil constitutionnel se renouvelle par tiers tous les trois ans. Trois des membres sont nommés par le Président de la République, trois par le président de l'Assemblée nationale, trois par le président du Sénat.

En sus des neuf membres prévus ci-dessus, font de droit partie à vie du Conseil constitutionnel les anciens présidents de la République.

Le président est nommé par le Président de la République. Il a voix prépondérante en cas de partage.

Article 57

Les fonctions de membre du Conseil constitutionnel sont incompatibles avec celles de ministre ou de membre du Parlement. Les autres incompatibilités sont fixées par une loi organique.

Article 58

Le Conseil constitutionnel veille à la régularité de l'élection du Président de la République.

Il examine les réclamations et proclame les résultats du scrutin.

---

(1) Article inséré par la révision du 25 novembre 1993 (voir note introductive).
(2) La nouvelle rédaction de cet article est issue de la révision du 25 juin 1992 (voir note introductive).

Article 59

Le Conseil constitutionnel statue, en cas de contestation, sur la régularité de l'élection des députés et des sénateurs.

Article 60

Le Conseil constitutionnel veille à la régularité des opérations de référendum et en proclame les résultats.

Article 61 (1)

Les lois organiques, avant leur promulgation, et les règlements des assemblées parlementaires, avant leur mise en application, doivent être soumis au Conseil constitutionnel qui se prononce sur leur conformité à la Constitution.

Aux mêmes fins, les lois peuvent être déférées au Conseil constitutionnel, avant leur promulgation, par le Président de la République, le Premier ministre, le président de l'Assemblée nationale, le président du Sénat ou soixante députés ou soixante sénateurs.

Dans les cas prévus aux deux alinéas précédents, le Conseil constitutionnel doit statuer dans le délai d'un mois. Toutefois, à la demande du Gouvernement, s'il y a urgence, ce délai est ramené à huit jours.

Dans ces mêmes cas, la saisine du Conseil constitutionnel suspend le délai de promulgation.

Article 62

Une disposition déclarée inconstitutionnelle ne peut être promulguée ni mise en application.

Les décisions du Conseil constitutionnel ne sont susceptibles d'aucun recours. Elles s'imposent aux pouvoirs publics et à toutes les autorités administratives et juridictionnelles.

Article 63

Une loi organique détermine les règles d'organisation et de fonctionnement du Conseil constitutionnel, la procédure qui est suivie devant lui et notamment les délais ouverts pour le saisir de contestations.

Titre VIII
De l'autorité judiciaire

Article 64

Le Président de la République est garant de l'indépendance de l'autorité judiciaire.

Il est assisté par le Conseil supérieur de la magistrature.

Une loi organique porte statut des magistrats.

Les magistrats du siège sont inamovibles.

Article 65 (2)

Le Conseil supérieur de la magistrature est présidé par le Président de la République. Le ministre de la Justice en est le vice-président de droit. Il peut suppléer le Président de la République.

Le Conseil supérieur de la magistrature comprend deux formations, l'une compétente à l'égard des magistrats du siège, l'autre à l'égard des magistrats du parquet.

La formation compétente à l'égard des magistrats du siège comprend, outre le Président de la République et le garde des sceaux, cinq magistrats du siège et un magistrat du parquet, un conseiller d'État, désigné par le Conseil d'État, et trois personnalités n'appartenant ni au Parlement ni à l'ordre judiciaire, désignées respectivement par le Président de la République, le président de l'Assemblée nationale et le président du Sénat.

La formation compétente à l'égard des magistrats du parquet comprend, outre le Président de la République et le garde des sceaux, cinq magistrats du parquet et un magistrat du siège, le conseiller d'État et les trois personnalités mentionnés à l'alinéa précédent.

La formation du Conseil supérieur de la magistrature compétente à l'égard des magistrats du siège fait des propositions pour les nominations des magistrats du siège à la Cour de cassation, pour celles de premier président de cour d'appel et pour celles de président de tribunal de grande instance. Les autres magistrats du siège sont nommés sur son avis conforme.

---

(1) Les trois derniers alinéas sont issus de la révision du 29 octobre 1974 (voir note introductive).
(2) À l'exception du premier alinéa, la rédaction de cet article est issue de la révision du 27 juillet 1993 (voir note introductive).

Elle statue comme conseil de discipline des magistrats du siège. Elle est alors présidée par le premier président de la Cour de cassation.

La formation du Conseil supérieur de la magistrature compétente à l'égard des magistrats du parquet donne son avis pour les nominations concernant les magistrats du parquet, à l'exception des emplois auxquels il est pourvu en Conseil des ministres.

Elle donne son avis sur les sanctions disciplinaires concernant les magistrats du parquet. Elle est alors présidée par le procureur général près la Cour de cassation.

Une loi organique détermine les conditions d'application du présent article.

Article 66

Nul ne peut être arbitrairement détenu.

L'autorité judiciaire, gardienne de la liberté individuelle, assure le respect de ce principe dans les conditions prévues par la loi.

Titre IX
La Haute Cour de justice

Article 67

Il est institué une Haute Cour de justice.

Elle est composée de membres élus, en leur sein et en nombre égal, par l'Assemblée nationale et par le Sénat après chaque renouvellement général ou partiel de ces assemblées. Elle élit son président parmi ses membres.

Une loi organique fixe la composition de la Haute Cour, les règles de son fonctionnement ainsi que la procédure applicable devant elle.

Article 68 (1)

Le Président de la République n'est responsable des actes accomplis dans l'exercice de ses fonctions qu'en cas de haute trahison. Il ne peut être mis en accusation que par les deux assemblées statuant par un vote identique au scrutin public et à la majorité absolue des membres les composant ; il est jugé par la Haute Cour de justice.

Titre X
De la responsabilité pénale des membres du Gouvernement (2)

Article 68-1

Les membres du Gouvernement sont pénalement responsables des actes accomplis dans l'exercice de leurs fonctions et qualifiés crimes ou délits au moment où ils ont été commis.

Ils sont jugés par la Cour de justice de la République.

La Cour de justice de la République est liée par la définition des crimes et délits ainsi que par la détermination des peines telles qu'elles résultent de la loi.

Article 68-2

La Cour de justice de la République comprend quinze juges : douze parlementaires élus, en leur sein et en nombre égal, par l'Assemblée nationale et par le Sénat après chaque renouvellement général ou partiel de ces assemblées et trois magistrats du siège à la Cour de cassation, dont l'un préside la Cour de justice de la République.

Toute personne qui se prétend lésée par un crime ou un délit commis par un membre du Gouvernement dans l'exercice de ses fonctions peut porter plainte auprès d'une commission des requêtes.

Cette commission ordonne soit le classement de la procédure, soit sa transmission au procureur général près la Cour de cassation aux fins de saisine de la Cour de justice de la République.

Le procureur général près la Cour de cassation peut aussi saisir d'office la Cour de justice de la République sur avis conforme de la commission des requêtes.

Une loi organique détermine les conditions d'application du présent article.

---

(1) Le second alinéa a été abrogé par la révision du 27 juillet 1993 (voir note introductive).
(2) Titre inséré par la révision du 27 juillet 1993 (voir note introductive). Les anciens titres X à XVI deviennent respectivement les titres XI à XVII.

Titre XI
Le Conseil économique et social

Article 69

Le Conseil économique et social, saisi par le gouvernement, donne son avis sur les projets de loi, d'ordonnance ou de décret ainsi que sur les propositions de loi qui lui sont soumis.

Un membre du Conseil économique et social peut être désigné par celui-ci pour exposer devant les assemblées parlementaires l'avis du Conseil sur les projets ou propositions qui lui ont été soumis.

Article 70

Le Conseil économique et social peut être également consulté par le Gouvernement sur tout problème de caractère économique ou social intéressant la République ou la Communauté. Tout plan ou tout projet de loi de programme à caractère économique ou social lui est soumis pour avis.

Article 71

La composition du Conseil économique et social et ses règles de fonctionnement sont fixées par une loi organique.

Titre XII
Des collectivités territoriales

Article 72

Les collectivités territoriales de la République sont les communes, les départements, les territoires d'outre-mer. Toute autre collectivité territoriale est créée par la loi.

Ces collectivités s'administrent librement par des conseils élus et dans les conditions prévues par la loi.

Dans les départements et les territoires, le délégué du Gouvernement a la charge des intérêts nationaux, du contrôle administratif et du respect des lois.

Article 73

Le régime législatif et l'organisation administrative des départements d'outre-mer peuvent faire l'objet de mesures d'adaptation nécessitées par leur situation particulière.

Article 74 (1)

Les territoires d'outre-mer de la République ont une organisation particulière tenant compte de leurs intérêts propres dans l'ensemble des intérêts de la République.

Les statuts des territoires d'outre-mer sont fixés par des lois organiques qui définissent, notamment, les compétences de leurs institutions propres, et modifiés, dans la même forme, après consultation de l'assemblée territoriale intéressée.

Les autres modalités de leur organisation particulière sont définies et modifiées par la loi après consultation de l'assemblée territoriale intéressée.

Article 75

Les citoyens de la République qui n'ont pas le statut civil de droit commun, seul visé à l'article 34, conservent leur statut personnel tant qu'ils n'y ont pas renoncé.

Article 76

Les territoires d'outre-mer peuvent garder leur statut au sein de la République.

S'ils en manifestent la volonté par délibération de leur assemblée territoriale prise dans le délai prévu au premier alinéa de l'article 91, ils deviennent soit départements d'outre-mer de la République, soit, groupés ou non entre eux, États membres de la Communauté.

Titre XIII
De la Communauté

Article 77

Dans la Communauté instituée par la présente Constitution, les États jouissent de l'autonomie, ils s'administrent eux-mêmes et gèrent démocratiquement et librement leurs propres affaires.

Il n'existe qu'une citoyenneté de la Communauté.

(1) Les deux derniers alinéas ont été ajoutés par la révision du 25 juin 1992 (voir note introductive).

Tous les citoyens sont égaux en droit, quelles que soient leur origine, leur race et leur religion. Ils ont les mêmes devoirs.

Article 78

Le domaine de la compétence de la Communauté comprend la politique étrangère, la défense, la monnaie, la politique économique et financière commune ainsi que la politique des matières premières stratégiques.

Il comprend en outre, sauf accord particulier, le contrôle de la justice, l'enseignement supérieur, l'organisation générale des transports extérieurs et communs et des télécommunications.

Des accords particuliers peuvent créer d'autres compétences communes ou régler tout transfert de compétence de la Communauté à l'un de ses membres.

Article 79

Les États membres bénéficient des dispositions de l'article 77 dès qu'ils ont exercé le choix prévu à l'article 76.

Jusqu'à l'entrée en vigueur des mesures nécessaires à l'application du présent titre, les questions de compétence commune sont réglées par la République.

Article 80

Le Président de la République préside et représente la Communauté.

Celle-ci a pour organes un Conseil exécutif, un Sénat et une Cour arbitrale.

Article 81

Les États membres de la Communauté participent à l'élection du Président dans les conditions prévues à l'article 6.

Le Président de la République, en sa qualité de Président de la Communauté, est représenté dans chaque État de la Communauté.

Article 82

Le Conseil exécutif de la Communauté est présidé par le Président de la Communauté. Il est constitué par le Premier ministre de la République, les chefs du Gouvernement de chacun des États membres de la Communauté et par les ministres chargés, pour la Communauté, des affaires communes.

Le Conseil exécutif organise la coopération des membres de la Communauté sur le plan gouvernemental et administratif.

L'organisation et le fonctionnement du Conseil exécutif sont fixés par une loi organique.

Article 83

Le Sénat de la Communauté est composé de délégués que le Parlement de la République et les assemblées législatives des autres membres de la Communauté choisissent en leur sein. Le nombre de délégués de chaque État tient compte de sa population et des responsabilités qu'il assume dans la Communauté.

Il tient deux sessions annuelles qui sont ouvertes et closes par le Président de la Communauté et ne peuvent excéder chacune un mois.

Saisi par le Président de la Communauté, il délibère sur la politique économique et financière commune avant le vote des lois prises en la matière par le Parlement de la République et, le cas échéant, par les assemblées législatives des autres membres de la Communauté.

Le Sénat de la Communauté examine les actes et les traités ou accords internationaux visés aux articles 35 et 53 et qui engagent la Communauté.

Il prend des décisions exécutoires dans les domaines où il a reçu délégation des assemblées législatives des membres de la Communauté. Ces décisions sont promulguées dans la même forme que la loi sur le territoire de chacun des États intéressés.

Une loi organique arrête sa composition et fixe ses règles de fonctionnement.

Article 84

Une Cour arbitrale de la Communauté statue sur les litiges survenus entre les membres de la Communauté.

Sa composition et sa compétence sont fixées par une loi organique.

Article 85 (1)

Par dérogation à la procédure prévue à l'article 89, les dispositions du présent titre qui concernent le fonctionnement des institutions communes sont révisées par des lois votées dans les mêmes termes par le

(1) Le second alinéa est issu de la révision du 4 juin 1960 (voir note introductive).

Parlement de la République et par le Sénat de la Communauté.

Les dispositions du présent titre peuvent être également révisées par accords conclus entre tous les États de la Communauté ; les dispositions nouvelles sont mises en vigueur dans les conditions requises par la Constitution de chaque État.

Article 86 (1)

La transformation du statut d'un État membre de la Communauté peut être demandée soit par la République, soit par une résolution de l'assemblée législative de l'État intéressé confirmée par un référendum local dont l'organisation et le contrôle sont assurés par les institutions de la Communauté. Les modalités de cette transformation sont déterminées par un accord approuvé par le Parlement de la République et l'assemblée législative intéressée.

Dans les mêmes conditions, un État membre de la Communauté peut devenir indépendant. Il cesse de ce fait d'appartenir à la Communauté.

Un État membre de la Communauté peut également, par voie d'accords, devenir indépendant sans cesser de ce fait d'appartenir à la Communauté.

Un État indépendant non membre de la Communauté peut, par voie d'accords, adhérer à la Communauté sans cesser d'être indépendant.

La situation de ces États au sein de la Communauté est déterminée par les accords conclus à cet effet, notamment les accords visés aux alinéas précédents ainsi que, le cas échéant, les accords prévus au deuxième alinéa de l'article 85.

Article 87

Les accords particuliers conclus pour l'application du présent titre sont approuvés par le Parlement de la République et l'assemblée législative intéressée.

Titre XIV
Des accords d'association

Article 88

La République ou la Communauté peuvent conclure des accords avec des États qui désirent s'associer à elle pour développer leurs civilisations.

Titre XV
Des Communautés européennes et de l'Union européenne (2)

Article 88-1

La République participe aux Communautés européennes et à l'Union européenne, constituées d'États qui ont choisi librement, en vertu des traités qui les ont instituées, d'exercer en commun certaines de leurs compétences.

Article 88-2

Sous réserve de réciprocité, et selon les modalités prévues par le Traité sur l'Union européenne signé le 7 février 1992, la France consent aux transferts de compétences nécessaires à l'établissement de l'union économique et monétaire européenne ainsi qu'à la détermination des règles relatives au franchissement des frontières extérieures des États membres de la Communauté européenne.

Article 88-3

Sous réserve de réciprocité et selon les modalités prévues par le Traité sur l'Union européenne signé le 7 février 1992, le droit de vote et d'éligibilité aux élections municipales peut être accordé aux seuls citoyens de l'Union résidant en France. Ces citoyens ne peuvent exercer les fonctions de maire ou d'adjoint ni participer à la désignation des électeurs sénatoriaux et à l'élection des sénateurs. Une loi organique votée dans les mêmes termes par les deux assemblées détermine les conditions d'application du présent article.

Article 88-4

Le Gouvernement soumet à l'Assemblée nationale et au Sénat, dès leur transmission au Conseil des Communautés, les propositions d'actes communautaires comportant des dispositions de nature législative.

Pendant les sessions ou en dehors d'elles, des résolutions peuvent être votées

(1) Les trois derniers alinéas ont été ajoutés par la révision du 4 juin 1960 (voir note introductive).
(2) Ce titre a été ajouté par la révision du 25 juin 1992 (voir note introductive).

dans le cadre du présent article, selon des modalités déterminées par le règlement de chaque assemblée.

Titre XVI
De la révision

Article 89

L'initiative de la révision de la Constitution appartient concurremment au Président de la République sur proposition du Premier ministre et aux membres du Parlement.

Le projet ou la proposition de révision doit être voté par les deux assemblées en termes identiques. La révision est définitive après avoir été approuvée par référendum.

Toutefois, le projet de révision n'est pas présenté au référendum lorsque le Président de la République décide de le soumettre au Parlement convoqué en Congrès ; dans ce cas, le projet de révision n'est approuvé que s'il réunit la majorité des trois cinquièmes des suffrages exprimés. Le bureau du Congrès est celui de l'Assemblée nationale.

Aucune procédure de révision ne peut être engagée ou poursuivie lorsqu'il est porté atteinte à l'intégrité du territoire.

La forme républicaine du Gouvernement ne peut faire l'objet d'une révision.

Titre XVII
Dispositions transitoires

Article 90

La session ordinaire du Parlement est suspendue. Le mandat des membres de l'Assemblée nationale en fonction viendra à expiration le jour de la réunion de l'Assemblée élue en vertu de la présente Constitution.

Le Gouvernement, jusqu'à cette réunion, a seul autorité pour convoquer le Parlement.

Le mandat des membres de l'Assemblée de l'Union française viendra à expiration en même temps que le mandat des membres de l'Assemblée nationale actuellement en fonction.

Article 91

Les institutions de la République prévues par la présente Constitution seront mises en place dans le délai de quatre mois à compter de sa promulgation.

Ce délai est porté à six mois pour les institutions de la Communauté.

Les pouvoirs du Président de la République en fonction ne viendront à expiration que lors de la proclamation des résultats de l'élection prévue par les articles 6 et 7 de la présente Constitution.

Les États membres de la Communauté participeront à cette première élection dans les conditions découlant de leur statut à la date de la promulgation de la Constitution.

Les autorités établies continueront d'exercer leurs fonctions dans ces États conformément aux lois et règlements applicables au moment de l'entrée en vigueur de la Constitution jusqu'à la mise en place des autorités prévues par leur nouveau régime.

Jusqu'à sa constitution définitive, le Sénat est formé par les membres en fonction du Conseil de la République. Les lois organiques qui régleront la constitution définitive du Sénat devront intervenir avant le 31 juillet 1959.

Les attributions conférées au Conseil constitutionnel par les articles 58 et 59 de la Constitution seront exercées, jusqu'à la mise en place de ce Conseil, par une commission composée du vice-président du Conseil d'État, président, du premier président de la Cour de cassation et du premier président de la Cour des comptes.

Les peuples des États membres de la Communauté continuent à être représentés au Parlement jusqu'à l'entrée en vigueur des mesures nécessaires à l'application du titre XIII ([1]).

(1) Anciennement titre XII, avant la révision du 27 juillet 1993 ayant inséré un nouveau titre X et décalé la numérotation des titres suivants.

Article 92

Les mesures législatives nécessaires à la mise en place des institutions et, jusqu'à cette mise en place, au fonctionnement des pouvoirs publics seront prises en Conseil des ministres après avis du Conseil d'État, par ordonnances ayant force de loi.

Pendant le délai prévu à l'alinéa 1er de l'article 91, le Gouvernement est autorisé à fixer par ordonnances ayant force de loi et prises en la même forme le régime électoral des assemblées prévues par la Constitution.

Pendant le même délai et dans les mêmes conditions, le Gouvernement pourra également prendre en toutes matières les mesures qu'il jugera nécessaires à la vie de la nation, à la protection des citoyens ou à la sauvegarde des libertés.

Article 93 (1)

Les dispositions de l'article 65 et du titre X, dans leur rédaction issue de la loi constitutionnelle n° 93-952 du 27 juillet 1993, entreront en vigueur à la date de publication des lois organiques prises pour leur application.

Les dispositions du titre X, dans leur rédaction issue de la loi constitutionnelle n° 93-952 du 27 juillet 1993, sont applicables aux faits commis avant son entrée en vigueur.

La présente loi sera exécutée comme Constitution de la République et de la Communauté.

Fait à Paris, le 4 octobre 1958.

(1) Article inséré par la révision du 27 juillet 1993 (voir note introductive).

Annexes

Le préambule de la Constitution du 4 octobre 1958 proclamant « solennellement son attachement aux Droits de l'homme et aux principes de la souveraineté nationale tels qu'ils sont définis dans la Déclaration de 1789, confirmée et complétée par le préambule de la Constitution de 1946 » et la jurisprudence du Conseil constitutionnel ayant établi le principe d'un « bloc de constitutionnalité » comprenant ces deux textes, il a paru indispensable de les reproduire ci-après.

1 - Déclaration des droits de l'homme et du citoyen du 26 août 1789 (1)

Les représentants du peuple français, constitués en Assemblée nationale, considérant que l'ignorance, l'oubli ou le mépris des droits de l'homme sont les seules causes des malheurs publics et de la corruption des gouvernements, ont résolu d'exposer, dans une déclaration solennelle, les droits naturels, inaliénables et sacrés de l'homme, afin que cette déclaration, constamment présente à tous les membres du corps social, leur rappelle sans cesse leurs droits et leurs devoirs ; afin que les actes du pouvoir législatif et ceux du pouvoir exécutif, pouvant être à chaque instant comparés avec le but de toute institution politique, en soient plus respectés ; afin que les réclamations des citoyens, fondées désormais sur des principes simples et incontestables, tournent toujours au maintien de la Constitution et au bonheur de tous. — En conséquence, l'Assemblée nationale reconnaît et déclare, en présence et sous les auspices de l'Être suprême, les droits suivants de l'homme et du citoyen.

Article premier

Les hommes naissent et demeurent libres et égaux en droits. Les distinctions sociales ne peuvent être fondées que sur l'utilité commune.

Article 2

Le but de toute association politique est la conservation des droits naturels et imprescriptibles de l'homme. Ces droits sont la liberté, la propriété, la sûreté et la résistance à l'oppression.

Article 3

Le principe de toute souveraineté réside essentiellement dans la nation. Nul corps, nul individu ne peut exercer d'autorité qui n'en émane expressément.

Article 4

La liberté consiste à pouvoir faire tout ce qui ne nuit pas à autrui : ainsi, l'exercice des droits naturels de chaque homme n'a de bornes que celles qui assurent aux autres membres de la société la jouissance de ces mêmes droits. Ces bornes ne peuvent être déterminées que par la loi.

Article 5

La loi n'a le droit de défendre que les actions nuisibles à la société. Tout ce qui n'est pas défendu par la loi ne peut être empêché, et nul ne peut être contraint à faire ce qu'elle n'ordonne pas.

Article 6

La loi est l'expression de la volonté générale. Tous les citoyens ont droit de concourir personnellement, ou par leurs représentants à sa formation. Elle doit être la même pour tous, soit qu'elle protège, soit qu'elle punisse. Tous les citoyens, étant

(1) Elle fut placée en tête de la Constitution du 3 septembre 1791.

égaux à ses yeux, sont également admissibles à toutes dignités, places et emplois publics, selon leur capacité et sans autre distinction que celle de leurs vertus et de leurs talents.

Article 7

Nul homme ne peut être accusé, arrêté ni détenu que dans les cas déterminés par la loi et selon les formes qu'elle a prescrites. Ceux qui sollicitent, expédient, exécutent ou font exécuter des ordres arbitraires doivent être punis ; mais tout citoyen appelé ou saisi en vertu de la loi doit obéir à l'instant : il se rend coupable par la résistance.

Article 8

La loi ne doit établir que des peines strictement et évidemment nécessaires, et nul ne peut être puni qu'en vertu d'une loi établie et promulguée antérieurement au délit, et légalement appliquée.

Article 9

Tout homme étant présumé innocent jusqu'à ce qu'il ait été déclaré coupable, s'il est jugé indispensable de l'arrêter, toute rigueur qui ne serait pas nécessaire pour s'assurer de sa personne doit être sévèrement réprimée par la loi.

Article 10

Nul ne doit être inquiété pour ses opinions, même religieuses, pourvu que leur manifestation ne trouble pas l'ordre public établi par la loi.

Article 11

La libre communication des pensées et des opinions est un des droits les plus précieux de l'homme ; tout citoyen peut donc parler, écrire, imprimer librement, sauf à répondre de l'abus de cette liberté dans les cas déterminés par la loi.

Article 12

La garantie des droits de l'homme et du citoyen nécessite une force publique ; cette force est donc instituée pour l'avantage de tous, et non pour l'utilité particulière de ceux à qui elle est confiée.

Article 13

Pour l'entretien de la force publique, et pour les dépenses d'administration, une contribution commune est indispensable ; elle doit être également répartie entre tous les citoyens, en raison de leurs facultés.

Article 14

Tous les citoyens ont le droit de constater, par eux-mêmes ou par leurs représentants, la nécessité de la contribution publique, de la consentir librement, d'en suivre l'emploi, et d'en déterminer la quotité, l'assiette, le recouvrement et la durée.

Article 15

La société a le droit de demander compte à tout agent public de son administration.

Article 16

Toute société dans laquelle la garantie des droits n'est pas assurée, ni la séparation des pouvoirs déterminée, n'a point de Constitution.

Article 17

Les propriétés ([1]) étant un droit inviolable et sacré, nul ne peut en être privé, si ce n'est lorsque la nécessité publique, légalement constatée, l'exige évidemment, et sous la condition d'une juste et préalable indemnité.

---

(1) Cette rédaction initiale qui faisait référence aux droits féodaux a été corrigée par l'Assemblée nationale dans sa séance du 8 août 1791 en : « La propriété étant... ». Cf. à ce sujet : *Les déclarations des droits de l'homme de 1789*, textes réunis et présentés par Christine Fauré, Paris, Bibliothèque historique Payot, 1988, p. 26.

2 – Préambule de la Constitution du 27 octobre 1946

Au lendemain de la victoire remportée par les peuples libres sur les régimes qui ont tenté d'asservir et de dégrader la personne humaine, le peuple français proclame à nouveau que tout être humain, sans distinction de race, de religion ni de croyance, possède des droits inaliénables et sacrés. Il réaffirme solennellement les droits et les libertés de l'homme et du citoyen consacrés par la Déclaration des droits de 1789 et les principes fondamentaux reconnus par les lois de la République.

Il proclame, en outre, comme particulièrement nécessaires à notre temps, les principes politiques, économiques et sociaux ci-après :

La loi garantit à la femme, dans tous les domaines, des droits égaux à ceux de l'homme.

Tout homme persécuté en raison de son action en faveur de la liberté a droit d'asile sur les territoires de la République.

Chacun a le devoir de travailler et le droit d'obtenir un emploi. Nul ne peut être lésé, dans son travail ou son emploi, en raison de ses origines, de ses opinions ou de ses croyances.

Tout homme peut défendre ses droits et ses intérêts par l'action syndicale et adhérer au syndicat de son choix.

Le droit de grève s'exerce dans le cadre des lois qui le réglementent.

Tout travailleur participe, par l'intermédiaire de ses délégués, à la détermination collective des conditions de travail ainsi qu'à la gestion des entreprises.

Tout bien, toute entreprise, dont l'exploitation a ou acquiert les caractères d'un service public national ou d'un monopole de fait, doit devenir la propriété de la collectivité.

La nation assure à l'individu et à la famille les conditions nécessaires à leur développement.

Elle garantit à tous, notamment à l'enfant, à la mère et aux vieux travailleurs, la protection de la santé, la sécurité matérielle, le repos et les loisirs. Tout être humain qui, en raison de son âge, de son état physique ou mental, de la situation économique, se trouve dans l'incapacité de travailler a le droit d'obtenir de la collectivité des moyens convenables d'existence.

La nation proclame la solidarité et l'égalité de tous les Français devant les charges qui résultent des calamités nationales.

La nation garantit l'égal accès de l'enfant et de l'adulte à l'instruction, à la formation professionnelle et à la culture. L'organisation de l'enseignement public gratuit et laïque à tous les degrés est un devoir de l'État.

La République française, fidèle à ses traditions, se conforme aux règles du droit public international. Elle n'entreprendra aucune guerre dans des vues de conquête et n'emploiera jamais ses forces contre la liberté d'aucun peuple.

Sous réserve de réciprocité, la France consent aux limitations de souveraineté nécessaires à l'organisation et à la défense de la paix.

La France forme avec les peuples d'outre-mer une Union fondée sur l'égalité des droits et des devoirs, sans distinction de race ni de religion.

L'Union française est composée de nations et de peuples qui mettent en commun ou coordonnent leurs ressources et leurs efforts pour développer leurs civilisations respectives, accroître leur bien-être et assurer leur sécurité.

Fidèle à sa mission traditionnelle, la France entend conduire les peuples dont elle a pris la charge à la liberté de s'administrer eux-mêmes et de gérer démocratiquement leurs propres affaires ; écartant tout système de colonisation fondé sur l'arbitraire, elle garantit à tous l'égal accès aux fonctions publiques et l'exercice individuel ou collectif des droits et libertés proclamés ou confirmés ci-dessus.

VI - Grande-Bretagne

Institutions du Royaume-Uni de Grande-Bretagne et d'Irlande du Nord (1)

1. La Grande Charte de 1215 (2)

Jean, par la grâce de Dieu roi d'Angleterre, seigneur d'Irlande, duc de Normandie et d'Aquitaine et comte d'Anjou, aux archevêques, évêques, abbés, comtes, barons, juges, forestiers, *sheriffs,* prévôts, ministres et à tous les baillis et fidèles, salut. Sachez que sous l'inspiration de Dieu, pour le salut de notre âme et celle de tous nos ancêtres et de nos héritiers, pour l'honneur de Dieu et l'exaltation de la Sainte Église, et pour la réformation de notre royaume avec le conseil de nos vénérables pères Étienne, archevêque de Cantorbery, primat d'Angleterre et cardinal de la Sainte Église romaine. ... *(suivent les noms de 10 prélats et de 16 barons) :*

1. Nous avons d'abord accordé à Dieu et par cette présente charte nous avons confirmé, pour nous et pour nos héritiers, à perpétuité, que l'Église d'Angleterre sera libre et jouira de tous ses droits et des libertés sans qu'on puisse les amoindrir ; et ainsi voulons-nous que soit observé ce qui en ressort, c'est-à-dire que nous avons accordé la liberté des élections, réputée la plus grande et la plus nécessaire à l'Église d'Angleterre, de notre pleine et spontanée volonté, avant la discorde qui s'est élevée entre nous et nos barons, et ainsi voulons-nous que ce soit confirmé, par cette charte, à Innocent III ; nous observerons ladite charte et nous voulons qu'elle soit observée de bonne foi par nos héritiers à perpétuité. Nous avons aussi accordé à tous les hommes libres de notre royaume, pour nous et pour nos héritiers à perpétuité, toutes ces libertés inscrites ci-dessous pour qu'ils les aient et les tiennent, eux et leurs héritiers, de nous et de nos héritiers.

2. Si un de nos comtes ou barons, ou autres tenants-en-chef par service militaire, vient à mourir, et qu'au moment de sa mort son héritier ait la majorité et qu'il doive le relief, celui-ci entrera en possession de son héritage selon l'ancien relief. (...)

3. Mais si l'héritier d'un des susdits se trouve en âge de minorité et s'il est en garde, il sera mis en possession de son héritage lorsqu'il parviendra à sa majorité sans relief et sans finance.

4. Celui qui aura la garde de la terre d'un héritier mineur ne prendra de la terre de cet héritier qu'un revenu raisonnable, que des coutumes raisonnables et que des services raisonnables et sans porter dommage aux hommes et aux biens. (...)

6. Les héritiers seront mariés sans mésalliance de façon cependant que les parents les plus proches soient informés avant que le mariage soit contracté.

7. Une veuve recevra aussitôt après la mort de son mari et sans difficulté sa donation *propter nuptias* et son héritage, sans qu'elle soit obligée de rien payer pour son douaire, sa donation *propter nuptias* et son héritage, ainsi que pour l'héritage que son mari et elle possédaient le jour du décès du mari. (...)

---

(1) Le Royaume-Uni n'ayant pas de Constitution écrite, on a reproduit ici des textes qui, par leur objet ou leur portée relatifs à l'organisation des pouvoirs publics et à la garantie des libertés individuelles ou parlementaires, peuvent être considérés comme ayant valeur constitutionnelle.

(2) Traduction reprise de Les institutions de la Grande-Bretagne, documents réunis et commentés par Jacques Leruez, *Documents d'études,* DE1-03, novembre 1989, Paris, La Documentation française.

9. Ni nous, ni nos baillis ne saisiront pour dettes une terre ou une rente tant que les meubles du débiteur suffiront à rembourser le dû. (...)

12. Aucun écuage ou aide ne sera établi dans notre royaume sans le consentement du commun conseil de notre royaume, à moins que ce ne soit pour le rachat de notre personne, la chevalerie de notre fils aîné et le mariage de notre fille aînée, une fois seulement ; et en ces cas ne sera levée qu'une aide raisonnable ; il en sera de même pour les aides de la cité de Londres.

13. Et la cité de Londres jouira de toutes ses anciennes libertés et libres coutumes, tant par terre que par eau. En outre, nous voulons et concédons que toutes les autres cités, *boroughs,* villes et ports aient toutes leurs libertés et libres coutumes.

14. Et, pour avoir le commun conseil du royaume au sujet de l'établissement d'une aide autrement que dans les trois cas susdits, ou au sujet de l'établissement de l'écuage, nous ferons semondre les archevêques, évêques, abbés, comtes et hauts barons du royaume individuellement par des lettres ; et, en outre, nous ferons semondre collectivement par nos *sheriffs* et baillis tous ceux qui tiennent de nous en chef pour un certain jour, avec un délai de quarante jours au moins, et à un certain lieu ; et, dans toutes les lettres de cette semonce, nous exprimerons la cause de la semonce ; et, la semonce étant ainsi faite, on procèdera au jour assigné à la décision de l'affaire selon le conseil de ceux qui auront été présents, quand même tous ceux qui auront été sommés ne soient pas venus.

15. Nous ne concédons à qui que ce soit la permission de lever une aide sur ses hommes libres, sauf pour le rachat de sa personne, la chevalerie de son fils aîné, le mariage de sa fille aînée, une fois seulement ; et dans ces cas, que ce soit une aide raisonnable.

16. Personne ne sera forcé à faire plus de service qu'il n'en doit à raison de son fief de chevalier ou d'une autre libre tenure.

17. La Cour des plaids communs ne suivra plus notre cour, mais se tiendra dans un lieu déterminé.

18. Les procès en *novel disseisin, mort d'ancester* et *darrein présentment* ne seront évoqués que dans les comtés dont dépendent les parties et de cette manière : nous, ou si nous étions hors du royaume, notre Grand justicier, enverrons deux juges quatre fois l'an dans chaque comté qui, avec quatre chevaliers de ces comtés choisis par le comté, tiendront dans le comté au jour et lieu du comté, les assises sudites.

20. Un homme libre ne sera mis à l'amende pour un petit délit que suivant l'importance du délit ; et pour un grand délit, il sera mis à l'amende suivant la grandeur du délit, sauf son *contenement* ; et de la même façon pour un marchand, sauf sa marchandise ; et pour un vilain, sauf son *wainage.* (...)

21. Les comtes et les barons ne seront mis à l'amende que par leurs pairs et suivant l'importance du délit. (...)

23. Aucune ville et aucun homme ne sera forcé à faire des ponts sur les rivières, excepté ceux qui le doivent également par la coutume.

24. Aucun *sheriff, constable, coroner* ou autre de nos baillis, ne tiendra les plaids de notre couronne.

25. Tous les comtés, centaines, *wapentacks* et dizaines resteront aux anciennes rentes sans accroissement, les terres de notre domaine exceptées. (...)

30. Aucun *sheriff* ou bailli ou quelqu'autre personne ne prendra les chevaux ou les chariots d'un homme libre pour faire le charroi, qu'avec l'assentiment de cet homme.

31. Ni nous, ni nos baillis ne prendront le bois d'autrui à l'usage de nos châteaux ou à d'autre usage, sans la volonté de celui à qui ce bois appartient. (...)

35. Il n'y aura qu'une mesure pour le vin dans tout notre royaume, et une mesure pour la bière, et une mesure pour le blé, à savoir le *quarter* de Londres, et une largeur pour les draps teints et pour les roussets et les halbergets, à savoir deux aunes entre les lisières ; il en sera pour le poids comme pour les mesures.

36. On ne donnera ou on ne prendra rien à l'avenir pour un *writ* d'enquête sur la vie ou les membres, mais il sera accordé gratuitement et jamais refusé. (...)

39. Aucun homme libre ne sera arrêté ni emprisonné, ou dépossédé de ses

biens, ou déclaré *outlaw,* ou exilé, ou lésé de quelque manière que ce soit, et nous n'irons pas contre lui et nous n'enverrons personne contre lui, sans un jugement loyal de ses pairs conformément à la loi du pays.

40. Nous ne vendrons, ni refuserons ou ne différerons le droit ou la justice à personne.

41. Tous les marchands pourront librement et en toute sûreté sortir d'Angleterre, et entrer en Angleterre, et y demeurer, et traverser l'Angleterre tant par terre que par eau, pour acheter et pour vendre, sans aucune maltôte, selon les anciennes et justes coutumes, excepté en temps de guerre et s'ils sont d'un pays en guerre contre nous.

42. Il sera permis, à l'avenir, à toutes les personnes de sortir de notre royaume, et d'y revenir, librement et en toute sûreté, par terre et par eau, sauve notre fidélité, excepté en temps de guerre, pour peu de temps, pour le bien commun du royaume. (...)

44. Les hommes qui habitent hors de notre forêt ne comparaîtront pas désormais devant nos juges de la forêt sur des semonces générales, mais seulement s'ils sont intéressés dans le procès ou s'ils sont cautions pour les personnes ou les choses qui concernent la forêt. (...)

46. Tous les barons qui ont fondé des abbayes dont ils possèdent des chartes des rois d'Angleterre ou dont ils ont une longue possession, auront la garde de ces abbayes lorsqu'elles seront vacantes, comme ils doivent l'avoir. (...)

60. Toutes les coutumes susdites et les libertés que nous avons édictées pour être observées dans notre royaume, autant qu'il nous appartient, envers nos hommes, tous dans notre royaume, clercs et laïcs, les observeront autant qu'il leur appartient envers les leurs.

2. Le *Bill of Rights* du 7 juin 1628 (1)

1. Les lords spirituels et temporels et les communes asssemblés en Parlement, représentent très humblement à notre souverain seigneur le Roi qu'il est déclaré et arrêté par un statut fait sous le règne d'Edouard Ier, et connu sous le nom de statut *de tallagio non concedendo,* que le Roi ou ses héritiers n'imposeraient ni lèveraient de taille ou aide dans ce royaume sans le consentement des archevêques, évêques, comtes, barons, chevaliers, bourgeois et autres hommes libres des communes de ce royaume ; que, par l'autorité du Parlement, convoqué en la 25e année du règne du roi Edouard III, il est déclaré et établi que personne ne pourrait être à l'avenir contraint de prêter malgré soi de l'argent au Roi, parce que l'obligation était contraire à la raison et aux libertés du pays ; que d'autres lois du royaume défendent de lever des charges ou aides connues sous le nom de don gratuit *(benevolence)* ou toutes autres impositions analogues ; que par lesdits statuts ou autres bonnes lois de ce royaume, vos sujets ont hérité de cette franchise, à savoir qu'ils ne sauraient être contraints à participer à aucune taxe, taille, aide ni autre charge analogue, sans le commun consentement de la nation exprimé en Parlement.

2. Considérant néanmoins que, depuis peu, diverses commissions ont été données en plusieurs comtés à des officiers, avec instructions en suite desquelles votre peuple a été assemblé en plusieurs endroits et requis de prêter certaines sommes d'argent à V. M. ; et que, sur le refus de quelques-uns, le serment a été déféré et l'obligation imposée de comparaître et se présenter, contrairement à l'ensemble des lois et des statuts de ce royaume devant votre Conseil privé ou en d'autres lieux ; que d'autres ont été arrêtés et emprisonnés, troublés et inquiétés de différentes autres manières ; que maintes autres taxes ont été établies et levées sur vos sujets dans les comtés par les lords lieutenants, les lieutenants-déoutés, les commissaires aux revues, les juges de paix ou autres, par ordre de V. M. ou de votre Conseil privé, contrairement aux lois et libres coutumes de ce royaume.

3. Considérant qu'il est aussi arrêté et établi, par le statut dénommé « grande charte des libertés d'Angleterre » qu'aucun

(1) Traduction reprise de Pierre Pactet, *Les Institutions politiques de la Grande-Bretagne,* Paris, La Documentation française, 1960.

homme libre ne pourra être arrêté ou mis en prison, ni dépossédé de son franc-fief, de ses libertés ou franchises, ni mis hors la loi ou exilé, ni molesté d'aucune autre manière, si ce n'est en vertu d'une sentence légale de ses pairs ou des lois du pays.

4. Considérant qu'il a été aussi déclaré et institué, par autorité du Parlement en la 28e année du règne du roi Edouard III, que nulle personne, de quelque rang ou condition qu'elle soit, ne pourra être dépouillée de sa terre ou de ses tenures, ni arrêtée, emprisonnée, privée du droit de transmettre ses biens de succession ou mise à mort, sans avoir été admise à se défendre dans une procédure régulière.

5. Considérant néanmoins que, nonobstant ces statuts et autres règles et bonnes lois de votre royaume ayant la même fin, plusieurs de vos sujets ont été récemment emprisonnés sans que la cause en ait été indiquée ; que, lorsqu'ils furent conduits devant vos juges, conformément aux *bills* de V. M. sur l'*Habeas Corpus,* pour être statué par la Cour, ce qu'il appartiendrait, et lorsque leurs geôliers furent sommés de faire connaître les causes de la détention, ceux-ci n'ont donné d'autres raisons de l'arrestation qu'un ordre spécial de V. M. notifié par les lords de votre Conseil privé ; que les détenus furent ensuite réintégrés dans leurs différentes prisons sans qu'eût été porté contre eux un chef d'accusation dont ils eussent pu se disculper conformément à la loi.

6. Considérant que des détachements considérables de soldats et de matelots ont été récemment dispersés dans plusieurs comtés du royaume et que les habitants ont été contraints de les recevoir et héberger malgré eux, contrairement aux lois et coutumes de ce royaume pour la grande oppression du peuple.

7. Considérant qu'il a été aussi affirmé et arrêté, par autorité du Parlement en la 25e année du règne du roi Edouard III, que personne ne pourrait être condamné à mort ou à la mutilation contrairement aux formes indiquées dans la grande charte et les lois du pays ; et que par ladite grande charte et les autres lois et statuts de votre royaume, aucun homme ne doit être condamné à mort, si ce n'est en vertu des lois établies dans le royaume ou des coutumes qui y sont en vigueur ou d'un *Act* du Parlement ; que d'autre part, aucun criminel, de quelque condition qu'il soit, ne peut être exempté des formes de la justice ordinaire, ni éviter les peines infligées par les lois et les statuts du royaume ; que néanmoins, depuis peu, plusieurs commissions données sous le grand sceau de V. M. ont investi certains individus de commissions avec mandat et pouvoir de procéder conformément à la loi martiale, contre les soldats ou matelots ou autres personnes qui se seraient jointes à eux pour commettre quelque meurtre, vol, félonie, sédition ou autre crime ou délit quelconque, de connaître sommairement de ces causes et de juger, condamner, exécuter et mettre à mort les coupables, suivant les formes de la loi martiale et les usages reçus en temps de guerre dans les armées.

8. Que, sous couleur de cette prérogative, les commissaires ont fait mettre à mort plusieurs de vos sujets, alors que ceux-ci, s'ils avaient, d'après les lois et statuts du pays, mérité le dernier supplice, n'auraient pu ni dû être condamnés et exécutés qu'en vertu de ces mêmes lois et statuts, et non autrement.

9. Que divers coupables de grands crimes ont aussi, de la sorte, réclamé une dispense, et sont parvenus à se soustraire aux peines qu'ils avaient encourues en vertu des lois et statuts du royaume, par le fait du refus injustifié de plusieurs de vos officiers et commissaires de justice de procéder contre ces criminels conformément aux lois et statuts, sous prétexte qu'ils ne relevaient que de la loi martiale et des commissions ci-dessus rappelées, lesquelles, comme toutes autres de même nature, sont directement contraires aux lois et statuts de votre royaume.

10. A ces causes, ils supplient humblement Votre très excellente Majesté que nul, à l'avenir, ne soit contraint de faire aucun don gratuit, prêt d'argent ni présent volontaire, ni de payer aucune taxe ou impôt quelconque, hors le consentement commun donné par *Act* du Parlement ; que nul ne soit appelé en justice ni obligé de prêter serment, ni contraint à un service, ni arrêté, inquiété ou molesté à l'occasion de ces taxes ou du refus de les acquitter ; qu'aucun homme libre ne soit arrêté ou détenu de la manière indiquée plus haut ; qu'il plaise à V. M. faire retirer les soldats et matelots dont il est

ci-dessus parlé, et empêcher qu'à l'avenir le peuple soit opprimé de la sorte ; que les commissions chargées d'appliquer la loi martiale soient révoquées et annulées, et qu'il n'en soit plus délivré de semblables à quiconque, de peur que, sous ce prétexte, quelques-uns de vos sujets ne soient molestés ou mis à mort contrairement aux lois et franchises du pays.

11. Lesquelles choses ils demandent toutes humblement à V. M. comme étant leurs droits et leurs libertés selon les lois et les statuts de ce royaume ; et ils supplient aussi V. M. de dire que tout ce qui s'est fait à cet égard, procédures, sentences et exécutions, au préjudice de votre peuple, ne tirera point pour l'avenir à conséquence ou à exemple, et pareillement de déclarer gracieusement, pour la plus grande satisfaction et sûreté de votre peuple, que votre intention et royale volonté est que, dans les choses ci-dessus déduites, vos officiers et ministres vous servent conformément aux lois et statuts de ce royaume et qu'ils aient en vue l'honneur de V. M. et la prospérité de ce royaume.

3. L'*Habeas Corpus Act* de 1679 (1)

(...) Attendu que de grands retards se sont produits dans le renvoi des *writs* d'*Habeas Corpus,* du fait des *sheriffs,* geôliers et autres officiers à la garde desquels les sujets du Roi ont été remis pour des affaires criminelles ou supposées criminelles (...) et que ces officiers ont recouru à d'autres moyens en vue d'éviter de se conformer à ces *writs,* contrairement à leurs devoirs et aux lois connues du pays, à la suite desquels retards de nombreux sujets du Roi ont été et peuvent être par la suite maintenus longtemps en prison, à leur grand dam et vexation, dans des cas où la loi autorise leur mise en liberté sous caution ;

En vue d'éviter cet état de choses et de hâter le plus possible la libération de toutes les personnes emprisonnées pour ces affaires criminelles ou supposées criminelles ; qu'il soit décidé par Sa Majesté le Roi, sur l'avis et avec le consentement des lords spirituels et temporels et des communes assemblées dans le présent Parlement, et par leur autorité, que chaque fois qu'une ou des personnes, quelles qu'elles soient, apporteront un *Habeas Corpus*, adressé à un *sheriff* (...) geôlier, ministre ou tout autre personne quelle qu'elle soit, en faveur de toute personne confiée à sa, ou à leur garde, et que ledit *writ* sera remis audit officier, ou laissé à la geôle ou prison entre les mains d'officiers subalternes, de gardiens ou de représentants de ces officiers, ledit officier devra dans les trois jours après la remise du *writ* (...) remettre ou faire remettre le prisonnier ou détenu en personne au Lord-chancelier ou au Lord gardien du grand sceau d'Angleterre (...) et devra alors également faire connaître exactement les causes véritables de la détention ou emprisonnement (...)

4. Le *Bill of Rights* du 13 février 1689 (2)

I. Attendu qu'assemblés à Westminster, les lords spirituels et temporels et les communes, représentant légalement, pleinement et librement toutes les classes du peuple de ce royaume, on fait, le 30 février de l'an de Notre Seigneur 1688, en la présence de Leurs Majestés, alors désignées et connues sous les noms de Guillaume et Marie, prince et princesse d'Orange, une déclaration par écrit, dans les termes suivants :

[suit l'énumération de douze griefs du Parlement contre le gouvernement du dernier roi Jacques II, desquels le redressement est presque textuellement relevé sous les n°s 1 à 4, 6 à 13 ci-après, et qui étaient déclarés de « toutes choses entièrement et directement contraires aux lois bien connues, aux statuts et aux franchises de ce royaume ».]

Considérant que, l'abdication du ci-devant Jacques II ayant rendu le trône

(1) Traduction reprise de Les institutions de la Grande-Bretagne, documents réunis et commentés par Jacques Leruez, *Documents d'études,* DE 1-03, novembre 1989, Paris, La Documentation française.
(2) Traduction reprise de Pierre Pactet, *Les Institutions politiques de la Grande-Bretagne,* Paris, La Documentation française, 1960.

vacant, Son Altesse le prince d'Orange (dont il a plu à Dieu Tout-Puissant faire le glorieux instrument qui devait délivrer ce royaume du papisme et du pouvoir arbitraire) a fait, par l'avis des lords spirituels et temporels et de plusieurs personnes notables des communes, adresser des lettres aux lords spirituels et temporels protestants, et d'autres lettres aux différents comtés, cités, universités, bourgs et aux cinq ports, pour qu'ils eussent à choisir des individus capables de les représenter dans le Parlement qui devait être assemblé et siéger à Westminster le 22e jour de janvier 1688, aux fins d'aviser à ce que la religion, les lois et les libertés ne pussent plus dorénavant être en danger d'être renversées; qu'en vertu desdites lettres les élections ont été faites.

Dans ces circonstances lesdits lords spirituels et temporels et les communes, aujourd'hui assemblés en vertu de leurs lettres et élections, constituant ensemble la représentation pleine et libre de la nation, et considérant gravement les meilleurs moyens d'atteindre le but susdit, déclarent d'abord (comme leurs ancêtres ont toujours fait en pareil cas), pour assurer leurs anciens droits et libertés :

1° que le prétendu pouvoir de l'autorité royale de suspendre les lois ou l'exécution des lois sans le consentement du Parlement est illégal ;

2° que le prétendu pouvoir de l'autorité royale de dispenser des lois ou de l'exécution des lois, comme il a été usurpé et exercé par le passé, est illégal ;

3° que la commission ayant érigé la ci-devant cour des commissaires pour les causes ecclésiastiques, et toutes autres commissions et cours de même nature, sont illégales et pernicieuses ;

4° qu'une levée d'argent pour la Couronne ou à son usage, sous prétexte de prérogative, sans le consentement du Parlement, pour un temps plus long et d'une manière autre qu'elle n'est ou ne sera consentie par le Parlement, est illégale ;

5° que c'est un droit des sujets de présenter des pétitions au Roi, et que tous emprisonnements et poursuites à raison de ces pétitions sont illégaux ;

6° que la levée et l'entretien d'une armée dans le royaume, en temps de paix, sans le consentement du Parlement, est contraire à la loi ;

7° que les sujets protestants peuvent avoir pour leur défense des armes conformes à leur condition et permises par la loi ;

8° que les élections des membres du Parlement doivent être libres ;

9° que la liberté de la parole, ni celle des débats ou procédures dans le sein du Parlement, ne peut être entravée ou mise en discussion en aucune cour ou lieu quelconque autre que le Parlement lui-même ;

10° qu'il ne peut être exigé de cautions, ni imposé d'amendes excessives, ni infligé de peines cruelles et inusitées ;

11° que la liste des jurés choisis doit être dressée en bonne et due forme, et être notifiée ; que les jurés qui, dans les procès de haute trahison, prononcent sur le sort des personnes, doivent être des francs-tenanciers ;

12° que les remises ou promesses d'amendes et confiscations, faites à des personnes particulières avant que conviction du délit soit acquise, sont illégales et nulles ;

13° qu'enfin, pour remédier à tous griefs, et pour l'amendement, l'affermissement et l'observation des lois, le Parlement devra être fréquemment réuni.

Et ils requièrent et réclament avec instance toutes les choses susdites comme leurs droits et libertés incontestables ; et aussi qu'aucunes déclarations, jugements, actes ou procédures, ayant préjudicié au peuple en l'un des points ci-dessus, ne puissent en aucune manière servir à l'avenir de précédent ou d'exemple.

Étant particulièrement encouragés par la déclaration de Son Altesse le prince d'Orange à faire cette réclamation de leurs droits considérée comme le seul moyen d'en obtenir complète reconnaissance et garantie (...)

II. Lesdits lords spirituels et temporels et les communes, assemblés à Westminster, arrêtent que Guillaume et Marie, prince et princesse d'Orange, sont et restent déclarés Roi et Reine d'Angleterre, de France (1) et d'Irlande, et des territoires qui en dépendent *(dominions)* (...)

(1) Ce titre de Roi de France a été porté par les souverains d'Angleterre jusqu'en 1801.

[Dispositions réglant l'ordre de succession au trône.]

III. [Suppression et remplacement par deux nouvelles formules des anciens serments d'*allégeance* et *suprématie*.]

IV. [Acceptation par leurs Majestés de la couronne et dignité royales.]

V. Et il a plu à leurs Majestés que lesdits lords spirituels et temporels et les communes, formant les deux Chambres du Parlement, continueraient à siéger et arrêteraient conjointement avec leurs Majestés royales un règlement pour l'établissement de la religion, des lois et des libertés de ce royaume, afin qu'à l'avenir ni les unes ni les autres ne pussent être de nouveau en danger d'être détruites ; à quoi lesdits lords spirituels et temporels et les communes ont donné leur consentement et ont procédé en conséquence.

VI. Présentement, et comme conséquence de ce qui précède, lesdits lords spirituels et temporels et les communes assemblés en Parlement pour ratifier, confirmer et fonder ladite déclaration, et les articles, clauses et points y contenus, par la vertu d'une loi du Parlement en due forme, supplient qu'il soit déclaré et arrêté que tous et chacun des droits et libertés rapportés et réclamés dans ladite déclaration sont les vrais, antiques et incontestables droits et libertés du peuple de ce royaume, et seront considérés, reconnus, consacrés, crus, regardés comme tels ; que tous et chacun des articles susdits seront formellement et strictement tenus et observés tels qu'ils sont exprimés dans ladite déclaration ; enfin, que tous officiers et ministres quelconques serviront à perpétuité leurs Majestés et leurs successeurs conformément à cette déclaration.

VII. [Reconnaissance des droits légitimes de Guillaume et de Marie à la Couronne d'Angleterre.]

VIII. [Fixation de l'ordre de succession au trône : du survivant aux héritiers directs de Marie ou, à leur défaut, d'Anne ou, au défaut de ceux-ci, de Guillaume.]

IX. [Exclusion éventuelle du trône de tous les membres de la famille royale qui professeraient par eux-mêmes ou leur conjoint la religion papiste.]

X. [Obligation imposée à toute personne appelée à la succession au trône de prononcer à haute voix, le jour du couronnement, la déclaration mentionnée dans le statut de la 30e année du règne de Charles II, intitulé *Act* de préservation de la personne et du gouvernement du Roi, frappant les papistes de l'incapacité de siéger dans les deux Chambres du Parlement.]

XI. Lesquelles choses il a plu à Leurs Majestés voir toutes déclarées, établies et sanctionnées par l'autorité de ce présent Parlement, afin qu'elles soient et demeurent à perpétuité la loi de ce royaume. Elles sont, en conséquence, déclarées, établies et sanctionnées par Leurs dites Majestés, avec et d'après l'avis et consentement des lords spirituels et temporels et des communes assemblés en Parlement, et par l'autorité d'iceux ;

XII. Qu'il soit, en outre, déclaré et arrêté par acte de l'autorité susdite qu'à partir de la présente session du Parlement, il ne sera octroyé aucune dispense de *non obstante* quant à la sujétion aux statuts ou à quelques-unes de leurs dispositions ; et que ces dispenses seront regardées comme nulles et de nul effet, à moins qu'elles ne soient accordées par le statut lui-même, ou que des *bills* passés dans la présente session du Parlement n'y aient pourvu spécialement.

XIII. Il est aussi arrêté qu'aucunes chartes, concessions ou dispenses accordées avant le 23 octobre de l'an de Notre Seigneur 1689, ne seront annulées ou invalidées par le présent *Act,* mais auront et conserveront leur ci-devant force et valeur de droit, et non une autre, comme si le présent *Act* n'avait point été fait.

5. Le *Parliament Act* de 1911 [1]

Act fixant les pouvoirs de la Chambre des lords par rapport à ceux de la Chambre des communes et réduisant la durée des législatures (18 août 1911)

Considérant qu'il apparaît nécessaire de définir par la loi les relations entre les deux assemblées du Parlement.
Considérant qu'il est désirable de substituer à la Chambre des lords telle qu'elle existe actuellement une seconde Chambre issue de la volonté populaire au lieu de l'hérédité mais qu'une telle substitution ne peut être réalisée immédiatement.
Considérant que le Parlement devra limiter et définir les pouvoirs de la nouvelle seconde Chambre par un texte réalisant cette substitution mais qu'il est désirable de réduire dès maintenant par le présent *Act* les pouvoirs actuels de la Chambre des lords.
La très excellente Majesté du Roi donne force de loi, sur l'avis et avec le consentement des lords spirituels et temporels et des communes, réunis dans le présent Parlement, et par l'autorité de ce dernier, à l'*Act* dont la teneur suit :

1. - Pouvoirs de la Chambre des lords en ce qui concerne les projets financiers

1. Si un projet financier *(Money Bill)*, préalablement adopté par la Chambre des communes et transmis à la Chambre des lords un mois au moins avant la fin de la session, n'est pas voté sans amendement par la Chambre des lords dans le mois qui suit cette transmission, ce projet sera, à moins que la Chambre des communes n'en décide autrement présenté à Sa Majesté et deviendra un *Act* du Parlement au moment de la signification de l'Approbation royale, nonobstant l'absence de consentement de la Chambre des lords.

2. Un projet financier signifie un projet de loi qui, selon l'opinion du *Speaker* de la Chambre des communes, ne contient que des dispositions relatives à l'ensemble ou à l'une des matières suivantes, à savoir : imposition, abrogation, remise, modification ou réglementation des impôts ; la création, la modification ou la suppression pour le règlement des dettes ou pour d'autres buts financiers, de charges pour le fonds consolidé ou sur les ressources votées par le Parlement ; les autorisations de crédits ; l'affectation des fonds publics, leur perception, détention, paiement et la vérification des comptes ; l'émission, la garantie ou le remboursement de tout emprunt ; ou les matières accessoires relatives à ces questions. Dans cette sous-section les expressions « impôts », « fonds publics » et « emprunt » ne comprennent pas les impôts, fonds ou emprunts dont bénéficient les autorités locales pour leurs besoins locaux.

3. Chaque projet financier, lorsqu'il sera transmis à la Chambre des lords ou présenté à l'Approbation royale, portera une mention signée par le *Speaker* de la Chambre des communes certifiant que c'est un projet financier. Avant de délivrer ce certificat, le *Speaker* devra consulter, s'il le peut, deux membres de la Chambre des communes qui seront désignés au début de chaque session par le comité de sélection parmi les membres de la liste des présidents.

2. - Restriction des pouvoirs de la Chambre des lords en ce qui concerne les projets autres que les projets financiers

1. Si un projet *(Public Bill)* (autre qu'un projet financier ou un projet contenant des dispositions augmentant la durée maximum de la législature au-delà de cinq ans) adopté par la Chambre des communes en trois sessions successives (du même Parlement ou de Parlements différents), et transmis à la Chambre des lords durant chacune de ces sessions un mois au moins avant la fin de la session, est repoussé par la Chambre des lords durant chacune de ces sessions, ce projet sera présenté à Sa Majesté dès son

(1) La traduction des trois *Parliament Acts* reproduits ci-après, est reprise de Pierre Pactet, *Les Institutions politiques de la Grande-Bretagne,* Paris, La Documentation française, 1960.

troisième rejet par la Chambre des lords, à moins que la Chambre des communes en décide autrement, et deviendra un *Act* du Parlement au moment de la signification de l'Approbation royale, nonobstant l'absence de consentement de la Chambre des lords, à condition que deux ans se soient écoulés entre la date de la seconde lecture de ce projet à la Chambre des communes durant la première de ces sessions et la date à laquelle ce texte sera voté par la Chambre des communes durant la troisième de ces sessions.

2. Un projet présenté à l'Approbation royale, en exécution des dispositions de cette section, portera la mention signée par le *Speaker* de la Chambre des communes certifiant que ces dispositions ont été entièrement appliquées.

3. Un projet sera considéré comme rejeté par la Chambre des lords s'il n'est pas adopté par celle-ci soit sans amendement soit avec des amendements acceptés par les deux Chambres.

4. Un projet sera considéré comme le même projet qu'un ancien projet transmis à la Chambre des lords durant la session précédente si, lorsqu'il est transmis à la Chambre des lords, il est identique au précédent projet ou ne contient que des modifications considérées par le *Speaker* de la Chambre des communes comme nécessaires en raison du temps qui s'est écoulé depuis la date du précédent projet ou comme représentant les amendements apportés par la Chambre des lords à ce projet durant la session précédente et certifiées comme telles : tout amendement certifié par le *Speaker* comme amendement apporté au projet par la Chambre des lords durant la troisième session et accepté par la Chambre des communes, sera inséré dans le projet présenté à l'Approbation royale en application de la présente section.

Toutefois, la Chambre des communes pourra, si elle le juge utile, lors de l'examen d'un tel projet durant la deuxième ou la troisième session, proposer d'autres amendements sans inclure ceux-ci dans le projet : tout amendement ainsi proposé sera examiné par la Chambre des lords et en cas d'accord de celle-ci sera considéré comme un amendement de la Chambre des lords accepté par la Chambre des communes ; cependant l'exercice de ce droit par la Chambre des communes ne modifiera pas les effets de cette section au cas où le projet sera rejeté par la Chambre des lords.

3. – Certificat du *Speaker*

Tout certificat délivré par le Speaker de la Chambre des communes en vertu du présent Act fera foi en toutes circonstances et ne pourra être contesté devant aucun tribunal.

4. – Formule de promulgation

1. Tout projet présenté à Sa Majesté en vertu des dispositions du présent Act sera promulgué au moyen de la formule suivante :

« La très excellente Majesté du Roi donne force de loi, sur l'avis et avec le consentement des Communes réunies dans le présent Parlement, conformément aux dispositions du Parliament Act de 1911 et par l'autorité de ce Parlement, à l'Act dont la teneur suit ».

2. Les modifications apportées à un projet en application de la présente section 4 ne seront pas considérées comme des amendements.

5. – Exclusion des projets approuvant les ordres provisoires

Dans cet Act l'expression « projet » (Publics Bill), ne comprend pas les projets (Bills) approuvant les ordres provisoires.

6. – Sauvegarde des droits et privilèges actuels de la Chambre des communes

Aucune disposition de cet Act ne pourra diminuer ou définir limitativement les droits et privilèges actuels de la Chambre des communes.

7. – Durée de la législature

Cinq ans seront substitués à sept ans pour la durée maxima de chaque législature telle qu'elle a été fixée par l'Act de 1715 fixant cette durée à sept ans.

8. – Titre abrégé

Le présent Act pourra être cité sous le titre suivant : « le Parliament Act de 1911 ».

6. Le *Parliament Act* de 1949

Act modifiant le *Parliament Act* de 1911 (16 décembre 1949)

La très excellente Majesté du Roi donne force de loi, sur l'avis et avec le consentement des communes réunies dans le présent Parlement, conformément aux dispositions du *Parliament Act* de 1911, et par l'autorité de ce Parlement, à l'*Act* dont la teneur suit :

1. - Substitution des mentions de deux sessions et un an à celles de trois sessions et deux ans

Le *Parliament Act* de 1911 aura effet et sera censé avoir eu effet depuis le début de la session durant laquelle le projet du présent *Act* a été présenté à la Chambre des communes (excepté pour ce projet lui-même), comme si :

a) avaient été substitués, dans les sous-sections 1 et 4 de la section deux de l'*Act* précité, aux mots : « en trois sessions successives », « au moment de son troisième rejet », « durant la troisième de ces sessions », « durant la troisième session » et « durant la deuxième ou la troisième session », respectivement, les mots : « en deux sessions successives » « au moment de son deuxième rejet », « durant la seconde de ces sessions », « durant la seconde session » et « durant la seconde session », respectivement ; et

b) avaient été substitués, dans la sous-section 1 de la section deux précitée, aux mots : « que deux ans se soient écoulés » les mots : « qu'un an se soit écoulé » ;

étant entendu que, si un projet a été repoussé pour la seconde fois par la Chambre des lords avant l'Approbation royale du présent *Act,* que ce rejet ait eu lieu dans la même session que celle durant laquelle l'Approbation royale a été donnée au présent *Act* ou durant une session antérieure, l'exigence de ladite section deux, qu'un projet soit présenté à Sa Majesté au moment du second rejet de la Chambre des lords, aura pour effet que le projet repoussé devra être présenté à Sa Majesté aussitôt après l'Approbation royale du présent *Act* et, même si un tel rejet a eu lieu durant une session antérieure, le projet repoussé pourra recevoir l'Approbation royale durant la session au cours de laquelle l'Approbation royale a été donnée au présent *Act.*

2. - Titre abrégé unité des *Parliament Acts* de 1911 et de 1949 et citation

1. Le présent *Act* pourra être cité sous le titre suivant : « le *Parliament Act* de 1949 ».

2. Le présent *Act* et le *Parliament Act* de 1911 constituent un seul *Act* et peuvent être cités ensemble comme les *Parliament Acts* de 1911 et 1949 ; en conséquence seront substitués, dans la sous-section 1 de la section quatre du *Parliament Act* de 1911 (qui fixe la formule de promulgation des projets présentés à Sa Majesté en vertu de cet *Act),* les mots : « les *Parliament Acts* de 1911 et 1949 » aux mots : « le *Parliament Act* de 1911 ».

7. L'*Act* de 1958 sur la pairie à vie

Act autorisant la création de pairies à vie comportant le droit de siéger et de voter à la Chambre des lords (30 avril 1958)

La très excellente Majesté de la Reine donne force de loi, sur l'avis et avec le consentement des lords spirituels et temporels, et des communes, réunis dans le présent Parlement, et par l'autorité de ce dernier, à l'*Act* dont la teneur suit :

1. - Pouvoir de créer des pairies à vie comportant le droit de siéger et de voter à la Chambre des lords

1. Sans préjudice de ses pouvoirs de nomination des lords d'appel ordinaire, Sa Majesté aura tout pouvoir pour conférer,

par lettres patentes, à toute personne une pairie à vie comportant les prérogatives spécifiées dans la sous-section 2 de la présente section.

2. La pairie conférée en vertu de la présente section comportera, pour la personne à laquelle elle sera accordée, et ce durant sa vie, les prérogatives suivantes :

a) le droit de prendre rang de baron, selon les modalités précisées par les lettres patentes ; et

b) sous réserve des dispositions de la sous-section 4 de cette section, le droit de recevoir toutes convocations pour suivre les travaux de la Chambre des lords, et notamment pour y siéger et y voter.

Ces prérogatives cesseront à sa mort.

3. La pairie à vie peut, en vertu de la présente section, être conférée à une femme.

4. Si une personne tombe sous le coup d'une incapacité légale, aucune disposition de cette section ne pourra lui permettre, et ce à quelque moment que ce soit, d'être convoquée pour suivre les travaux de la Chambre des lords, ou pour y siéger et y voter.

2. - Titre abrégé

Le présent *Act* pourra être cité sous le titre suivant : « *Act* de 1958 sur la pairie à vie ».

VII - Grèce

Constitution de la République de Grèce

du 9 juin 1975 (1)

Au nom de la Trinité sainte, consubstantielle et indivisible la 5e Chambre des députés révisionnelle vote :

Première partie
Dispositions fondamentales

Section A
Forme du régime politique

Article premier

1. Le régime politique de la Grèce est celui d'une République parlementaire.

2. La souveraineté populaire constitue le fondement du régime politique.

3. Tous les pouvoirs émanent du peuple, existent pour lui et la nation et sont exercés ainsi qu'il est prescrit par la Constitution.

Article 2

1. Le respect et la protection de la valeur humaine constituent l'obligation primordiale de la République.

2. La Grèce, se conformant aux règles du droit international généralement reconnues, poursuit l'affermissement de la paix et de la justice, ainsi que le développement de relations amicales entre les peuples et les États.

Section B
Rapports entre l'Église et l'État

Article 3

1. La religion dominante en Grèce est celle de l'Église orthodoxe orientale du Christ. L'Église orthodoxe de Grèce, reconnaissant pour chef Notre Seigneur Jésus-Christ, est indissolublement unie, quant au dogme, à la Grande Église de Constantinople et à toute autre Église chrétienne du même dogme, observant immuablement, comme celles-ci, les saints canons apostoliques et synodiques ainsi que les saintes traditions. Elle est autocéphale et administrée par le Saint-Synode, qui est composé des évêques en fonction, et par le Saint-Synode permanent qui, émanant de celui-ci, est constitué comme il est prescrit par la Charte statutaire de l'Église, les dispositions du Tome patriarcal du 29 juin 1850 et de l'Acte synodique du 4 septembre 1928 étant observées.

2. Le régime ecclésiastique existant dans certaines régions de l'État n'est pas contraire aux dispositions du paragraphe précédent.

3. Le texte des Saintes-Écritures reste inaltérable. Sa traduction officielle en une autre forme de langage sans l'approbation de l'Église autocéphale de Grèce et de la Grande Église du Christ à Constantinople est interdite.

Deuxième partie
Libertés publiques et droits sociaux

Article 4

1. Les Hellènes sont égaux devant la loi.

2. Les hommes et les femmes hellènes ont des droits égaux et des obligations égales.

(1) Nouvelle traduction établie par Stephanos Koutsoubinas, Antoine Pantelis et Epaminondas Spiliotopoulos pour le service des études de la Chambre des députés de la République hellénique ; le texte présenté ici est à jour au 1er mars 1994. Les notes sont de l'éditeur.

3. Sont citoyens hellènes tous ceux qui réunissent les conditions fixées par la loi. Le retrait de la nationalité hellénique n'est permis que dans les cas d'acquisition volontaire d'une autre nationalité ou d'acceptation auprès d'un pays étranger de services contraires aux intérêts nationaux, et cela dans les conditions et suivant la procédure spécialement prévues par la loi.

4. Seuls les citoyens hellènes sont admis à toutes les fonctions publiques, sauf les exceptions introduites par des lois spéciales.

5. Les citoyens hellènes contribuent indistinctement aux charges publiques selon leurs facultés.

6. Tout Hellène en état de porter les armes est obligé de contribuer à la défense de la patrie, suivant les prescriptions des lois.

7. Aucun titre de noblesse ou de distinction n'est décerné ni reconnu à des citoyens hellènes.

Article 5

1. Chacun a le droit de développer librement sa personnalité et de participer à la vie sociale, économique et politique du pays, pourvu qu'il ne porte pas atteinte aux droits d'autrui ou aux bonnes mœurs ni ne viole la Constitution.

2. Tous ceux qui se trouvent sur le territoire hellénique jouissent de la protection absolue de leur vie, de leur honneur et de leur liberté sans distinction de nationalité, de race, de langue, de convictions religieuses ou politiques. Des exceptions sont permises dans les cas prévus par le droit international.

L'extradition d'un étranger persécuté en raison de son action en faveur de la liberté est interdite.

3. La liberté individuelle est inviolable. Nul n'est poursuivi, arrêté, emprisonné ou soumis à d'autres contraintes que dans les cas et selon les conditions déterminés par la loi.

4. Est interdite toute mesure administrative individuelle de nature à restreindre le libre déplacement ou le libre établissement dans le pays, ainsi que la liberté de tout Hellène d'y entrer et d'en sortir. Dans des cas exceptionnels de nécessité et uniquement pour prévenir des actes criminels, de telles mesures peuvent être prises sur décision d'une juridiction pénale, ainsi qu'il est prévu par la loi. En cas d'extrême urgence, la décision juridictionnelle peut être prononcée même après la prise de la mesure administrative et au plus tard dans les trois jours qui suivent, faute de quoi la mesure est levée de plein droit.

Déclaration interprétative

Ne sont pas comprises dans l'interdiction du paragraphe 4 l'interdiction de sortie du pays prononcée par acte du procureur suite à une poursuite pénale ou la prise des mesures imposées pour la protection de la santé publique ou la santé de personnes malades, ainsi qu'il est prévu par la loi.

Article 6

1. Nul ne peut être arrêté ou emprisonné qu'en vertu d'un mandat judiciaire motivé qui doit être signifié au moment de l'arrestation ou de la mise en détention provisoire. Sont exceptés les cas de flagrant délit.

2. Tout individu arrêté en flagrant délit ou en vertu d'un mandat judiciaire est conduit devant le juge d'instruction compétent au plus tard dans les vingt-quatre heures suivant l'arrestation, et, si l'arrestation a eu lieu hors du siège du juge d'instruction, dans le délai strictement nécessaire pour le transport de l'individu arrêté. Le juge d'instruction est tenu, dans les trois jours qui suivent la comparution, soit de mettre l'individu arrêté en liberté, soit de décerner contre lui un mandat de dépôt. A la demande de l'individu comparu, ou en cas de force majeure immédiatement constatée par décision de la chambre d'accusation compétente, ce délai est prolongé de deux jours.

3. Chacun de ces deux délais écoulé sans qu'une décision ne soit intervenue, tout geôlier ou autre personne préposée à la garde de l'individu arrêté, fonctionnaire civil ou militaire, est tenu de le mettre immédiatement en liberté. Les contrevenants sont punis pour détention arbitraire et sont tenus à la réparation de tout dommage causé à l'individu lésé, ainsi qu'à une satisfaction pécuniaire au profit de celui-ci pour préjudice moral, comme il est prévu par la loi.

4. La loi fixe la limite maxima de la détention provisoire, qui ne doit pas excéder une année pour les crimes et six mois pour les délits. Dans des cas tout à fait exceptionnels, ces limites maxima peuvent être prolongées de six et de trois mois respectivement par décision de la chambre d'accusation compétente.

Article 7

1. Il ne peut y avoir de délit et aucune peine ne peut être prononcée sans qu'une loi, entrée en vigueur avant que l'acte n'ait été commis, n'en détermine ses éléments constitutifs. En aucun cas n'est prononcée une peine plus lourde que celle prévue au moment où l'acte a été commis.

2. Les tortures, tout sévice corporel, toute atteinte à la santé ou contrainte psychologique, ainsi que toute autre atteinte à la dignité humaine sont interdits et punis, comme il est prévu par la loi.

3. La confiscation totale est interdite. La peine de mort n'est jamais prononcée pour des délits politiques, à l'exception des délits complexes.

4. La loi fixe les conditions dans lesquelles l'État, après décision judiciaire, accorde une indemnité aux individus injustement ou illégalement condamnés, provisoirement détenus ou privés de toute autre manière de leur liberté individuelle.

Article 8

Nul ne peut être distrait contre son gré du juge que la loi lui a assigné. La constitution de commissions juridictionnelles et de juridictions extraordinaires, sous quelque dénomination que ce soit, est interdite.

Article 9

1. Le domicile de chacun constitue un asile. La vie privée et familiale de l'individu est inviolable. Aucune perquisition domiciliaire n'est opérée que dans les cas et les formes déterminés par la loi, et toujours en présence de représentants du pouvoir judiciaire.

2. Les contrevenants à la disposition précédente sont punis pour violation de l'asile du domicile et pour abus de pouvoir, et sont tenus de dédommager entièrement la personne lésée, ainsi qu'il est prévu par la loi.

Article 10

1. Chacun ou plusieurs agissant en commun ont le droit, en observant les lois de l'État, d'adresser, par voie écrite, des pétitions aux autorités, qui sont tenues d'agir promptement suivant les dispositions en vigueur et de fournir au pétitionnaire une réponse écrite motivée conformément aux dispositions de la loi.

2. La poursuite du pétitionnaire en raison des infractions éventuellement contenues dans la pétition n'est permise qu'après la notification de la décision finale de l'autorité à qui la pétition était adressée et avec sa permission.

3. Une demande de renseignements oblige l'autorité compétente à une réponse dans la mesure où cela est prévu par la loi.

Article 11

1. Les Hellènes ont le droit de se réunir paisiblement et sans armes.

2. La police ne peut assister qu'aux réunions publiques en plein air. Les réunions en plein air peuvent être interdites par décision motivée de l'autorité policière soit d'une manière générale au cas où, à cause d'elles, il y a imminence d'un danger sérieux pour la sécurité publique, soit dans un certain endroit au cas où la vie économique et sociale est menacée de troubles graves, ainsi qu'il est prévu par la loi.

Article 12

1. Les Hellènes ont le droit de constituer des unions de personnes et des associations à but non lucratif en observant les lois, qui en aucun cas ne peuvent soumettre l'exercice de ce droit à une autorisation préalable.

2. L'association ne peut être dissoute pour violation de la loi ou d'une disposition essentielle de ses statuts que par décision judiciaire.

3. Les dispositions du paragraphe précédent sont également appliquées de façon analogue aux unions de personnes qui ne constituent pas une association.

4. Le droit d'association des fonctionnaires publics peut être soumis par la loi à des restrictions. Des restrictions peuvent aussi être imposées aux agents des collectivités territoriales ou des autres personnes

morales de droit public ou des entreprises publiques.

5. Les coopératives agricoles et urbaines de toute nature sont administrées par elles-mêmes selon les dispositions de la loi et de leurs statuts et se trouvent sous la protection et la tutelle de l'État, tenu de veiller à leur développement.

6. La loi peut créer des coopératives à participation obligatoire visant l'accomplissement de buts d'utilité publique ou d'intérêt général, ou d'exploitation collective de terres agricoles ou d'autres sources de richesse, pourvu que le traitement égal de tous les participants soit en tout cas assuré.

Article 13

1. La liberté de la conscience religieuse est inviolable. La jouissance des libertés publiques et des droits civiques ne dépend pas des convictions religieuses de chacun.

2. Toute religion connue est libre, et les pratiques de son culte s'exercent sans entrave sous la protection des lois. Il n'est pas permis que l'exercice du culte porte atteinte à l'ordre public ou aux bonnes mœurs. Le prosélytisme est interdit.

3. Les ministres de toutes les religions connues sont soumis à la même surveillance de la part de l'État et aux mêmes obligations envers lui que ceux de la religion dominante.

4. Nul ne peut, en raison de ses convictions religieuses, être dispensé de l'accomplissement de ses obligations envers l'État ou refuser de se conformer aux lois.

5. Aucun serment n'est imposé qu'en vertu d'une loi qui en détermine aussi la formule.

Article 14

1. Chacun peut exprimer et diffuser ses pensées oralement, par écrit et par la voie de la presse, en observant les lois de l'État.

2. La presse est libre. La censure et toute autre mesure préventive sont interdites.

3. La saisie de journaux et d'autres imprimés, soit avant soit après leur mise en circulation, est interdite.

A titre exceptionnel, est permise la saisie après la mise en circulation et sur ordre du procureur :

a) pour cause d'offense à la religion chrétienne et à toute autre religion connue ;
b) pour cause d'offense à la personne du Président de la République ;
c) pour cause d'une publication qui révèle des informations sur la composition, l'équipement et la disposition des forces armées ou sur la fortification du pays, ou qui vise au renversement du régime politique par la force ou qui est dirigée contre l'intégrité territoriale de l'État ;
d) pour cause de publications indécentes qui portent manifestement outrage à la pudeur publique, dans les cas déterminés par la loi.

4. Dans tous les cas du paragraphe précédent, le procureur doit, dans les vingt-quatre heures qui suivent la saisie, soumettre l'affaire à la chambre d'accusation ; celle-ci doit, dans les vingt-quatre heures suivantes, statuer sur le maintien ou la levée de la saisie, faute de quoi la saisie est levée de plein droit. Les recours juridictionnels en appel et en cassation sont ouverts à l'éditeur du journal ou de tout autre imprimé saisi, ainsi qu'au procureur.

5. La loi fixe le mode de rectification complète par la presse des publications inexactes.

6. Après au moins trois condamnations dans l'espace de cinq ans pour perpétration des délits prévus au paragraphe 3, le tribunal décide la suspension définitive ou provisoire de l'édition de l'imprimé, et, dans des cas graves, l'interdiction de l'exercice de la profession de journaliste de la part du condamné, ainsi qu'il est prévu par la loi. La suspension ou l'interdiction prennent effet dès que la décision condamnatoire devient irrévocable.

7. Les délits de presse sont flagrants, et sont jugés ainsi qu'il est prévu par la loi.

8. La loi fixe les conditions et les qualifications pour l'exercice de la profession de journaliste.

9. La loi peut prévoir que les moyens de financement des journaux et périodiques doivent être rendus publics.

Article 15

1. Les dispositions de l'article précédent relatives à la protection de la presse ne s'appliquent pas à la cinématographie, la phonographie, la radiophonie, la télévision ni à tout autre moyen similaire de transmission de parole ou d'image.

2. La radiophonie et la télévision sont placées sous le contrôle direct de l'État, et ont pour but la diffusion, de façon objective et égale, d'informations et de nouvelles ainsi que d'œuvres de littérature et d'art, tout en assurant le niveau qualitatif, imposé par leur mission sociale et par le développement culturel du pays, des émissions.

Article 16

1. L'art et la science, la recherche et l'enseignement sont libres ; leur développement et leur promotion constituent une obligation de l'État. La liberté universitaire et la liberté d'enseignement ne dispensent pas du devoir d'obéissance à la Constitution.

2. L'instruction constitue une mission fondamentale de l'État, et a pour but l'éducation morale, culturelle, professionnelle et physique des Hellènes, le développement d'une conscience nationale et religieuse ainsi que leur formation en citoyens libres et responsables.

3. Les années de la scolarité obligatoire ne peuvent être inférieures à neuf.

4. Tous les Hellènes ont droit à l'instruction gratuite à tous ses degrés dans les établissements d'enseignement de l'État. L'État soutient les élèves et étudiants qui se distinguent, ainsi que ceux qui ont besoin d'assistance ou de protection particulière, en fonction de leurs capacités.

5. L'enseignement supérieur est assuré uniquement par des établissements, qui constituent des personnes morales de droit public, pleinement décentralisés. Ces établissements se trouvent sous la tutelle de l'État, ont droit à son aide financière et fonctionnent conformément aux lois relatives à leurs statuts d'organisation. La fusion ou la division des établissements d'enseignement supérieur peut être réalisée même par dérogation à toute autre disposition contraire, ainsi qu'il est prévu par la loi.

Une loi spéciale règle tout ce qui concerne les associations estudiantines et la participation des étudiants à celles-ci.

6. Les professeurs des établissements d'enseignement supérieur sont titulaires de fonction publique. Le reste du personnel enseignant accomplit également une fonction publique, dans les conditions fixées par la loi. Le statut de toutes les personnes susmentionnées est déterminé par les statuts d'organisation de leurs établissements.

Les professeurs des établissements d'enseignement supérieur ne peuvent être révoqués ou licenciés, avant le terme légal du temps de leur service, que dans les conditions de fond déterminées à l'article 88 paragraphe 4, et après décision d'un conseil composé en majorité de hauts magistrats, ainsi qu'il est prévu par la loi.

Une loi fixe la limite d'âge des professeurs des établissements d'enseignement supérieur ; jusqu'à la publication de cette loi, les professeurs en fonction quittent de plein droit le service à la fin de l'année universitaire au cours de laquelle ils atteignent l'âge de soixante-sept ans révolus.

7. L'enseignement professionnel et tout autre enseignement spécial sont assurés par l'État et au moyen d'écoles de degré post-secondaire dans un cycle d'études ne dépassant pas les trois ans, comme il est prévu plus spécialement par la loi, qui en outre fixe les droits à l'activité professionnelle des diplômés de ces écoles.

8. La loi fixe les conditions et les termes dans lesquels sont accordées les autorisations de fondation et de fonctionnement d'établissements d'enseignement n'appartenant pas à l'État, les modalités de la tutelle exercée sur ceux-ci, ainsi que le statut de leur personnel enseignant.

La fondation d'écoles d'enseignement supérieur par des particuliers est interdite.

9. Les sports sont placés sous la protection et la haute surveillance de l'État.

L'État subventionne et contrôle les unions d'associations sportives de toute sorte, ainsi qu'il est prévu par la loi. La loi réglemente également la répartition des subventions chaque fois accordées conformément aux buts des unions bénéficiaires.

Article 17

1. La propriété est sous la protection de l'État, mais les droits qui en dérivent

ne peuvent s'exercer au détriment de l'intérêt général.

2. Nul n'est privé de sa propriété que pour cause d'utilité publique dûment prouvée, dans les cas et de la manière prévus par la loi, et toujours moyennant une indemnité préalable et complète, qui doit correspondre à la valeur du bien exproprié au moment de l'audience devant le tribunal de l'affaire sur sa fixation provisoire. Dans le cas d'une demande pour la fixation directe de l'indemnité définitive, est prise en considération la valeur du bien au moment de l'audience sur cette fixation devant le tribunal.

3. Le changement éventuel de la valeur du bien exproprié, survenu après la publication de l'acte d'expropriation et dû exclusivement à celle-ci, n'est pas pris en compte.

4. L'indemnité est toujours fixée par les juridictions civiles. Elle peut être fixée même provisoirement par voie judiciaire, après audition ou citation de l'ayant droit, que le tribunal, à sa discrétion, peut obliger, en vue de l'encaissement de l'indemnité, à fournir un cautionnement correspondant à celle-ci, selon les modalités prévues par la loi.

Avant le paiement de l'indemnité fixée définitivement ou provisoirement, tous les droits du propriétaire restent intacts, l'occupation n'étant pas permise.

L'indemnité fixée est obligatoirement payée au plus tard un an et demi après la publication de la décision judiciaire sur la fixation provisoire de l'indemnité, ou, en cas d'une demande pour la fixation directe de l'indemnité définitive, après la publication de la décision du tribunal relative, faute de quoi l'expropriation est levée de plein droit.

L'indemnité, en tant que telle, n'est soumise à aucune imposition, taxe ou retenue.

5. La loi fixe les cas de dédommagement obligatoire des ayants droit pour la perte des revenus provenant du bien immeuble exproprié jusqu'au moment du paiement de l'indemnité.

6. En vue de l'exécution de travaux d'utilité publique ou d'une importance plus générale pour l'économie du pays, la loi peut permettre l'expropriation, au profit de l'État, de zones plus vastes, se trouvant au-delà des terrains qui sont nécessaires pour la construction des ouvrages. Cette même loi fixe les conditions et les termes d'une telle expropriation, ainsi que les modalités de la mise en disposition ou de l'utilisation, à des fins publiques ou d'utilité publique en général, des terrains expropriés en sus de ceux qui sont nécessaires pour l'exécution de l'ouvrage envisagé.

7. En cas d'exécution de travaux d'utilité publique manifeste au profit de l'État, de personnes morales de droit public, de collectivités territoriales, d'organismes d'utilité publique ainsi que d'entreprises publiques, la loi peut prévoir que le creusement, à la profondeur indiquée, de galeries souterraines est permis sans indemnité, à condition que l'exploitation régulière de l'immeuble sis au-dessus ne soit pas affectée.

Article 18

1. Des lois spéciales règlent les matières concernant la propriété et la concession des mines, des carrières, des grottes, des sites et trésors archéologiques, des eaux minérales, courantes et souterraines, ainsi que de la richesse du sous-sol en général.

2. La loi règle les matières concernant la propriété, l'exploitation et la gestion des lagunes et des grands lacs, ainsi que les matières relatives à la concession en général des terrains apparus à la suite de travaux d'assèchement.

3. Des lois spéciales règlent les matières concernant les réquisitions pour les besoins des forces armées en cas de guerre ou de mobilisation, ou pour parer à une nécessité sociale immédiate susceptible de mettre en danger l'ordre public ou la santé publique.

4. Selon la procédure déterminée par une loi spéciale, est permis le remembrement des terrains agricoles en vue d'une exploitation plus profitable du sol, ainsi que la prise de mesures destinées à éviter le morcellement excessif des petites propriétés agricoles ou à faciliter leur reconstitution.

5. En dehors des cas mentionnés aux paragraphes précédents, la loi peut aussi prévoir toute autre privation du libre usage de la propriété et de la libre perception de ses fruits, rendue nécessaire en raison de circonstances particulières. La loi détermine

celui qui est obligé au paiement à l'ayant droit de la contrepartie pour l'usage et la perception des fruits, qui doit correspondre aux conditions chaque fois existantes, ainsi que la procédure applicable.

Des mesures imposées en application du présent paragraphe sont levées aussitôt que les raisons particulières qui les ont provoquées cessent d'exister. Dans le cas d'un prolongement injustifié de ces mesures, le Conseil d'État, sur demande de toute personne ayant un intérêt légal, statue sur leur levée par catégories de cas.

6. La loi peut régler les matières concernant la concession des terres vacantes aux fins de leur mise en valeur au profit de l'économie nationale et de l'établissement des personnes sans terre. Par la même loi sont également fixées les modalités de l'indemnisation partielle ou totale des propriétaires dans le cas de leur réapparition dans un délai raisonnable.

7. La loi peut imposer la copropriété obligatoire des propriétés adjacentes dans les régions urbaines au cas où la construction séparée de celles-ci ou d'une partie d'entre elles ne correspond pas aux conditions de construction qui, dans ladite région, sont en vigueur ou le seront dans l'avenir.

8. La propriété rurale des saints monastères stavropygiaques de Sainte Anastasie Pharmacolytria en Chalcidique, des Vlatades à Thessalonique et de l'Évangéliste Jean le Théologien à Patmos, à l'exception de leur domaine extérieur, n'est pas susceptible d'expropriation. De même ne sont pas susceptibles d'expropriation les biens en Grèce des Patriarcats d'Alexandrie, d'Antioche et de Jérusalem, ainsi que ceux du Saint Monastère du Sinaï.

Article 19

Le secret des lettres et de la libre correspondance ou communication, de toute manière que ce soit, est absolument inviolable. La loi fixe les garanties sous lesquelles l'autorité judiciaire n'est pas liée par le secret pour des raisons de sécurité nationale ou en vue de la constatation de délits particulièrement graves.

Article 20

1. Chacun a droit à la protection légale par les tribunaux et peut exposer devant eux ses points de vue sur ses droits et intérêts, ainsi qu'il est prévu par la loi.

2. Le droit de la personne intéressée à l'audition préalable s'applique également à toute action ou mesure administrative prise au détriment de ses droits ou intérêts.

Article 21

1. La famille, en tant que fondement du maintien et du progrès de la nation, ainsi que le mariage, la maternité et l'enfance se trouvent sous la protection de l'État.

2. Les familles nombreuses, les invalides de guerre et de la période de paix, les victimes de guerre, les veuves et les orphelins de guerre ainsi que ceux qui souffrent d'une maladie incurable corporelle ou mentale ont droit à un soin particulier de la part de l'État.

3. L'État veille à la santé des citoyens et prend des mesures spéciales pour la protection de la jeunesse, de la vieillesse et des invalides, ainsi que pour l'aide aux indigents.

4. L'acquisition d'un logement par ceux qui en sont privés ou qui sont insuffisamment logés fait l'objet d'un soin particulier de la part de l'État.

Article 22

1. Le travail constitue un droit et est sous la protection de l'État, qui veille à la création des conditions de plein emploi pour tous les citoyens, ainsi qu'au progrès moral et matériel de la population rurale et urbaine.

Tous les travailleurs, indépendamment de leur sexe ou d'autre distinction, ont droit à rémunération égale pour tout travail accompli de valeur égale.

2. La loi détermine les conditions générales de travail, qui sont complétées par les conventions collectives, conclues au moyen de négociations libres et, en cas d'échec de celles-ci, par des dispositions posées par arbitrage.

3. Toute forme de travail obligatoire est interdite.

Des lois spéciales règlent les matières concernant la réquisition de services personnels en cas de guerre ou de mobilisation ou pour faire face soit aux besoins de la défense du pays soit à un besoin social urgent provoqué par une calamité ou pouvant mettre en péril la santé publique ; elles règlent également les matières relatives à la prestation du travail personnel aux collectivités territoriales pour la satisfaction de besoins locaux.

4. L'État veille à la sécurité sociale des travailleurs, ainsi qu'il est prévu par la loi.

Déclaration interprétative

Parmi les conditions générales de travail est aussi incluse la détermination de la façon et de la personne obligée de procéder à la perception et à la restitution aux organisations syndicales de la cotisation de leurs membres prévue par les statuts respectifs.

Article 23

1. L'État prend les mesures appropriées pour assurer la liberté syndicale et le libre exercice des droits qui y sont liés contre toute atteinte, dans les limites de la loi.

2. La grève constitue un droit et est exercée par les organisations syndicales légalement constituées pour sauvegarder et promouvoir les intérêts relatifs au travail et économiques en général des travailleurs.

La grève, sous quelque forme que ce soit, est interdite aux magistrats et à ceux qui servent dans les corps de sécurité. Le droit de recourir à la grève est susceptible de restrictions concrètes, prévues par la loi qui le réglemente, en ce qui concerne les fonctionnaires publics, les agents des collectivités territoriales et des personnes morales de droit public ainsi que le personnel des entreprises de toute forme à caractère public ou d'utilité publique, dont le fonctionnement a une importance vitale pour la satisfaction des besoins essentiels du corps social. Ces restrictions ne peuvent conduire à la suppression du droit de grève ou à l'empêchement de son exercice légal.

Article 24

1. La protection de l'environnement naturel et culturel constitue une obligation de l'État. En vue de sa sauvegarde, l'État est obligé de prendre des mesures spéciales, préventives ou répressives. La loi règle les matières relatives à la protection des forêts et des espaces forestiers en général. La modification de l'affectation des forêts et des espaces forestiers domaniaux est interdite, à moins que leur exploitation agricole ou un autre usage imposé par l'intérêt public ne soit prioritaire pour l'économie nationale.

2. L'aménagement du territoire du pays, la formation, le développement, l'urbanisme et l'extension des villes et des zones à urbaniser en général sont placés sous la réglementation et le contrôle de l'État, afin de servir au caractère fonctionnel et au développement des agglomérations et d'assurer les meilleures conditions de vie possibles.

3. Pour la reconnaissance d'une région comme zone à urbaniser et en vue de son urbanisme opérationnel, les propriétés qui y sont incluses contribuent obligatoirement tant à la disposition, sans droit à une indemnité de la part de l'organisme impliqué, des terrains nécessaires pour l'ouverture des rues et la création des places et d'autres espaces d'usage ou d'intérêt public en général, qu'aux dépenses pour l'exécution des travaux d'infrastructure urbaine, ainsi qu'il est prévu par la loi.

4. La loi peut prévoir la participation des propriétaires d'une région caractérisée comme zone à urbaniser à la mise en valeur et à l'aménagement général de cette région suivant un plan d'urbanisme dûment approuvé ; ces propriétaires reçoivent en contre-prestation des immeubles ou des parties des propriétés par étage d'une valeur égale dans les terrains finalement destinés à la construction ou dans les bâtiments de cette zone.

5. Les dispositions des paragraphes précédents sont également applicables en cas du réaménagement des agglomérations urbaines déjà existantes. Les terrains libérés par ce réaménagement sont affectés à la création d'espaces d'usage commun ou sont mis en vente pour couvrir les dépenses du réaménagement urbanistique, ainsi qu'il est prévu par la loi.

6. Les monuments et les sites et éléments traditionnels sont placés sous la protection de l'État. La loi déterminera les mesures restrictives de la propriété qui sont nécessaires pour la réalisation de cette protection, ainsi que les modalités et la nature de l'indemnisation des propriétaires.

Article 25

1. Les droits de l'homme, en tant qu'individu et en tant que membre du corps social, sont placés sous la garantie de l'État, tous les organes de celui-ci étant obligés d'en assurer le libre exercice.

2. La reconnaissance et la protection par la République des droits fondamentaux et imprescriptibles de l'homme visent à la réalisation du progrès social dans la liberté et la justice.

3. L'exercice abusif d'un droit n'est pas permis.

4. L'État a le droit d'exiger de la part de tous les citoyens l'accomplissement de leur devoir de solidarité sociale et nationale.

Troisième partie
Organisation et fonctions de l'État

Section A
Structure de l'État

Article 26

1. La fonction législative est exercée par la Chambre des députés et le Président de la République.

2. La fonction exécutive est exercée par le Président de la République et le Gouvernement.

3. La fonction juridictionnelle est exercée par les tribunaux, dont les décisions sont exécutées au nom du peuple hellène.

Article 27

1. Aucune modification des frontières de l'État ne peut être effectuée sans une loi votée à la majorité absolue du nombre total des députés.

2. Aucune force militaire étrangère n'est admise en territoire hellénique, ni ne peut y séjourner ou le traverser, sans une loi votée à la majorité absolue du nombre total des députés.

Article 28

1. Les règles du droit international généralement reconnues, ainsi que les conventions internationales dès leur ratification par la loi et leur entrée en vigueur conformément aux dispositions de chacune d'elles, font partie intégrante du droit hellénique interne et priment toute disposition de loi contraire. L'application des règles du droit international et des conventions internationales à l'égard des étrangers est toujours soumise à la condition de réciprocité.

2. Afin de servir un intérêt national important et de promouvoir la collaboration avec d'autres États, il est possible de reconnaître, par voie de traité ou d'accord, des compétences prévues par la Constitution à des organes d'organisations internationales. Pour l'adoption de la loi ratifiant le traité ou l'accord, la majorité des trois cinquièmes du nombre total des députés est requise.

3. La Grèce procède librement, par une loi adoptée à la majorité absolue du nombre total des députés, à des restrictions à l'exercice de la souveraineté nationale, dans la mesure où cela est dicté par un intérêt national important, ne lèse pas les droits de l'homme et les fondements du régime démocratique et est effectué sur la base du principe de l'égalité et sous la condition de réciprocité.

Article 29

1. Les citoyens hellènes ayant droit de vote peuvent librement créer des partis politiques ou y adhérer ; l'organisation et l'activité de ces partis doivent servir le fonctionnement libre du régime démocratique. Les citoyens qui n'ont pas encore obtenu le droit de vote peuvent adhérer aux sections de jeunesse des partis.

2. La loi peut prévoir le soutien financier des partis par l'État et la publicité des dépenses électorales tant des partis que des candidats à la députation.

3. Il est absolument interdit aux magistrats, aux militaires en général, aux agents des corps de sécurité ainsi qu'aux fonctionnaires publics de se manifester, de toute manière que ce soit, en faveur des partis politiques. De même, toute activité militante en faveur d'un parti est interdite aux agents des personnes morales de droit public, des entreprises publiques et des collectivités territoriales.

Section B
Le Président de la République

Chapitre premier
Désignation du Président

Article 30

1. Le Président de la République est le régulateur du régime politique. Il est élu par la Chambre des députés pour une période de cinq ans, selon les dispositions des articles 32 et 33.

2. La charge de Président de la République est incompatible avec toute autre fonction, poste ou œuvre.

3. Le mandat présidentiel commence à partir de la prestation de serment du Président.

4. En cas de guerre, le mandat présidentiel est prorogé jusqu'à la fin de celle-ci.

5. La réélection de la même personne n'est permise qu'une seule fois.

Article 31

Peut être élu Président de la République toute personne qui est citoyen hellène depuis au moins cinq ans, est Hellène d'origine par le père, a quarante ans révolus et possède le droit de vote.

Article 32 (1)

1. L'élection du Président de la République se fait par la Chambre des députés, au scrutin par appel nominal, lors d'une séance spéciale de celle-ci, qui est convoquée à cet effet par son président un mois au moins avant l'expiration du mandat du Président de la République en exercice, selon les dispositions de son règlement.

En cas d'empêchement définitif du Président de la République de remplir ses fonctions, selon les dispositions du paragraphe 2 de l'article 34, ainsi qu'en cas de démission, de décès ou de déchéance de celui-ci selon les dispositions de la Constitution, la Chambre des députés se réunit pour élire le nouveau Président de la République dans dix jours au plus tard à partir de la fin anticipée du mandat du Président précédent.

2. Le Président de la République est, dans tous les cas, élu pour un mandat entier.

3. Est élu Président de la République celui qui obtient la majorité des deux tiers du nombre total des députés.

Au cas où cette majorité n'a pas été obtenue, le scrutin est répété cinq jours après.

Si la majorité requise n'a pas été obtenue même à ce deuxième scrutin, le scrutin est répété une fois de plus, cinq jours après ; alors est élu Président de la République celui qui obtient la majorité des trois cinquièmes du nombre total des députés.

4. Si la majorité qualifiée susmentionnée n'a pas été obtenue même au troisième tour de scrutin, la Chambre des députés est dissoute dans les dix jours qui suivent et des élections sont proclamées en vue de la désignation d'une nouvelle Chambre.

La Chambre des députés issue des nouvelles élections procède, aussitôt après sa constitution en corps, à l'élection du Président de la République au scrutin par appel nominal et à la majorité des trois cinquièmes du nombre total des députés.

Si la majorité mentionnée n'a pas été obtenue, le scrutin est répété cinq jours après ; est alors élu Président de la République celui qui a réuni la majorité absolue du nombre total des députés. Au cas où même cette majorité n'a pas été atteinte, le scrutin est répété une fois de plus cinq jours après, entre les deux personnes qui ont obtenu le plus grand nombre de suffrages, et celui qui obtient la majorité simple des suffrages est considéré élu Président de la République.

5. Si la Chambre des députés est absente, elle est spécialement convoquée pour l'élection du Président de la République, conformément aux dispositions du paragraphe 4.

Si la Chambre des députés est dissoute, de quelque façon que ce soit, l'élection du Président de la République est reportée jusqu'à la constitution de la nouvelle Chambre en corps, et a lieu au plus tard dans les vingt jours après celle-ci, selon les dispositions des paragraphes 3 et 4 et en

(1) Les paragraphes 1 et 4 ont été modifiés par la révision constitutionnelle du 12 mars 1986.

observant celles du paragraphe 1 de l'article 34.

6. Au cas où la procédure suivie pour l'élection d'un nouveau Président, comme elle a été définie aux paragraphes précédents, n'aboutirait pas en temps utile, le Président de la République en exercice continue à exercer ses fonctions, même après l'expiration de son mandat, jusqu'à l'élection du nouveau Président.

Déclaration interprétative

Le Président de la République qui démissionne avant l'expiration de son mandat ne peut pas participer à l'élection présidentielle consécutive à sa démission.

Article 33

1. Le Président de la République élu assume l'exercice de ses fonctions à partir du lendemain de l'expiration du mandat du Président sortant, et dans tous les autres cas à partir du lendemain de son élection.

2. Avant d'assumer l'exercice de ses fonctions, le Président de la République prête devant la Chambre des députés le serment suivant :

« Je jure au nom de la Trinité sainte, consubstantielle et indivisible d'observer la Constitution et les lois, de veiller à leur fidèle observation, de défendre l'indépendance nationale et l'intégrité du pays, de protéger les droits et les libertés des Hellènes et de servir l'intérêt général et le progrès du peuple hellène ».

3. La loi détermine la liste civile du Président de la République et le fonctionnement des services qui sont organisés pour assurer l'exercice de ses fonctions.

Article 34

1. En cas d'absence à l'étranger pour plus de dix jours, de décès, de démission, de déchéance ou d'un empêchement quelconque du Président de la République de l'exercice de ses fonctions, celui-ci est remplacé provisoirement par le président de la Chambre des députés, et s'il n'y a pas de Chambre, par le président de la dernière Chambre ; si ce dernier refuse ou n'existe plus, l'intérim est assuré par le Gouvernement collectivement.

Pendant la période de remplacement du Président de la République ne s'appliquent pas les dispositions relatives à la dissolution de la Chambre des députés, excepté le cas de l'article 32 paragraphe 4, ainsi que celles relatives à la révocation du Gouvernement et au recours au référendum, selon les articles 38 paragraphe 2 et 44 paragraphe 2.

2. Si l'empêchement du Président de la République d'exercer ses fonctions se prolonge au-delà de trente jours, la Chambre des députés est obligatoirement convoquée, même si elle a été dissoute, afin de se prononcer à la majorité des trois cinquièmes du nombre total de ses membres sur le fait de savoir s'il y a lieu de procéder à l'élection d'un nouveau Président. Toutefois, l'élection du nouveau Président ne peut en aucun cas être retardée de plus de six mois au total à compter du début de l'intérim pour cause d'empêchement.

Chapitre deuxième
Pouvoirs et responsabilité du fait des actes du Président de la République

Article 35 (1)

1. Aucun acte du Président de la République n'est valable ni n'est exécuté sans le contreseing du ministre compétent, qui par sa seule signature en assume la responsabilité, et sans sa publication au *Journal officiel*.

Dans le cas où le Gouvernement est relevé de ses fonctions selon l'article 38 paragraphe 1, si le Premier ministre ne contresigne pas le décret afférent, celui-ci est signé par le seul Président de la République.

2. Par exception, sont dispensés de contreseing les actes suivants :

a) la nomination du Premier ministre ;
b) le mandat exploratoire selon l'article 37 paragraphes 2, 3 et 4 ;
c) la dissolution de la Chambre des députés selon les articles 32 paragraphe 4 et 41 paragraphe 1, si le Premier ministre ne la contresigne pas, ainsi que selon

(1) A l'exception du 1er paragraphe, 1er alinéa, le texte de cet article est issu de la révision du 12 mars 1986.

l'article 53 paragraphe 1, si le Conseil des ministres ne la contresigne pas ;

d) le renvoi d'un projet ou d'une proposition de loi voté par la Chambre des députés, selon l'article 42 paragraphe 1 ;

e) la nomination du personnel des services de la présidence de la République.

3. Le décret de proclamation d'un référendum sur un projet de loi, selon l'article 44 paragraphe 2, est contresigné par le président de la Chambre des députés.

Article 36

1. Les dispositions de l'article 35 paragraphe 1 étant en tout cas observées, le Président de la République représente l'État sur le plan international et déclare la guerre ; il conclut les traités de paix, d'alliance, de coopération économique et de participation à des organismes ou unions internationaux, et il en donne connaissance à la Chambre des députés, avec les éclaircissements nécessaires, aussitôt que l'intérêt et la sûreté de l'État le permettent.

2. Les traités de commerce, ceux qui concernent l'imposition, la coopération économique ou la participation aux organismes ou unions internationaux, ainsi que ceux qui comportent des concessions pour lesquelles, selon d'autres dispositions de la Constitution, rien ne peut être disposé sans loi, ou qui grèvent individuellement les Hellènes, ne prennent effet qu'après avoir été ratifiés par une loi formelle.

3. Les articles secrets d'un traité ne peuvent en aucun cas prévaloir sur les articles publics.

4. La ratification des traités internationaux ne peut faire l'objet d'une délégation législative selon l'article 43 paragraphes 2 et 4.

Article 37 (1)

1. Le Président de la République nomme le Premier ministre et, sur proposition de ce dernier, nomme et révoque les autres membres du Gouvernement et les secrétaires d'État.

2. Est nommé Premier ministre le chef du parti qui dispose dans la Chambre des députés de la majorité absolue des sièges. Si aucun parti ne dispose de la majorité absolue, le Président de la République donne un mandat exploratoire au chef du parti relativement majoritaire, afin de scruter la possibilité de formation d'un Gouvernement jouissant de la confiance de la Chambre.

3. Cette possibilité n'ayant pas été confirmée, le Président de la République donne un mandat exploratoire au chef du second parti quant à la force parlementaire ; si même ce mandat est infructueux, il donne un mandat exploratoire au chef du troisième parti quant à la force parlementaire. Chaque mandat exploratoire dure trois jours. Si les mandats exploratoires restent sans résultat, le Président de la République convoque auprès de lui les chefs des partis et, l'impossibilité de la formation d'un Gouvernement jouissant de la confiance de la Chambre étant confirmée, cherche à obtenir la formation d'un Gouvernement de tous les partis représentés à la Chambre, qui procèdera à des élections ; en cas d'échec, il confie au président du Conseil d'État ou de la Cour de cassation ou de la Cour des comptes la formation d'un Gouvernement jouissant de la plus large acceptation possible, afin que ce dernier procède à des élections, et dissout la Chambre.

4. Au cas où, conformément aux paragraphes précédents, le mandat de former un Gouvernement ou le mandat exploratoire doit être donné au chef d'un parti, et que ce parti n'a pas de chef ou de représentant, ou que son chef ou son représentant n'a pas été élu député, le Président de la République donne le mandat à celui que le groupe parlementaire du parti propose. Cette proposition se fait dans les trois jours à compter de la communication, par le président de la Chambre des députés ou par son remplaçant, de la force parlementaire des partis au Président de la République, une telle communication précédant chaque mandat.

---

(1) A l'exception du 1er paragraphe le texte de l'article et de la déclaration interprétative est issu de la révision du 12 mars 1986.

Déclaration interprétative

A propos des mandats exploratoires, si des partis ont un nombre égal de sièges, passe en premier le parti qui a obtenu le plus grand nombre de voix aux élections ; un parti nouvellement formé et ayant un groupe parlementaire selon les dispositions du règlement de la Chambre des députés, suit le parti plus ancien qui a un nombre égal de sièges. Dans ces deux cas, les mandats exploratoires ne sont pas donnés à plus de quatre partis.

Article 38 (1)

1. Le Président de la République met fin aux fonctions du Gouvernement si celui-ci démissionne, ainsi que si la Chambre des députés lui retire sa confiance selon l'article 84.

Dans ces cas, les dispositions des paragraphes 2, 3 et 4 de l'article 37 s'appliquent de façon analogue.

Si le Premier ministre du Gouvernement démissionnaire est le chef ou le représentant d'un parti disposant à la Chambre des députés de la majorité absolue de l'ensemble des députés, la troisième phrase du paragraphe 3 de l'article 37 s'applique de façon analogue.

2. En cas de démission ou de décès du Premier ministre, le Président de la République nomme à ce poste la personne proposée par le groupe parlementaire du parti du Premier ministre ; cette proposition se fait dans les trois jours au plus tard. Jusqu'à la nomination du nouveau Premier ministre, le premier vice-président du Conseil ou ministre dans l'ordre exerce les fonctions de Premier ministre.

Déclaration interprétative

La disposition du paragraphe 2 est également appliquée en cas de remplacement du Président de la République selon l'article 34.

Article 39 (2)

Article 40

1. Le Président de la République convoque la Chambre des députés en session ordinaire une fois par an, selon les prescriptions de l'article 64 paragraphe 1, et en session extraordinaire chaque fois qu'il le juge opportun ; il prononce en personne ou par l'intermédiaire du Premier ministre l'ouverture et la fin de chaque législature.

2. Le Président de la République ne peut suspendre les travaux de la session parlementaire qu'une seule fois, soit en ajournant son ouverture soit en interrompant son cours.

3. La suspension des travaux ne peut ni durer plus de trente jours ni être répétée dans la même session parlementaire sans l'assentiment de la Chambre des députés.

Article 41 (3)

1. Le Président de la République peut dissoudre la Chambre des députés si deux Gouvernements ont démissionné ou même ont été désapprouvés par elle, et que sa composition n'assure pas la stabilité gouvernementale. Les élections sont organisées par le Gouvernement qui a la confiance de la Chambre dissoute. Dans tout autre cas, la troisième phrase du paragraphe 3 de l'article 37 s'applique de façon analogue.

2. Le Président de la République dissout la Chambre des députés sur proposition du Gouvernement qui a obtenu un vote de confiance, afin de renouveler le mandat populaire pour faire face à une question nationale d'importance exceptionnelle. La dissolution de la nouvelle Chambre pour la même question est exclue.

3. Le décret de dissolution, contresigné, dans le cas du paragraphe précédent, par le Conseil des ministres, doit porter à la fois sur la proclamation des élections dans les trente jours et sur la convocation de la nouvelle Chambre des députés dans les trente jours à compter de celles-ci.

4. Une Chambre des députés élue après dissolution de la Chambre précédente ne peut être dissoute avant qu'une année ne se soit écoulée à compter du début de ses

(1) La rédaction de l'article 38 est issue en totalité de la révision du 12 mars 1986.
(2) Abrogé par la révision du 12 mars 1986.
(3) A l'exception des paragraphes 3 et 5, le texte de l'article et de la déclaration interprétative est issu de la révision du 12 mars 1986.

travaux, excepté les cas de l'article 37 paragraphe 3 et du paragraphe 1 du présent article.

5. La Chambre des députés est obligatoirement dissoute dans le cas de l'article 32 paragraphe 4.

Déclaration interprétative

Dans tous les cas, sans exception, le décret de dissolution de la Chambre des députés doit porter sur la proclamation des élections dans les trente jours et sur la convocation de la nouvelle Chambre dans les trente jours à compter de celles-ci.

Article 42 (1)

1. Le Président de la République promulgue et publie les lois votées par la Chambre des députés dans un mois à compter de leur vote. Le Président de la République peut, dans le délai de la phrase précédente, renvoyer à la Chambre un projet de loi voté par elle, en exposant aussi les motifs du renvoi.

2. Un projet ou une proposition de loi renvoyé à la Chambre des députés par le Président de la République est introduit en assemblée plénière de la Chambre ; s'il est voté de nouveau par la majorité absolue du nombre total des députés, selon la procédure de l'article 76 paragraphe 2, le Président de la République le promulgue et le publie obligatoirement dans les dix jours à compter de sa nouvelle adoption.

3. (2)

Article 43

1. Le Président de la République édicte les décrets nécessaires à l'exécution des lois, sans jamais pouvoir suspendre l'application des lois elles-mêmes, ni dispenser quiconque de leur exécution.

2. Sur proposition du ministre compétent est permise l'édiction de décrets réglementaires en vertu d'une délégation législative spéciale et dans les limites de celle-ci. L'habilitation d'autres organes de l'administration à édicter des actes réglementaires est permise pour la réglementation de matières plus particulières ou d'intérêt local ou de caractère technique ou détaillé.

3. (2)

4. Des lois votées par la Chambre des députés en assemblée plénière peuvent déléguer le pouvoir d'édicter des décrets réglementaires portant sur des matières déterminées par elles dans un cadre général. Ces lois tracent les principes généraux et les directions de la réglementation à suivre, et fixent les délais dans lesquels il sera fait usage de la délégation.

5. Les matières qui rélèvent, selon l'article 72 paragraphe 1, de la compétence de l'assemblée plénière de la Chambre des députés ne peuvent faire l'objet de la délégation du paragraphe précédent.

Article 44 (3)

1. Dans des cas exceptionnels d'une nécessité extrêmement urgente et imprévue, le Président de la République peut, sur proposition du Conseil des ministres, édicter des actes de contenu législatif. Ces actes sont soumis à la Chambre des députés pour ratification, selon les dispositions de l'article 72 paragraphe 1, dans les quarante jours à compter de leur édiction ou dans les quarante jours à compter de la convocation de la Chambre en session. S'ils ne sont pas soumis à la Chambre dans les délais ci-dessus ou s'ils ne sont pas ratifiés par elle dans les trois mois à partir de leur dépôt, ils deviennent caducs pour l'avenir.

2. Après une résolution prise, sur proposition du Conseil des ministres, à la majorité absolue du nombre total des députés, le Président de la République proclame par décret le référendum sur des questions nationales cruciales.

Après une résolution prise, sur proposition des deux cinquièmes, par les trois cinquièmes du nombre total des députés, le Président de la République proclame par décret le référendum sur des projets de loi adoptés par la Chambre des députés et traitant d'une question sociale grave, excepté les projets de loi fiscaux, ainsi qu'en disposent le règlement de la Chambre et une loi portant sur l'application du présent para-

(1) La rédaction de l'article 42 est issue en totalité de la révision du 12 mars 1986.
(2) Paragraphe abrogé par la révision du 12 mars 1986.
(3) A l'exception du paragraphe 1, le texte de cet article est issu de la révision du 12 mars 1986.

graphe. Au cours de la même législature il n'est pas introduit plus de deux propositions de référendum sur un projet de loi.

Si le projet de loi est adopté, le délai de l'article 42 paragraphe 1 commence à partir du déroulement du référendum.

3. Dans des circonstances tout à fait exceptionnelles, le Président de la République peut, après avis conforme du président du Gouvernement, adresser des messages au peuple. Les messages sont contresignés par le Premier ministre et publiés au *Journal officiel*.

Article 45

Le Président de la République est le chef des forces armées du pays, dont le commandement est exercé par le Gouvernement, ainsi qu'il est prescrit par la loi. Il confère aussi les grades aux personnes qui y servent, ainsi qu'il est prescrit par la loi.

Article 46

1. Le Président de la République nomme et révoque les fonctionnaires publics conformément à la loi, sauf les exceptions prévues par celle-ci.

2. Le Président de la République décerne les décorations officielles selon les dispositions de la loi relative.

Article 47 (1)

1. Sur proposition du ministre de la Justice et après avis d'un conseil composé en majorité de magistrats, le Président de la République a le droit de faire grâce, de convertir ou de commuer les peines prononcées par les tribunaux, ainsi que de lever les conséquences légales de toute nature des peines prononcées et purgées.

2. Le Président de la République n'a le droit de faire grâce à un ministre condamné selon l'article 86 qu'avec l'assentiment de la Chambre des députés.

3. L'amnistie est accordée uniquement pour des délits politiques, par une loi votée en assemblée plénière de la Chambre des députés à la majorité des trois cinquièmes du nombre total des députés.

4. L'amnistie ne peut être accordée pour des délits de droit commun, même par une loi.

Article 48 (2)

1. En cas de guerre, de mobilisation en raison de dangers extérieurs ou d'une menace imminente pour la sûreté nationale, ainsi que dans le cas où un mouvement armé tendant au renversement du régime démocratique se manifeste, la Chambre des députés, par une résolution prise sur proposition du Gouvernement, met en application, sur l'ensemble ou une partie du territoire, la loi sur l'état de siège, institue des tribunaux d'exception et suspend la vigueur de l'ensemble ou d'une partie des dispositions des articles 5 (paragraphe 4), 6, 8, 9, 11, 12 (paragraphes 1 à 4), 14, 19, 22 (paragraphe 3), 23, 96 (paragraphe 4) et 97. Le Président de la République publie la résolution de la Chambre des députés.

Par cette même résolution de la Chambre est fixée la durée de la vigueur des mesures imposées, qui ne peut excéder quinze jours.

2. En cas d'absence de la Chambre des députés ou d'impossibilité objective de sa convocation à temps, les mesures prévues au paragraphe précédent sont prises par décret présidentiel édicté sur proposition du Conseil des ministres. Le décret est soumis par le Gouvernement pour approbation à la Chambre dès que la convocation de celle-ci devient possible, même si la législature a pris fin ou que la Chambre est dissoute, et en tout cas dans les quinze jours au plus tard.

3. La durée des mesures prévues aux paragraphes précédents ne peut être prolongée que par résolution préalable de la Chambre des députés, et pour quinze jours chaque fois, la Chambre étant convoquée même si elle a été dissoute ou si la législature a pris fin.

4. Les mesures prévues aux paragraphes précédents sont levées de plein droit dès que les délais prévus aux paragraphes 1, 2 et 3 expirent, à moins qu'elles ne soient prorogées par résolution de la Chambre des députés, et en tout état de cause dès la fin de

(1) Le texte du paragraphe 3 est issu de la révision du 12 mars 1986.
(2) La rédaction de l'article 48 est issue en totalité de la révision du 12 mars 1986.

la guerre si elles ont été imposées à cause de celle-ci.

5. Dès l'entrée en vigueur des mesures prévues aux paragraphes précédents, le Président de la République peut, sur proposition du Gouvernement, édicter des actes de contenu législatif pour faire face à des nécessités urgentes ou pour rétablir le plus rapidement possible le fonctionnement des institutions constitutionnelles. Ces actes sont soumis à la Chambre des députés pour ratification dans les quinze jours à compter de leur édiction ou de la convocation de la Chambre en session ; s'ils ne sont pas soumis à la Chambre dans les délais ci-dessus ou s'ils ne sont pas ratifiés par elle dans les quinze jours à partir de leur dépôt, ils deviennent caducs pour l'avenir. La loi sur l'état de siège ne peut être modifiée durant son application.

6. Les résolutions de la Chambre des députés prévues aux paragraphes 2 et 3 sont prises à la majorité du nombre total des députés, tandis que la résolution prévue au paragraphe 1 est prise à la majorité des trois cinquièmes du nombre total des députés. La Chambre statue en une seule séance.

7. Durant toute l'application des mesures de l'état de nécessité prévues par le présent article, les dispositions des articles 61 et 62 de la Constitution demeurent de plein droit en vigueur, même si la Chambre des députés a été dissoute ou que la législature a pris fin.

Chapitre troisième
Responsabilités spéciales du Président de la République

Article 49

1. Le Président de la République n'est aucunement responsable des actes accomplis dans l'exercice de ses fonctions qu'en cas de haute trahison ou de violation délibérée de la Constitution. Pour ce qui est des actes qui n'ont pas de rapport avec l'exercice de ses fonctions, la poursuite pénale est suspendue jusqu'à l'expiration du mandat présidentiel.

2. La proposition de mise en accusation et de traduction en justice du Président de la République est soumise à la Chambre des députés signée par un tiers au moins de ses membres ; elle est adoptée par une résolution prise à la majorité des deux tiers du nombre total de ses membres.

3. Si la proposition est adoptée, le Président de la République est traduit devant la cour de l'article 86, les dispositions sur celle-ci étant en l'occurence appliquées de façon analogue.

4. A partir de sa traduction devant la cour, le Président de la République s'abstient de l'exercice de ses fonctions, étant suppléé selon les dispositions de l'article 34, et il les reprend de nouveau à partir du prononcé du jugement d'acquittement par la cour de l'article 86, à moins que son mandat n'ait expiré.

5. Une loi, votée par la Chambre des députés en assemblée plénière, règle les modalités de l'application des dispositions du présent article.

Article 50

Le Président de la République n'a d'autres compétences que celles que lui attribuent expressément la Constitution et les lois conformes à celle-ci.

Section C
La Chambre des députés

Chapitre premier
Désignation et constitution de la Chambre des députés

Article 51

1. Le nombre des députés est fixé par la loi, sans pouvoir toutefois être inférieur à deux cents ni supérieur à trois cents.

2. Les députés représentent la nation.

3. Les députés sont élus au suffrage direct, universel et secret par les citoyens ayant droit de vote, ainsi qu'il est prescrit par la loi. La loi ne peut restreindre le droit de vote que s'il n'est pas atteint un âge minimum, ou pour des raisons d'incapacité d'exercice ou par l'effet d'une condamnation pénale irrévocable pour certains délits.

4. Les élections législatives ont lieu simultanément sur l'ensemble du territoire.

La loi peut fixer les modalités de l'exercice du droit de vote par les électeurs qui se trouvent en dehors du territoire national.

5. L'exercice du droit de vote est obligatoire. La loi fixe chaque fois les exceptions et les sanctions pénales.

Article 52

La manifestation libre et inaltérée de la volonté populaire, en tant qu'expression de la souveraineté populaire, est garantie par tous les organes de la République, qui sont tenus de l'assurer en toute circonstance. La loi fixe les sanctions pénales contre les contrevenants à cette disposition.

Article 53

1. Les députés sont élus pour quatre ans consécutifs qui commencent le jour des élections générales. A l'expiration de la législature, un décret présidentiel, contresigné par le Conseil des ministres, proclame la tenue d'élections législatives générales dans les trente jours, et la convocation de la nouvelle Chambre des députés en session ordinaire dans les trente jours à compter de ces élections.

2. Un siège de député devenu vacant pendant la dernière année de la législature n'est pas pourvu par une élection partielle, lorsque celle-ci est exigée par la loi, dans la mesure où le nombre des sièges vacants ne dépasse pas le cinquième du nombre total des députés.

3. En cas de guerre, la législature est prolongée pendant toute la durée de celle-ci. Si la Chambre des députés a été dissoute, la tenue des élections législatives est suspendue jusqu'à la fin de la guerre, la Chambre dissoute étant rappelée de plein droit jusqu'à ladite fin.

Article 54

1. Le régime électoral et les circonscriptions électorales sont fixés par la loi.

2. Le nombre de députés de chaque circonscription est fixé par décret présidentiel sur la base de la population légale de la circonscription, telle que cette population résulte du dernier recencement.

3. Une partie de la Chambre des députés, non supérieure au vingtième du nombre total des députés, peut être élue pour l'ensemble du territoire en fonction de la force électorale totale de chaque parti dans le pays et de manière uniforme, ainsi qu'il est prescrit par la loi ([1]).

Chapitre deuxième

Inéligibilités et incompatibilités des députés

Article 55

1. Peut être élu député le citoyen hellène qui possède le droit de vote et a atteint l'âge de vingt-cinq ans révolus au jour des élections.

2. Tout député privé de l'une de ces qualités est déchu de plein droit de son mandat parlementaire.

Article 56

1. Les fonctionnaires publics et les titulaires de fonction publique rémunérés, les officiers des forces armées et des corps de sécurité, les agents des collectivités territoriales ou d'autres personnes morales de droit public, les maires et présidents de commune, les gouverneurs ou les présidents de conseils d'administration de personnes morales de droit public ou d'entreprises publiques ou municipales, les notaires ainsi que les conservateurs des transcriptions et des hypothèques ne peuvent être proclamés candidats ni être élus députés sans avoir démissionné avant leur proclamation comme candidats. La démission est accomplie par sa soumission écrite seule. Le retour au service actif des militaires démissionnaires est exclu ; est également interdit le retour des fonctionnaires civils et des titulaires de fonction publique démissionnaires, avant qu'une année ne soit écoulée depuis leur démission.

2. Les professeurs des établissements d'enseignement supérieur sont exemptés des restrictions du paragraphe précédent. La loi fixe les modalités de leur remplacement, l'exercice des compétences relatives à la qualité de professeur par l'élu étant suspendu durant la législature.

(1) Les députés élus ainsi sont désignés dans la suite du texte sous l'appellation de « députés d'État ».

3. Les fonctionnaires publics rémunérés, les militaires en activité et les officiers des corps de sécurité, les agents de personnes morales de droit public en général, ainsi que les directeurs et les agents des entreprises publiques ou municipales ou des établissements d'utilité publique ne peuvent être proclamés candidats ni être élus députés dans toute circonscription électorale où ils ont exercé leurs fonctions pour plus de trois mois pendant les trois années précédant les élections. Aux mêmes restrictions sont également soumis ceux qui ont été secrétaires généraux des ministères au cours du dernier semestre de la législature quadriennale. Ne sont pas soumis à ces restrictions les candidats à la députation d'État (1) et les fonctionnaires subalternes des services centraux de l'État.

4. Les fonctionnaires civils et militaires en général qui, selon la loi, se sont assujetis à l'obligation de rester en service pendant une période déterminée, ne peuvent être proclamés candidats ni être élus députés durant le temps de leur obligation.

Article 57

1. Le mandat de député est incompatible avec les activités ou la qualité de membre du conseil d'administration, de gouverneur, de directeur général ou de leurs suppléants, ou d'employé de société commerciale ou d'entreprise jouissant de privilèges particuliers ou d'une subvention étatique ou ayant obtenu une concession d'entreprise publique.

2. Les députés tombant sous le coup des dispositions du paragraphe précédent sont tenus de déclarer, dans les huit jours après que leur élection est devenue définitive, leur choix entre le mandat parlementaire et les activités susmentionnées. A défaut d'une telle déclaration faite en temps utile, ils sont déchus de plein droit de leur mandat parlementaire.

3. Les députés qui acceptent l'une quelconque des charges ou des activités mentionnées dans le présent article ou l'article précédent et qualifiées de cas d'inéligibilité ou d'incompatibilité avec le mandat parlementaire, en sont déchus de plein droit.

4. Les députés ne peuvent ni conclure de marchés de fournitures, d'études ou d'exécution de travaux avec l'État, les collectivités territoriales ou autres personnes morales de droit public ou les entreprises publiques ou municipales, ni prendre en location la perception d'impôts de l'État ou locaux, ni louer des immeubles appartenant aux personnes susmentionnées, ni accepter de concessions de toute sorte sur ces immeubles. La violation des dispositions du présent paragraphe entraîne la déchéance du mandat parlementaire et la nullité des actes. Ces actes sont nuls même lorsqu'ils sont accomplis par des sociétés commerciales ou des entreprises dans lesquelles le député remplit les fonctions de directeur ou de conseiller d'administration ou de conseiller juridique, ou auxquelles il participe en tant qu'associé en nom collectif ou commanditaire.

5. Une loi spéciale détermine les modalités de continuation, de cession ou de résiliation des contrats de travaux ou d'études mentionnés au paragraphe 4, conclus par le député avant son élection.

Article 58

La vérification et le contentieux des élections législatives, contre la validité desquelles ont été formés des recours portant soit sur des infractions électorales quant au déroulement soit sur l'absence des qualités requises par la loi, relèvent de la Cour spéciale supérieure de l'article 100.

Chapitre troisième
Devoirs et droits des députés

Article 59

1. Avant de prendre leurs fonctions, les députés prêtent, dans le palais de la Chambre des députés et en séance publique, le serment suivant :

« Je jure au nom de la Trinité sainte, consubstantielle et indivisible d'être fidèle à la patrie et au régime démocratique, d'obéir à la Constitution et aux lois et de remplir consciencieusement mes fonctions ».

2. Les députés hétérodoxes ou appartenant à une autre religion prêtent le

(1) Cf. article 54, paragraphe 3.

même serment selon la formule de leur propre dogme ou religion.

3. Ceux qui sont proclamés députés hors session de la Chambre des députés prêtent serment devant la section de la Chambre en fonction.

Article 60

1. Le droit des députés d'exprimer leur opinion et de voter selon leur conscience est illimité.

2. La démission du mandat parlementaire est un droit du député ; elle est accomplie par la soumission d'une déclaration écrite au président de la Chambre des députés, et est irrévocable.

Article 61

1. Le député n'est ni poursuivi, ni interrogé de quelque manière que ce soit, à l'occasion d'opinion ou de vote émis par lui dans l'exercice de ses fonctions parlementaires.

2. Le député est poursuivi uniquement pour diffamation calomnieuse, selon la loi, et après autorisation de la Chambre des députés. La cour d'appel est compétente pour ce contentieux. L'autorisation est considérée comme définitivement refusée si la Chambre ne se prononce pas à son égard dans les quarante-cinq jours à compter de la réception de la plainte par le président de la Chambre. Si la Chambre refuse d'accorder l'autorisation, ou si le délai susmentionné s'est écoulé sans qu'une résolution ne soit prise, l'acte incriminé est considéré comme ne pouvant plus faire l'objet d'une plainte.

Ce paragraphe n'est applicable qu'à partir de la prochaine législature.

3. Le député n'est pas tenu de témoigner sur des informations reçues ou données par lui dans l'exercice de ses fonctions, ni sur les personnes qui lui ont confié ces informations ou auxquelles lui-même les a données.

Article 62

Durant la législature, aucun député n'est poursuivi, arrêté, emprisonné ou soumis à d'autres contraintes sans l'autorisation de la Chambre des députés. De même, aucun membre de la Chambre dissoute n'est poursuivi pour délits politiques entre la dissolution de la Chambre et la proclamation des députés de la nouvelle Chambre.

L'autorisation est considérée comme refusée si la Chambre des députés ne se prononce pas dans les trois mois à compter de la transmission de la demande de poursuite par le procureur au président de la Chambre.

Le délai de trois mois est suspendu durant les vacances parlementaires.

Aucune autorisation n'est requise en cas de crime flagrant.

Article 63

1. Pour l'exercice de leurs fonctions, les députés ont droit à une indemnité et au remboursement de frais de la part de l'État ; le montant de l'une et de l'autre est fixé par résolution de la Chambre des députés en assemblée plénière.

2. Les députés jouissent d'une franchise postale, téléphonique et de transport, dont l'étendue est fixée par résolution de la Chambre des députés en assemblée plénière.

3. En cas d'absence injustifiée d'un député à plus de cinq séances par mois, est obligatoirement retenu le trentième de son indemnité mensuelle pour chaque séance.

Chapitre quatrième
Organisation et fonctionnement de la Chambre des députés

Article 64

1. Pour ses travaux annuels, la Chambre des députés se réunit de plein droit en session ordinaire le premier lundi du mois d'octobre de chaque année, à moins que le Président de la République ne la convoque plus tôt, conformément à l'article 40.

2. La durée de la session ordinaire ne peut être plus courte que cinq mois, sans compter le temps de suspension prévu à l'article 40.

La session ordinaire se prolonge obligatoirement jusqu'au vote de la loi de finances conformément à l'article 79, ou jusqu'au vote de la loi spéciale prévue par ce même article.

Article 65

1. La Chambre des députés détermine les modalités de son fonctionnement libre et démocratique par un règlement, qui

est voté en assemblée plénière selon l'article 76 et publié au *Journal officiel* sur ordre de son président.

2. La Chambre des députés élit parmi ses membres son président et les autres membres du bureau, selon les dispositions du règlement.

3. Le président et les vice-présidents de la Chambre des députés sont élus au début de chaque législature.

Cette disposition ne s'applique pas au président et aux vice-présidents élus pendant la première session, qui est en cours, de la 5e Chambre des députés révisionnelle.

Sur proposition de cinquante députés, la Chambre des députés peut censurer son président ou un autre membre du bureau, ce qui entraîne la fin de son office.

4. Le président dirige les travaux de la Chambre des députés et veille à ce que leur cours soit assuré sans entraves, que la liberté d'opinion et d'expression des députés soit garantie et que l'ordre soit maintenu, et peut prendre même des mesures disciplinaires contre tout député récalcitrant, selon les dispositions du règlement.

5. Pour assister la Chambre des députés dans son œuvre législative, un service scientifique peut être constitué auprès de celle-ci par le règlement.

6. Le règlement détermine l'organisation des services de la Chambre des députés sous la surveillance du président, ainsi que tout ce qui concerne son personnel. Les actes du président relatifs au recrutement et au statut du personnel de la Chambre sont susceptibles d'un recours de pleine juridiction ou d'un recours pour excès de pouvoir devant le Conseil d'État.

Article 66

1. La Chambre des députés siège publiquement dans son palais ; elle peut, néanmoins, délibérer à huis clos à la demande du Gouvernement ou de quinze députés, s'il en est ainsi décidé en comité secret et à la majorité. Elle décide par la suite si le débat sur le même sujet doit être répété en séance publique.

2. Les ministres et les secrétaires d'État ont entrée libre aux séances de la Chambre des députés, et sont entendus chaque fois qu'ils demandent la parole.

3. La Chambre des députés et les commissions parlementaires peuvent requérir la présence du ministre ou secrétaire d'État compétent pour les sujets sur lesquels elles délibèrent.

Les commissions parlementaires ont le droit de convoquer, par l'intermédiaire du ministre compétent, tout titulaire de fonction publique qu'elles considèrent utile à leur œuvre.

Article 67

La Chambre des députés ne peut décider qu'à la majorité absolue de ses membres présents, laquelle ne peut jamais être inférieure au quart du nombre total des députés.

En cas d'égalité des suffrages, le scrutin est répété, et en cas de nouvelle égalité, la proposition est rejetée.

Article 68

1. Au début de chaque session ordinaire, la Chambre des députés constitue, parmi ses membres, des commissions parlementaires pour l'élaboration et l'examen des projets et des propositions de loi déposés, qu'ils relèvent de la compétence de l'assemblée plénière ou des sections de la Chambre.

2. Par une résolution prise à la majorité des deux cinquièmes de l'ensemble des députés, sur proposition du cinquième du nombre total des députés, la Chambre des députés constitue des commissions d'enquête, formées de ses membres.

Pour la constitution de commissions d'enquête sur des questions relatives à la politique extérieure et à la défense nationale est exigée une résolution de la Chambre des députés prise à la majorité absolue du nombre total des députés. Les modalités de la constitution et du fonctionnement de ces commissions sont fixées par le règlement de la Chambre.

3. Les commissions parlementaires et les commissions d'enquête, ainsi que les sections de la Chambre des députés prévues par les articles 70 et 71, sont constituées proportionnellement à la force parlementaire des partis, des groupes et des députés non-inscrits, ainsi qu'il est prévu par le règlement de la Chambre.

Article 69

Nul ne peut, sans y être invité, se présenter devant la Chambre des députés pour faire une pétition verbale ou écrite. Les pétitions sont présentées par l'intermédiaire d'un député, ou sont remises au président de la Chambre. La Chambre a le droit de renvoyer les pétitions qui lui sont adressées aux ministres et secrétaires d'État, tenus de fournir des éclaircissements chaque fois que ceux-ci leur sont demandés.

Article 70

1. La Chambre des députés exerce son œuvre législative en assemblée plénière.

2. Le règlement de la Chambre des députés prévoit que l'œuvre législative qu'il détermine est aussi exercée en deux sections au maximum, sous les restrictions de l'article 72. La constitution et le fonctionnement des sections sont chaque fois décidés par la Chambre au début de chaque session, et à la majorité absolue du nombre total des députés.

3. Par le règlement de la Chambre des députés est aussi déterminée la répartition, entre les sections, des compétences par ministères.

4. Sauf prévision contraire, les dispositions de la Constitution relatives à la Chambre des députés s'appliquent à son fonctionnement aussi bien en assemblée plénière qu'en sections.

5. La majorité exigée pour la prise des décisions par les sections ne peut être inférieure aux deux cinquièmes du nombre total de leurs membres.

6. Le contrôle parlementaire est exercé par la Chambre des députés en assemblée plénière au moins deux fois par semaine, ainsi qu'il est prévu par le règlement de la Chambre.

Article 71

Dans l'intervalle des sessions, l'œuvre législative de la Chambre des députés, sauf celle qui relève de la compétence de l'assemblée plénière conformément aux dispositions de l'article 72, est exercée par une section composée et fonctionnant ainsi qu'il est prévu par les articles 68, paragraphe 3 et 70.

Le règlement de la Chambre peut prévoir l'élaboration des projets et propositions de loi par une commission parlementaire composée de membres de cette même section.

Article 72

1. En assemblée plénière de la Chambre des députés sont discutés et votés son règlement et les projets et propositions de loi portant sur l'élection des députés, sur les matières visées aux articles 3, 13, 27, 28 et 36 paragraphe 1, sur l'exercice et la protection des libertés publiques, sur le fonctionnement des partis politiques, sur la délégation législative selon l'article 43 paragraphe 4, sur la responsabilité des ministres, sur l'état de siège, sur la liste civile du Président de la République, sur l'interprétation des lois par voie d'autorité selon l'article 77 ainsi que sur toute autre matière relevant de la compétence de l'assemblée plénière selon une prévision spéciale de la Constitution ou nécessitant une majorité qualifiée pour sa réglementation.

Sont également votées en assemblée plénière la loi de finances et la loi de règlement tant de l'État que de la Chambre des députés.

2. La discussion et le vote dans le principe, par article et sur l'ensemble de tout autre projet ou proposition de loi peuvent être déférés à une section de la Chambre des députés, ainsi qu'il est prévu à l'article 70.

3. La section saisie du vote d'un projet ou d'une proposition de loi se prononce à titre définitif sur sa compétence, ayant le droit de renvoyer, par une résolution prise à la majorité absolue du nombre total de ses membres, toute contestation à cet égard à l'assemblée plénière de la Chambre des députés. La décision de l'assemblée plénière de la Chambre lie les sections.

4. Le Gouvernement peut introduire à l'assemblée plénière de la Chambre des députés, au lieu des sections, un projet de loi d'importance majeure, pour discussion et vote.

5. L'assemblée plénière de la Chambre des députés peut demander, par une résolution prise à la majorité absolue du nombre total des députés, qu'un projet ou une proposition de loi pendant devant une section soit discuté et voté dans le principe, par article et sur l'ensemble par elle-même.

Chapitre cinquième
La fonction législative de la Chambre des députés

Article 73

1. Le droit d'initiative des lois appartient à la Chambre des députés et au Gouvernement.

2. Les projets de loi portant, d'une manière quelconque, sur l'allocation d'une pension et ses conditions, sont déposés exclusivement par le ministre des Finances, après avis de la Cour des comptes ; dans le cas de pensions grevant le budget de collectivités territoriales ou d'autres personnes morales de droit public, ils sont déposés par le ministre compétent et le ministre des Finances. Les projets de loi concernant les pensions doivent être spéciaux, l'insertion de dispositions relatives à des pensions dans des lois qui visent la réglementation d'autres matières n'étant pas permise, sous peine de nullité.

3. Aucune proposition de loi, ni amendement ni disposition additionnelle provenant de la Chambre des députés n'est mis en discussion dans la mesure où, afin d'accorder un traitement ou une pension ou un avantage en général en faveur d'une personne, il entraîne, à la charge de l'État, des collectivités territoriales ou d'autres personnes morales de droit public, des dépenses ou une diminution de leurs recettes ou de leur patrimoine.

4. Est, néanmoins, recevable un amendement ou une disposition additionnelle déposé par le chef d'un parti ou le représentant d'un groupe parlementaire, selon les dispositions du paragraphe 3 de l'article 74, à l'occasion de projets de loi portant sur l'organisation des services publics et des organismes d'intérêt public, sur le statut en général des fonctionnaires publics, des militaires et des agents des corps de sécurité, des agents des collectivités territoriales ou d'autres personnes morales de droit public ainsi que d'entreprises publiques en général.

5. Tout projet de loi qui institue des impôts locaux ou spéciaux, ou des charges de toute nature au profit d'organismes ou de personnes morales de droit public ou privé, doit être aussi contresigné par les ministres de la Coordination et des Finances.

Article 74

1. Tout projet et proposition de loi est obligatoirement accompagné d'un exposé des motifs ; avant son introduction devant la Chambre des députés, en assemblée plénière ou en section, il peut être renvoyé, aux fins d'une élaboration du point de vue de la technique juridique, au service scientifique prévu au paragraphe 5 de l'article 65, après l'institution de celui-ci, ainsi qu'il est prévu par le règlement de la Chambre.

2. Les projets et propositions de loi déposés à la Chambre des députés sont renvoyés devant la commission parlementaire compétente. Ils sont introduits devant la Chambre pour discussion trois jours après la soumission du rapport de la commission, ou l'expiration du délai fixé à cet effet sans qu'un rapport ne soit soumis, à moins qu'ils n'aient été qualifiés d'urgents par le ministre compétent. La discussion s'engage après les rapports oraux du ministre compétent et des rapporteurs de la commission.

3. Les amendements des députés sur des projets et propositions de loi relevant de la compétence de l'assemblée plénière ou des sections de la Chambre des députés, ne sont mis en discussion que s'ils ont été déposés jusqu'à la veille même du jour où la discussion s'engage, à moins que le Gouvernement ne consente à leur discussion.

4. Un projet ou une proposition de loi visant à la modification d'une disposition de loi n'est mis en discussion que si le texte entier de la disposition à modifier a été inclus dans l'exposé des motifs, et que toute la disposition nouvelle, telle qu'elle résulte de la modification, est insérée dans le texte du projet ou de la proposition de loi.

5. Un projet ou une proposition de loi contenant des dispositions sans rapport avec son objet principal n'est pas mis en discussion.

Aucune disposition additionnelle et aucun amendement n'est mis en discussion s'il est sans rapport avec l'objet principal du projet ou de la proposition de loi.

En cas de contestation, c'est à la Chambre des députés de trancher.

6. Une fois par mois, et le jour qui sera fixé par le règlement de la Chambre, sont inscrites à l'ordre du jour en priorité et

sont discutées les propositions de loi pendantes.

Article 75

1. Un projet de loi déposé par des ministres et grevant le budget n'est mis en discussion qu'étant accompagné d'un rapport de la Direction générale de la comptabilité publique fixant la dépense ; toute proposition de loi semblable, déposée par des députés, est, avant toute discussion, communiquée à la Direction générale de la comptabilité publique, qui est tenue de soumettre son rapport dans les quinze jours. Ce délai passé sans effet, la proposition de loi est mise en discussion même à défaut de rapport.

2. Il en est de même pour les amendements, lorsque les ministres compétents le demandent. Dans ce cas, la Direction générale de la comptabilité publique est tenue de soumettre à la Chambre des députés son rapport dans les trois jours. C'est seulement à l'expiration sans effet de ce délai que la discussion avance, même à défaut de ce rapport.

3. Un projet de loi qui entraîne une dépense ou une diminution de recettes n'est mis en discussion qu'accompagné d'un rapport spécial sur le mode de leur recouvrement, signé par le ministre compétent et le ministre des Finances.

Article 76

1. Tout projet et toute proposition de loi introduits devant l'assemblée plénière ou les sections de la Chambre des députés sont discutés et votés une seule fois, dans le principe, par article et sur l'ensemble.

2. A titre exceptionnel, et sur demande du tiers du nombre total des députés faite jusqu'à l'ouverture de la discussion dans le principe, des projets et propositions de loi sont discutés et votés en assemblée plénière de la Chambre des députés deux fois et au cours de deux séances différentes, séparées entre elles par un intervalle d'au moins deux jours ; dans ce cas, la discussion et le vote se font dans le principe et par article à la première séance, par article et sur l'ensemble à la seconde.

3. Si, au cours des débats, des amendements ont été adoptés, le vote sur l'ensemble est ajourné de vingt-quatre heures à compter de la distribution du projet ou de la proposition de loi amendé.

4. Un projet ou une proposition de loi qualifié de très urgent par le Gouvernement est mis aux voix après débat restreint auquel participent, outre les rapporteurs respectifs, le Premier ministre ou le ministre compétent, les chefs des partis dans la Chambre des députés et un représentant de chacun d'entre eux. Le règlement de la Chambre peut limiter la durée des discours et le temps du débat.

5. Le Gouvernement peut demander qu'un projet ou une proposition de loi d'importance particulière ou de caractère urgent soit discuté en un nombre limité de séances, non supérieur à trois. La Chambre des députés peut, sur proposition du dixième du nombre total des députés, prolonger la discussion pendant deux séances encore. La durée de chaque discours est fixée par le règlement de la Chambre.

6. L'adoption de codes judiciaires ou administratifs rédigés par des commissions spéciales instituées par des lois spéciales peut se faire en assemblée plénière de la Chambre des députés par une loi particulière ratifiant ces codes sur l'ensemble.

7. De la même manière peut se faire une codification de dispositions existantes par simple classement, ou une remise en vigueur, sur l'ensemble, de lois abrogées, à l'exception des lois fiscales.

8. Un projet ou une proposition de loi repoussé par l'assemblée plénière ou par l'une des sections de la Chambre des députés n'est introduit de nouveau ni au cours de la même session, ni devant la section fonctionnant après la clôture de celle-ci.

Article 77

1. L'interprétation des lois par voie d'autorité appartient à la fonction législative.

2. Une loi qui en réalité n'est pas interprétative n'a d'effets qu'à partir de sa publication.

Chapitre sixième
Imposition et gestion des finances publiques

Article 78

1. Aucun impôt ne peut être établi ni perçu sans une loi formelle déterminant l'assujetti à l'imposition et le revenu, ainsi que l'espèce du patrimoine, les dépenses et les transactions ou les catégories de celles-ci, auxquelles l'impôt se réfère.

2. Aucun impôt ni autre charge financière quelconque ne peut être établi par une loi à effet rétroactif, lequel s'étendrait au-delà de l'année fiscale précédant celle de l'établissement de l'impôt.

3. Exceptionnellement, lorsqu'il s'agit d'imposition ou d'augmentation de taxes à l'importation ou à l'exportation, ou d'un impôt sur la consommation, leur perception est permise à partir du jour où le projet de loi correspondant a été déposé à la Chambre des députés, à condition que la loi soit publiée dans le délai prévu par l'article 42 paragraphe 1, et en tout cas au plus tard dans les dix jours qui suivent la clôture de la session.

4. L'assiette, le taux de l'imposition, les exonérations ou exemptions d'impôts et l'allocation de pensions ne peuvent faire l'objet d'une délégation législative.

Il n'est pas contraire à cette interdiction de déterminer par une loi comment est attestée la participation de l'État et des organismes publics en général à la montée automatique des prix de la propriété immobilière privée adjacente à des travaux publics, lorsque cette montée est exclusivement provoquée par leur exécution.

5. A titre exceptionnel et sur délégation accordée par des lois-cadres, est permis l'établissement de prélèvements de péréquation ou de compensation ou de droits de douanes, ainsi que la prise de mesures économiques dans le cadre des relations internationales du pays avec des organismes économiques, ou de mesures visant à assurer la situation du pays en devises.

Article 79

1. La Chambre des députés vote, au cours de sa session ordinaire annuelle, la loi de finances qui détermine les ressources et les charges de l'État pour l'année qui vient.

2. Toutes les ressources et les charges de l'État doivent être inscrites dans la loi de finances annuelle et dans la loi de règlement.

3. La loi de finances est soumise à la Chambre des députés par le ministre des Finances un mois au moins avant l'ouverture de l'année budgétaire ; elle est votée selon les dispositions du règlement de la Chambre, qui assure le droit d'expression des opinions à toutes les fractions politiques au sein de la Chambre.

4. Si, pour une raison quelconque, l'administration des ressources et des charges sur la base de la loi de finances devient impossible, elle est effectuée en vertu chaque fois d'une loi spéciale.

5. Si, à cause de la fin de la législature, il n'est pas possible de voter la loi de finances ou la loi spéciale prévue au paragraphe précédent, la vigueur de la loi de finances de l'année budgétaire terminée ou arrivant à son terme est prolongée de quatre mois par décret édicté sur proposition du Conseil des ministres.

6. La loi peut instituer la rédaction du budget pour un exercice biennal.

7. La loi de règlement et le bilan général de l'État sont déposés à la Chambre des députés un an au plus tard après la fin de l'année budgétaire ; ils sont examinés par une commission parlementaire spéciale et ratifiés par la Chambre conformément aux dispositions de son règlement.

8. Les programmes de développement économique et social sont approuvés par l'assemblée plénière de la Chambre des députés, ainsi qu'il est prévu par la loi.

Article 80

1. Un traitement, une pension, allocation ou gratification n'est inscrit à la loi de finances de l'État, ni n'est accordé qu'en vertu d'une loi organique ou d'une autre loi spéciale.

2. La loi fixe le régime de frappe ou d'émission de la monnaie.

Section D
Le Gouvernement

Chapitre premier
Constitution et mission du Gouvernement

Article 81

1. Le Gouvernement est constitué par le Conseil des ministres, dont les membres sont le Premier ministre et les ministres. La loi fixe les modalités de la composition et du fonctionnement du Conseil des ministres. Un ou plusieurs ministres peuvent être nommés vice-présidents du Conseil par décret édicté sur proposition du Premier ministre.

La loi détermine le statut des ministres-délégués et des ministres sans portefeuille, des secrétaires d'État, qui peuvent avoir la qualité de membre du Gouvernement, ainsi que celui des secrétaires d'État permanents.

2. Nul ne peut être nommé membre du Gouvernement ou secrétaire d'État s'il ne réunit pas les qualités requises, selon l'article 55, pour les députés.

3. Toute activité professionnelle des membres du Gouvernement, des secrétaires d'État et du président de la Chambre des députés est suspendue durant l'exercice de leurs fonctions.

4. La loi peut établir l'incompatibilité de la fonction de ministre et secrétaire d'État avec d'autres activités.

5. A défaut d'un vice-président, le Premier ministre désigne, lorsque cela est nécessaire, son suppléant intérimaire parmi les ministres.

Article 82

1. Le Gouvernement détermine et dirige la politique générale du pays, conformément aux dispositions de la Constitution et des lois.

2. Le Premier ministre assure l'unité du Gouvernement et dirige son action, ainsi que celle des services publics en général, en vue de l'application de la politique gouvernementale dans le cadre des lois.

Article 83

1. Chaque ministre exerce les compétences fixées par la loi. Les ministres sans portefeuille exercent les compétences qui leur sont confiées par arrêté du Premier ministre.

2. Les secrétaires d'État exercent les compétences qui leur sont confiées par arrêté commun du Premier ministre et du ministre respectif.

Chapitre second
Rapports entre la Chambre des députés et le Gouvernement

Article 84

1. Le Gouvernement doit jouir de la confiance de la Chambre des députés. Dans les quinze jours à compter de la prestation de serment du Premier ministre, le Gouvernement est tenu de demander à la Chambre un vote de confiance ; il peut également en faire autant à tout autre moment. Si, lors de la formation du Gouvernement, les travaux de la Chambre sont interrompus, celle-ci est convoquée dans les quinze jours afin de se prononcer sur la question de confiance.

2. La Chambre des députés peut, par une résolution, retirer sa confiance au Gouvernement ou à l'un des membres de celui-ci. Une motion de censure ne peut être déposée que six mois après le rejet par la Chambre d'une autre motion de censure.

La motion de censure doit être signée par le sixième au moins des députés, et établir clairement les sujets sur lesquels portera le débat.

3. Exceptionnellement, une motion de censure peut être déposée même avant que le semestre soit passé, si elle est signée par la majorité du nombre total des députés.

4. Le débat sur une question de confiance ou une motion de censure commence après un intervalle de deux jours à compter de leur dépôt, à moins que le Gouvernement ne demande, à propos d'une motion de censure, son ouverture immédiate ; ce débat ne peut être prolongé au-delà de trois jours à compter de son ouverture.

5. Le scrutin sur une question de confiance ou une motion de censure a lieu immédiatement après la fin du débat ; il peut

toutefois être reporté de quarante-huit heures, si le Gouvernement le demande.

6. Une question de confiance ne peut être adoptée que si elle est votée par la majorité absolue des députés présents ; il n'est cependant pas permis que cette majorité soit inférieure aux deux cinquièmes du nombre total des députés. Une motion de censure n'est adoptée que si elle est votée par la majorité absolue du nombre total des députés.

7. Les ministres et les secrétaires d'État qui sont membres de la Chambre des députés votent sur les questions et motions ci-dessus.

Article 85

Les membres du Conseil des ministres ainsi que les secrétaires d'État sont collectivement responsables de la politique générale du Gouvernement, et chacun d'entre eux est responsable des actes ou omissions relevant de sa compétence, selon les dispositions des lois sur la responsabilité des ministres. En aucun cas un ordre écrit ou verbal du Président de la République ne peut soustraire les ministres et les secrétaires d'État à leur responsabilité.

Article 86

1. La Chambre des députés a le droit de mettre en accusation ceux qui sont ou ont été membres du Gouvernement et les secrétaires d'État, en vertu des lois sur la responsabilité des ministres, devant une cour *ad hoc* qui, présidée par le président de la Cour de cassation, est constituée de douze magistrats, tirés au sort par le président de la Chambre des députés en séance publique parmi tous les conseillers à la Cour de cassation et tous les présidents des cours d'appel nommés antérieurement à la mise en accusation, ainsi qu'il est prévu par la loi.

2. Aucune poursuite, instruction ou enquête préliminaire contre les personnes mentionnées au paragraphe 1 pour des actes ou omissions commis dans l'exercice de leurs fonctions n'est permise sans une résolution préalable *ad hoc* de la Chambre des députés.

Si, au cours d'une enquête administrative, ont été relevés des éléments susceptibles d'établir la responsabilité d'un membre du Gouvernement ou d'un secrétaire d'État, selon les dispositions de la loi sur la responsabilité des ministres, ceux qui ont mené l'enquête transmettent, après la fin de celle-ci, ces éléments à la Chambre, par l'intermédiaire du procureur compétent.

Seule la Chambre des députés a le droit de suspendre la poursuite pénale.

3. Au cas où la procédure engagée à la suite d'une proposition de mise en accusation d'un ministre ou secrétaire d'État n'a pas été menée à son terme pour une raison quelconque, y compris celle de la prescription, la Chambre des députés peut, à la demande de celui qui avait été accusé, constituer par une résolution une commission spéciale de députés et de hauts magistrats, en vue de l'examen de l'accusation, ainsi qu'il est prévu par le règlement.

Section E
Le pouvoir judiciaire

Chapitre premier
Magistrats et employés du greffe

Article 87

1. La justice est rendue par des tribunaux constitués de magistrats du siège qui jouissent d'une indépendance tant fonctionnelle que personnelle.

2. Dans l'exercice de leurs fonctions, les magistrats sont soumis seulement à la Constitution et aux lois ; ils ne sont en aucun cas obligés de se conformer à des dispositions issues en abolition de la Constitution.

3. L'inspection des magistrats du siège se fait par d'autres magistrats de grade supérieur et par le procureur général et les avocats généraux près la Cour de cassation, tandis que celle des procureurs se fait par des conseillers à la Cour de cassation et par des procureurs de grade supérieur, selon les modalités prévues par la loi.

Article 88

1. Les magistrats sont nommés à vie par décret présidentiel, en vertu d'une loi qui détermine les qualités et la procédure de leur recrutement.

2. La rémunération des magistrats est en proportion de leur fonction. Les modalités de leur avancement de grade et de traitement ainsi que leur statut général sont réglés par des lois spéciales.

3. La loi peut prévoir une période, de trois ans au plus, de formation et d'épreuve des magistrats, avant qu'ils ne soient nommés magistrats du siège. Pendant cette période, ils peuvent exercer même des fonctions de magistrat du siège, ainsi qu'il est prévu par la loi.

4. Les magistrats ne peuvent être révoqués ou licenciés qu'en vertu d'une décision juridictionnelle, pour cause de condamnation pénale ou de faute disciplinaire lourde ou de maladie ou d'infirmité ou d'insuffisance professionnelle, constatées de la façon prévue par la loi, et en observation des dispositions des paragraphes 2 et 3 de l'article 93.

5. Les magistrats jusqu'au grade même de conseiller et d'avocat général près la cour d'appel, ainsi que tous ceux d'un grade équivalent, quittent obligatoirement le service dès qu'ils atteignent l'âge de soixante-cinq ans révolus ; tous les magistrats d'un grade supérieur aux précédents, ainsi que ceux d'un grade équivalent, quittent obligatoirement le service dès qu'ils atteignent l'âge de soixante-sept ans révolus. Pour l'application de cette disposition, le 30 juin de l'année de départ à la retraite du magistrat est considéré, dans tous les cas, comme la date à laquelle est atteinte la limite d'âge susmentionnée.

6. La mutation de cadre des magistrats est interdite. A titre exceptionnel, est permise la mutation de cadre des magistrats du siège en vue de pourvoir aux postes d'avocat général près la Cour de cassation, et ceci jusqu'à la moitié du nombre de ces postes, ainsi qu'entre des magistrats assesseurs auprès des tribunaux de première instance et des assesseurs au parquet, sur la demande des intéressés, ainsi qu'il est prévu par la loi.

7. La présidence des tribunaux ou conseils, spécialement prévus par la Constitution, auxquels participent des membres du Conseil d'État et de la Cour de cassation, est assurée par celui qui, parmi eux, a la plus grande ancienneté à ce grade.

Déclaration interprétative

Selon le vrai sens de l'article 88, est permise la nomination aux postes de conseiller-maître et de conseiller référendaire à la Cour des comptes, selon les modalités prévues par la loi.

Article 89

1. Est interdite aux magistrats la prestation de tout autre service rémunéré, ainsi que l'exercice d'une profession quelconque.

2. A titre exceptionnel, est permise l'élection des magistrats comme membres de l'Académie ou comme professeurs ou agrégés à des écoles d'enseignement supérieur, ainsi que leur participation à des tribunaux administratifs spéciaux et à des conseils ou commissions, excepté les conseils d'administration d'entreprises et de sociétés commerciales.

3. Il est également permis de confier aux magistrats des fonctions administratives exercées soit parallèlement à l'exercice de leurs fonctions principales, soit exclusivement pour un laps de temps déterminé, ainsi qu'il est prévu par la loi.

4. La participation des magistrats au Gouvernement est interdite.

5. La constitution d'union des magistrats est permise, ainsi qu'il est prévu par la loi.

Article 90

1. Les avancements, affectations, déplacements, détachements et mutations de cadre des magistrats s'effectuent par décret présidentiel édicté après décision préalable d'un Conseil supérieur de la magistrature. Ce Conseil est constitué du président du tribunal supérieur de l'ordre juridictionnel respectif et de membres de ce même tribunal désignés par tirage au sort parmi ceux qui ont servi pendant au moins deux ans auprès ce tribunal, ainsi qu'il est prévu par la loi. Au Conseil supérieur de la magistrature civile et pénale participe aussi le procureur général près la Cour de cassation, et à celui de la Cour des comptes le commissaire général du Gouvernement près cette cour.

2. A propos des jugements sur l'avancement aux postes de conseiller d'État, de conseiller à la Cour de cassation, d'avocat général près la Cour de cassation, de président de la cour d'appel, de procureur général près la cour d'appel et de conseiller-maître à la Cour des comptes, la composition du Conseil prévu au paragraphe 1 est

renforcée, ainsi qu'il est prévu par la loi. La disposition de la dernière phrase du paragraphe 1 s'applique en l'occurrence.

3. Si le ministre est en désaccord avec le jugement d'un Conseil supérieur de la magistrature, il peut renvoyer la question jugée devant l'assemblée plénière du tribunal supérieur de l'ordre juridictionnel respectif, ainsi qu'il est prévu par la loi. Le droit de recours à l'assemblée plénière appartient aussi au magistrat omis, dans les conditions prescrites par la loi.

4. Les décisions de l'assemblée plénière sur la question renvoyée devant elle, ainsi que les décisions d'un Conseil supérieur de la magistrature sur lesquelles le ministre n'a pas exprimé son désaccord, sont obligatoires pour celui-ci.

5. Les avancements aux postes de président et de vice-présidents du Conseil d'État, de la Cour de cassation et de la Cour des comptes s'effectuent par décret présidentiel, édicté sur proposition du Conseil des ministres, par sélection parmi les membres du tribunal supérieur respectif, ainsi qu'il est prévu par la loi.

L'avancement au poste de procureur général près la Cour de cassation s'effectue par un décret similaire par sélection parmi les membres de la Cour de cassation et les avocats généraux près celle-ci.

6. Les décisions ou actes pris conformément aux dispositions du présent article ne sont pas susceptibles de recours devant le Conseil d'État.

Article 91

1. Le pouvoir disciplinaire sur les magistrats à partir du grade de conseiller ou d'avocat général près la Cour de cassation, ainsi que sur les magistrats d'un grade équivalent ou supérieur à celui-ci, est exercé par un Conseil disciplinaire supérieur, ainsi qu'il est prévu par la loi.

L'action disciplinaire est intentée par le ministre de la Justice.

2. Le Conseil disciplinaire supérieur est constitué du président du Conseil d'État en tant que président, de deux vice-présidents du Conseil d'État ou conseillers d'État, de deux vice-présidents de la Cour de cassation ou conseillers à la même cour, de deux vice-présidents de la Cour des comptes ou conseillers-maîtres à la même cour ainsi que de deux professeurs ordinaires de matières juridiques aux facultés de droit des universités du pays, en tant que membres. Les membres du Conseil sont désignés par tirage au sort parmi ceux qui sont en service depuis au moins trois ans au tribunal supérieur respectif ou à une faculté de droit ; sont chaque fois exclus de la composition du Conseil les membres qui appartiennent au même tribunal que le membre, avocat général ou commissaire, à propos d'une action duquel le Conseil est appelé à se prononcer. Lorsqu'il y a poursuite disciplinaire contre des membres du Conseil d'État, c'est le président de la Cour de cassation qui préside le Conseil disciplinaire supérieur.

3. Le pouvoir disciplinaire sur les autres magistrats est exercé en premier et en second ressort par des conseils constitués de magistrats du siège désignés par tirage au sort, selon les modalités prévues par la loi. L'action disciplinaire peut être intentée aussi par le ministre de la Justice.

4. Les décisions disciplinaires prises conformément aux dispositions du présent article ne sont pas susceptibles de recours devant le Conseil d'État.

Article 92

1. Les employés du greffe de tous les tribunaux et parquets sont des fonctionnaires qui restent en service tant que leurs emplois existent. Ils ne peuvent être révoqués ou licenciés qu'en vertu d'une décision juridictionnelle pour cause de condamnation pénale ou qu'en vertu d'une décision d'un conseil de magistrats pour cause de faute disciplinaire lourde, de maladie, d'infirmité ou d'insuffisance professionnelle, constatées de la façon prévue par la loi.

2. Les qualités requises pour les employés du greffe de tous les tribunaux et parquets, ainsi que leur statut général sont définis par la loi.

3. Les avancements, affectations, déplacements, détachements et mutations de cadre des employés du greffe sont effectués après avis conforme de conseils de magistrats ; le pouvoir disciplinaire sur eux est exercé par les juges, procureurs ou commissaires, qui sont leurs supérieurs hiérarchiques, ainsi que par des conseils de magistrats, selon les dispositions de la loi.

Les décisions concernant l'avancement, ainsi que les décisions disciplinaires des conseils de magistrats, sont susceptibles dé recours ainsi qu'il est prévu par la loi.

4. Les notaires, les conservateurs des transcriptions et des hypothèques ainsi que les directeurs des bureaux du cadastre restent en service tant que leurs services et postes existent. Les dispositions des paragraphes précédents s'appliquent aussi à leur sujet de façon analogue.

5. Les notaires et les conservateurs des hypothèques et des transcriptions non salariés quittent obligatoirement le service à l'âge de soixante-dix ans révolus, tandis que les autres quittent le service à la limite d'âge fixée par la loi.

Chapitre second
Organisation et juridiction des tribunaux

Article 93

1. Les tribunaux se distinguent en administratifs, civils et pénaux, et sont organisés par des lois spéciales.

2. Les audiences de tous les tribunaux sont publiques, à moins que le tribunal ne juge, par une décision, que la publicité serait préjudiciable aux bonnes mœurs, ou qu'il y a en l'occurrence des raisons particulières pour la protection de la vie privée ou familiale des parties.

3. Toute décision juridictionnelle doit être motivée de manière spéciale et complète ; elle est prononcée en audience publique. L'opinion dissidente est obligatoirement publiée. La loi fixe les modalités de l'insertion de l'opinion dissidente éventuelle dans les procès-verbaux, ainsi que les conditions et les termes de sa publicité.

4. Les tribunaux sont tenus de ne pas appliquer une loi dont le contenu est contraire à la Constitution.

Article 94

1. Le jugement des litiges administratifs de pleine juridiction appartient aux tribunaux administratifs ordinaires qui existent déjà. Ceux des litiges susmentionnés qui n'ont pas encore été soumis à ces tribunaux, doivent l'être obligatoirement dans un délai de cinq ans à compter de l'entrée en vigueur de la présente Constitution, ce délai pouvant être prorogé par une loi.

2. Jusqu'au transfert aux tribunaux administratifs ordinaires de tous les autres litiges administratifs de pleine juridiction, soit dans leur ensemble soit par catégories, ces litiges continuent à ressortir aux tribunaux civils, sauf ceux pour qui des lois spéciales ont déjà institué des tribunaux administratifs spéciaux, devant lesquels les dispositions des paragraphes 2 à 4 de l'article 93 sont observées.

3. Aux tribunaux civils ressortissent tous les litiges du droit privé, ainsi que les affaires de juridiction gracieuse que la loi leur confie.

4. Aux tribunaux civils ou administratifs peut également être confiée toute autre compétence de nature administrative déterminée par la loi.

Déclaration interprétative

Comme tribunaux administratifs ordinaires sont considérés exclusivement les tribunaux fiscaux ordinaires créés par le décret législatif n° 3845/1958.

Article 95

1. De la compétence du Conseil d'État relèvent notamment :

a) L'annulation sur recours des actes exécutoires des autorités administratives, pour excès de pouvoir ou violation de la loi.

b) La cassation sur recours des décisions des tribunaux administratifs rendues en dernier ressort, pour excès de pouvoir ou violation de la loi.

c) Le jugement des litiges administratifs de pleine juridiction qui lui sont soumis en vertu de la Constitution ou des lois.

d) L'élaboration de tous les décrets de caractère réglementaire.

2. Les dispositions de l'article 93, paragraphes 2 et 3 ne sont pas appliquées lors de l'exercice des compétences prévues au cas *d* du paragraphe précédent.

3. Le jugement de certaines catégories d'affaires relevant du contentieux d'annulation du Conseil d'État peut être confié par la loi à des tribunaux administratifs ordinaires d'un autre degré, sous réserve toutefois de la compétence du Conseil d'État pour en juger en dernier ressort.

4. Les compétences du Conseil d'État sont réglementées et exercées ainsi qu'il est plus spécialement prévu par la loi.

5. L'Administration est tenue de se conformer aux arrêts d'annulation du Conseil d'État. La violation de cette obligation engage la responsabilité de tout organe fautif, ainsi qu'il est prévu par la loi.

Article 96

1. Aux tribunaux pénaux ordinaires appartient le châtiment des infractions et la prise de toutes les mesures prévues par les lois pénales.

2. La loi peut :

a) confier à des autorités assumant des fonctions de police le jugement des contraventions de police punies d'amende,

b) confier à des autorités de sécurité rurale le jugement des contraventions rurales et des litiges privés qui en découlent.

Dans les deux cas, les décisions rendues sont susceptibles d'appel, ayant effet suspensif, devant le tribunal ordinaire compétent.

3. Des lois spéciales règlent tout ce qui concerne les tribunaux pour enfants, auxquels il est permis de ne pas appliquer les dispositions des articles 93 paragraphe 2, et 97.

Les décisions de ces tribunaux peuvent être prononcées à huis clos.

4. Des lois spéciales règlent :

a) tout ce qui concerne les tribunaux militaires de terre, de mer et de l'air, devant lesquels les particuliers ne peuvent pas être déférés ;

b) tout ce qui concerne le tribunal des prises.

5. Les tribunaux prévus au cas *a* du paragraphe précédent sont constitués en majorité de membres du corps judiciaire des forces armées, lesquels jouissent des garanties d'indépendance fonctionnelle et personnelle prévues par l'article 87 paragraphe 1 de la présente Constitution. Les dispositions des paragraphes 2 à 4 de l'article 93 s'appliquent aux audiences et décisions de ces tribunaux. Les modalités d'application des dispositions du présent paragraphe, ainsi que le temps de leur entrée en vigueur, sont fixés par la loi.

Article 97

1. Les crimes et les délits politiques sont jugés par des tribunaux mixtes à jury, composés de magistrats du siège et de jurés, ainsi qu'il est prévu par la loi. Les décisions de ces tribunaux sont susceptibles des moyens de recours prévus par la loi.

2. Les crimes et les délits politiques qui, jusqu'à l'entrée en vigueur de la présente Constitution, ont été confiés par des Actes constitutionnels, des résolutions et des lois spéciales à la juridiction des cours d'appel, continuent à être jugés par celles-ci, à moins qu'une loi ne les soumette à la compétence des tribunaux mixtes à jury.

La loi peut soumettre à la juridiction de ces mêmes cours d'appel d'autres crimes aussi.

3. Les délits de presse de tout degré relèvent de la compétence des tribunaux pénaux ordinaires, ainsi qu'il est prévu par la loi.

Article 98

1. De la compétence de la Cour des comptes relèvent notamment :

a) Le contrôle des dépenses de l'État, ainsi que des collectivités territoriales ou des autres personnes morales de droit public qui sont chaque fois placées sous ce contrôle par des lois spéciales.

b) Le rapport présenté à la Chambre des députés sur la loi de règlement et le bilan de l'État.

c) L'avis sur les lois relatives aux pensions ou à la reconnaissance d'un service comme donnant droit à une pension, selon l'article 73 paragraphe 2, ainsi que sur tout autre sujet déterminé par la loi.

d) Le contrôle des comptes des comptables publics, ainsi que des comptes des collectivités territoriales et des personnes morales de droit public mentionnées à l'alinéa *a*.

e) Le jugement des moyens de recours sur des litiges relatifs à l'allocation de pensions ou au contrôle des comptes en général.

f) Le jugement des affaires relatives à la responsabilité des fonctionnaires publics, civils ou militaires, ainsi qu'à celle des employés des collectivités territoriales, pour tout dommage causé intentionnellement ou par faute à l'État ou aux collectivités et personnes morales susmentionnées.

2. Les compétences de la Cour des comptes sont réglementées et exercées ainsi qu'il est prévu par la loi.

Les dispositions de l'article 93 paragraphes 2 et 3, ne s'appliquent pas aux cas des alinéas *a* à *d* du paragraphe précédent.

3. Les arrêts de la Cour des comptes sur les affaires mentionnées au paragraphe 1 ne sont pas susceptibles de contrôle de la part du Conseil d'État.

Article 99

1. Les prises à partie contre des magistrats sont jugées, ainsi qu'il est prévu par la loi, par une Cour spéciale constituée du président du Conseil d'État, en tant que président, ainsi que d'un conseiller d'État, d'un conseiller à la Cour de cassation, d'un conseiller-maître à la Cour des comptes, de deux professeurs ordinaires de matières juridiques aux facultés de droit des universités du pays et de deux avocats parmi les membres du Conseil supérieur disciplinaire de l'Ordre des avocats, comme membres, qui tous sont désignés par tirage au sort.

2. Est exclu de la composition de la Cour spéciale celui de ses membres qui appartient au corps ou à la branche de la justice dont fait partie le magistrat sur l'action ou l'ommission duquel la Cour est appelée à se prononcer. S'il s'agit d'une prise à partie contre un membre du Conseil d'État ou un magistrat des tribunaux administratifs ordinaires, c'est le président de la Cour de cassation qui préside ladite Cour spéciale.

3. Aucune autorisation n'est exigée pour intenter une prise à partie.

Article 100

1. Il est constitué une Cour spéciale supérieure, à laquelle ressortissent :

a) Le jugement des recours prévus à l'article 58.

b) Le contrôle de la validité et des résultats d'un référendum effectué conformément à l'article 44 paragraphe 2.

c) Le jugement sur les incompatibilités ou la déchéance d'un député conformément aux articles 55 paragraphe 2, et 57.

d) Le règlement des conflits d'attributions entre les juridictions et les autorités administratives, ou entre le Conseil d'État et les tribunaux administratifs ordinaires d'une part, et les tribunaux civils et pénaux d'autre part, ou, enfin, entre la Cour des comptes et les autres juridictions.

e) Le règlement des contestations sur l'inconstitutionnalité de fond ou sur le sens des dispositions d'une loi formelle, au cas où le Conseil d'État, la Cour de cassation ou la Cour des comptes ont prononcé des arrêts contradictoires à leur sujet.

f) Le règlement des contestations sur le caractère de règles de droit international comme généralement reconnues, conformément au paragraphe 1 de l'article 28.

2. La Cour mentionnée au paragraphe précédent est constituée des présidents du Conseil d'État, de la Cour de cassation et de la Cour des comptes, ainsi que de quatre conseillers d'État et de quatre conseillers à la Cour de cassation, désignés par tirage au sort tous les deux ans, comme membres. C'est le plus ancien des présidents du Conseil d'État ou de la Cour de cassation qui préside cette Cour.

Dans les cas *d* et *e* du paragraphe précédent, à la composition de la Cour participent aussi deux professeurs ordinaires de matières juridiques aux facultés de droit des universités du pays, désignés par tirage au sort.

3. Une loi spéciale règle l'organisation et le fonctionnement de la Cour, les modalités de désignation, suppléance et assistance de ses membres, ainsi que tout ce qui concerne la procédure suivie devant elle.

4. Les arrêts de la Cour sont irrévocables.

Une disposition de loi déclarée inconstitutionnelle devient caduque à partir de la publication de l'arrêt afférent ou de la date fixée par celui-ci.

Section F
L'Administration

Chapitre premier
Organisation de l'Administration

Article 101

1. L'Administration de l'État est organisée selon le système de la déconcentration.

2. La division administrative du pays s'effectue en considération des conditions géoéconomiques, sociales et de transport.

3. Les organes étatiques déconcentrés ont sur les affaires de leur circonscription une compétence générale de décision ; les services centraux, outre des compétences spéciales, donnent les directives générales, assurent la coordination et exercent le contrôle sur les organes déconcentrés, ainsi qu'il est prévu par la loi.

Article 102

1. L'administration des affaires locales est du ressort des collectivités territoriales, dont les dèmes (1) et les communes constituent le premier degré. Les autres degrés sont déterminés par la loi.

2. Les collectivités territoriales jouissent d'une autonomie administrative. Leurs autorités sont élues au suffrage universel et secret.

3. La loi peut prévoir des syndicats obligatoires ou volontaires de collectivités territoriales en vue de l'exécution de travaux ou de la prestation de services ; ces syndicats sont administrés par des conseils de représentants élus de chaque dème ou commune, pris proportionnellement à la population de ceux-ci.

4. La loi peut prévoir la participation à l'administration des collectivités territoriales de deuxième degré et jusqu'au tiers du nombre total des membres, de représentants élus d'organisations locales professionnelles, scientifiques et culturelles, ainsi que de représentants de l'administration d'État.

5. L'État exerce sur les collectivités territoriales une tutelle qui n'entrave pas leur initiative et leur action libre. Les sanctions disciplinaires de suspension et de destitution des organes élus des collectivités territoriales, excepté les cas entraînant la déchéance de plein droit, ne sont prononcées qu'après avis conforme d'un conseil composé en majorité de magistrats du siège.

6. L'État veille à assurer les ressources nécessaires à l'accomplissement de la mission des collectivités territoriales. La loi règle les modalités de restitution et de répartition entre lesdites collectivités des impôts et droits institués à leur profit et perçus par l'État.

Chapitre deuxième
Le statut des organes de l'Administration

Article 103

1. Les fonctionnaires publics exécutent la volonté de l'État et sont au service du peuple ; ils doivent fidélité à la Constitution et dévouement à la patrie. Les qualités d'aptitude et les modalités de leur nomination sont fixées par la loi.

2. Nul ne peut être nommé fonctionnaire à un emploi organique qui n'a pas été établi par la loi. Une loi spéciale peut prévoir le recrutement par exception de personnel à contrat de droit privé d'une durée déterminée, en vue de satisfaire à des besoins imprévus et urgents.

3. Les emplois organiques de personnel scientifique spécial ou technique ou auxiliaire peuvent être pourvus par du personnel recruté par contrat de droit privé. Une loi fixe les conditions de recrutement ainsi que les garanties plus spéciales dont jouit le personnel recruté.

4. Les fonctionnaires publics qui occupent un emploi organique restent en service tant que cet emploi existe. Ils jouissent d'un avancement de traitement selon les termes de la loi ; à l'exception des cas de départ du service pour cause de limite d'âge ou de révocation en vertu d'une décision juridictionnelle, ils ne peuvent être déplacés sans avis, ni rétrogradés, licenciés ou révoqués sans décision d'un conseil de service

(1) Sont des dèmes les chefs-lieux de département et les villes de plus de 10 000 habitants.

constitué pour les deux tiers au moins de fonctionnaires titulaires.

Les décisions de ces conseils sont susceptibles d'un recours de pleine juridiction devant le Conseil d'État, ainsi qu'il est prévu par la loi.

5. Une loi peut excepter de la garantie d'emploi les fonctionnaires administratifs supérieurs nommés en dehors de la carrière, les personnes directement nommées ambassadeurs, les fonctionnaires de la présidence de la République et des cabinets du Premier ministre, des ministres et des secrétaires d'État.

6. Les dispositions des paragraphes précédents s'appliquent également aux fonctionnaires parlementaires, régis entièrement, quant au reste, par le règlement de la Chambre des députés, ainsi qu'aux agents des collectivités territoriales et des autres personnes morales de droit public.

Article 104

1. Aucun des fonctionnaires mentionnés à l'article précédent ne peut être nommé à un autre emploi dans un service public, une collectivité territoriale ou une autre personne morale de droit public ou une entreprise publique ou un organisme d'utilité publique. A titre exceptionnel, la nomination à un second emploi peut être autorisée en vertu d'une loi spéciale, les dispositions du paragraphe suivant étant observées.

2. Les rémunérations ou appointements supplémentaires de toute nature des fonctionnaires mentionnés à l'article précédent ne peuvent dépasser par mois l'ensemble des rémunérations de leur emploi organique.

3. Aucune autorisation préalable n'est requise pour traduire en justice les fonctionnaires publics ainsi que les agents des collectivités territoriales ou d'autres personnes morales de droit public.

Chapitre troisième
Le régime du Mont Athos

Article 105

1. La presqu'île d'Athos qui, à partir et au-delà de Megali Vigla, constitue le territoire du Mont Athos, est, selon son antique statut privilégié, une partie autoadministrée de l'État hellénique dont la souveraineté y demeure intacte. Du point de vue spirituel, le Mont Athos relève de la juridiction directe du Patriarcat œcuménique. Tous ceux qui y mènent la vie monastique acquièrent la nationalité hellénique dès qu'ils sont admis comme moines ou novices, sans autre formalité.

2. Le Mont Athos est administré, d'après son statut, par ses vingt saints monastères, entre lesquels est répartie toute la presqu'île d'Athos, dont le sol est inaliénable.

L'administration du Mont Athos s'exerce par des représentants des saints monastères, formant la Sainte Communauté. Il n'est pas permis d'apporter une modification quelconque au système administratif ou au nombre des monastères du Mont Athos, non plus qu'à leur ordre hiérarchique et à leurs rapports avec leurs dépendances. L'installation au Mont Athos d'hétérodoxes ou de schismatiques est interdite.

3. La détermination détaillée des régimes athonites et du mode de leur fonctionnement se fait au moyen de la Charte statutaire du Mont Athos que rédigent, certes, et votent les vingt saints monastères avec la participation du représentant de l'État, mais que ratifient tant le Patriarcat œcuménique que la Chambre des députés des Hellènes.

4. La stricte observation des régimes athonites est placée, sur le plan spirituel, sous la haute surveillance du Patriarcat œcuménique, et, sur le plan administratif, sous la tutelle de l'État, auquel en outre appartient exclusivement le maintien de l'ordre et de la sûreté publics.

5. Les pouvoirs susmentionnés de l'État sont exercés par un gouverneur, dont les droits et les devoirs sont déterminés par la loi.

Sont également déterminés par la loi le pouvoir judiciaire exercé par les autorités des monastères et la Sainte Communauté, ainsi que les avantages douaniers et fiscaux du Mont Athos.

Quatrième partie
Dispositions spéciales, finales et transitoires

Section A
Dispositions spéciales

Article 106

1. Dans le but de consolider la paix sociale et de protéger l'intérêt général, l'État planifie et coordonne l'activité économique dans le pays en vue d'assurer le développement économique de tous les secteurs de l'économie nationale. Il prend les mesures nécessaires pour la mise en valeur des sources de richesse nationale provenant de l'atmosphère et des gisements du sous-sol terrestre et maritime, ainsi que pour la promotion du développement régional et en particulier de l'économie des régions montagneuses, insulaires et frontalières.

2. Il n'est pas permis que l'initiative économique privée se développe au détriment de la liberté et de la dignité humaine, ni au préjudice de l'économie nationale.

3. Sous réserve de la protection accordée par l'article 107 en matière de réexportation de capitaux étrangers, la loi peut régler les modalités de rachat d'entreprises ou de participation obligatoire à celles-ci de l'État ou d'autres organismes, dans la mesure où ces entreprises ont acquis un caractère de monopole ou ont une importance vitale pour la mise en valeur des sources de richesse nationale, ou qu'enfin leur but principal est la prestation de services envers le corps social.

4. Le prix du rachat ou la contrepartie pour la participation obligatoire de l'État ou d'autres organismes publics est obligatoirement fixé par voie juridictionnelle ; il doit être complet et correspondre à la valeur de l'entreprise rachetée ou de la participation à celle-ci.

5. Tout actionnaire, associé ou propriétaire d'une entreprise dont le contrôle passe à l'État ou à un organisme contrôlé par celui-ci à la suite d'une participation obligatoire en vertu du paragraphe 3, a le droit de demander le rachat de sa part à l'entreprise, ainsi qu'il est prévu par la loi.

6. La loi peut prévoir les modalités de participation aux dépenses publiques de ceux qui tirent profit de l'exécution des travaux d'utilité publique ou d'une importance plus générale pour le développement économique du pays.

Déclaration interprétative

La valeur due au caractère éventuellement monopolistique d'une entreprise n'est pas comprise dans la valeur mentionnée au paragraphe 4.

Article 107

1. La législation d'avant le 21 avril 1967 sur les capitaux étrangers, qui avait une valeur formelle renforcée, maintient cette valeur et s'applique aussi aux capitaux dorénavant importés.

Ont également la même valeur les dispositions des chapitres A à D de la section A de la loi 27/75 portant sur « l'imposition des navires, l'établissement d'une taxe pour le développement de la marine marchande, l'installation d'entreprises maritimes étrangères et la réglementation de matières connexes ».

2. Une loi unique, promulguée dans les trois mois à partir de l'entrée en vigueur de la présente Constitution, détermine les conditions et la procédure de résiliation ou de révision des contrats ou des actes administratifs d'agrément de toute forme conclus ou édictés du 21 avril 1967 au 23 juillet 1974 en application du décret législatif 2687/1953, autant que ces contrats ou actes portent sur les investissements de capitaux étrangers, excepté ceux concernant l'enregistrement de navires sous pavillon hellénique.

Article 108

L'État veille aux conditions de vie de la diaspora hellénique et au maintien de leurs liens avec la mère patrie. Il veille également à l'instruction et à la promotion sociale et professionnelle des Hellènes qui travaillent en dehors du territoire national.

Article 109

1. La modification du contenu ou des termes d'un testament, d'un codicille ou d'une donation, quant à leurs dispositions en faveur de l'État ou d'un but d'utilité publique, n'est pas permise.

2. A titre exceptionnel, et lorsque, par une décision juridictionnelle, il est confirmé que la volonté du testateur ou du donateur ne peut, pour une raison quelconque, être réalisée en tout ou en majeure partie de son contenu, ou qu'il est possible de mieux satisfaire cette volonté par une modification de l'exploitation du legs ou de la donation, il est permis de procéder à une exploitation ou affectation plus avantageuse de ceux-ci dans le même ou un autre but d'utilité publique dans la région indiquée par le donateur ou le testateur, ou dans une région plus large, ainsi qu'il est prévu par la loi.

Section B
La révision de la Constitution

Article 110

1 Les dispositions de la Constitution peuvent faire l'objet d'une révision, à l'exception de celles qui déterminent la base et la forme du régime politique en tant que République parlementaire, et de celles des articles 2 paragraphe 1, 4 paragraphes 1, 4 et 7, 5 paragraphes 1 et 3, 13 paragraphe 1 et 26.

2. La nécessité de la révision de la Constitution est constatée par une résolution de la Chambre des députés prise, sur proposition d'au moins cinquante députés et à la majorité des trois cinquièmes du nombre total de ses membres, lors de deux scrutins séparés par un intervalle d'au moins un mois. Les dispositions à réviser sont spécifiquement déterminées par cette résolution.

3. La révision ayant été ainsi décidée par la Chambre des députés, la Chambre suivante se prononce, au cours de sa première session, sur les dispositions à réviser à la majorité absolue du nombre total de ses membres.

4. Au cas où une proposition de révision de la Constitution a obtenu la majorité du nombre total des députés, mais non pas celle des trois cinquièmes du même nombre, prévue au paragraphe 2, la Chambre des députés suivante peut, au cours de sa première session, se prononcer sur les dispositions à réviser à la majorité des trois cinquièmes du nombre total de ses membres.

5. Toute révision adoptée des dispositions de la Constitution est publiée au *Journal officiel* dans les dix jours qui suivent son vote par la Chambre des députés, et entre en vigueur par une résolution spéciale de celle-ci.

6. Aucune révision de la Constitution n'est permise avant que cinq ans ne soient écoulés à partir de la fin de la révision précédente.

Section C
Dispositions transitoires

Article 111

1. Toute disposition de loi ou d'acte administratif réglementaire contraire à la Constitution est abrogée dès l'entrée en vigueur de celle-ci.

2. Les Actes constitutionnels édictés à partir du 24 juillet 1974 et jusqu'à la convocation de la 5e Chambre des députés révisionnelle, ainsi que les résolutions adoptées par celle-ci, demeurent en vigueur même en ce qui concerne leurs dispositions contraires à la Constitution, leur modification ou abrogation par une loi étant tout de même permise. A partir de l'entrée en vigueur de la Constitution, la disposition de l'article 8 de l'Acte constitutionnel du 3/3.9.1974 est abrogée quant à l'âge de sortie de service des professeurs des établissements d'enseignement supérieur.

3. Demeurent en vigueur :

a) l'article 2 du décret présidentiel n° 700 du 9/9 octobre 1974 « sur la remise en application partielle des articles 5, 6, 8, 10, 12, 14, 95 et 97 de la Constitution et sur la levée de la loi de l'état de siège » ;

b) le décret législatif n° 167 du 16/16 novembre 1974 « sur l'autorisation du recours à l'appel contre les décisions des tribunaux militaires », leur modification ou abrogation par une loi étant tout de même permise.

4. La résolution du 16/29 avril 1952 demeure en vigueur pendant six mois à partir de l'entrée en vigueur de la présente Constitution. Dans ce délai, il est permis de modifier, compléter ou abroger par une loi les Actes constitutionnels et les résolutions

mentionnés au premier paragraphe de l'article 3 de ladite résolution ; il est encore permis que certains d'entre eux soient maintenus en vigueur, en tout ou en partie, même après la fin de ce délai, à condition que les dispositions modifiées, complétées ou maintenues en vigueur ne puissent être contraires à la présente Constitution.

5. Les Hellènes qui, jusqu'à l'entrée en vigueur de la présente Constitution, ont été privés, de quelque manière que ce soit, de leur nationalité, retrouvent celle-ci à la suite d'un jugement de comités spéciaux constitués de magistrats, ainsi qu'il est prévu par la loi.

6. La disposition de l'article 19 du décret législatif n° 3370/1955 « sur la ratification du code de la nationalité hellénique » demeure en vigueur jusqu'à son abrogation par une loi.

Article 112

1. Lorsque des dispositions de la présente Constitution prévoient expressément que certaines matières ne seront réglées que par la promulgation d'une loi, les lois ou actes administratifs réglementaires en vigueur selon les cas lors de l'entrée en vigueur de la Constitution, excepté ceux qui sont contraires aux dispositions de celle-ci, demeurent en vigueur jusqu'à la promulgation de la loi en cause.

2. Les dispositions des articles 109 paragraphe 2, et 79 paragraphe 8, entrent en application à partir de l'entrée en vigueur de la loi spécialement prévue par chacune d'elles, cette loi étant promulguée jusqu'à la fin de l'année 1976 au plus tard. Jusqu'à l'entrée en vigueur de la loi prévue au paragraphe 2 de l'article 109, la réglementation constitutionnelle et législative existante au moment de l'entrée en vigueur de la Constitution continue à être appliquée.

3. D'après le sens de l'Acte constitutionnel du 5 octobre 1974, qui demeure en vigueur, la suspension de l'exercice de leurs fonctions des professeurs, dès leur élection comme députés, ne s'étend pas, en ce qui concerne la législature en cours, à l'enseignement, à la recherche, au travail d'auteur ou au travail scientifique dans les laboratoires et les salles de travail des facultés respectives ; toutefois, leur participation à l'administration des facultés, à l'élection du personnel enseignant en général ou aux examens des étudiants est exclue.

4. La disposition du paragraphe 3 de l'article 16 concernant la durée de la scolarité obligatoire sera mise en application complète par une loi, dans les cinq ans qui suivent l'entrée en vigueur de la présente Constitution.

Article 113

Le règlement de la Chambre des députés, ainsi que les résolutions qui s'y réfèrent et les lois portant sur le fonctionnement de la Chambre, demeurent en vigueur jusqu'à l'entrée en vigueur du nouveau règlement de la Chambre, sauf s'ils sont contraires aux dispositions de la Constitution.

En ce qui concerne le fonctionnement des sections de la Chambre des députés prévues aux articles 70 et 71 de la Constitution, les dispositions du dernier règlement des travaux de la commission législative spéciale, prévue à l'article 35 de la Constitution du 1er janvier 1952, s'appliquent de façon complémentaire, ainsi qu'il est plus spécialement prévu par l'article 3 de la résolution A du 24.12.1974. Jusqu'à l'entrée en vigueur du nouveau règlement de la Chambre, la commission prévue à l'article 71 de la Constitution est constituée de soixante membres ordinaires et de trente suppléants, choisis par le président de la Chambre parmi tous les partis politiques et groupes parlementaires en proportion de leur force. Sur toute contestation relative aux dispositions qui doivent être appliquées dans un cas déterminé, intervenue jusqu'à la publication du nouveau règlement de la Chambre, se prononce la Chambre en assemblée plénière ou la section de la Chambre au sein de laquelle la question a été soulevée.

Article 114

1. L'élection du premier Président de la République doit être effectuée au plus tard dans les deux mois qui suivent la publication de la Constitution, lors d'une séance spéciale de la Chambre des députés, convoquée par son Président cinq jours au moins auparavant, les dispositions du règlement de la Chambre concernant l'élection de son président étant en l'occurrence appliquées de façon analogue.

Le Président de la République élu assume l'exercice de ses fonctions dès qu'il a prêté serment, et ceci au plus tard dans les cinq jours qui suivent son élection.

La loi prévue à l'article 49 paragraphe 5 sur la réglementation de ce qui regarde la responsabilité du Président de la République doit être obligatoirement promulguée le 31 décembre 1975 au plus tard.

Jusqu'à l'entrée en vigueur de la loi prévue au paragraphe 3 de l'article 33, les matières qui y sont mentionnées sont régies par les dispositions relatives au Président de la République par intérim.

2. A partir de l'entrée en vigueur de la Constitution et jusqu'à ce que le Président de la République élu assume l'exercice de ses fonctions, le Président par intérim exerce les compétences reconnues au Président de la République par la Constitution, avec les restrictions prévues à l'article 2 de la résolution B du 24.12.1974 de la 5e Chambre des députés révisionnelle.

Article 115

1. Jusqu'à la promulgation de la loi prévue à l'article 86 paragraphe 1, s'appliquent les dispositions en vigueur relatives à la poursuite, à l'instruction et au jugement des actes ou ommissions visés aux articles 49 paragraphe 1, et 85.

2. La loi prévue à l'article 100 doit être promulguée au plus tard dans l'année qui suit l'entrée en vigueur de la Constitution. Jusqu'à la promulgation de cette loi et au fonctionnement effectif de la Cour spéciale supérieure instituée par la présente Constitution :

a) Tous les différends sur lesquels portent le paragraphe 2 de l'article 55 et l'article 57 sont tranchés par résolution de la Chambre des députés prise conformément aux dispositions de son règlement relatives aux questions personnelles.

b) Le contrôle de la validité et des résultats du référendum effectué conformément à l'article 44 paragraphe 2, ainsi que le jugement des recours contre la validité et les résultats des élections législatives prévus à l'article 58, est exercé par la Cour spéciale prévue à l'article 73 de la Constitution du 1er janvier 1952 ; en outre, la procédure prévue aux articles 116 et suivants du décret présidentiel no 650/1974 trouve en l'occurrence application.

c) Le règlement des conflits d'attribution mentionnés à l'article 100 paragraphe 1 alinéa *d* relève de la compétence du Tribunal des conflits prévu à l'article 85 de la Constitution du 1er janvier 1952 ; les lois portant sur l'organisation, le fonctionnement et la procédure suivie devant ce tribunal demeurent provisoirement en vigueur.

3. Jusqu'à l'entrée en vigueur de la loi prévue à l'article 99, les prises à partie seront jugées conformément aux dispositions de l'article 110 de la Constitution du 1er janvier 1952, par le tribunal qui y est prévu et suivant la procédure en vigueur au moment de la publication de la présente Constitution.

4. Jusqu'à l'entrée en vigueur de la loi prévue au paragraphe 3 de l'article 87, et jusqu'à ce que les conseils judiciaires et disciplinaires prévus aux articles 90 paragraphes 1 et 2, et 91 soient constitués, les dispositions afférentes qui existent au moment de l'entrée en vigueur de la Constitution demeurent en vigueur. Les lois sur les matières ci-dessus doivent être promulguées au plus tard dans l'année qui suit l'entrée en vigueur de la présente Constitution.

5. Jusqu'à l'entrée en vigueur des lois prévues à l'article 92, demeurent en vigueur les dispositions existantes au moment de l'entrée en vigueur de la présente Constitution. Ces lois doivent être promulguées au plus tard dans l'année qui suit l'entrée en vigueur de la présente Constitution.

6. La loi spéciale prévue à l'article 57 paragraphe 5 doit être promulguée dans les six mois qui suivent l'entrée en vigueur de la Constitution.

Article 116

1. Les dispositions en vigueur qui sont contraires à l'article 4 paragraphe 2, le demeurent jusqu'à leur abrogation par une loi, et jusqu'au 31 décembre 1982 au plus tard.

2. Des dérogations aux prescriptions du paragraphe 2 de l'article 4 ne sont autorisées que pour des justes raisons et dans les cas expressément prévus par la loi.

3. Des arrêtés ministériels réglementaires ainsi que des dispositions de conventions collectives ou de sentences arbitrales portant sur la réglementation de la rémunération du travail contraires aux dispositions de l'article 22 paragraphe 1, demeurent en vigueur jusqu'à leur remplacement, qui doit avoir lieu au plus tard dans les trois ans qui suivent l'entrée en vigueur de la présente Constitution.

Article 117

1. Les lois promulguées jusqu'au 21 avril 1967 en application de l'article 104 de la Constitution du 1er janvier 1952 sont considérées comme non contraires à la présente Constitution et demeurent en vigueur.

2. Par dérogation à l'article 17, sont autorisés la réglementation et la résiliation législatives de baux à colonat partiaire et d'autres charges foncières encore existantes, le rachat par les emphytéotes de la nue-propriété de fonds emphytéotiques, ainsi que l'abolition et la réglementation de rapports de droit réel *sui generis*.

3. Les forêts domaniales et privées et les espaces forestiers qui ont été ou qui seraient détruits par incendie ou dénudés d'une autre manière, ne perdent pas pour cette raison leur caractère acquis avant leur destruction, et sont obligatoirement proclamés espaces à reboiser, leur affectation à tout autre but étant interdite.

4. L'expropriation de forêts ou d'espaces forestiers appartenant à des personnes physiques ou morales de droit privé ou public est exclusivement autorisée au profit de l'État et pour des raisons d'utilité publique, selon les dispositions de l'article 17, leur caractère forestier restant néanmoins inchangeable.

5. Jusqu'à ce que les lois en vigueur sur les expropriations soient adaptées aux dispositions de la présente Constitution, les expropriations qui ont été ou seront déclarées, sont régies par les dispositions en vigueur au moment où cette déclaration intervient.

6. Les paragraphes 3 et 5 de l'article 24 s'appliquent aux zones à urbaniser, reconnues ou réaménagées, à partir de l'entrée en vigueur des lois qui y sont prévues.

Article 118

1. A partir de l'entrée en vigueur de la Constitution, les magistrats de grade de président de cour d'appel ou de procureur général près cette cour, ainsi que tous ceux qui ont un grade équivalent ou supérieur, quittent le service, dans les conditions en vigueur jusqu'à présent, dès qu'ils atteignent l'âge de soixante-dix ans révolus ; cette limite d'âge est réduite, à partir de 1977, d'un an chaque année et cela jusqu'à l'âge de soixante-sept ans.

2. Les magistrats des hautes juridictions qui étaient en dehors du service au moment de l'entrée en vigueur de l'Acte constitutionnel du 4/5 septembre 1974 « sur le rétablissement de l'ordre et du bon fonctionnement dans la Justice », qui ont été frappés d'une dégradation en vertu de cet acte en raison du moment où leur avancement était intervenu, et contre lesquels aucune poursuite disciplinaire n'a été engagée, sont obligatoirement traduits par le ministre compétent devant le Conseil disciplinaire supérieur dans les trois mois qui suivent l'entrée en vigueur de la présente Constitution.

Le Conseil disciplinaire supérieur se prononce sur la question de savoir si les conditions dans lesquelles leur avancement a été effectué ont porté atteinte au prestige et à la situation particulière de la personne qui avait été promue ; il se prononce, encore, à titre définitif, sur la récupération ou non du grade perdu et de tous les droits qui y sont rattachés, l'acquisition rétroactive de la différence en matière de traitement ou de pension étant toutefois exclue.

La décision est obligatoirement rendue dans les trois mois qui suivent le renvoi.

Les parents en vie les plus proches du magistrat dégradé et décédé peuvent exercer tous les droits reconnus aux personnes jugées devant le Conseil disciplinaire supérieur.

3. Jusqu'à la promulgation de la loi prévue à l'article 101 paragraphe 3, les dispositions en vigueur sur la répartition des compétences entre services centraux et extérieurs continuent à être appliquées. Ces dispositions peuvent être modifiées dans le sens du transfert de compétences spéciales des services centraux aux services extérieurs.

Article 119

1. La fin de non-recevoir du recours en annulation opposée d'une manière quelconque aux actes administratifs édictés entre le 21 avril 1967 et le 23 juillet 1974 peut être levée par une loi, que ce recours ait été effectivement intenté ou non, le versement rétroactif de traitement à ceux qui auraient éventuellement eu gain de cause étant toutefois exclu.

2. Les militaires ou les fonctionnaires publics qui, en vertu d'une loi, sont rétablis de plein droit dans les emplois publics qu'ils possédaient, peuvent, s'ils ont déjà acquis la qualité de député, opter, dans un délai de huit jours, entre le mandat parlementaire et l'emploi susmentionné.

Section D
Disposition finale

Article 120

1. La présente Constitution, votée par la 5e Chambre des députés révisionnelle des Hellènes, est signée par le président de celle-ci et publiée au *Journal officiel* par le Président de la République par intérim, au moyen d'un décret contresigné par le Conseil des ministres ; elle entre en vigueur à partir du 11 juin 1975.

2. Le respect de la Constitution et des lois qui y sont conformes, ainsi que le dévouement à la patrie et à la République constituent un devoir fondamental de tous les Hellènes.

3. L'usurpation, de quelque manière que ce soit, de la souveraineté populaire et des pouvoirs qui en découlent est poursuivie dès le rétablissement du pouvoir légitime, à partir duquel commence à courir la prescription de ce crime.

4. L'observation de la Constitution est confiée au patriotisme des Hellènes, qui ont le droit et le devoir de résister par tous les moyens à quiconque entreprendrait son abolition par la violence.

VIII - Irlande

Constitution de la République d'Irlande du 1er juillet 1937 (1)

Préambule

Au nom de la Très Sainte Trinité, dont dérive toute puissance et à qui il faut rapporter, comme à notre but suprême, toutes les actions des hommes et des États, Nous, peuple d'Irlande, reconnaissant avec humilité toutes nos obligations envers notre Divin Seigneur Jésus-Christ, qui a soutenu nos pères pendant des siècles d'épreuves, évoquant avec gratitude leurs luttes héroïques et implacables pour retrouver la juste indépendance de notre nation, et désireux d'assurer le bien commun, dans un esprit de prudence, de justice et de charité, afin de garantir la dignité et la liberté de l'homme, de réaliser un ordre social véritable, de restaurer l'unité du pays et d'établir la concorde avec les autres nations, nous adoptons, promulguons, et nous donnons à nous-même la Constitution ci-après :

La nation

Article premier

La nation irlandaise proclame par la présente Constitution son droit inaliénable, imprescriptible et souverain de choisir la forme de gouvernement qui lui agréera, de déterminer ses rapports avec les autres nations, de développer sa vie politique, économique et culturelle, conformément à son génie propre et à ses traditions.

Article 2

Le territoire national comprend toute l'île d'Irlande, les îles et les eaux territoriales en dépendant.

Article 3

Jusqu'au jour du rétablissement du territoire national et sans préjudice des droits du Parlement et du Gouvernement dont la présente Constitution prévoit la juridiction sur le territoire tout entier, les lois votées par ce Parlement auront l'étendue d'application des lois de l'État libre d'Irlande et des effets extraterritoriaux identiques.

L'État

Article 4

Le nom de l'État est *Eire* ou, en langue anglaise, *Ireland.*

Article 5

L'Irlande est un État souverain, indépendant, démocratique.

Article 6

1. Tous les pouvoirs législatif, exécutif et judiciaire du gouvernement proviennent, sous l'autorité divine, du peuple qui a le droit de désigner les dirigeants de l'État et, en dernier ressort, de décider de toutes questions de la politique

(1) Texte établi d'après la traduction d'Yvonne Marx, *Informations constitutionnelles et parlementaires,* Paris, Union interparlementaire, n° 13, 15 août 1937 ; elle a été légèrement adaptée pour tenir compte de la terminologie constitutionnelle française. Le texte des révisions intervenues depuis 1937 a été traduit pour cette édition par M. Paul Brennan et celui du 11e amendement adopté par référendum le 18 juin 1992, par M. Frédéric Jamain. Le 12e amendement portant sur le droit à l'avortement dans le cas d'une menace pour la vie de la mère a été repoussé lors du référendum du 25 novembre 1992 alors que les 13e et 14e amendements portant également sur l'article 40 ont été adoptés lors de la même consultation (cf. *Les pays d'Europe occidentale,* édition 1993, collection des Études de la Documentation française, pp. 133, 134 et 139) ; le texte présenté ici tient compte de ces amendements ; il est à jour au 1er mars 1994.

nationale, conformément aux exigences du bien commun.

2. Ces pouvoirs de gouvernement ne peuvent être exercés que par le moyen ou sous l'autorité des organes de l'État établis par la présente Constitution.

Article 7

Le drapeau national est tricolore : vert-blanc-orange.

Article 8

1. La langue irlandaise, en tant que langue nationale, est la première langue officielle.

2. La langue anglaise est reconnue comme deuxième langue officielle.

3. Pourtant, l'usage exclusif d'une des deux langues peut être prévu dans un ou plusieurs buts officiels, aussi bien dans l'État tout entier que dans une de ses parties.

Article 9

1. 1° Lors de l'entrée en vigueur de cette Constitution, toute personne qui était citoyen de *Saorstát Eireann* (1) immédiatement avant l'entrée en vigueur de cette Constitution deviendra et sera citoyen d'Irlande.

2° L'acquisition et la perte ultérieures de la nationalité et de la citoyenneté irlandaises seront déterminées conformément à la loi.

3° Nulle personne ne sera exclue de la nationalité et de la citoyenneté irlandaises en raison de son sexe.

2. La fidélité à la nation et le loyalisme envers l'État sont les devoirs politiques fondamentaux de tous les citoyens.

Article 10

1. Toutes les ressources naturelles, y compris l'air et toute forme d'énergie non encore exploitée, se trouvant soumises à la juridiction du Parlement et du Gouvernement qui sont établis par la présente Constitution, toutes les redevances et tous les privilèges qui sont attachés à cette juridiction appartiennent à l'État, sans préjudice des droits de propriété et des intérêts reconnus actuellement par la loi à une personne morale ou juridique.

2. L'ensemble des terres, mines, minéraux et eaux appartenant à *Saorstát Eireann* immédiatement avant l'entrée en vigueur de cette Constitution appartiennent à l'État dans la mesure même où ils appartenaient à *Saorstát Eireann*.

3. La loi peut prévoir la gestion de la propriété qui appartient à l'État, en vertu de cet article et le contrôle de l'aliénation, soit temporaire, soit permanente, de cette propriété.

4. La loi peut aussi prévoir la gestion des terres, mines, minéraux et eaux acquis par l'État après la mise en vigueur de cette Constitution et le contrôle de l'aliénation, soit temporaire, soit permanente, des terres, mines, minéraux et eaux ainsi acquis.

Article 11

Tous les revenus de l'État, quelle que soit leur origine, sans préjudice des exceptions prévues par la loi, forment un fonds et seront affectés aux besoins déterminés et imposés par la loi, et ceci dans la manière qu'elle prévoit, sans préjudice des charges et engagements qu'elle détermine et impose.

Le Président

Article 12

1. Il y aura un Président d'Irlande *(Uachtarán-nah Eireann),* désigné ci-après sous le vocable de Président ; il aura la préséance sur toutes les autres personnes dans l'État ; il exercera les pouvoirs et remplira les fonctions que cette Constitution et la loi confèrent au Président.

2. 1° Le Président sera élu par le suffrage populaire direct.

2° Tout citoyen qui a le droit de prendre part au vote pour l'élection des membres du *Dáil Eireann* (2) a le droit de prendre part au vote pour l'élection du Président.

(1) ou État libre d'Irlande. Issu du traité de décembre 1921 faisant de l'Irlande du Sud un dominion autonome, cet État s'est donné une première Constitution en 1922, remplacée par la présente Constitution qui, ratifiée par le référendum du 1er juillet 1937, proclame le principe de souveraineté de l'État irlandais. La loi n° 22 de 1948 déclare en outre que « l'État sera appelé République d'Irlande ».

(2) L'*Oireachtas* ou Parlement national est composé du *Dáil Eireann*, ou Chambre des représentants et du *Seaned Eireann* ou Sénat.

3° Le vote se fera par bulletin secret et d'après le système de la représentation proportionnelle au moyen d'une seule voix transférable.

3. 1° Le Président d'Irlande remplira sa charge pendant sept ans à dater de son entrée en fonctions, sauf en cas de décès, démission ou destitution avant l'expiration de cette période ou de privation permanente de sa capacité, cette incapacité étant établie à la satisfaction de la Cour suprême se composant d'au moins cinq juges.
2° Une personne qui est ou qui a été Président sera rééligible une fois, mais une fois seulement.
3° L'élection présidentielle ne se fera ni plus tôt ni plus tard que le soixantième jour avant l'expiration des pouvoirs de chaque Président, mais dans le cas de destitution du Président ou de décès — avant ou après l'inauguration de ses fonctions — de démission ou d'incapacité permanente établie de la manière indiquée plus haut, l'élection présidentielle se fera dans les soixante jours qui suivront une de ces éventualités.

4. 1° Tout citoyen ayant atteint sa 35e année est éligible à la présidence.
2° Tout candidat, exception faite des anciens Présidents ou de celui dont les pouvoirs arrivent à expiration, doit être proposé :
i. soit par vingt personnes, au moins, obligatoirement membres en exercice d'une des Chambres de l'*Oireachtas*,
ii. soit par les conseils d'au moins quatre comtés administratifs, y compris les conseils municipaux *(County-boroughs)*, tels qu'ils sont définis par la loi.
3° Aucune personne et aucun conseil ci-dessus dénommé n'auront le droit de désigner plus d'un candidat pour une même élection.
4° Les anciens Présidents et celui dont les pouvoirs viennent à expiration peuvent devenir candidats sur leur propre proposition.
5° Lorsqu'un seul candidat est désigné pour l'élection présidentielle, il ne sera pas nécessaire de procéder à un scrutin pour son élection.

5. Sans préjudice des dispositions contenues dans cet article, les élections présidentielles seront réglées par une loi.

6. 1° Le Président ne sera membre d'aucune des Chambres de l'*Oireachtas*.
2° Si un membre d'une des Chambres de l'*Oireachtas* est élu Président d'Irlande, il est considéré comme ayant démissionné des fonctions qu'il occupait dans cette Chambre.
3° Le Président ne pourra remplir aucune autre fonction, ni occuper un autre emploi rétribué.

7. Le premier Président entrera en fonctions dans le plus bref délai possible après son élection et dans la suite l'entrée en fonctions aura lieu le lendemain de la date d'expiration des pouvoirs de son prédécesseur où dès que possible après cette date ou, en cas de destitution, décès, démission ou privation permanente de capacité de ce dernier, telle qu'elle a été prévue par la section 3 du présent article, dès que possible après l'élection.

8. Le Président entrera en fonctions en faisant et souscrivant publiquement, en présence de membres des deux Chambres de l'*Oireachtas,* de juges de la Cour suprême et de la Haute Cour et d'autres personnages publics, la déclaration suivante :

« En présence du Dieu Tout-Puissant, je promets et je déclare solennellement et sincèrement que je veux maintenir la Constitution d'Irlande et ses lois, que je remplirai fidèlement et consciencieusement mes devoirs conformément à la Constitution et à la loi, et que je consacrerai mes facultés au service et au bien-être du peuple d'Irlande. Que Dieu me dirige et me soutienne ! »

9. Le Président ne peut quitter l'État tant qu'il est en fonctions qu'avec le consentement du Gouvernement.

10. 1° Le Président peut être mis en accusation sous l'inculpation de mauvaise conduite spécifiée.
2° L'accusation sera portée par une des deux Chambres de l'*Oireachtas,* sans préjudice des et conformément aux dispositions contenues dans la présente section.
3° Une proposition faite à l'une des Chambres de l'*Oireachtas* de porter une accusation contre le Président en vertu de la présente section n'aura pas de suite, si elle n'est pas faite, écrite et signée par au moins 30 membres de la Chambre en question.
4° Nulle proposition de ce genre ne sera acceptée par une des Chambres de l'*Oireachtas* sauf sur une résolution de cette Chambre soutenue par au moins deux tiers de la totalité de ses membres.

5° Lorsqu'une accusation a été portée par l'une des Chambres de l'*Oireachtas,* l'autre Chambre examinera l'accusation ou fera le nécessaire pour qu'elle soit examinée.

6° Le Président aura le droit de comparaître et d'être représenté lors de l'examen de l'accusation.

7° Si comme résultat de l'examen, une résolution est prise, appuyée par deux tiers au moins de la totalité des membres de la Chambre de l'*Oireachtas* qui a fait le nécessaire à ce sujet ou examiné l'accusation, déclarant que les charges portées contre le Président ont été maintenues et que la mauvaise conduite, objet de l'accusation, était telle qu'elle le rendait incapable d'exercer ses fonctions, cette résolution aura comme conséquence de suspendre le Président de ses fonctions.

11. 1° Le Président aura sa résidence officielle dans la ville de Dublin ou ses environs.

2° Le Président aura les rémunérations et allocations déterminées par la loi.

3° Les rémunérations et allocations du Président ne seront pas diminuées pendant la durée de ses fonctions.

Article 13

1. 1° Sur la proposition du *Dáil Eireann,* le Président nommera le *Taoiseach,* c'est-à-dire le chef du Gouvernement ou Premier ministre.

2° (1) Sur la proposition du *Taoiseach,* et avec l'approbation préalable du *Dáil Eireann,* le Président nommera les autres membres du Gouvernement.

3° Sur l'avis du *Taoiseach,* le Président acceptera la démission ou prononcera la révocation de tout membre du Gouvernement.

2. 1° Le *Dáil Eireann* sera convoqué et dissous par le Président conformément à l'avis du *Taoiseach.*

2° A sa discrétion absolue, le Président peut refuser de dissoudre le *Dáil Eireann,* sur la demande d'un *Taoiseach* qui n'a plus la majorité dans le *Dáil Eireann.*

3° A tout moment, après une consultation avec le Conseil d'État, le Président peut réunir une assemblée de chacune ou des deux Chambres de l'*Oireachtas.*

3. 1° Chaque projet de loi adopté ou considéré comme étant adopté par les deux Chambres de l'*Oireachtas* devra porter la signature du Président pour devenir loi.

2° Le Président promulguera toute loi votée par l'*Oireachtas.*

4. Le Président est investi par le présent article du commandement suprême des forces de défense.

5. 1° L'exercice du commandement suprême des forces de défense sera réglé par la loi.

2° Tous les officiers brevetés des forces de défense tiendront leur brevet du Président.

6. Le Président est investi par le présent article du droit de grâce et de la puissance de commuer ou de remettre la peine prononcée par tout tribunal exerçant une juridiction criminelle ; mais le pouvoir de commuer ou de remettre, sauf pour les exécutions capitales, peut être conféré par la loi à d'autres autorités.

7. 1° Après consultation du Conseil d'État, le Président peut se mettre en rapport par message ou adresse avec les Chambres de l'*Oireachtas* sur toute matière d'importance nationale ou publique.

2° Après consultation du Conseil d'État, le Président peut adresser un message à la nation à tout instant sur les sujets précités.

3° Toutefois, chaque message ou adresse de ce genre doit avoir reçu l'approbation du Gouvernement.

8. 1° Le Président ne sera responsable, vis-à-vis d'aucune des Chambres de l'*Oireachtas,* ni d'aucune cour, de l'exercice et de l'accomplissement des pouvoirs et fonctions de sa charge ou des actes faits ou envisagés par lui dans l'exercice et l'accomplissement desdits pouvoirs et fonctions.

2° Le comportement du Président peut, toutefois, être soumis à la critique d'une des Chambres de l'*Oireachtas* pour les fins de l'article 12, section 10, de la présente Constitution par tout tribunal, cour, ou corps nommé ou bien désigné par l'une des Chambres de l'*Oireachtas* pour l'examen d'une accusation aux termes de la section 10 dudit article.

9. Les pouvoirs et fonctions conférés au Président par cette Constitution pourront être exercés et accomplis par lui

(1) Traduction établie par Paul Brennan.

seulement sur le conseil du Gouvernement sauf là où il est prévu par la présente Constitution qu'il agira à son entière discrétion ou après consultation du ou en collaboration avec le Conseil d'État, ou sur le conseil, la présentation ou la communication de toute autre personne ou corporation.

10. Sans qu'il puisse être porté préjudice à cette Constitution, des pouvoirs et fonctions additionnels seront conférés, le cas échéant, au Président par la loi.

11. Aucun pouvoir reconnu ou aucune fonction conférée au Président par la loi ne pourra être exercé ou appliqué par lui que conformément à l'avis du Gouvernement.

Article 14

1. Au cas où le Président serait soit absent, soit dans un état d'incapacité temporaire ou dans un état d'incapacité permanente établi selon les dispositions de la section 3 de l'article 12 de la présente Constitution, soit décédé, soit encore démissionnaire ou destitué, ou bien où il manquerait d'exercer et d'appliquer ses pouvoirs et fonctions ou l'un d'eux, à quelque époque que la fonction du Président soit vacante, les pouvoirs et fonctions du Président aux termes de cette Constitution seront exercés et remplis par une commission constituée d'après les dispositions de la section 2 du présent article.

2. 1° La commission se composera des personnes suivantes, à savoir le *Chief Justice* (1), le président du *Dáil Eireann* et le président du *Seanad Eireann.*
2° Le Président de la Haute Cour exercera les fonctions de *Chief Justice* comme membre de la commission dans toute occasion où le poste de *Chief Justice* sera vacant ou bien où celui-ci sera incapable de les exercer.
3° Le vice-président du *Dáil Eireann* exercera les fonctions du président du *Dáil Eireann* comme membre de la commission dans toute occasion où le poste de président du *Dáil Eireann* serait vacant ou bien où ledit président serait incapable de les exercer.
4° Le vice-président du *Seanad Eireann* exercera les fonctions de président du *Seanad Eireann* comme membre de la commission dans toute occasion où le poste de président du *Seanad Eireann* serait vacant ou bien où ledit président serait incapable de les exercer.

3. Les pouvoirs de la commission peuvent être exercés par deux quelconques de ses membres et ils peuvent être exercés malgré une vacance parmi les membres.

4. A la majorité de ses membres le Conseil d'État peut prendre les mesures qui lui sembleront nécessaires pour l'exercice des pouvoirs et pour l'accomplissement des fonctions conférés au Président par la présente Constitution dans toute éventualité non prévue par les dispositions précédentes de cet article.

5. 1° Les dispositions de la présente Constitution relatives à l'exercice et à l'accomplissement par le Président des pouvoirs et fonctions qui lui sont conférés par ladite Constitution seront applicables, sans préjudice des dispositions suivantes de la présente section, à l'exercice et à l'accomplissement desdits pouvoirs et fonctions aux termes de cet article.
2° Au cas où le Président manquerait à appliquer ou à exercer n'importe quel pouvoir ou quelle fonction que, selon ladite Constitution, le Président doit exercer ou appliquer dans un délai spécifié, ledit pouvoir (ou ladite fonction) serait exercé ou appliqué, selon cet article, le plus tôt possible après l'expiration du délai ainsi spécifié.

Le Parlement national

Constitution et pouvoirs

Article 15

1. 1° Le Parlement national sera appelé et connu dans cette Constitution sous le nom d'*Oireachtas,* et c'est sous ce nom qu'il y sera généralement référé.
2° L'*Oireachtas* se composera du Président et de deux Chambres, à savoir une Chambre des représentants qui se nommera *Dáil Eireann* et un Sénat qui se nommera *Seanad Eireann.*

(1) Il s'agit du président de la Cour suprême, voir *infra,* article 34.

3° Les Chambres de l'*Oireachtas* siégeront dans ou près de la ville de Dublin ou en n'importe quel autre lieu qu'elles pourront désigner à tout moment.

2. 1° Le pouvoir exclusif de faire des lois pour l'État est conféré par les présentes à l'*Oireachtas ;* nulle autre autorité législative n'a le droit de faire des lois pour l'État.

2° Toutefois, la loi peut prévoir la création ou la reconnaissance de législations subordonnées ainsi que les pouvoirs et fonctions desdites législations.

3. 1° L'*Oireachtas* peut pourvoir à l'établissement ou à la reconnaissance de conseils fonctionnels ou professionnels (1) représentant certains aspects de la vie sociale et économique du peuple.

2° La loi établissant ou reconnaissant un tel conseil déterminera ses droits, ses pouvoirs et ses obligations ainsi que ses rapports avec l'*Oireachtas* et le Gouvernement.

4. 1° L'*Oireachtas* n'adoptera aucune loi qui, à n'importe quel point de vue, serait contraire à cette Constitution ou à l'une quelconque de ses dispositions.

2° Toute loi adoptée par l'*Oireachtas* et qui, à n'importe quel point de vue, serait contraire à cette Constitution ou à l'une quelconque de ses dispositions, sera nulle, mais seulement dans la mesure où elle y serait contraire.

5. L'*Oireachtas* ne pourra pas déclarer que des actes sont des infractions à la loi, s'ils ne l'étaient pas à la date où ils ont été commis.

6. 1° Le droit d'appeler sous les drapeaux et de maintenir sous les armes les forces militaires ou armées est dévolu exclusivement à l'*Oireachtas*.

2° Nulle force militaire ou armée, autre qu'une force militaire ou armée appelée sous les armes et maintenue sous les drapeaux par l'*Oireachtas,* ne sera appelée ou maintenue dans quelque but que ce soit.

7. L'*Oireachtas* tiendra au moins une session par an.

8. 1° Les séances des deux Chambres de l'*Oireachtas* seront publiques.

2° Toutefois, dans des cas d'extrême urgence, chaque Chambre pourra avoir des séances secrètes avec l'assentiment de deux tiers des membres présents.

9. 1° Chaque Chambre de l'*Oireachtas* élira parmi ses membres son propre président et son vice-président et déterminera leurs pouvoirs et fonctions.

2° La rémunération du président et du vice-président des deux Chambres sera fixée par la loi.

10. Chaque Chambre fixera sa procédure et son règlement intérieur, avec le pouvoir de sanctionner par des pénalités leur violation ; elle aura le pouvoir d'assurer la liberté des débats, la garde des documents officiels et des papiers personnels de ses membres, ainsi que de se garantir et de garantir ses membres contre toute personne qui entraverait un de ses membres dans l'exercice de ses fonctions ou tenterait soit de le molester soit de le corrompre.

11. 1° Toutes les décisions de chaque Chambre, sauf au cas où la Constitution en disposerait autrement, seront prises à la majorité des voix des membres présents et votants, non compris le Président ou le membre présidant la séance.

2° En cas d'égalité de voix, le Président ou le membre présidant la séance votera et aura une voix prépondérante.

3° Le règlement intérieur de chaque Chambre déterminera le nombre des membres dont la présence sera nécessaire pour qu'elle puisse exercer valablement ses pouvoirs.

12. Tout rapport ou publication officiel de l'*Oireachtas* ou de l'une de ses Chambres ainsi que tout discours prononcé dans ces Chambres jouiront de l'immunité, où qu'ils soient publiés.

13. Hors le cas de trahison, telle qu'elle est définie dans la présente Constitution, et de crime ou d'infraction à l'ordre public, les membres de chaque Chambre de l'*Oireachtas* jouiront du privilège de ne pouvoir être arrêtés en se rendant à l'une ou l'autre Chambre, en en revenant, ou dans l'enceinte du Parlement ; ils ne pourront être ni recherchés ni poursuivis en raison de leurs déclarations dans l'une des Chambres, devant aucune autre cour ou autorité que la Chambre elle-même.

14. Nul ne peut être simultanément membre des deux Chambres de l'*Oireach-*

---

(1) « *Functional or vocational* ».

tas ; le siège de tout membre de l'une des Chambres qui serait élu à l'autre Chambre serait immédiatement réputé vacant.

15. L'*Oireachtas* peut prévoir par une loi qu'une indemnité sera payée aux membres de chacune de ses Chambres en rémunération de leurs services comme représentants du peuple et l'*Oireachtas* peut leur accorder diverses facilités en rapport avec leurs fonctions, notamment la gratuité des voyages.

Le *Dáil Eireann*

Article 16 (1)

1. 1° Sont éligibles au *Dáil Eireann* tous les citoyens sans distinction de sexe, âgés de vingt et un ans, qui ne sont atteints d'aucune inhabilité, ni frappés d'aucune incapacité résultant des dispositions de la Constitution ou d'une loi.

2° *i.* Tout citoyen, et
ii. telles autres personnes dans l'État déterminées par la loi, sans distinction de sexe, ayant atteint l'âge de dix-huit ans, n'étant pas disqualifiées en vertu de la loi et répondant aux dispositions de la loi sur l'élection des membres du *Dáil Eireann,*

auront le droit de vote pour une élection des membres du *Dáil Eireann.*

3° Nulle loi ne sera votée déclarant n'importe quel citoyen inhabile à être ou incapable d'être membre du *Dáil Eireann* en raison de son sexe ou disqualifiant n'importe quel citoyen, ou toute autre personne, comme électeur du *Dáil Eireann* pour cette raison.

4° Chaque votant pour les élections du *Dáil Eireann* ne dispose que d'une seule voix ; le vote est secret.

2. 1° Le *Dáil Eireann* se composera de membres représentant les circonscriptions électorales déterminées par la loi.

2° Le nombre des membres sera fixé périodiquement par la loi, mais le nombre total des membres du *Dáil Eireann* ne pourra pas être fixé à moins d'un membre par 30 000 habitants et ne pourra pas être fixé a plus d'un membre par 20 000 habitants.

3° La proportion entre le nombre de membres à élire à tout moment pour une circonscription électorale et la population de cette circonscription, telle qu'elle aura été fixée par le dernier recensement, sera, autant que possible, la même pour tout le pays.

4° L'*Oireachtas* soumettra les circonscriptions électorales à une révision au moins une fois tous les douze ans, en tenant compte des changements dans la répartition de la population, mais ces changements de circonscriptions électorales n'auront pas d'effets sur le *Dáil Eireann* en session à l'époque de la révision.

5° Les membres seront élus d'après le système de la représentation proportionnelle au moyen du simple vote transférable.

6° Aucune loi ne pourra être adoptée, selon laquelle le nombre des membres à élire, pour n'importe quelle circonscription, serait inférieur à 3.

3. 1° Le *Dáil Eireann* sera convoqué et dissous de la manière prévue par la section 2 de l'article 13 de la présente Constitution.

2° Une élection générale des membres du *Dáil Eireann* aura lieu au plus tard trente jours après toute dissolution du *Dáil Eireann.*

4. 1° Autant que possible, le scrutin pour l'élection générale du *Dáil Eireann* se fera le même jour dans le pays tout entier.

2° Le *Dáil Eireann* se rassemblera dans les trente jours à compter de la date du scrutin.

5. Le même *Dáil Eireann* ne continuera pas à siéger plus de sept ans à partir de la date de sa première séance ; la loi peut fixer une période de législature plus courte.

6. La loi peut déterminer que le membre de *Dáil Eireann* qui en est président juste avant la dissolution du *Dáil Eireann* soit considéré, sans qu'il ait été effectivement élu, comme étant élu membre du *Dáil Eireann* à la prochaine élection générale.

7. Sans préjudice des dispositions antérieures de cet article, les élections des membres du *Dáil Eireann,* y compris les vacances qui pourraient se produire, seront réglées par une loi postérieure.

(1) Le 4e amendement du 5 janvier 1973 a abaissé l'âge minimum pour être électeur à 18 ans. Le 5e amendement ratifié par le référendum du 16 juin 1984 a modifié les sous-sections 2 et 3 de la première section en étendant le droit de vote à d'autres catégories de résidents dans l'État que les citoyens irlandais.

Article 17

1. 1° Dans le plus bref délai possible après la présentation au *Dáil Eireann,* conformément à l'article 28 de la présente Constitution, du budget des recettes et des dépenses de l'État pour un an, le *Dáil Eireann* examinera ledit budget.
2° Sauf au cas où des lois spéciales en décideraient autrement, la loi de finances nécessaire pour donner effet aux résolutions financières de l'année sera promulguée dans l'année en cours.

2. Le *Dáil Eireann* ne pourra ni par un vote, ni par une résolution, ni par une loi décider d'affecter des revenus ou d'autres fonds publics à un but qui ne lui aurait pas été recommandé par un message du Gouvernement signé par le *Taoiseach.*

Le *Seanad Eireann*

Article 18

1. Les membres du *Seanad Eireann* seront au nombre de 60, dont 11 seront nommés et 49 élus.

2. Y seront éligibles les mêmes personnes qui sont éligibles au *Dáil Eireann.*

3. Les membres nommés du *Seanad Eireann* le seront avec leur consentement préalable, par le *Taoiseach,* qui est nommé le premier après la convocation du *Dáil Eireann* à la suite de la dissolution, qui est la raison de la nomination desdits membres.

4. (1) 1° Les membres élus du *Seanad Eireann* seront désignés de la manière suivante :
i. trois seront élus par l'université nationale d'Irlande ;
ii. trois seront élus par l'université de Dublin ;
iii. quarante-trois seront élus suivant des listes de candidats constituées comme il est prévu ci-dessous.
2° Peut être prévue par la loi l'élection, selon un système électoral et une manière prévus par la loi, par une ou plusieurs des institutions suivantes, à savoir :
i. les universités dont mention a été faite dans l'alinéa 1 du présent paragraphe.
ii. toute autre institution d'enseignement supérieur dans l'État ;
d'autant de membres du *Seanad Eireann* qu'il sera fixé par la loi en remplacement d'un nombre égal de membres a élire conformément aux paragraphes *i* et *ii* de la première sous-section du présent article.

Un ou plusieurs membres du *Seanad Eireann* peuvent être élus conformément à cet article par un groupement d'établissements ou bien par un établissement unique.
3° Aucune disposition du présent article ne pourra être invoquée afin d'interdire la dissolution, conformément à la loi, d'une des universités mentionnées dans la première sous-section du présent article.

5. Chaque élection des membres élus du *Seanad Eireann* se fera selon le système de la représentation proportionnelle au moyen d'une voix transférable et au scrutin secret par correspondance.

6. Les membres du *Seanad Eireann,* éligibles par les universités, seront élus selon un système électoral et d'une manière prévus par la loi.

7. 1° Avant chaque élection générale des membres du *Seanad Eireann* à élire d'après les listes de candidats, cinq listes de candidats seront dressées de la manière prévue par la loi ; elles contiendront respectivement les noms des personnes possédant la connaissance et l'expérience pratique des intérêts et services suivants, à savoir :
i. langue et culture nationale, littérature, art, éducation et tels intérêts professionnels qui seront définis par une loi en vue de cette liste ;
ii. agriculture et intérêts connexes ; pêcheries ;
iii. travail qu'il soit ou non organisé ;
iv. industrie et commerce, y compris la banque, la finance, la comptabilité et les professions d'ingénieur et d'architecte ;
v. administration publique et services sociaux, y compris les activités sociales volontaires.
2° Onze membres au maximum de chaque liste aux termes de l'article 19 de la présente Constitution, 5 membres de chaque liste au minimum seront élus au *Seanad Eireann.*

8. Les élections générales au *Seanad Eireann* auront lieu au plus tard dans les quatre-vingt-dix jours après la

(1) Les sous-sections 2 et 3 de la présente section ont été ajoutées par le 7e amendement du 3 août 1979.

dissolution du *Dáil Eireann* et la première séance du *Seanad Eireann* après l'élection générale se tiendra un jour à fixer par le Président sur l'avis du *Taoiseach.*

9. Chaque membre du *Seanad Eireann,* à moins qu'il ne décède, qu'il ne démissionne ou ne soit invalidé, devra continuer à siéger jusqu'à la veille des élections générales au *Seanad Eireann* suivant son élection ou sa nomination.

10. 1° Sous réserve des dispositions précédentes de cet article, les élections des membres élus au *Seanad Eireann* seront réglées par la loi.
2° Il sera pourvu aux vacances éventuelles parmi les membres nommés du *Seanad Eireann* au moyen d'une nomination par le *Taoiseach* avec le consentement préalable des personnes ainsi nommées.
3° Il sera pourvu aux vacances éventuelles parmi les membres élus du *Seanad Eireann* de la manière déterminée par la loi.

Article 19

Peut être prévue par la loi l'élection directe par un groupe, une association ou un conseil fonctionnel ou professionnel de membres du *Seanad Eireann* dans un nombre fixé par la loi en remplacement d'un nombre égal de membres éligibles d'après les listes correspondantes de candidats dressées conformément à l'article 18 de la présente Constitution.

Législation

Article 20

1. Les projets de loi émanant du *Dáil Eireann* et adoptés par lui, autres que ceux qui constitueraient un projet de loi d'ordre financier, seront transmis au *Seanad Eireann* qui pourra les amender ; le *Dáil Eireann* examinera à son tour les amendements éventuels.

2. 1° Un projet de loi autre que les projets d'ordre financier pourra émaner du *Seanad Eireann ;* en cas d'adoption, il devra être soumis au *Dáil Eireann.*
2° Le projet soumis par le *Seanad Eireann* devra, en cas d'amendement par le *Dáil Eireann,* être considéré comme un projet émanant du *Dáil Eireann.*

3. Le projet adopté par l'une des deux Chambres et voté par l'autre sera considéré comme voté par les deux Chambres.

Projets de loi d'ordre financier

Article 21

1. 1° Les projets de loi d'ordre financier ne pourront émaner que du *Dáil Eireann.*
2° Chaque projet de loi d'ordre financier adopté par le *Dáil Eireann* sera transmis au *Seanad Eireann* aux fins de recommandation.

2. 1° Tout projet d'ordre financier communiqué au *Seanad Eireann* aux fins de recommandation devra, à l'expiration d'un délai maximum de vingt et un jours après sa communication, être renvoyé au *Dáil Eireann* qui pourra adopter ou rejeter toutes les recommandations du *Seanad Eireann* ou partie d'entre elles.
2° Tout projet de loi de ce genre, qui ne sera pas renvoyé dans les vingt et un jours au *Dáil Eireann* ou qui sera retourné dans le délai prévu avec des recommandations que le *Dáil Eireann* n'accepte pas, sera considéré comme ayant été adopté par les deux Chambres à l'expiration du délai.

Article 22

1. 1° Sera considéré comme projet de loi d'ordre financier tout projet dont toutes les dispositions concerneront l'une des matières ci-après : notamment l'imposition, la suppression, la remise, la modification ou les modalités de la taxation ; l'affectation de deniers publics au paiement des dettes ou à toutes autres opérations d'ordre financier ; la modification et la suppression de telles affectations ; le vote des crédits budgétaires ; l'emploi, la réception, la garde des deniers publics ; la publication et la vérification des comptes les concernant ; l'émission ou la garantie des emprunts ou leur remboursement ; toute matière accessoire ou connexe à l'une de ces matières.
2° Dans cette définition, les mots « taxation », « deniers publics », « emprunts » ne visent pas la taxation, les deniers publics ou les emprunts émanant d'autorités ou d'organismes locaux à des fins d'intérêt local.

2. 1° Il appartiendra au président du *Dáil Eireann* de décider si un projet de loi doit être considéré comme étant d'ordre

financier ; sa décision sera définitive et sans appel, sans préjudice des dispositions suivantes du présent article.
2° Le *Seanad Eireann,* par une résolution adoptée en une séance à laquelle au moins 30 membres sont présents, peut demander au Président d'Irlande de renvoyer la question de savoir si le projet est ou non d'ordre financier à une commission des privilèges.
3° Si le Président d'Irlande, après avoir consulté le Conseil d'État, décide de faire droit à la demande, il devra nommer une commission des privilèges composée en nombre égal de membres du *Dáil Eireann* et du *Seanad Eireann* et un président qui sera un juge de la Cour suprême ; ces nominations seront faites après consultatation du Conseil d'État. Le président de cette commission sera appelé à voter en cas de partage des voix, mais dans ce cas seulement.
4° Le Président d'Irlande devra renvoyer la question à la commission des privilèges ainsi nommée et la commission devra signifier sa décision audit Président dans les vingt et un jours qui suivront l'envoi du projet au *Seanad Eireann.*
5° La décision de la commission sera définitive et sans appel.
6° Si le Président d'Irlande, après avoir consulté le Conseil d'État, décide de ne pas faire droit à la demande du *Seanad Eireann* ou si la commission des privilèges ne signifie pas sa décision dans le délai prévu, celle du président du *Dáil Eireann* sera considérée comme confirmée.

Délai pour l'examen des projets de loi

Article 23

1. Le présent article est applicable à chaque projet de loi adopté par le *Dáil Eireann* et transmis au *Seanad Eireann,* à moins qu'il ne s'agisse d'un projet financier ou d'un projet dont le délai d'examen par le *Seanad Eireann* a été abrégé conformément à l'article 24 de la présente Constitution.
1° Chaque fois qu'un projet de loi auquel s'applique le présent article sera, dans le délai déjà mentionné et fixé à la section suivante, soit rejeté, soit adopté par le *Seanad Eireann* avec des amendements que le *Dáil Eireann* n'accepte pas, ou bien chaque fois qu'il ne sera ni adopté (avec ou sans amendements), ni rejeté par le *Seanad Eireann* dans le délai susmentionné, le projet sera considéré, si le *Dáil Eireann* en décide ainsi dans les cent quatre-vingt jours après l'expiration dudit délai, comme ayant été adopté par les deux Chambres de l'*Oireachtas* au jour de l'adoption de la résolution.
2° Le délai susmentionné comporte quatre-vingt-dix jours à compter du jour où le projet a été, pour la première fois, transmis au *Seanad Eireann* par le *Dáil Eireann* ou de tout autre délai plus long, accepté par les deux Chambres de l'*Oireachtas,* concernant le projet de loi.

2. 1° La section précédente de cet article s'appliquera à tout projet proposé et adopté par le *Seanad Eireann,* amendé par le *Dáil Eireann* et considéré, en conséquence, comme proposé par le *Dáil Eireann.*
2° En vue de cette application, le délai prévu concernant un tel projet devra commencer au jour où le projet a été, pour la première fois, transmis au *Seanad Eireann* après avoir été amendé par le *Dáil Eireann.*

Article 24

1. Si, lors de l'adoption par le *Dáil Eireann* d'un projet autre que ceux qualifiés comme contenant un amendement à la Constitution, le *Taoiseach* certifie par message écrit et adressé au Président d'Irlande et aux présidents des deux Chambres de l'*Oireachtas,* qu'à l'avis du Gouvernement le vote du projet est urgent et indispensable à la conservation de la paix et de la sécurité publiques, ou en raison d'un danger public interne ou international, le délai pour l'examen d'un tel projet par le *Seanad Eireann* sera ramené à un délai qui devra être fixé par la résolution, si le *Dáil Eireann* en décide ainsi d'accord avec le Président d'Irlande, le Conseil d'État ayant été entendu.

2. Dans le cas où le délai d'examen d'un projet de loi par le *Seanad Eireann* a été abrégé conformément au présent article :

a) s'il s'agit d'un projet de loi autre qu'un projet financier qui a été rejeté par le *Seanad Eireann* ou qui a été adopté par celui-ci avec des amendements et des recommandations qui n'ont pas été adoptés par le *Dáil Eireann,* ou encore qui n'a été ni adopté ni rejeté par le *Seanad Eireann,* ou,

b) s'il s'agit d'un projet financier qui a été

renvoyé par le *Seanad Eireann* au *Dáil Eireann* avec des recommandations non acceptées par celui-ci ou qui n'a pas été renvoyé par le *Seanad Eireann* au *Dáil Eireann,*

dans un laps de temps spécifié par la résolution, le projet de loi sera considéré comme ayant été adopté par les deux Chambres de l'*Oireachtas* lorsque cette période de temps arrive à expiration.

3. Lorsqu'un projet, dont le délai d'examen par le *Seanad Eireann* a été abrégé conformément au présent article, sera devenu loi, il restera en vigueur pendant un délai de quatre-vingt-dix jours à compter de la date de sa promulgation et pas davantage, à moins que, avant l'expiration de ce délai, les deux Chambres n'aient accepté que cette loi reste en vigueur plus longtemps et que le délai ainsi prolongé d'un commun accord ait été spécifié par les résolutions des deux Chambres.

Signature et promulgation des lois

Article 25

1. Dès qu'un projet de loi autre que ceux qualifiés comme contenant un amendement à la présente Constitution aura été adopté ou sera considéré comme ayant été adopté par les deux Chambres de l'*Oireachtas,* le *Taoiseach* le présentera au Président d'Irlande aux fins de signature et de promulgation à titre de loi, conformément aux dispositions du présent article.

2. 1° Sauf disposition contraire de la présente Constitution, tout projet de loi ainsi présenté au Président aux fins de signature et de promulgation à titre de loi devra être signé par le Président au plus tôt dans le cinquième jour et au plus tard dans le septième jour après la date à laquelle le projet lui aura été présenté.

2° A la requête du Gouvernement, avec l'accord préalable du *Seanad Eireann,* le Président pourra signer tout projet objet d'une telle requête avant le cinquième jour partant de la date susmentionnée.

3. Tout projet de loi dont le délai d'examen par le *Seanad Eireann* aura été abrégé conformément à l'article 24 de la présente Constitution, devra être signé par le Président le jour où ledit projet lui est présenté aux fins de signature et de promulgation.

4. 1° Tout projet de loi deviendra et restera loi à partir du jour où le projet aura été signé par le Président conformément à la présente Constitution, et entrera en vigueur le même jour, à moins d'intention contraire évidente.

2° Tout projet de loi signé par le Président, conformément à la présente Constitution devra être promulgué à titre de loi par celui-ci au moyen de la publication, dans le *Iris Oifigiúil* (1), d'une notice indiquant que ledit projet est devenu loi.

3° Le texte du projet de loi qui devra être signé par le Président est celui qui aura été adopté, ou qui sera considéré comme ayant été adopté par les deux Chambres de l'*Oireachtas ;* quand un projet est ainsi adopté, ou considéré comme ayant été adopté, dans les deux langues officielles, le Président devra signer le texte irlandais et le texte anglais du projet.

4° Quand le Président signe le texte d'un projet de loi en une seule des langues officielles, une traduction officielle sera faite dans l'autre langue.

5° Dans le plus bref délai possible, après la signature et la promulgation, le texte ou, si le Président a signé ladite loi dans chacune des langues officielles, les deux textes signés, devront être enregistrés au greffe de la Cour suprême, et le texte, ou les deux textes ainsi enregistrés, serviront de preuve de l'authenticité des dispositions de la loi.

6° Dans le cas de contradiction entre le texte irlandais et le texte anglais d'une loi enregistrée dans les deux langues officielles, le texte irlandais fera foi.

5. 1° Périodiquement, et quand cela lui paraîtra nécessaire, le *Taoiseach* fera établir une rédaction nouvelle du texte en vigueur (en irlandais et en anglais) de la présente Constitution, en y incorporant tous les amendements qui auront été votés.

2° Un exemplaire de chaque texte ainsi préparé, sera authentifié par les signatures du *Taoiseach* et du *Chief Justice* (2) ; il sera

(1) *Journal officiel.*
(2) Il s'agit du président de la Cour suprême, cf. *infra,* article 34.

signé par le Président et devra être enregistré au greffe de la Cour suprême.
3° L'exemplaire, ainsi signé et enregistré, sera, suivant son enregistrement, la preuve décisive de cette Constitution, à la date d'un tel enregistrement ; il aura force probante et exécutoire, à l'exclusion de tous les textes de cette Constitution, dont, des exemplaires auront été enregistrés précédemment.
4° En cas d'un conflit entre les textes de n'importe quel exemplaire de cette Constitution enregistré aux termes de cette section, le texte irlandais fera foi.

Renvoi des projets de loi devant la Cour suprême

Article 26

Cet article est applicable à tout projet de loi adopté ou considéré comme étant adopté par les deux Chambres de l'*Oireachtas,* à moins qu'il ne s'agisse d'un projet financier ou d'un projet qualifié comme contenant un amendement à la Constitution ou d'un projet dont le délai d'examen par le *Seanad Eireann* aura été abrégé conformément à l'article 24 de la présente Constitution.

1. 1° Le Président d'Irlande pourra, après avoir consulté le Conseil d'État, renvoyer tout projet auquel cet article est applicable devant la Cour suprême afin qu'elle décide si ledit projet ou une ou plusieurs de ses dispositions spécifiées sont contraires à la présente Constitution ou à quelqu'une de ses dispositions.
2° Tout renvoi doit être fait au plus tard le septième jour à compter de la date à laquelle ledit projet aura été présenté par le *Taoiseach* au Président pour sa signature.
3° Le Président ne devra pas signer un projet qui aura fait l'objet d'un renvoi à la Cour suprême conformément au présent article, tant que la Cour n'aura pas pris sa décision.

2. 1° La Cour suprême, composée d'au moins cinq juges, devra examiner chaque question qui lui a été soumise par le Président, conformément au présent article, aux fins d'une décision, ayant entendu les arguments présentés par l'*Attorney General* (1) lui-même ou en son nom ou par le défenseur désigné par la Cour. Elle devra statuer publiquement et aussitôt que possible sur la question et en tout cas au plus tard soixante jours à compter de la date d'un tel renvoi.
2° La décision prise à la majorité des juges de la Cour suprême sera, dans le cas du présent article, considérée comme la décision de la Cour, et sera prononcée par un des juges selon l'ordonnance de la Cour, et nulle autre opinion, ou concordante ou dissidente, ne pourra être prononcée ; l'existence d'une telle autre opinion ne pourra pas être énoncée.

3. 1° Dans tous les cas où la Cour suprême décide qu'une disposition d'un projet renvoyé à la Cour suprême aux termes du présent article est contraire à la Constitution ou à une de ses dispositions, le Président refusera de signer un tel projet.
2° Si dans le cas d'un projet auquel l'article 27 de cette Constitution est applicable, une pétition a été adressée au Président conformément audit article, cet article devra être appliqué.
3° Dans tous les autres cas, le Président signera le projet aussitôt que possible après la date à laquelle la Cour suprême aura pris sa décision.

Renvoi des projets de loi devant le peuple

Article 27

Le présent article est applicable à tout projet de loi, à moins qu'il ne s'agisse d'un projet qualifié comme contenant un amendement à la présente Constitution, lequel projet aura été, en vertu de l'article 23, considéré comme adopté par les deux Chambres de l'*Oireachtas.*

1. La majorité des membres du *Seanad Eireann* et un tiers au moins des membres du *Dáil Eireann* peuvent, par une pétition commune, adressée au Président d'Irlande dans les conditions du présent article, demander au Président de refuser de signer et de promulguer à titre de loi tout projet de loi auquel cet article est applicable, par suite du fait que le projet de loi contient une proposition d'une importance nationale

(1) Procureur général, cf. *infra,* article 30.

telle que la volonté du peuple à son sujet devrait être consultée.

2. Toute pétition de ce genre sera écrite et signée par les pétitionnaires dont les signatures seront vérifiées selon les modalités fixées par la loi.

3. Toute pétition de ce genre contiendra un exposé de la raison, ou des raisons spéciales, sur lesquelles la requête se fonde et elle sera présentée au Président au plus tard quatre jours après la date à laquelle le projet de loi est considéré comme adopté par les deux Chambres de l'*Oireachtas*.

4. 1° Dès la réception d'une pétition qui lui est adressée selon le présent article, le Président l'examinera, et aussitôt après consultation du Conseil d'État, il fera connaître sa décision au plus tard dix jours après la date à laquelle le projet de loi en question est considéré comme adopté par les deux Chambres de l'*Oireachtas*.

2° Si le projet de loi, ou une de ses dispositions, est renvoyé devant la Cour suprême aux termes de l'article 26 de cette Constitution, le Président ne sera pas obligé de l'examiner, tant que la Cour suprême n'aura pas statué sur un tel renvoi par un arrêt déclarant que ledit projet de loi ou ladite disposition n'est pas contraire à la Constitution ou à une de ses dispositions ; si la Cour suprême décide ainsi, le Président ne sera point obligé de faire connaître sa décision sur la pétition avant l'expiration d'un délai de six jours à partir du jour auquel la Cour suprême a pris la décision susmentionnée.

5. 1° Toutes les fois que le Président décidera qu'un projet de loi, qui est l'objet d'une pétition aux termes du présent article, contient une proposition d'importance nationale telle qu'il faudrait consulter la volonté du peuple à son égard, il le fera savoir au *Taoiseach* et aux présidents des deux Chambres de l'*Oireachtas* par une communication écrite de sa main et revêtue de son sceau, et il refusera de signer et de promulguer un tel projet à titre de loi, à moins et avant que la proposition n'ait été approuvée, soit :

i. par le peuple en un référendum fait en conformité avec les dispositions de la section 2 de l'article 47 de cette Constitution dans un délai de dix-huit mois à partir de la date de la décision du Président ;

ii. soit par une résolution du *Dáil Eireann* adoptée dans ladite période après dissolution et nouvelle réunion du *Dáil Eireann*.

2° Quand une proposition comprise dans un projet de loi, qui est l'objet d'une pétition aux termes du présent article, aura été approuvée soit par le peuple, soit par une résolution du *Dáil Eireann* selon les dispositions susmentionnées, ledit projet sera présenté le plus tôt possible au Président aux fins de signature et de promulgation à titre de loi ; le Président signera le projet et le promulguera dûment à titre de loi.

6. Toutes les fois que le Président d'Irlande décidera qu'un projet de loi qui est l'objet d'une pétition aux termes de cet article ne contient aucune proposition d'importance nationale telle que la volonté du peuple devrait être consultée à son égard, il en informera par une communication écrite de sa main et revêtue de son sceau le *Taoiseach* et le président de chaque Chambre de l'*Oireachtas ;* un tel projet sera signé par le Président d'Irlande au plus tard dans les onze jours après la date à laquelle le projet aura été considéré comme ayant été adopté par les deux Chambres de l'*Oireachtas* et il sera dûment promulgué par lui à titre de loi.

Le Gouvernement

Article 28 (1)

1. Le Gouvernement se composera d'au moins sept et d'au plus quinze membres qui seront nommés par le Président d'Irlande selon les dispositions de la présente Constitution.

2. Le pouvoir exécutif de l'État, sans préjudice des dispositions de cette Constitution, sera exercé par le Gouvernement ou sous son autorité.

3. 1° Aucune guerre ne sera déclarée et l'État ne participera à aucune guerre sauf avec l'assentiment du *Dáil Eireann*.

(1) Révisé par le 1er amendement du 2 septembre 1939 et le second amendement du 30 mai 1941 qui précisent tout deux la définition du « temps de guerre ».

2° Toutefois, dans le cas d'une invasion effective, le Gouvernement pourra prendre toute mesure qu'il jugera nécessaire pour la protection de l'État, et le *Dáil Eireann,* s'il ne siège pas, sera convoqué pour la première date possible.

3° Aucune disposition de cette Constitution ne pourra être invoquée pour annuler une loi adoptée par l'*Oireachtas* et qualifiée comme servant à assurer la sécurité publique et la préservation de l'État en temps de guerre ou de rébellion armée, ou pour annuler n'importe quel acte fait, ou censé être fait en temps de guerre ou de rébellion armée pour l'exécution d'une telle loi. Dans la présente sous-section, le terme « temps de guerre » s'entend d'une période de conflit armé dans lequel l'État n'est pas belligérant, mais à propos duquel chaque Chambre de l'*Oireachtas* aura décidé qu'il existe une période critique nationale à l'égard des intérêts vitaux de l'État ; le terme « temps de guerre ou de rébellion armée » comprend telle période qui puisse avoir lieu après la fin de n'importe quelle guerre ou de n'importe quel conflit armé susmentionné ou d'une rébellion armée, jusqu'au moment où chaque Chambre de l'*Oireachtas* aura décidé que la période critique nationale occasionnée par ladite guerre, ou ledit conflit ou ladite rébellion armée n'existe plus.

4. 1° Le Gouvernement sera responsable devant le *Dáil Eireann.*

2° Le Gouvernement se réunira et agira en tant qu'autorité collective et sera collectivement responsable des départements ministériels [1] administrés par les membres du Gouvernement.

3° Le Gouvernement préparera un budget des recettes et des dépenses de l'État pour chaque exercice et le présentera au *Dáil Eireann* aux fins d'examen.

5. 1° Le chef du Gouvernement, ou Premier ministre sera appelé, et est nommé dans cette Constitution, le *Taoiseach.*

2° Le *Taoiseach* tiendra le Président d'Irlande au courant d'une manière générale des affaires de politique interne et internationale.

6. 1° Le *Taoiseach* nommera un *Tánaiste* parmi les membres du Gouvernement.

2° Le *Tánaiste* agira dans toutes les affaires à la place du *Taoiseach* au cas de mort ou d'incapacité permanente du *Taoiseach,* jusqu'à la nomination d'un nouveau *Taoiseach.*

3° Le *Tánaiste* agira aussi à la place du *Taoiseach* pendant son absence temporaire.

7. 1° Le *Taoiseach,* le *Tánaiste* et le membre du Gouvernement chargé du département des Finances doivent être membres du *Dáil Eireann.*

2° Les autres membres du Gouvernement doivent être membres du *Dáil Eireann* ou du *Seanad Eireann ;* mais il ne peut y avoir dans le Gouvernement plus de deux membres du *Seanad Eireann.*

8. Tout membre du Gouvernement aura le droit d'être présent et d'être entendu dans chaque Chambre de l'*Oireachtas.*

9. 1° Le *Taoiseach* peut démissionner à tout moment en remettant sa démission entre les mains du Président d'Irlande.

2° Tout autre membre du Gouvernement peut démissionner en remettant sa démission entre les mains du *Taoiseach* pour être soumise au Président d'Irlande.

3° Le Président devra accepter la démission de tout membre du Gouvernement autre que le *Taoiseach,* si le *Taoiseach* lui en donne le conseil.

4° A tout moment, pour des raisons lui paraissant suffisantes, le *Taoiseach* peut demander la démission d'un membre du Gouvernement ; si le membre en question ne satisfait pas à sa demande, sa nomination sera révoquée par le Président sur avis conforme du *Taoiseach.*

10. Le *Taoiseach* démissionnera, s'il cesse d'avoir l'appui de la majorité du *Dáil Eireann,* à moins que, sur son conseil, le Président ne dissolve le *Dáil Eireann* et qu'à la suite de la nouvelle réunion après dissolution il n'obtienne l'appui de la majorité du *Dáil Eireann.*

11. 1° Si, à n'importe quel moment, le *Taoiseach* démissionne, les autres membres du Gouvernement sont considérés comme ayant démissionné aussi, mais le *Taoiseach* et les autres membres du Gouvernement continuent à exercer leurs fonctions jusqu'à ce que leurs successeurs soient nommés.

---

(1) « *Departments of State* ».

2° Les membres du Gouvernement en fonction à la date de la dissolution du *Dáil Eireann* continueront d'exercer leurs fonctions jusqu'à ce que leurs successeurs soient nommés.

12. Les matières suivantes seront réglées par une loi postérieure, à savoir l'organisation et la distribution des affaires entre les départements ministériels, la désignation des membres du Gouvernement comme ministres chargés desdits départements, la manière de remplacer un membre du Gouvernement pendant son absence ou son incapacité temporaire, et la rémunération des membres du Gouvernement.

Relations internationales

Article 29

1. L'Irlande affirme sa fidélité à l'idéal de paix et de coopération amicale des nations fondée sur la moralité et la justice internationales.

2. L'Irlande affirme son adhésion au principe de la solution pacifique des conflits internationaux par l'arbitrage ou les décisions de justice internationale.

3. L'Irlande accepte les principes de droit international généralement reconnus comme règles de conduite dans ses rapports avec les autres États.

4. 1° Le pouvoir exécutif de l'État pour ses relations extérieures ou pour les affaires connexes sera exercé, selon l'article 28 de cette Constitution, par le Gouvernement ou sous son autorité.

2° Le Gouvernement de l'État peut, pour assurer ses fonctions exécutives dans les relations internationales et les affaires connexes, dans la mesure où les dispositions législatives le lui permettent, utiliser ou adopter les organes, les instruments ou les méthodes de procédure utilisés ou adoptés aux mêmes fins par les membres de n'importe quel groupe ou ligue de nations avec lesquels l'État s'associe, dans un but de coopération internationale, pour les affaires d'intérêt commun.

3° (1) L'État peut devenir membre de la Communauté européenne du charbon et de l'acier (établie par le traité de Paris, signé le 18 avril 1951), de la Communauté économique européenne (établie par le traité de Rome, signé le 25 mars 1957) et de la Communauté européenne de l'énergie atomique (établie par le traité de Rome, signé le 25 mars 1957).
L'État peut ratifier l'Acte unique européen (signé au nom des États membres des Communautés à Luxembourg le 17 février 1986 et à la Haye le 28 février 1986).

4° (2) L'État peut ratifier le Traité d'Union européenne signé à Maastricht le 7 février 1992, et peut devenir membre de cette Union.

5° Aucune disposition de la présente Constitution n'annule des lois promulguées, des actes accomplis, ou des mesures adoptées par l'État et qui sont rendus nécessaires par les obligations découlant de l'adhésion à l'Union européenne ou aux Communautés ou n'empêche que des lois promulguées, des actes accomplis ou des mesures adoptées par l'Union européenne ou par les Communautés, ou par des institutions de ces dernières, ou par des organes compétents en vertu des traités instaurant les Communautés, aient force de loi dans l'État.

6° L'État peut ratifier l'accord relatif à la propriété industrielle communautaire conclu entre les États membres des Communautés et fait à Luxembourg le 15 décembre 1989.

5. 1° Tous les pactes internationaux auxquels l'État adhérera seront soumis au *Dáil Eireann*.

2° L'État ne sera pas lié par une convention internationale impliquant une charge pour les fonds publics, à moins que les termes de ladite convention n'aient été approuvés par le *Dáil Eireann*.

3° Le présent article ne sera pas applicable aux accords ou conventions ayant un caractère technique ou administratif.

6. Aucun accord international ne fera partie de la loi interne de l'État sauf dans les cas déterminés par l'*Oireachtas*.

---

(1) Sous-section ajoutée par le 3e amendement du 8 juin 1972, complétée dans sa dernière phrase par le 10e amendement du 26 mai 1987 et modifiée par le 11e amendement adopté par référendum le 18 juin 1992.

(2) Les sous-sections 4 à 6 ont été ajoutées par le 11e amendement adopté par référendum le 18 juin 1992.

L'Attorney General (1)

Article 30

1. Il y aura un *Attorney General* qui sera le conseiller du Gouvernement dans les matières de droit et d'opinion juridique ; il exercera et exécutera tous les pouvoirs, toutes les fonctions ou tous les devoirs qui lui sont conférés et imposés par la présente Constitution ou par une loi.

2. L'*Attorney General* sera nommé par le Président d'Irlande sur la proposition du *Taoiseach*.

3. Tous les crimes et tous les délits poursuivis en justice devant tout tribunal constitué selon l'article 34 de la présente Constitution, autre qu'un tribunal de procédure simplifiée, seront poursuivis au nom du peuple et sur l'instance de l'*Attorney General* ou de toute personne autorisée par la loi à agir à cet effet.

4. L'*Attorney General* ne sera pas membre du Gouvernement.

5. 1° L'*Attorney General* peut à tout moment remettre sa démission entre les mains du *Taoiseach* pour que ce dernier la transmette au Président d'Irlande.
2° Pour des raisons dont il est seul juge, le *Taoiseach* peut demander la démission de l'*Attorney General*.
3° Au cas où l'*Attorney General* ne répondrait pas à cette demande, sa nomination serait révoquée par le Président sur avis conforme du *Taoiseach*.
4° L'*Attorney General* quittera ses fonctions lors de la démission du *Taoiseach* mais il continuera à en remplir les devoirs jusqu'à ce que le successeur du *Taoiseach* soit désigné.

6. Sans préjudice des dispositions précitées de cet article, les fonctions d'*Attorney General*, y compris la rémunération à payer au titulaire de cet office, seront réglées par une loi.

Le Conseil d'État

Article 31

1. Il y aura un Conseil d'État chargé d'aider et de conseiller le Président d'Irlande dans toutes les affaires pour lesquelles ce dernier peut consulter ledit Conseil relativement à l'exercice et à l'application par lui des pouvoirs ou fonctions lui appartenant qui, aux termes de la présente Constitution, doivent être exercés et appliqués après consultation du Conseil d'État. Ce Conseil sera chargé d'exercer toutes les autres fonctions qui lui sont conférées par la présente Constitution.

2. Le Conseil d'État se composera des membres suivants :

i. les membres *ex officio :* le *Taoiseach,* le *Tánaiste,* le *Chief Justice,* le président de la Haute Cour, le président du *Dáil Eireann,* le président du *Seanad Eireann* et l'*Attorney General ;*

ii. les personnes ayant exercé les fonctions de Président d'Irlande, de *Taoiseach,* de *Chief Justice* ou de président du Conseil exécutif du *Saorstát Eireann* (2), lorsqu'elles seront capables d'être membres du Conseil d'État et y consentiront ;

iii. toute personne qui pourrait être nommée par le Président d'Irlande membre du Conseil d'État, conformément au présent article.

3. Le Président peut, à tout moment, et périodiquement, par mandat de sa main et sous son sceau, nommer à son gré membres du Conseil d'État, les personnes qu'il croit capables de remplir ces fonctions ; mais sept personnes ainsi nommées au maximum pourront siéger simultanément au Conseil d'État.

4. Tout membre du Conseil d'État devra, à la première séance à laquelle il participe en cette qualité, faire et signer la déclaration suivante :

« En présence du Dieu Tout-Puissant, je promets et déclare solennellement et sincèrement que je remplirai mes devoirs de membre du Conseil d'État fidèlement et consciencieusement. »

5. Tout membre du Conseil d'État nommé par le Président, sauf dans le cas de décès préalable, de démission, d'incapacité permanente ou de révocation, restera en service jusqu'à ce que le successeur du Président qui l'a nommé prenne possession de ses fonctions.

(1) Procureur général. En langue irlandaise *Ard Aighne.*
(2) Voir note de bas de page à l'article 9.

6. Tout membre du Conseil d'État nommé par le Président d'Irlande peut démissionner en remettant sa démission entre les mains dudit Président.

7. Pour des raisons dont il est seul juge, le Président peut, par un ordre écrit de sa main et sous son sceau, révoquer tout membre du Conseil d'État nommé par lui.

8. Le Président a la faculté de convoquer où et quand il le voudra les réunions du Conseil d'État.

Article 32

Le Président ne devra pas exercer des fonctions qui, d'après la présente Constitution, ne peuvent être exercées qu'après une consultation du Conseil d'État, avant d'avoir convoqué la réunion dudit Conseil et d'avoir entendu les membres présents à la réunion en question.

Le *Comptroller and Auditor General* (1)

Article 33

1. Il y aura un *Comptroller and Auditor General* pour contrôler, au nom de l'État, toutes les dépenses et pour vérifier tous les comptes des deniers administrés par l'*Oireachtas* ou sous son autorité.

2. Le *Comptroller and Auditor General* sera nommé par le Président d'Irlande sur la proposition du *Dáil Eireann.*

3. Le *Comptroller and Auditor General* ne sera membre d'aucune Chambre de l'*Oireachtas* et n'aura aucun autre poste ni aucune autre fonction rétribuée.

4. Le *Comptroller and Auditor General* soumettra périodiquement un rapport au *Dáil Eireann* aux dates fixes qui seront déterminées par la loi.

5. 1° Le *Comptroller and Auditor General* sera inamovible, sauf dans les cas de faute et d'incompétence notoire constatées par une résolution du *Dáil Eireann* et du *Seanad Eireann* demandant sa révocation.
2° Le *Taoiseach* devra dûment notifier ces résolutions adoptées par le *Dáil Eireann* et le *Seanad Eireann* au Président d'Irlande et il lui enverra une copie de chaque résolution, certifiée par le président de la Chambre de l'*Oireachtas* qui l'aura adoptée.
3° A la réception de cette notification et des copies de ces résolutions, le Président d'Irlande révoquera immédiatement, par un ordre écrit de sa main et sous son sceau, le *Comptroller and Auditor General.*

6. Sans préjudice des dispositions ci-dessus, les termes et conditions de l'office de *Comptroller and Auditor General* seront déterminés par la loi.

Les Tribunaux

Article 34

1. La justice sera rendue par des tribunaux établis selon la loi et composés de juges nommés conformément aux dispositions de la présente Constitution ; elle sera rendue en public, sauf dans les cas spéciaux limitativement énoncés par la loi.

2. Ces tribunaux comprendront des cours de première instance et une cour jugeant en dernier ressort.

3. 1° Les cours de première instance comprendront une Haute Cour investie de la pleine juridiction au premier degré et du pouvoir de trancher toutes matières et tous points de droit ou de fait au civil comme au criminel.
2° Sauf dans les cas qui sont prévus différemment par cet article, la juridiction de la Haute Cour s'étendra à la question de la validité de toute loi ayant rapport aux dispositions de la présente Constitution, et nulle question de ce genre ne pourra être soulevée (ou par plaidoirie ou par argument ou autrement) devant n'importe quelle cour établie selon le présent article ou tout autre article de la présente Constitution, autre que la Haute Cour ou la Cour suprême.
3° Nulle cour ne pourra avoir compétence pour apprécier la validité d'une loi ou de toute disposition d'une loi, dont le projet aura été renvoyé devant la Cour suprême par le Président aux termes de l'article 26 de la présente Constitution.
4° Les cours de première instance comprendront aussi des tribunaux exerçant une juridiction locale et limitée, sous réserve d'un droit d'appel réglé par la loi.

(1) Contrôleur et vérificateur général, en langue irlandaise *Ard-Reachtaire Cuntas agus Ciste.*

4. 1° La cour jugeant en dernier ressort sera nommée Cour suprême.
2° Le président de la Cour suprême sera nommé *Chief Justice* (1).
3° La Cour suprême connaîtra des recours contre toute décision de la Haute Cour, sauf les exceptions qui seront prévues conformément aux règles édictées par la loi ; elle connaîtra aussi des recours contre toute décision d'autres cours en tant que la loi le prescrira.
4° Aucune loi ne sera votée, si elle déroge à la juridiction d'appel des cas réservés à la Cour suprême et impliquant des questions relatives à la validité de toute loi qui se rapporte aux dispositions de la présente Constitution.
5° L'arrêt de la Cour suprême sur une question concernant la validité d'une loi ayant rapport aux dispositions de la présente Constitution sera prononcé par un des juges de ladite Cour selon l'ordonnance de ladite Cour, et nulle autre opinion sur ladite question, ou concordante ou dissidente, ne pourra être prononcée et l'existence d'une telle autre opinion ne pourra être indiquée.
6° La décision de la Cour suprême sera toujours définitive et sans appel.

5. 1° Toute personne nommée juge selon la présente Constitution fera et signera la déclaration suivante :

« En présence du Dieu Tout-Puissant, je promets solennellement et sincèrement et déclare que j'exercerai les fonctions de *Chief Justice* (ou les fonctions dont il s'agira selon les cas) dûment et fidèlement, au mieux de ma connaissance et de mon pouvoir, sans peur ni faveur, affection ni rancune vis-à-vis de personne, et que je respecterai la Constitution et les lois. Que Dieu me dirige et me soutienne. »
2° Cette déclaration sera faite et signée en séance publique par le *Chief Justice* en présence du Président d'Irlande et par tout autre juge de la Cour suprême, les juges de la Haute Cour et les juges de toute autre cour, en présence du *Chief Justice* ou du plus âgé des juges disponibles de la Cour suprême.
3° La déclaration sera faite et signée par chaque juge avant qu'il entre en fonctions, dans tous les cas dix jours au plus tard après la date de sa nomination ou à une date ultérieure qui sera fixée par le Président.
4° Un juge qui refuserait ou négligerait de faire la déclaration ci-dessus serait considéré comme ayant quitté son poste.

Article 35

1. Les juges de la Cour suprême, de la Haute Cour, et de toute autre cour établie selon l'article 34 seront nommés par le Président.

2. Les juges sont indépendants dans l'exercice de leurs fonctions judiciaires et soumis seulement à la présente Constitution et à la loi.

3. Aucun juge ne sera éligible aux Chambres de l'*Oireachtas* et ne pourra occuper d'autres postes ou exercer d'autres fonctions rétribués.

4. 1° Les juges de la Cour suprême et de la Haute Cour seront inamovibles, sauf dans les cas de faute et d'incompétence notoire constatées par des résolutions adoptées tant par le *Dáil Eireann* que par le *Seanad Eireann* et demandant leur révocation.
2° Le *Taoiseach* devra dûment notifier de telles résolutions adoptées par le *Dáil Eireann* et le *Seanad Eireann* au Président d'Irlande et il lui enverra une copie de chaque résolution certifiée par le président de la Chambre de l'*Oireachtas* qui l'aura adoptée.
3° A la réception de cette notification et des copies de ces résolutions, le Président d'Irlande révoquera immédiatement, par un ordre écrit de sa main et sous son sceau, le juge qu'elles viseront.

5. Le traitement d'un juge ne pourra pas être réduit tant qu'il demeurera en fonctions.

Article 36

Sans préjudice des dispositions précédentes de la présente Constitution sur les tribunaux, les matières ci-après seront réglées conformément à une loi, à savoir :

i. le nombre des juges de la Cour suprême et de la Haute Cour, le traitement, l'âge de la retraite et les pensions desdits juges ;
ii. le nombre des juges de toute autre cour et les conditions de leur nomination ;

(1) Juge suprême ; en langue irlandaise : *Phríomh-Bhreithim.*

iii. la constitution et l'organisation desdites cours, la répartition de la juridiction et des affaires entre lesdits cours et juges et toutes les règles de procédure.

Article 37

1. Aucune disposition de la présente Constitution ne pourra être invoquée contre une personne ou un corps, autorisés par la loi à exercer des fonctions ou des pouvoirs judiciaires limités, en dehors des matières criminelles, pour les empêcher de le faire, bien que cette personne ou ce corps ne soit pas un juge ou une cour nommés ou établis comme tels selon la présente Constitution.

2. (1) En aucun cas l'adoption d'une personne prenant effet, ou devant prendre effet à un moment quelconque après l'entrée en vigueur de la présente Constitution en application de lois promulguées par l'*Oireachtas* et étant une adoption conforme à un ordre donné ou à une autorisation accordée par une personne ou un corps désigné par ces lois pour exercer de telles fonctions et de tels pouvoirs ne devait ou ne devra être annulée avec pour seule raison le fait que cette personne ou ce corps ne soit pas un juge ou une cour nommés ou établis comme tels selon la présente Constitution.

Jugement des infractions

Article 38

1. Tout individu soumis à une accusation pénale doit être jugé conformément aux lois.

2. Les cas d'infraction légère peuvent être jugés par des cours à procédure simplifiée.

3. 1° La loi peut établir des cours spéciales pour juger les cas dans lesquels les cours ordinaires lui semblent incapables d'assurer effectivement l'administration de la justice ou le maintien de la paix et de l'ordre publics.
2° La constitution, les pouvoirs, la juridiction et la procédure de ces cours spéciales seront déterminés par la loi.

4. 1° Des tribunaux militaires peuvent être établis pour juger des infractions à la loi militaire commises par des personnes sujettes à la loi militaire ainsi que des infractions commises pendant une période de guerre ou de rébellion armée.
2° Les membres de la force armée ne peuvent, s'ils ne sont pas en activité, être jugés par une cour martiale ou par tout autre tribunal militaire pour des infractions de la compétence des tribunaux ordinaires, à moins que ces infractions ne rentrent dans la juridiction d'une cour martiale ou d'un autre tribunal militaire conformément à la loi sur le maintien de la discipline militaire.

5. Sauf dans les cas visés par les sections 2, 3 ou 4 du présent article, aucun individu sous le coup d'une accusation pénale ne sera jugé sans jury.

6. Les dispositions des articles 34 et 35 de la présente Constitution ne seront pas applicables aux cours et aux tribunaux établis selon la section 3 ou 4 du présent article.

Article 39

La trahison consistera uniquement à provoquer une guerre contre l'État, soit en amenant un État ou une personne à lui déclarer la guerre, soit en les y incitant ou en complotant avec eux, soit en essayant de renverser par la force armée ou par tout autre moyen violent les organes du Gouvernement établis par la présente Constitution, soit en assistant les rebelles dans leur tentative, soit en les y incitant ou en complotant avec eux.

Droits fondamentaux

Droits personnels

Article 40

1. En tant que personnes humaines, tous les citoyens seront égaux devant la loi.

Ceci ne veut pas dire que l'État, dans ses décrets, ne prendra pas en considé-

(1) Ajouté par le 6e amendement du 3 août 1979.

ration les différences de capacité physique et morale, ou de fonction sociale.

2. 1° L'État ne conférera pas de titres de noblesse.
2° Aucun titre de noblesse ou d'honneur ne peut être accepté par un citoyen sans l'approbation préalable du Gouvernement.

3. 1° L'État promet de respecter et, dans la mesure du possible, de défendre et de soutenir par ses lois les droits individuels du citoyen.
2° En particulier, l'État protégera de son mieux contre les attaques injustes, la vie, la personne, l'honneur et les droits de propriété de tout citoyen et, en cas d'injustice, il les défendra.
3° (1) L'État reconnaît le droit à la vie de l'enfant « à naître » et, tout en tenant compte du droit égal à la vie de la mère, s'engage à respecter et à défendre ce droit dans sa législation dans toute la mesure du possible. La présente sous-section ne limitera pas la liberté de voyage entre le territoire de l'État et celui d'un autre État (2). La présente sous-section ne limitera pas la liberté d'obtenir ou de divulguer dans l'État, sous réserve des conditions que la loi pourra déterminer, des informations relatives aux services légalement disponibles dans un autre État (3).

4. 1° Aucun citoyen ne sera privé de sa liberté personnelle, sauf dans les hypothèses prévues par la loi.
2° Sur la plainte en détention illégale, formulée par ou pour quelqu'un, devant la Haute Cour ou devant l'un quelconque de ses juges, la Haute Cour ou celui de ses juges auprès duquel la plainte aura été déposée, devra faire une enquête immédiate et pourra ordonner que le gardien présente le prisonnier devant la Haute Cour à un jour dit, et qu'il indique par écrit les motifs de la détention. La Haute Cour, sur la présentation du prisonnier devant elle, et après avoir donné au gardien l'occasion de prouver que la détention était légale, devra ordonner la libération du détenu, si cette preuve n'est pas apportée.
3° Si un détenu, dont on allègue la détention illégale, est présenté devant la Haute Cour par suite d'un ordre émis à cette fin, et si ladite Cour est convaincue de ce que ledit détenu est un prisonnier aux termes d'une loi, mais que ladite loi est sans validité au regard des dispositions de la présente Constitution, la Haute Cour devra renvoyer la question de la validité de ladite loi devant la Cour suprême sous forme d'un recours en interprétation ; le dépôt d'une caution pourra au moment du renvoi ou à tout moment ultérieur, permettre la liberté provisoire du détenu, cette mesure étant subordonnée à toute condition fixée par la Haute Cour, jusqu'à ce que la Cour suprême ait résolu la question ainsi renvoyée.
4° La Haute Cour pourra se composer de trois juges dans tout cas spécial où la présentation devant elle d'un prisonnier dont on allègue la détention illégale est faite par suite d'un ordre émis à cette fin, par le président de la Haute Cour ou en cas d'absence par le doyen des juges de ladite Cour ; dans tout autre cas elle se composera d'un seul juge.
5° Si un ordre de présentation d'un prisonnier condamné à mort est émis aux termes de cette section par la Haute Cour ou un de ses juges, la Haute Cour, ou ledit juge, devra ordonner aussi que l'exécution de la sentence de mort n'ait pas lieu jusqu'à ce que le prisonnier soit présenté devant la Haute Cour et qu'il ait été prononcé sur la légalité de sa détention. Si après un tel délai, la détention est reconnue légale, la Haute Cour devra fixer un jour pour l'exécution de la sentence de mort, et ladite sentence sera exécutée avec la substitution de ce jour au jour fixé en premier lieu pour cette exécution.
6° Toutefois, personne ne pourra invoquer une disposition du présent article pour prohiber, contrôler ou entraver un acte des forces de la défense, tant qu'il subsiste un état de guerre ou de rébellion armée.

5. La demeure de tout citoyen est inviolable et on n'y entrera de force que conformément à la loi.

6. 1° L'État garantit la liberté d'exercer les droits suivants, sans préjudice de l'ordre et de la moralité publics :

i. droit pour les citoyens d'exprimer librement leurs convictions et opinions.

---

(1) Ajouté par le 8e amendement (1983).
(2) Ajouté par le 13e amendement (1992 ; voir note introductive).
(3) Ajouté par le 14e amendement (1992).

Toutefois, l'éducation de l'opinion publique étant un problème d'une très grande importance pour le bien commun, l'État veillera à ce que les organes de l'opinion publique, tels que la radiophonie, la presse, le cinématographe, tout en gardant leur liberté d'expression légale y compris la critique de la politique du Gouvernement, ne servent à miner ni l'ordre public, ni la morale, ni l'autorité de l'État.
La publication ou l'expression d'œuvres ou de paroles blasphématoires, séditieuses ou indécentes, constitue une infraction qui sera punie conformément à la loi ;

ii. droit pour les citoyens de se réunir, à condition que ce soit paisiblement et sans armes.
Des dispositions peuvent être prises par la loi pour empêcher ou contrôler des assemblées considérées aux termes de la loi comme susceptibles de causer une atteinte à la tranquillité publique, de mettre en danger, de gêner ou menacer la population et pour empêcher ou contrôler des assemblées se tenant dans le voisinage d'une des Chambres de l'*Oireachtas* ;

iii. droit pour les citoyens de former des associations et de se constituer en syndicats.
Toutefois, des lois peuvent être promulguées pour régler et contrôler l'exercice du droit susmentionné dans l'intérêt public.

2° Les lois déterminant la manière selon laquelle le droit de former des associations et de constituer des syndicats ainsi que le droit de s'assembler librement pourront être exercés ne contiendront ni discriminations d'ordre politique ou religieux, ni discriminations de classe.

Famille

Article 41

1. 1° L'État reconnaît la famille comme le groupement primaire, naturel et fondamental de la société et comme une institution morale possédant des droits inaliénables et imprescriptibles, antérieurs et supérieurs à toute loi positive.
2° A cet effet, l'État garantit la protection de la constitution et de l'autorité de la famille, base nécessaire à l'ordre social et indispensable au bien-être de la nation et de l'État.

2. 1°En particulier, l'État reconnaît que par la vie dans son foyer la femme donne à l'État un soutien sans lequel le bien commun ne peut être obtenu.
2° A cet effet, l'État tentera d'empêcher que les nécessités économiques ne forcent les mères de famille à travailler en négligeant les devoirs de leurs foyers.

3. 1°L'État promet solennellement de veiller avec une attention spéciale à l'institution du mariage sur laquelle la famille est fondée et de la protéger contre toutes les attaques.
2° Aucune loi accordant la dissolution du mariage ne pourra être adoptée.
3° Aucune personne dont le mariage a été dissous selon la loi civile d'un autre État, mais dont le mariage continue à être valable selon la loi en vigueur à cette époque à l'intérieur de la juridiction du Gouvernement et du Parlement établis par la présente Constitution, ne sera capable de contracter un mariage valide à l'intérieur de cette juridiction, tant que la personne avec laquelle elle était mariée est encore en vie.

Éducation

Article 42

1. L'État reconnaît que l'éducateur premier et naturel de l'enfant est la famille et il promet de respecter le droit et le devoir inaliénables des parents d'assurer, selon leurs moyens, l'éducation religieuse et morale, intellectuelle, physique et sociale de leurs enfants.

2. Les parents seront libres d'assurer cette éducation, soit dans leurs foyers, soit dans les écoles privées, soit dans les écoles reconnues ou établies par l'État.

3. 1° L'État n'obligera pas les parents à envoyer, contrairement à leur conscience et à leurs préférences légitimes, leurs enfants dans une école établie par l'État ou dans n'importe quelle école désignée par lui.
2° Toutefois l'État, en tant que gardien du bien commun, et en vue des circonstances

actuelles, exigera que les enfants reçoivent un certain minimum d'éducation morale, intellectuelle et sociale.

4. L'État assurera une éducation primaire gratuite et il essaiera de compléter et d'aider en quelque mesure les initiatives d'éducation, qu'elles soient de caractère privé ou qu'elles émanent de communautés. Si le bien public l'exige, il créera des possibilités d'instruction en respectant, toutefois, le droit des parents, spécialement en matière de formation religieuse et morale.

5. Dans des cas exceptionnels où, pour des raisons physiques ou morales, les parents manqueraient à leurs devoirs envers les enfants, l'État, en tant que gardien du bien général, s'efforcera par des moyens convenables, de remplacer les parents, mais respectera toujours les droits naturels et imprescriptibles de l'enfant.

Propriété privée

Article 43

1. 1° L'État reconnaît que l'homme, du fait qu'il est un être raisonnable, a un droit naturel, antérieur à la loi positive, à la propriété privée des biens extérieurs.
2° Par conséquent, l'État garantit qu'il n'adoptera pas de loi qui tenterait d'abolir le droit à la propriété privée ou le droit général de transférer sa propriété, d'en disposer par testament et d'hériter.

2. 1° Toutefois, l'État reconnaît que l'exercice des droits indiqués dans les dispositions ci-dessus du présent article doit être régi dans une société civilisée par les principes de la justice sociale.
2° Par conséquent, si les événements l'exigent, l'État peut délimiter par une loi l'exercice desdits droits en vue de concilier leur exercice avec les exigences du bien commun.

Religion

Article 44

1. (1) L'État reconnaît que l'hommage de l'adoration publique est dû au Dieu Tout-Puissant. Il révérera Son nom ; il respectera et honorera la religion.

2. 1° La liberté de conscience, la profession et la pratique libres de la religion, sont, sous réserve de l'ordre public et de la moralité, garanties à tout citoyen.
2° L'État promet de ne doter aucune religion.
3° L'État n'imposera aucune incapacité et ne fera aucune discrimination en considération de la profession, de la croyance ou du statut religieux.
4° La législation sur les subventions aux écoles ne fera pas de différence entre les écoles qui se trouvent sous la direction des différentes confessions religieuses et ne devra pas porter préjudice au droit pour tout enfant de fréquenter une école subventionnée sans assister à l'instruction religieuse de cette école.
5° Toute confession religieuse aura le droit de gérer ses propres affaires, de posséder, d'acquérir et d'administrer ses biens propres, meubles et immeubles, et de maintenir des institutions dans des buts religieux ou charitables.
6° Les biens d'une confession religieuse ou d'une institution d'éducation ne seront pas détournés de leur objet, sauf pour des œuvres nécessaires d'utilité publique et contre paiement d'une indemnité compensatoire.

Principes directeurs de la politique sociale

Article 45

Les principes de politique sociale établis par cet article sont destinés à servir de direction générale à l'*Oireachtas*. L'application de ces principes lors de l'élaboration des lois constituera exclusivement le soin de l'*Oireachtas* et ne sera de la compétence d'aucun tribunal selon aucune disposition de la présente Constitution.

1. L'État s'efforcera d'augmenter le bien-être du peuple entier en assurant et en protégeant le plus effectivement possible un ordre social dans lequel la justice et la charité agiront sur toutes les institutions de la vie nationale.

(1) Deux alinéas ont été abrogés par le 5e amendement ; révision du 5 janvier 1973.

2. En particulier, l'État cherchera, par sa politique, à assurer :

i. que, par leurs occupations, les citoyens (qui ont tous, hommes et femmes également, droit aux moyens de gagner leur vie de manière suffisante) puissent trouver les moyens de subvenir raisonnablement à leurs besoins domestiques ;

ii. que la propriété et le contrôle des ressources matérielles de la communauté soient répartis parmi les particuliers et les différentes classes de façon à contribuer pour le mieux au bien commun ;

iii. qu'avant tout, le jeu de la libre concurrence ne se développe pas de telle manière qu'il en résulte une concentration de la propriété ou du contrôle des biens de consommation fondamentale (1) dans les mains de quelques individus, au détriment du plus grand nombre ;

iv. qu'en ce qui concerne le contrôle du crédit, le but constant et prédominant soit le bien-être du peuple entier ;

v. que le plus grand nombre de familles possible s'établisse à la campagne dans des conditions de sécurité économique.

3. 1° L'État favorisera l'initiative privée dans l'industrie et le commerce et, là où cela sera nécessaire, il y suppléera.

2° L'État veillera à ce que les entreprises privées soient gérées de manière à rendre efficaces la production et la distribution des biens et à ce que le public soit protégé contre toute exploitation injuste.

4. 1° L'État se porte garant qu'il sauvegardera avec des soins spéciaux les intérêts économiques des parties les plus faibles de la communauté et que, dans la mesure des nécessités, il contribuera à entretenir les infirmes, les veuves, les orphelins et les vieillards.

2° L'État tentera d'assurer qu'on n'abuse ni de la force ni de la santé des travailleurs, hommes et femmes, ni de la jeunesse des enfants et que les nécessités économiques ne contraignent pas les citoyens à exercer des professions qui ne conviennent ni à leur sexe, ni à leur âge, ni à leur force.

Modifications à la Constitution

Article 46

1. Toute disposition de la présente Constitution peut être amendée, par voie de modification, d'addition ou d'abrogation, de la manière prévue par cet article.

2. Toute proposition d'amendement à la présente Constitution sera faite au sein du *Dáil Eireann* sous forme de projet de loi et, après avoir été adoptée ou lorsqu'elle sera considérée comme ayant été adoptée par les deux Chambres de l'*Oireachtas,* sera soumise par référendum à la décision du peuple, conformément à la loi relative au référendum qui sera en vigueur à cette époque.

3. Tout projet de loi de ce genre sera désigné comme « *Act* pour amender la Constitution ».

4. Le projet de loi contenant une proposition ou des propositions pour amender la présente Constitution ne contiendra aucune autre proposition.

5. Le Président d'Irlande signera le projet de loi contenant une proposition d'amendement à la présente Constitution, dès qu'il sera assuré que les dispositions du présent article ont été respectées et que la proposition a été dûment approuvée par le peuple, conformément aux dispositions de la section 1 de l'article 47 de la présente Constitution, et il la promulguera à titre de loi.

Référendum

Article 47

1. Toute proposition d'amendement à la présente Constitution soumise par référendum à la décision du peuple, conformément à l'article 46 de la présente Constitution, sera considérée comme approuvée par le peuple, si la majorité s'est prononcée dans un tel référendum en faveur de sa promulgation.

2. 1° Toute proposition autre qu'une proposition amendant la Constitution qui est soumise par référendum à la décision du peuple sera considérée comme

(1) En anglais : *essential commodities.*

rejetée par le peuple, si la majorité s'est prononcée contre sa promulgation et si cette majorité représente au moins 33 et 1/3 % des inscrits.

2° Toute proposition autre qu'une proposition amendant la Constitution qui est soumise par référendum à la décision du peuple sera considérée, pour les besoins de l'article 27 de la présente Constitution, comme approuvée par le peuple, si elle n'a pas été rejetée par lui, conformément aux dispositions de la sous-section précédente du présent article.

3. Tout citoyen qui a le droit de voter dans une élection au *Dáil Eireann* aura le droit de voter lors d'un référendum.

4. Sans préjudice des dispositions précédentes, le référendum sera réglé par une loi postérieure.

Abrogation de la Constitution de *Saorstát Eireann* (1) et continuité des lois

Article 48

La Constitution de *Saorstát Eireann* applicable immédiatement avant l'entrée en vigueur de cette Constitution et la loi constitutionnelle de *Saorstát Eireann* de 1922, en tant que cette loi ou n'importe laquelle de ses dispositions est encore en vigueur, seront et sont abrogées par le présent article à dater d'aujourd'hui.

Article 49

1. Tous les pouvoirs, fonctions, droits et prérogatives quelconques concernant *Saorstát Eireann* ou exercés par lui immédiatement avant le onzième jour de décembre 1936, soit en vertu de la Constitution alors en vigueur, soit en vertu de l'autorité de laquelle était alors investi le pouvoir exécutif de *Saorstát Eireann,* sont déclarés par les présentes propriétés du peuple.

2. Il est décrété par le présent article que lesdits pouvoirs, fonctions, droits ou prérogatives ne seront et ne pourront être exercés par l'État que par ou sur l'autorité du Gouvernement, sauf dérogation prévue par cette Constitution ou par une loi postérieure pour l'exercice de tels pouvoirs, fonctions, droits ou prérogatives par les organes établis en vertu de la présente Constitution.

3. Le Gouvernement sera le successeur du Gouvernement de *Saorstát Eireann* en ce qui concerne tous biens, avoirs, droits et obligations.

Article 50

1. Sans préjudice de la présente Constitution et en tant qu'elles ne sont pas incompatibles avec elle, les lois applicables dans *Saorstát Eireann* immédiatement avant la date d'entrée en vigueur de la présente Constitution continueront à être pleinement et effectivement en vigueur, jusqu'à ce qu'elles aient été abrogées ou amendées, en tout ou en partie, par l'*Oireachtas.*

2. Les lois promulguées avant l'entrée en vigueur de la présente Constitution et qui ne devraient s'appliquer que par la suite s'appliqueront de la manière prévue, si l'*Oireachtas* n'en décide pas autrement (2).

A la gloire de Dieu et pour l'honneur de l'Irlande !

(1) Voir *supra* article 9 ; note de bas de page.
(2) Les articles 51 à 62 réglant la période transitoire n'ont pas été reproduits ici ; ils prévoyaient notamment que le texte en serait effacé de la Constitution à l'expiration des délais fixés pour la période transitoire.

IX - Italie

Constitution de la République italienne du 27 décembre 1947 (1)

Principes fondamentaux

Article premier

L'Italie est une république démocratique, fondée sur le travail.

La souveraineté appartient au peuple, qui l'exerce sous les formes et dans les limites fixées par la Constitution.

Article 2

La République reconnaît et garantit les droits inviolables de l'homme, aussi bien en tant qu'individu que dans les formations sociales où s'exerce sa personnalité, et exige l'accomplissement des devoirs imprescriptibles de solidarité politique, économique et sociale.

Article 3

Tous les citoyens ont une même dignité sociale et sont égaux devant la loi, sans distinction de sexe, de race, de langue, de religion, d'opinions politiques, de conditions personnelles et sociales.

Il appartient à la République d'écarter les obstacles d'ordre économique et social qui, limitant la liberté et l'égalité des citoyens, s'opposent au plein épanouissement de la personne humaine et à la participation effective de tous les travailleurs à l'organisation politique, économique et sociale du pays.

Article 4

La République reconnaît à tous les citoyens le droit au travail et crée les conditions qui rendent ce droit effectif.

Tout citoyen a le droit d'exercer, selon ses propres possibilités et son propre choix, une activité ou une fonction contribuant au progrès matériel ou spirituel de la société.

Article 5

La République, une et indivisible, reconnaît et favorise les autonomies locales ; réalise la plus ample décentralisation administrative dans les services qui dépendent de l'État ; adapte les principes et les méthodes de sa législation aux exigences de l'autonomie et de la décentralisation.

Article 6

La République protège par des mesures particulières les minorités linguistiques.

Article 7

L'État et l'Église catholique sont, chacun dans son domaine particulier, indépendants et souverains.

Leurs relations sont réglées par les pactes du Latran. Les modifications de ces pactes, acceptées par les deux parties, n'exigent aucune procédure de révision constitutionnelle.

Article 8

Toutes les confessions religieuses sont également libres devant la loi.

Les confessions religieuses autres que la confession catholique ont le droit de s'organiser selon leurs propres statuts, pourvu qu'ils ne soient pas en contradiction avec les dispositions juridiques italiennes.

Leurs relations avec l'État sont réglées par la loi sur la base d'ententes avec les représentants de chaque confession.

---

(1) Le texte reproduit ici est emprunté à « Les Institutions de l'Italie », Documents réunis et commentés par Bernard Gaudillère, *Documents d'études,* DE 1-17, septembre 1987, Paris, La Documentation française ; il tient compte des lois constitutionnelles votées depuis 1987 et est donc à jour au 1er mars 1994.

Article 9

La République favorise le développement de la culture et la recherche scientifique et technique.

Elle protège le paysage et les biens historiques et artistiques de la nation.

Article 10

L'ordre juridique italien se conforme aux règles du droit international généralement reconnues.

Le statut juridique des étrangers est réglé par la loi, conformément aux usages et aux traités internationaux.

Le ressortissant étranger auquel, dans son pays, on a interdit l'exercice effectif des libertés démocratiques garanties par la Constitution italienne, a droit d'asile sur le territoire de la République, dans les conditions fixées par la loi.

L'extradition d'un étranger pour délit politique n'est pas admise [1].

Article 11

L'Italie répudie la guerre comme atteinte à la liberté des autres peuples et comme solution des controverses internationales ; elle consent, à condition de réciprocité par les autres États, aux limitations de souveraineté nécessaires à un ordre qui assure la paix et la justice au sein des nations ; elle aide et favorise les organisations internationales qui poursuivent un tel but.

Article 12

Le drapeau de la République est le drapeau tricolore italien vert, blanc et rouge, à trois bandes verticales d'égales dimensions.

Première partie
Droits et devoirs des citoyens

Titre I
Relations civiques

Article 13

La liberté personnelle est inviolable.

Aucune forme de détention, d'inspection ou de perquisition concernant la personne n'est admise, pas plus qu'aucune autre restriction de la liberté personnelle, si ce n'est par un acte motivé de l'autorité judiciaire et dans les seuls cas et sous les seules formes prévus par la loi.

Dans des cas exceptionnels de nécessité et d'urgence, prévus explicitement par la loi, la sûreté publique peut adopter des mesures provisoires qui, faute d'être communiquées dans les quarante-huit heures à l'autorité judiciaire et si celle-ci ne les confirme pas dans les quarante-huit heures suivantes, sont considérées comme rapportées et sans effet.

Toute violence physique et morale sur les personnes soumises en quelques manière à des restrictions de liberté est punie.

La loi fixe les limites de la détention préventive.

Article 14

Le domicile est inviolable.

Les inspections, perquisitions et saisies ne peuvent être effectuées hors des hypothèses et des procédures prévues par la loi, conformément aux garanties prescrites pour la protection de la liberté personnelle.

Les vérifications et les inspections pour des raisons de salubrité et de sécurité publiques, ou dans des buts économiques et fiscaux, sont régies par des lois spéciales.

Article 15

La liberté et le secret de la correspondance et de toutes les autres formes de communication sont inviolables.

Ils ne peuvent être limités que par des actes motivés par l'autorité judiciaire et avec les garanties fixées par la loi.

Article 16

Tout citoyen peut circuler et séjourner librement dans n'importe quelle région du territoire national, sauf les limitations générales établies par la loi pour des raisons de salubrité ou de sécurité publiques. Au-

(1) La loi constitutionnelle n° 1 du 26 juin 1967 (art. unique) dispose : « Le dernier alinéa de l'article 10 et le dernier alinéa de l'article 26 de la Constitution ne s'appliquent pas aux crimes de génocide ».

cune restriction ne peut être déterminée par des raisons politiques.

Tout citoyen est libre de sortir du territoire de la République ou d'y rentrer, à l'exception de ceux qui ont des obligations envers la loi (1)

Article 17

Les citoyens ont le droit de se réunir pacifiquement et sans armes.

Pour les réunions, même en des lieux ouverts au public, aucun avis préalable n'est requis.

Les réunions en un lieu public doivent être préalablement annoncées aux autorités, qui ne peuvent les interdire que pour des motifs avérés de sécurité et de salubrité publiques.

Article 18

Les citoyens ont le droit de s'associer librement, sans autorisation, à des fins que la loi pénale n'interdit pas.

Sont interdites les associations secrètes et celles qui poursuivent, même indirectement, des buts politiques au moyen d'organisations de caractère militaire.

Article 19

Chacun a le droit de professer librement sa propre foi religieuse, sous n'importe quelle forme, individuelle ou collective, de faire de la propagande pour sa foi et d'en exercer le culte en privé ou en public, pourvu qu'il ne s'agisse pas de rites contraires aux bonnes mœurs.

Article 20

Le caractère ecclésiastique et les fins religieuses ou culturelles d'une association ou d'une institution ne peuvent être cause de limitations législatives spéciales, ni de charges fiscales particulières pour sa constitution, sa capacité juridique et toutes ses formes d'activité.

Article 21

Chacun a le droit de manifester librement sa pensée par la parole, par les écrits ou par tout autre moyen de diffusion.

La presse ne peut être sujette à autorisation ou à censure.

Il ne peut être procédé à la saisie que par un acte motivé de l'autorité judiciaire en cas de délit que la loi sur la presse prévoit expressément, ou en cas de violation des règles que cette même loi prescrit pour la désignation des responsables.

Dans ces cas, lorsque l'urgence est absolue et quand l'intervention de l'autorité judiciaire n'a pas lieu à temps, la saisie de la presse périodique peut être effectuée par des officiers de police judiciaire, qui doivent immédiatement, et au plus tard dans les vingt-quatre heures, en avertir les autorités judiciaires. Si ces dernières ne la confirment pas dans les vingt-quatre heures suivantes, la saisie est considérée comme rapportée et sans effet.

La loi peut établir, par des règles de caractère général, que les moyens de financement de la presse périodique soient rendus publics.

Les publications imprimées, les spectacles et toutes les autres manifestations contraires aux bonnes mœurs sont interdits.

La loi établit des mesures propres à prévenir et à réprimer les abus.

Article 22

Nul ne peut être privé, pour des raisons politiques, de sa capacité juridique, de sa nationalité, de son nom.

Article 23

Nulle prestation personnelle ou patrimoniale ne peut être imposée, si ce n'est conformément à la loi.

Article 24

Il est reconnu à chacun le droit d'ester en justice pour la protection de ses droits et intérêts légitimes.

La défense est un droit inviolable à toutes les étapes de la procédure.

Des institutions particulières assurent aux indigents les moyens d'ester et de se défendre devant toutes les juridictions.

La loi détermine les conditions et les modalités relatives à la réparation des erreurs judiciaires.

---

(1) Les « obligations envers la loi » sont le service militaire et le paiement des impôts.

Article 25

Nul ne peut être soustrait au juge naturel désigné par la loi.

Nul ne peut être puni si ce n'est en vertu d'une loi entrée en vigueur avant l'acte commis.

Nul ne peut être soumis à des mesures de sûreté, sauf dans les cas prévus par la loi.

Article 26

L'extradition d'un citoyen ne peut être autorisée si elle n'est pas expressément prévue par les conventions internationales.

En aucun cas elle ne peut être admise pour délit politique [1].

Article 27

La responsabilité pénale est personnelle.

L'accusé n'est considéré coupable qu'à sa condamnation définitive.

Les peines ne peuvent consister en traitements contraires aux sentiments humanitaires, et doivent viser à la rééducation du condamné.

La peine de mort n'est pas admise, sauf dans les cas prévus par les lois militaires en temps de guerre.

Article 28

Les fonctionnaires et les agents de l'État et des institutions publiques sont directement responsables, selon les lois pénales, civiles et administratives, des actes accomplis en violation des droits. Dans ces cas la responsabilité civile s'étend à l'État et aux institutions publiques.

Titre II
Relations morales et sociales

Article 29

La République reconnaît les droits de la famille comme société naturelle fondée sur le mariage.

Le mariage repose sur l'égalité morale et juridique des époux, dans les limites établies par la loi pour assurer l'unité de la famille.

Article 30

Les parents ont le devoir et le droit d'entretenir, d'instruire et d'élever leurs enfants, mêmes s'ils sont nés hors du mariage.

En cas d'incapacité des parents, la loi veille à l'accomplissement de leurs devoirs.

La loi assure aux enfants nés hors du mariage toute la protection, juridique et morale, compatible avec les droits des membres de la famille légitime.

La loi établit les règles et les limites de la recherche de la paternité.

Article 31

La République facilite par des mesures économiques et autres la formation de la famille et l'accomplissement des devoirs qui s'y rapportent, en ayant des égards particuliers pour les familles nombreuses.

La République protège la maternité, l'enfance et la jeunesse, en favorisant les institutions nécessaires à cet effet.

Article 32

La République protège la santé publique comme droit fondamental de l'individu et intérêt de la collectivité, et assure les soins gratuits aux indigents.

Nul ne peut être contraint à un traitement médical déterminé si ce n'est par une disposition de la loi. La loi ne peut en aucun cas violer les limites imposées par le respect de la personne humaine.

Article 33

L'art et la science sont libres et libre est leur enseignement.

La République établit les règles générales concernant l'instruction et fonde des écoles d'État de tous ordres et tous degrés.

Les institutions privées et les particuliers ont le droit de fonder des écoles et des instituts d'éducation, sans charge pour l'État.

La loi, en fixant les droits et les obligations des écoles qui n'appartiennent

---

(1) Voir l'article 10.

pas à l'État et qui demandent la parité, doit leur assurer une pleine liberté et donner à leurs élèves un traitement scolaire équivalent à celui des élèves des écoles d'État.

Un examen d'État est obligatoire pour l'admission aux différents ordres et degrés d'études, ou à la fin de ces divers ordres et degrés, ainsi que pour l'obtention des titres d'aptitude professionnelle.

Les institutions de haute culture, universités et académies, ont le droit de se donner une règlementation autonome dans les limites établies par les lois de l'État.

Article 34

L'enseignement est ouvert à tous.

L'instruction primaire, pendant au moins huit ans, est obligatoire et gratuite.

Les élèves doués et méritants, même s'ils sont dépourvus de moyens de subsistance, ont le droit d'atteindre aux plus hauts degrés des études.

La République rend effectif ce droit au moyen de bourses d'études, d'allocations aux familles et d'autres mesures d'aide, qui doivent être attribuées par concours.

Titre III
Relations économiques

Article 35

La République protège le travail sous toutes ses formes et dans toutes ses applications.

Elle veille à la formation et à l'enseignement professionnel des travailleurs.

Elle propose et favorise les organisations et les accords internationaux qui visent à l'affirmation et à la réglementation des droits du travail.

Elle reconnaît la liberté d'émigration, dans le respect des obligations établies par la loi dans l'intérêt général, et protège le travailleur italien à l'étranger.

Article 36

Le travailleur a droit à une rémunération proportionnée à la quantité et à la qualité de son travail et en tout cas suffisante pour lui assurer ainsi qu'à sa famille une existence libre et digne.

La durée maximum de la journée de travail est fixée par la loi.

Le travailleur a droit au repos hebdomadaire et à des congés annuels rétribués ; il ne peut y renoncer.

Article 37

La femme qui travaille a les mêmes droits et, à égalité de travail, la même rémunération que l'homme qui travaille. Les conditions de travail doivent lui permettre l'accomplissement de son rôle essentiel au foyer et doivent assurer à la mère et à l'enfant une protection particulière et adéquate.

La loi fixe la limite d'âge minimum pour le travail salarié.

La République protège le travail des enfants mineurs au moyen de lois particulières et leur garantit, à égalité de travail, le droit à l'égalité de rémunération.

Article 38

Tout citoyen incapable de travailler et dépourvu de moyens d'existence a droit à la subsistance et à l'assistance sociale.

Les travailleurs ont droit à ce que soient prévus et assurés des moyens proportionnés à leurs besoins, en cas d'accident, de maladie, d'invalidité et de vieillesse, de chômage involontaire.

Les inaptes et les handicapés ont droit à la rééducation professionnelle.

Aux mesures prévues dans cet article pourvoient les organismes et les institutions établis ou secondés par l'État.

L'assistance privée est libre.

Article 39

L'organisation syndicale est libre.

Aucune obligation ne peut être imposée aux syndicats, sauf leur enregistrement auprès des offices locaux ou centraux, selon les règles établies par la loi.

Ne peuvent être enregistrés que les statuts des syndicats qui fondent leur organisation intérieure sur des bases démocratiques.

Les syndicats reconnus ont la personnalité juridique. Représentés unitairement selon le nombre de leur adhérents, ils peuvent conclure des conventions collectives de travail, dont l'application est obligatoire pour tous les membres des groupements professionnels auxquels les conventions se rapportent.

Article 40

Le droit de grève s'exerce dans le cadre des lois qui le réglementent.

Article 41

L'initiative économique privée est libre.

Elle ne peut s'exercer en contradiction avec l'utilité sociale ou de façon à porter atteinte à la sécurité, à la liberté, à la dignité humaines.

La loi détermine les programmes et les contrôles appropriés pour que l'activité économique publique et privée puisse être orientée et coordonnée vers des fins sociales.

Article 42

La propriété est publique ou privée. Les biens économiques appartiennent à l'État, à des institutions ou à des particuliers.

La propriété privée est reconnue et garantie par la loi, qui en détermine les modes d'acquisition et de jouissance, ainsi que les limites, dans le but d'assurer sa fonction sociale et de la rendre accessible à tous.

La propriété privée peut être expropriée, dans les cas prévus par la loi, et contre indemnisation, pour des raisons d'intérêt général.

La loi fixe les règles et les limites de la succession légale ou testamentaire, ainsi que les droits de l'État sur les héritages.

Article 43

Pour des fins d'utilité générale, la loi peut réserver originairement ou transférer à l'État, à des institutions publiques ou à des communautés de travailleurs ou d'usagers, par expropriation et contre indemnisation, des entreprises déterminées ou des catégories d'entreprises ayant trait à des services publics essentiels, à des sources d'énergie, ou à des situations de monopole, et qui présentent un caractère d'intérêt général prédominant.

Article 44

Afin de réaliser une exploitation rationnelle du sol et d'établir des rapports sociaux équitables, la loi impose des obligations et des règles à la propriété foncière privée, fixe des limites à son étendue selon les régions et les zones agraires, favorise et impose l'assainissement des terres, la transformation des grands domaines et la reconstitution des unités de production ; elle aide la propriété petite et moyenne.

La loi prévoit la protection et la mise en valeur des régions de montagne.

Article 45

La République reconnaît le rôle social de la coopération à caractère mutualiste et ne visant pas à la spéculation privée. La loi en promeut et favorise l'essor par les moyens les plus appropriés et en assure le caractère et les finalités par des contrôles spéciaux.

La loi veille à la protection et au développement de l'artisanat.

Article 46

Pour la promotion économique et sociale des travailleurs et en accord avec les besoins de la production, la République reconnaît le droit des travailleurs à collaborer, selon les modalités et dans les limites fixées par les lois, à la gestion des entreprises.

Article 47

La République encourage et protège l'épargne sous toutes ses formes ; elle réglemente, coordonne et contrôle l'exercice du crédit.

Elle favorise l'accès de l'épargne populaire à la propriété du logement, à la propriété des terrains directement cultivés et à l'actionnariat direct et indirect dans les grandes entreprises de production du pays.

Titre IV
Relations politiques

Article 48

Sont électeurs tous les citoyens, hommes et femmes, qui ont atteint l'âge de la majorité.

Le vote est personnel et égal, libre et secret. Son exercice est un devoir civique.

Le droit de vote ne peut être limité, si ce n'est par l'incapacité civile ou par l'effet d'une sentence pénale irrévocable ou, enfin, dans les cas d'indignité morale indiqués par la loi.

Article 49

Tous les citoyens ont le droit de s'associer librement en partis pour contribuer, selon les règles de la démocratie, à la détermination de la politique nationale (1).

Article 50

Tous les citoyens peuvent adresser des pétitions aux Chambres pour demander des mesures législatives ou pour exposer des besoins d'intérêt général.

Article 51

Tous les citoyens de l'un ou l'autre sexe peuvent accéder également aux emplois publics et aux charges électives selon les conditions exigées par la loi.

Pour l'admission aux emplois publics et aux charges électives, la loi peut admettre, sur un pied d'égalité avec les ressortissants nationaux, les Italiens qui n'appartiennent pas à la République (2).

Quiconque est appelé à des fonctions publiques électives a le droit de disposer du temps nécessaire à leur accomplissement, tout en conservant son emploi.

Article 52

La défense de la patrie est un devoir sacré du citoyen.

Le service militaire est obligatoire, dans les limites et les modalités fixées par la loi. Son accomplissement ne porte aucun préjudice à la situation de travail du citoyen, ni à l'exercice de ses droits politiques.

L'organisation des forces armées s'inspire de l'esprit démocratique de la République.

Article 53

Chacun est tenu de contribuer aux dépenses publiques suivant ses possibilités.

Le système fiscal s'inspire des principes de la progressivité.

Article 54

Tous les citoyens ont le devoir d'être fidèles à la République et d'en observer la Constitution et les lois.

Les citoyens auxquels sont confiées des fonctions publiques ont le devoir de s'en acquitter avec discipline et honneur, et de prêter serment dans les cas fixés par la loi.

Seconde partie
Organisation de la République

Titre I
Le Parlement

1re Section
Les Chambres

Article 55

Le Parlement est composé de la Chambre des députés et du Sénat de la République.

Le Parlement ne se réunit en séance commune des membres des deux assemblées que dans les cas fixés par la Constitution.

Article 56 (3)

La Chambre des députés est élue au suffrage universel et direct. Le nombre des députés est de six cent trente.

Peuvent être élus députés tous les électeurs qui, le jour des élections, ont l'âge de vingt-cinq ans révolus. La répartition des sièges entre les circonscriptions a lieu en divisant le nombre d'habitants de la République, tel qu'il ressort du dernier recensement général, par 630 et en répartissant les sièges en proportion de la population de chaque circonscription, sur la base des quotients entiers et des nombres de voix restantes les plus élevés.

(1) La XIIe disposition transitoire (non reproduite ici) interdit toutefois la réorganisation, sous quelque forme que ce soit, du parti fasciste.
(2) *Commentaire officiel :* « La loi peut étendre ce droit à ceux qui, tout en étant ethniquement italiens, ne sont pas ressortissants de la République italienne ».
(3) Amendé par la loi constitutionnelle n° 2 du 9 février 1963.

Article 57 [1]

Le Sénat de la République est élu sur la base régionale.

Le nombre des sénateurs élus est de trois cent quinze.

Aucune région ne peut avoir un nombre de sénateurs inférieur à sept. Seules exceptions : le Molise, qui a deux sénateurs, et la Vallée d'Aoste, qui en a un.

La répartition des sièges entre les régions, après application préalable des dispositions visées à l'alinéa précédent, est proportionnelle à la population des régions, telle qu'elle ressort du dernier recensement général, sur la base des quotients entiers et des nombres de voix restantes les plus élevés.

Article 58

Les sénateurs sont élus au suffrage universel et direct par les électeurs ayant vingt-cinq ans révolus.

Sont éligibles sénateurs les électeurs qui ont atteint l'âge de quarante ans.

Article 59

Est sénateur de droit et à vie, sauf s'il y renonce, tout ancien Président de la République.

Le Président de la République peut nommer sénateurs à vie cinq citoyens qui ont mérité de la patrie par des actes ou réalisations exceptionnels dans les domaines social, scientifique, artistique ou littéraire.

Article 60 [2]

La Chambre des députés et le Sénat de la République sont élus pour cinq ans. La durée du mandat de chacune des assemblées ne peut être prorogée que par une loi et en cas de guerre.

Article 61

Les élections aux nouvelles Chambres ont lieu dans les soixante-dix jours qui suivent la fin du mandat des précédentes. La première réunion a lieu dans les vingt jours qui suivent les élections.

Tant que les nouvelles Chambres ne sont pas réunies, les pouvoirs des précédentes sont prorogés.

Article 62

Les Chambres reprennent de droit leurs travaux le premier jour non férié de février et d'octobre.

Chaque Chambre peut être convoquée en séance extraordinaire, sur l'initiative de son président, ou du Président de la République, ou encore d'un tiers de ses membres.

Lorsque l'une des Chambres se réunit en séance extraordinaire, l'autre Chambre siège de plein droit.

Article 63

Chaque Chambre élit parmi ses membres le président et le bureau.

Lorsque le Parlement se réunit en séance commune, le président et le bureau sont ceux de la Chambre des députés [3].

Article 64

Chaque Chambre adopte son propre règlement à la majorité absolue de ses membres.

Les séances sont publiques ; toutefois les deux Chambres, séparément ou en séance commune, peuvent décider de se réunir à huis clos.

Les délibérations de chaque Chambre et du Parlement tout entier ne sont valables que si la majorité de leurs membres sont présents et si ces délibérations ont été approuvées à la majorité des présents, à moins que la Constitution ne prévoie une majorité spéciale.

Les membres du Gouvernement, même s'ils n'appartiennent pas au Parlement, ont le droit et, s'ils en sont requis, le devoir d'assister aux séances. Ils ont droit à la parole chaque fois qu'ils la demandent.

Article 65

La loi détermine les cas d'inéligibilité et d'incompatibilité avec les fonctions de député ou de sénateur.

---

(1) Amendé par les lois constitutionnelles n° 2 du 9 février 1963 et n° 3 du 27 décembre 1963.
(2) Amendé par la loi constitutionnelle n° 2 du 9 février 1963.
(3) *Commentaire officiel :* « Le constituant a cru bon de confier cette tâche au bureau de la Chambre des députés, non pour établir une priorité de cette assemblée à l'égard du Sénat, mais parce qu'au président du Sénat est réservée la tâche supérieure de remplacer le Président de la République quand celui-ci n'est plus à même de remplir les devoirs de sa charge (article 86) ».

Nul ne peut appartenir en même temps aux deux Chambres.

Article 66

Chacune des deux Chambres juge des titres d'admission de ses membres et des causes d'inéligibilité et d'incompatibilité.

Article 67

Chaque membre du Parlement représente la nation et exerce ses fonctions en dehors de tout mandat impératif.

Article 68

Les membres du Parlement ne peuvent être poursuivis pour les opinions et les votes exprimés dans l'exercice de leurs fonctions.

Sans autorisation de la Chambre à laquelle il appartient, aucun membre du Parlement ne peut faire l'objet de poursuites pénales ; il ne peut être arrêté, ni d'aucune façon privé de sa liberté personnelle, ni soumis à des fouilles personnelles ou domiciliaires, sauf s'il a été surpris au moment de commettre un délit pour lequel le mandat d'arrêt ou la prise de corps est obligatoire.

Une autorisation semblable est nécessaire pour arrêter ou pour écrouer un membre du Parlement en exécution d'une sentence, même irrévocable.

Article 69

Les membres du Parlement reçoivent une indemnité fixée par la loi.

IIe Section
La formation des lois

Article 70

La fonction législative est exercée collectivement par les deux Chambres.

Article 71

L'initiative des lois revient au Gouvernement, à chaque membre des Chambres, ainsi qu'aux organismes et aux institutions auxquels elle est attribuée par la loi constitutionnelle (1).

Le peuple exerce l'initiative des lois, au moyen d'une proposition présentée par au moins cinquante mille électeurs et constituant un projet rédigé en articles.

Article 72

Tout projet de loi présenté à l'une des Chambres est, selon le règlement de cette Chambre, examiné par une commission et ensuite par la Chambre elle-même, qui l'adopte, article par article, et par un vote final.

Le règlement établit des procédures plus rapides pour les projets de loi dont l'urgence est déclarée.

Il peut aussi établir dans quels cas et sous quelles formes l'examen et l'approbation des projets de loi sont déférés à des commissions, même permanentes, composées de façon à refléter les proportions des groupes parlementaires. Même dans ces cas, jusqu'à son approbation définitive, le projet de loi est remis à la Chambre si le Gouvernement, ou bien un dixième des membres de la Chambre, ou encore un cinquième de la commission, exige qu'il soit débattu et voté par la Chambre elle-même, ou bien qu'il soit soumis à son approbation finale par des déclarations de vote. Le règlement détermine les formes de publicité des travaux des commissions.

La procédure normale d'examen et d'approbation directe par la Chambre est toujours adoptée pour les projets de loi en matière constitutionnelle et électorale et, pour ceux qui ont trait à la délégation de pouvoirs législatifs, à l'autorisation de ratifier des traités internationaux, à l'approbation des budgets et des lois de règlement.

Article 73

Les lois sont promulguées par le Président de la République dans un délai d'un mois suivant leur approbation.

Si les Chambres, chacune à la majorité absolue de ses propres membres, en déclarent l'urgence, la loi est promulguée dans le délai que celle-ci a elle-même fixé.

Les lois sont publiées aussitôt après leur promulgation et entrent en vigueur quinze jours après leur publication, à moins que leur texte même ne fixe un autre délai.

(1) Par exemple, le Conseil national de l'économie et du travail (article. 99) et les régions (article 121) (note de l'éditeur).

Article 74

Le Président de la République, avant de promulguer une loi, peut, au moyen d'un message motivé adressé aux Chambres, demander une nouvelle délibération.

Si les Chambres approuvent de nouveau la loi, celle-ci doit être promulguée.

Article 75

Il y a référendum populaire pour décider l'abrogation, totale ou partielle, d'une loi ou d'un acte ayant force de loi, lorsqu'il est requis par cinq cent mille électeurs ou par cinq conseils régionaux.

Le référendum n'est pas admis pour les lois fiscales et budgétaires, d'amnistie et de remise de peine, ni d'autorisation de ratifier des traités internationaux.

Ont droit à participer au référendum tous les citoyens appelés à élire la Chambre des députés.

La proposition soumise au référendum est approuvée si la majorité des électeurs a participé au vote et si la majorité des suffrages valablement exprimés a été atteinte.

La loi détermine la procédure du référendum.

Article 76

L'exercice de la fonction législative ne peut être délégué au Gouvernement que pour autant qu'on été définis les principes et les directives de cette délégation et seulement pour une durée limitée et pour des objets définis.

Article 77

Le Gouvernement ne peut promulguer de décrets ayant force de loi ordinaire sans que le pouvoir lui en soit expressément délégué par les assemblées parlementaires.

Lorsque, dans des cas exceptionnels de nécessité et d'urgence, le Gouvernement adopte, sous sa responsabilité, des mesures provisoires ayant force de loi, il doit, le jour même, les présenter pour leur conversion en lois aux Chambres qui, même si elles sont dissoutes, sont convoquées à cette fin et se réunissent dans un délai de cinq jours.

Les décrets sont abrogés *ab initio* s'ils ne sont pas convertis en lois dans les soixante jours qui suivent leur publication. Les Chambres peuvent toutefois régler par une loi les rapports juridiques créés par des décrets non convertis.

Article 78

Les Chambres autorisent la déclaration de guerre et confèrent au Gouvernement les pouvoirs nécessaires.

Article 79

L'amnistie et la remise de peine sont accordées par le Président de la République en vertu d'une loi de délégation de pouvoirs de la part des Chambres.

Elles ne peuvent s'appliquer aux délits commis après la proposition de délégation des pouvoirs.

Article 80

Les Chambres autorisent par des lois la ratification des traités internationaux de nature politique, ou qui prévoient des arbitrages ou des règlements judiciaires, ou encore qui entraînent des modifications du territoire, des charges pour les finances ou des changements dans les lois.

Article 81

Les Chambres approuvent chaque année le budget et la loi de règlement présentés par le Gouvernement.

L'exercice provisoire du budget ne peut être admis que par une loi et pour des durées qui, au total, ne dépassent pas quatre mois.

La loi d'approbation du budget ne peut autoriser à lever de nouveaux impôts ni à établir de nouvelles dépenses.

Toute autre loi comportant des dépenses nouvelles ou accrues doit préciser les moyens d'y faire face.

Article 82

Chaque Chambre peut ouvrir des enquêtes sur des matières d'intérêt public.

Dans ce but, elle nomme parmi ses propres membres une commission formée de façon à refléter la proportion des différents groupes parlementaires. La commission d'enquête procède aux recherches et aux vérifications avec les mêmes pouvoirs et les mêmes limites que l'autorité judiciaire.

Titre II
Le Président de la République

Article 83

Le Président de la République est élu par le Parlement réuni en séance commune.

A cette élection participent trois délégués pour chaque région, élus par le conseil régional de façon que la représentation des minorités soit assurée. La Vallée d'Aoste n'a qu'un délégué.

L'élection du Président de la République a lieu au scrutin secret et à la majorité des deux tiers du Parlement. Après le troisième tour la majorité absolue est suffisante.

Article 84

Peut être élu Président de la République tout citoyen ayant cinquante ans révolus et jouissant de ses droits civils et politiques.

Les fonctions de Président de la République sont incompatibles avec toute autre charge.

Le « traitement » et la « dotation » du Président sont fixés par la loi.

Article 85

Le Président de la République est élu pour sept ans.

Trente jours avant l'échéance de son mandat, le président de la Chambre des députés convoque, en séance commune, le Parlement et les délégués régionaux, pour élire le nouveau Président de la République.

Si les Chambres sont dissoutes, ou bien s'il reste moins de trois mois avant la fin de la législature, l'élection a lieu dans un délai de quinze jours à partir de la réunion des nouvelles Chambres. Entre-temps, les pouvoirs du Président sortant sont prorogés.

Article 86

Les fonctions du Président de la République, au cas où celui-ci ne pourrait les remplir, sont exercées par le président du Sénat.

En cas d'empêchement permanent, de décès ou de démission du Président de la République, le président de la Chambre des députés fixe l'élection du nouveau Président de la République dans un délai de quinze jours. Un délai plus long peut être prévu si les Chambres sont dissoutes, ou s'il reste moins de trois mois avant la fin de la législature.

Article 87

Le Président de la République est le chef de l'État et représente l'unité nationale.

Il peut adresser des messages aux Chambres.

Il ordonne les élections des nouvelles Chambres et fixe leur première réunion.

Il autorise la présentation aux Chambres des projets de loi d'initiative gouvernementale.

Il promulgue les lois et les décrets ayant force de loi ainsi que les règlements.

Il ordonne le référendum populaire dans les cas prévus par la Constitution.

Il nomme, dans les cas indiqués par la loi, les fonctionnaires de l'État.

Il accrédite et reçoit les représentants diplomatiques, ratifie les traités internationaux, le cas échéant après autorisation des Chambres.

Il commande les forces armées, préside le Conseil suprême de défense institué par la loi, déclare l'état de guerre décidé par les Chambres.

Il préside le Conseil supérieur de la magistrature.

Il peut accorder la grâce et commuer les peines.

Il décerne les décorations de la République.

Article 88

Le Président de la République peut, après avoir entendu leurs présidents, dissoudre les chambres ou une seule d'entre elles.

Il ne peut exercer ce pouvoir durant les six derniers mois de son mandat.

Article 89

Aucun acte du Président de la République n'est valable s'il n'est contresigné par les ministres qui l'ont proposé, et qui en assument la responsabilité.

Les actes qui ont force de loi et les autres actes prévus par la loi sont contresignés également par le président du Conseil des ministres.

Article 90

Le Président de la République n'est pas responsable des actes accomplis dans l'exercice de ses fonctions, sauf en cas de haute trahison ou d'attentat contre la Constitution.

Dans ces derniers cas, il est mis en état d'accusation par le Parlement réuni en séance commune, à la majorité absolue de ses membres.

Article 91

Le Président de la République, avant d'assumer ses fonctions, prête serment de fidélité à la République, et jure d'observer la Constitution devant le Parlement réuni en séance commune.

Titre III
Le Gouvernement

Ire Section
Le Conseil des ministres

Article 92

Le Gouvernement de la République est composé du président du Conseil et des ministres, qui constituent ensemble le Conseil des ministres.

Le Président de la République nomme le président du Conseil des ministres et, sur proposition de ce dernier, les ministres.

Article 93

Le président du Conseil des ministres et les ministres, avant d'assumer leur charge, prêtent serment devant le Président de la République.

Article 94

Le Gouvernement doit avoir la confiance des deux Chambres.

Chaque Chambre accorde ou refuse la confiance par une motion motivée et votée par appel nominal.

Dans un délai de dix jours après sa formation, le Gouvernement se présente devant les Chambres pour en obtenir la confiance.

Le vote contraire d'une ou des deux Chambres sur une proposition du Gouvernement n'entraîne pas obligatoirement la démission de ce dernier.

La motion de défiance doit être signée par au moins un dixième des membres de la Chambre, et elle ne peut faire l'objet de débats que trois jours après sa présentation.

Article 95

Le président du Conseil des ministres dirige la politique générale du Gouvernement et en est responsable. Il maintient l'unité d'orientation politique et administrative en aidant et en coordonnant l'activité des ministres.

Les ministres sont solidairement responsables des actes du Conseil des ministres et, individuellement, des actes de leur département.

La loi fixe l'organisation de la présidence du Conseil, le nombre, les attributions et l'organisation des ministères.

Article 96

Le président du Conseil des ministres et les ministres sont mis en état d'accusation par le Parlement réuni en séance commune, pour les délits commis dans l'exercice de leurs fonctions [1].

IIe Section
L'Administration publique

Article 97

Les services publics sont organisés selon des dispositions législatives, de façon à assurer le bon fonctionnement et l'impartialité de l'Administration.

La réglementation des services détermine le ressort, les attributions et les

(1) Ils sont jugés par la Cour constitutionnelle (article 134). Pour les délits commis hors l'exercice de leurs fonctions, les lois pénale et civile normales s'appliquent, compte tenu, le cas échéant, de leur immunité parlementaire (note de l'éditeur).

responsabilités personnelles des fonctionnaires.

Les emplois de l'Administration publique sont pourvus par concours, sauf exceptions établies par la loi.

Article 98

Les fonctionnaires sont au service exclusif de la nation.

S'ils sont membres du Parlement, ils ne peuvent obtenir d'avancement qu'à l'ancienneté.

La loi peut imposer de limiter le droit de s'inscrire aux partis politiques pour les magistrats, les membres des forces armées en service actif permanent, les fonctionnaires et agents de police, les représentants diplomatiques et consulaires à l'étranger.

IIIe Section
Les organes auxiliaires

Article 99

Le Conseil national de l'économie et du travail est formé, selon les modalités fixées par la loi, d'experts et de représentants des catégories productives, dans des proportions tenant compte de leur importance numérique et qualitative.

Il constitue un organisme consultatif des Chambres et du Gouvernement pour les matières et selon les fonctions qui lui sont attribuées par la loi.

Il a l'initiative législative et peut contribuer à l'élaboration de la législation économique et sociale, selon les principes et dans les limites fixés par la loi.

Article 100

Le Conseil d'État est un organe consultatif en matière juridique et administrative, chargé de protéger la justice au sein de l'Administration.

La Cour des comptes exerce le contrôle de légalité *a priori* sur les actes du Gouvernement, ainsi que le contrôle *a posteriori* sur la gestion du budget de l'État. Elle participe, dans les cas et formes établis par la loi, au contrôle sur la gestion financière des institutions auxquelles l'État donne sa contribution à titre ordinaire. Elle communique directement aux Chambres le résultat des vérifications effectuées.

La loi assure l'indépendance de ces deux organismes et de leurs membres à l'égard du Gouvernement.

Titre IV
La magistrature

Ire Section
Organisation judiciaire

Article 101

La justice est rendu au nom du peuple. Les juges ne sont soumis qu'à la loi.

Article 102

Les fonctions judiciaires sont exercées par des magistrats ordinaires installés et agissant d'après les règles sur l'ordre judiciaire.

Il ne peut être institué de juges extraordinaires ou spéciaux. Peuvent seulement être instituées, auprès des organes judiciaires ordinaires, des sections spécialisées pour des matières déterminées et auxquelles peuvent participer des citoyens aptes à cette fonction et étrangers à la magistrature.

La loi règle les cas et les formes de la participation directe du peuple à l'administration de la justice.

Article 103

Le Conseil d'État et les autres juridictions administratives connaissent des litiges engageant l'Administration publique et liés aux droits des administrés ainsi qu'aux droits civils dans les matières prévues par la loi.

La Cour des comptes étend sa juridiction aux matières de comptabilité publique et aux autres matières spécifiées par la loi.

Les tribunaux militaires, en temps de guerre, ont la compétence fixée par la loi. En temps de paix, cette compétence n'a trait qu'aux délits militaires commis par des membres des forces armées.

Article 104

La magistrature constitue un corps autonome et indépendant de tout autre pouvoir.

Le Conseil supérieur de la magistrature est présidé par le Président de la République.

Le premier président et le procureur général de la Cour de cassation en font partie de droit.

Les autres membres sont élus, à raison des deux tiers, par tous les magistrats ordinaires, parmi les représentants des différentes catégories, et, pour un tiers, par le Parlement réuni en séance commune, parmi les professeurs d'université titulaires de chaires de droit et les avocats ayant au moins quinze ans d'activité.

Le Conseil élit un vice-président parmi les membres désignés par le Parlement.

Les membres électifs du Conseil restent en fonction pour une durée de quatre ans et ne sont pas immédiatement rééligibles.

Tant que dure leur mandat, ils ne peuvent être inscrits aux tableaux professionnels, ni faire partie du Parlement ou d'un Conseil régional.

Article 105

Les nominations, les affectations et les mutations, les promotions et les mesures disciplinaires concernant les magistrats sont du ressort du Conseil supérieur de la magistrature, d'après les règles de l'organisation judiciaire.

Article 106

Les magistrats sont recrutés par concours.

La loi sur l'organisation judiciaire peut admettre la désignation, même par élection, de magistrats honoraires pour toutes les fonctions attribuées à certains juges.

Sur désignation du Conseil supérieur de la magistrature, peuvent être appelés à la charge de conseillers à la Cour de cassation, pour leurs mérites éminents, des professeurs d'université titulaires de chaires de droit et des avocats ayant au moins quinze ans d'activité et inscrits sur des listes spéciales pour les juridictions supérieures.

Article 107

Les magistrats sont inamovibles. Ils ne peuvent être dispensés ou provisoirement relevés de leurs fonctions, ni appelés à d'autres sièges ou à d'autres attributions que par une décision du Conseil supérieur de la magistrature, adoptée pour des raisons et avec les garanties de défense établies par la réglementation judiciaire, ou avec le consentement des intéressés.

Le ministre de la Justice a la faculté de mettre en mouvement l'action disciplinaire.

Les magistrats ne se distinguent entre eux que par la diversité de leurs fonctions.

Le procureur de la République jouit des garanties fixées à son égard par les règles de l'organisation judiciaire.

Article 108

Les règles de l'organisation judiciaire et celles de toutes les magistratures sont fixées par la loi.

La loi assure l'indépendance des juges des juridictions spéciales, du procureur de la République auprès de ces juridictions, et des personnes étrangères à la magistrature qui participent à l'administration de la justice.

Article 109

L'autorité judiciaire dispose directement de la police judiciaire.

Article 110

Compte tenu des compétences du Conseil supérieur de la magistrature, il appartient au ministre de la Justice de veiller à l'organisation et au fonctionnement des services qui ont trait à la justice.

IIe Section
Règles juridictionnelles

Article 111

Toutes les mesures judiciaires doivent être motivées.

Contre les arrêts et les mesures concernant la liberté personnelle, prononcés ou adoptés par les organes juridictionnels ordinaires ou spéciaux, le pourvoi en cassation pour violation de la loi est toujours admis. Il ne peut être dérogé à cette règle que pour les sentences des tribunaux militaires en temps de guerre.

Contre les décisions du Conseil d'État et de la Cour des comptes, le pourvoi en cassation n'est admis que pour des motifs inhérents à la juridiction.

Article 112

Le procureur de la République est tenu d'exercer l'action pénale.

Article 113

Contre les actes de l'Administration publique, la protection juridique des droits et des intérêts légitimes devant les organismes de juridiction ordinaire ou administrative est toujours admise.

Cette protection ne peut être refusée ou limitée à des moyens particuliers de contestation ou pour des catégories d'actes déterminées.

La loi désigne les organes de juridiction qui peuvent annuler les actes de l'Administration publique, dans les cas et avec les effets prévus par la loi elle-même.

Titre V
Les régions, les provinces et les communes

Article 114

La République se divise en régions, provinces et communes.

Article 115

Les régions sont constituées en organismes autonomes ayant des pouvoirs particuliers et des fonctions qui leur sont propres, selon les principes établis par la Constitution.

Article 116

A la Sicile, à la Sardaigne, au Trentin-Haut Adige, au Frioul-Vénétie Julienne et à la Vallée d'Aoste sont attribuées des formes et des conditions particulières d'autonomie, aux termes de statuts spéciaux adoptés par des lois constitutionnelles (1).

Article 117

La région édicte pour les matières suivantes les règles législatives dans les limites des principes fondamentaux établis par les lois de l'État, pourvu que ces mêmes règles ne soient pas en contradiction avec l'intérêt national ou avec celui d'autres régions : réglementation des services et des organismes administratifs dépendant de la région ; circonscriptions communales ; police locale urbaine et rurale ; foires et marchés ; assistance publique, médicale et hospitalière ; instruction artisanale et professionnelle et assistance scolaire ; musées et bibliothèques des pouvoirs locaux ; urbanisme ; tourisme et industrie hôtelière ; tramways et lignes automobiles d'intérêt régional ; voirie, aqueducs et travaux publics d'intérêt régional ; navigation et ports lacustres ; eaux minérales et thermales ; carrières et tourbières ; chasse ; pêche dans les eaux intérieures ; agriculture et forêts ; artisanat ; autres matières prévues par des lois constitutionnelles.

Les lois de la République peuvent déléguer à la région le pouvoir de prendre des dispositions pour leur application.

Article 118

Les fonctions administratives ayant trait aux matières indiquées à l'article précédent sont du ressort de la région, hormis celles d'intérêt exclusivement local, qui peuvent être attribuées par les lois de la République aux provinces, aux communes et à d'autres pouvoirs locaux.

L'État peut, par une loi, déléguer à la région l'exercice d'autres fonctions administratives.

La région exerce normalement ses fonctions administratives en les déléguant aux provinces, aux communes ou à d'autres pouvoirs locaux, ou bien en recourant à leurs services.

Article 119

Les régions sont financièrement autonomes, dans les formes et dans les limites établies par des lois de la République, qui coordonnent cette autonomie avec les finances de l'État, des provinces et des communes.

---

(1) Les lois constitutionnelles du 26 février 1948 ont fixé en exécution de cet article le statut des régions de Sicile, Sardaigne, de la Vallée d'Aoste et du Trentin-Haut Adige ; la loi constitutionnelle du 31 janvier 1963 a réglé celui de la région du Frioul-Vénétie Julienne et celle du 30 novembre 1971 a modifié le statut du Trentin-Haut Adige (note de l'éditeur).

Les régions disposent d'impôts particuliers et d'une partie des impôts d'État, à raison de leurs besoins, pour les dépenses qui leur sont nécessaires pour l'accomplissement de leurs fonctions normales.

Afin de répondre à des buts déterminés, et particulièrement pour mettre en valeur le midi et les îles, l'État accorde par une loi à chaque région des subventions spéciales.

La région a un domaine et un patrimoine particuliers selon les modalités établies par une loi de la République.

Article 120

La région ne peut pas instituer de taxes d'importation, d'exportation ou de transit entre les régions.

Elle ne peut adopter de mesures entravant en aucune façon la libre circulation des individus et des biens entre les régions.

Elle ne peut limiter le droit des citoyens à exercer dans toutes les parties du territoire national leur profession, leur emploi ou leur travail.

Article 121

Les organes de la région sont : le conseil régional, la *Giunta* et son président.

Le conseil régional exerce les pouvoirs législatifs et réglementaires attribués à la région et les autres fonctions qui lui sont conférées par la Constitution et par les lois. Il peut soumettre des propositions de loi aux Chambres.

La *Giunta* est l'organe exécutif de la région.

Le président de la région représente la région ; il promulgue les lois et les règlements régionaux ; il dirige les fonctions administratives déléguées par l'État à la région, en se conformant aux instructions du Gouvernement central.

Article 122

Le système d'élection, le nombre et les cas d'inéligibilité et d'incompatibilité des conseillers régionaux sont déterminés par une loi de la République.

Nul ne peut appartenir à la fois à un conseil régional et à l'une des Chambres du Parlement ou à un autre conseil régional.

Le conseil élit en son sein un président et un bureau pour ses propres travaux.

Les conseillers régionaux ne peuvent être appelés à répondre de leurs opinions et de leurs votes dans l'exercice de leurs fonctions.

Le président et les membres de la *Giunta* sont élus par le Conseil régional parmi ses propres membres.

Article 123

Chaque région a un statut qui, en harmonie avec la Constitution et avec les lois de la République, établit les modalités d'organisation intérieure de la région. Ce statut règle l'exercice du droit d'initiative et de référendum pour les lois et les règlements administratifs de la région, ainsi que la publication des lois et des règlements régionaux.

Le statut est délibéré par le conseil régional à la majorité absolue de ses membres, et il est approuvé par une loi de la République.

Article 124

Un commissaire du Gouvernement, résidant au chef-lieu de la région, préside aux fonctions administratives exercées par l'État et les coordonne avec celles qui sont exercées par la région.

Article 125

Le contrôle de légalité sur les actes administratifs de la région est exercé, sous une forme décentralisée, par un organe de l'État, selon les modalités et dans les limites fixées par les lois de la République. La loi, en des cas déterminés, peut admettre le contrôle de fond dans le seul but de provoquer, par une requête motivée, un nouvel examen de la délibération de la part du conseil régional.

Dans la région sont institués des organes de justice administrative du premier degré, selon les règles établies par une loi de la République.

Peuvent être instituées des sections en des lieux autres que le chef-lieu de la région.

Article 126

Le conseil régional peut être dissous lorsqu'il accomplit des actes contraires à la

Constitution ou de graves violations de la loi, ou bien lorsqu'il n'obtempère pas à l'invitation du Gouvernement de relever la *Giunta* ou le président qui ont commis des actes ou des violations analogues.

Il peut être dissous quand, par suite de démissions ou d'impossibilité de former une majorité, il n'est pas à même de fonctionner.

Il peut être également dissous pour des raisons de sécurité nationale.

La dissolution est prononcée par un décret motivé du Président de la République, après avis d'une commission de députés et de sénateurs formée, pour les questions régionales, selon les modalités fixées par une loi de la République.

Le décret de dissolution nomme une commission de trois citoyens éligibles au conseil régional, qui fixe les élections dans un délai de trois mois et veille à l'administration ordinaire relevant de la *Giunta* et aux actes que l'on ne peut ajourner et qui doivent être soumis à la ratification du nouveau conseil.

Article 127

Toute loi approuvée par le conseil régional est notifiée au commissaire qui, à moins d'une opposition de la part du Gouvernement, doit y apposer son visa dans un délai de trente jours à partir de cette communication.

La loi est promulguée dans un délai de dix jours après l'apposition du visa et elle entre en vigueur quinze jours après sa publication. Si une loi est déclarée urgente par le conseil régional, et si le Gouvernement de la République l'autorise, sa promulgation et son entrée en vigueur ne sont pas subordonnées aux délais indiqués.

Le Gouvernement de la République, lorsqu'il estime qu'une loi adoptée par le conseil régional dépasse la compétence de la région ou est en contradiction avec les intérêts nationaux ou avec ceux des autres régions, la renvoie au conseil régional dans le délai fixé pour l'apposition du visa.

Si le conseil régional l'approuve de nouveau à la majorité absolue de ses membres, le Gouvernement de la République, dans un délai de quinze jours à partir de sa communication, peut soulever l'exception d'inconstitutionnalité devant la Cour constitutionnelle, ou le problème d'opportunité devant les Chambres. En cas de doute, la Cour décide à qui appartient la compétence.

Article 128

Les provinces et les communes sont des organismes autonomes dans la limite des principes fixés par des lois générales de la République, qui en déterminent les fonctions.

Article 129

Les provinces et les communes sont également des circonscriptions de décentralisation de l'État et de la région.

Les circonscriptions provinciales peuvent être subdivisées en arrondissements ayant des fonctions exclusivement administratives, pour une ultérieure décentralisation.

Article 130

Un organe de la région, constitué selon des modalités fixées par les lois de la République, exerce, même sous une forme décentralisée, le contrôle de légalité sur les actes des provinces, des communes et des autres organismes locaux.

Dans des cas déterminés par la loi, le contrôle de fond peut être exercé sous forme de demande motivée aux organismes délibérants pour qu'ils reconsidèrent leur décision.

Article 131

Sont constituées les régions suivantes : Piémont, Vallée d'Aoste, Lombardie, Trentin-Haut Adige, Vénétie, Frioul-Vénétie Julienne, Ligurie, Emilie-Romagne, Toscane, Ombrie, Marches, Latium, Abruzzes, Molise, Campanie, Pouilles, Basilicate, Calabre, Sicile, Sardaigne.

Article 132

Une loi constitutionnelle peut, après avis préalable des conseils régionaux, ordonner la fusion de régions existantes ou la création de nouvelles régions comprenant un minimum d'un million d'habitants, à la demande d'un nombre de conseils municipaux représentant au moins un tiers des populations intéressées, pourvu que cette proposition ait été approuvée, par référendum, à la majorité des populations ellesmêmes.

Un référendum et une loi de la République peuvent, après avis des conseils régionaux, autoriser les provinces et les communes qui en font la demande à se détacher d'une région et à s'associer à une autre.

Article 133

Les modifications des circonscriptions provinciales et l'institution de nouvelles provinces dans le cadre d'une région sont établies par les lois de la République, sur l'initiative des communes, après avis de la région elle-même.

La région, après avis des populations intéressées, peut, par ses propres lois, instituer sur son territoire de nouvelles communes et modifier leurs circonscriptions ainsi que leurs dénominations.

Titre VI
Garanties constitutionnelles

Ire Section
La Cour constitutionnelle

article 134

La Cour constitutionnelle connaît :

- des litiges relatifs à la constitutionnalité des lois et des actes ayant force de loi de l'État et de la région ;
- des conflits d'attribution entre les pouvoirs de l'État, entre l'État et les régions, et entre les régions ;
- des accusations portées contre le Président de la République, aux termes de la Constitution [1].

Article 135 [2]

La Cour constitutionnelle se compose de quinze juges nommés pour un tiers par le Président de la République, pour un tiers par le Parlement réuni en séance commune et pour un tiers par les magistratures suprêmes, ordinaires et administratives.

Les juges de la Cour constitutionnelle sont choisis parmi les magistrats, même retraités, des juridictions supérieures, ordinaires et administratives, les professeurs de droit d'université et les avocats ayant au moins vingt ans d'activité.

Les juges sont nommés pour neuf ans, à partir du jour où ils ont prêté serment, et ne peuvent être réélus.

A l'issue de son mandat, le juge constitutionnel cesse d'occuper son poste et d'exercer ses fonctions.

La Cour constitutionnelle élit parmi ses membres, suivant les règles fixées par la loi, son président, dont le mandat dure trois ans et qui peut être réélu, en respectant, en tout cas, les délais de cessation de ses fonctions de juge.

La fonction de juge à la Cour est incompatible avec celle de membre du Parlement ou d'un conseil régional, avec l'exercice de la profession d'avocat et avec toutes les charges et tous les offices indiqués par la loi.

En cas de jugement d'accusation contre le Président de la République, outre les juges ordinaires de la Cour, interviennent aussi seize membres tirés au sort parmi les noms d'une liste de citoyens présentant les qualités requises pour être élus sénateurs, que le Parlement dresse tous les neuf ans, selon les mêmes modalités que pour la nomination des juges ordinaires.

Article 136

Lorsque la Cour déclare inconstitutionnelle une disposition d'une loi ou d'un acte ayant force de loi, cette disposition cesse d'être en vigueur dès le lendemain de la publication de la décision.

La décision de la Cour est publiée et notifiée aux Chambres et aux conseils régionaux intéressés, afin qu'ils prennent les décisions constitutionnelles qu'ils pourraient estimer nécessaires.

Article 137

Une loi constitutionnelle arrête les conditions, les formes, les délais dans lesquels peuvent être proposés des juge-

(1) La loi constitutionnelle n° 1 du 11 mars 1953 a ajouté à ces matières « le jugement sur l'admissibilité de toute demande de référendum pour l'abrogation de lois », celle n° 1 du 16 janvier 1989 a supprimé des accusations que la Cour a à connaître, celles portées contre les ministres.

(2) Modifié par la loi constitutionnelle n° 2 du 22 novembre 1967 (durée du mandat des juges et du président) ; et celle n° 1 du 16 janvier 1989.

ments de légitimité constitutionnelle, ainsi que les garanties d'indépendance des juges de la Cour (1).

Une loi ordinaire fixe les autres dispositions nécessaires pour la constitution et le fonctionnement de la Cour.

Aucun recours n'est admis contre les décisions de la Cour constitutionnelle.

IIe Section
Révision de la Constitution - Lois constitutionnelles

Article 138

Les lois de révision de la Constitution et les autres lois constitutionnelles sont adoptées par chacune des assemblées en deux délibérations successives, formulées à distance d'au moins trois mois, et elles sont approuvées à la majorité absolue des membres de chaque Chambre lors de la seconde délibération.

Ces mêmes lois sont soumises à un référendum populaire lorsque, dans un délai de trois mois à partir de leur publication, demande en est faite par un cinquième des membres d'une Chambre ou par cinq cent mille électeurs ou par cinq conseils régionaux. La loi soumise au référendum n'est pas promulguée, si elle n'est pas approuvée à la majorité des suffrages valables.

Le référendum n'a pas lieu si la loi a été approuvée au second scrutin par chacune des deux Chambres à la majorité des deux tiers de ses membres.

Article 139

La forme républicaine ne peut faire l'objet d'une révision constitutionnelle (2).

---

(1) Loi constitutionnelle n° 1 du 9 février 1948.
(2) Le texte constitutionnel est suivi de quelques « dispositions transitoires et finales » qui n'ont pas été reproduites ici.

X - Luxembourg

Constitution du Grand-Duché de Luxembourg du 17 octobre 1868 ([1])

Chapitre Ier Du territoire et du Grand-Duc

Article premier ([2])

Le Grand-Duché de Luxembourg forme un État libre, indépendant et indivisible.

Article 2

Les limites et chefs-lieux des arrondissements judiciaires ou administratifs, des cantons et des communes ne peuvent être changés qu'en vertu d'une loi.

Article 3

La Couronne du Grand-Duché est héréditaire dans la famille de Nassau, conformément au pacte du 30 juin 1783, à l'article 71 du traité de Vienne du 9 juin 1815 et à l'article 1er du traité de Londres du 11 mai 1867.

Article 4

La personne du Grand-Duc est sacrée et inviolable.

Article 5 ([3])

1. Le Grand-Duc de Luxembourg est majeur à l'âge de dix-huit ans accomplis. Lorsqu'il accède au trône, il prête, aussitôt que possible, en présence de la Chambre des députés ou d'une députation nommée par elle, le serment suivant :

2. « Je jure d'observer la Constitution et les lois du Grand-Duché de Luxembourg, de maintenir l'indépendance nationale et l'intégrité du territoire ainsi que les libertés publiques et individuelles. »

Article 6

Si à la mort du Grand-Duc, son successeur est mineur, la régence est exercée conformément au pacte de famille.

Article 7

Si le Grand-Duc se trouve dans l'impossibilité de régner, il est pourvu à la régence comme dans le cas de minorité.

En cas de vacance du trône, la Chambre pourvoit provisoirement à la régence. Une nouvelle Chambre, convoquée, en nombre double dans le délai de trente jours, pourvoit définitivement à la vacance.

Article 8 ([3])

1. Lors de son entrée en fonctions, le Régent prête le serment suivant :

2. « Je jure fidélité au Grand-Duc. Je jure d'observer la Constitution et les lois du pays. »

Chapitre II Des Luxembourgeois et de leurs droits

Article 9

La qualité de Luxembourgeois s'acquiert, se conserve et se perd d'après les règles déterminées par la loi civile. La présente Constitution et les autres lois relatives aux droits politiques déterminent quelles sont, outre cette qualité, les conditions nécessaires pour l'exercice de ces droits.

(1) Texte transmis par le ministère d'État, service central de législation du Luxembourg. Il est à jour au 1er mars 1994 et tient compte de toutes les révisions intervenues avant cette date.
(2) Révision du 28 avril 1948.
(3) Révision du 25 novembre 1983.

Article 10 (1)

1. La naturalisation est accordée par le pouvoir législatif.

2. La loi détermine les effets de la naturalisation.

Article 11 (2)

1. Il n'y a dans l'État aucune distinction d'ordres.

2. Les Luxembourgeois sont égaux devant la loi ; seuls ils sont admissibles aux emplois civils et militaires, sauf les exceptions qui peuvent être établies par une loi pour des cas particuliers.

3. L'État garantit les droits naturels de la personne humaine et de la famille.

4. La loi garantit le droit au travail et assure à chaque citoyen l'exercice de ce droit.

5. La loi organise la sécurité sociale, la protection de la santé et le repos des travailleurs et garantit les libertés syndicales.

6. La loi garantit la liberté du commerce et de l'industrie, l'exercice de la profession libérale et du travail agricole, sauf les restrictions à établir par le pouvoir législatif.

Article 12

La liberté individuelle est garantie. Nul ne peut être poursuivi que dans les cas prévus par la loi et dans la forme qu'elle prescrit. Hors le cas de flagrant délit, nul ne peut être arrêté qu'en vertu de l'ordonnance motivée du juge, qui doit être signifiée au moment de l'arrestation, ou au plus tard dans les vingt-quatre heures.

Article 13

Nul ne peut être distrait contre son gré du juge que la loi lui assigne.

Article 14

Nulle peine ne peut être établie ni appliquée qu'en vertu de la loi.

Article 15

Le domicile est inviolable. Aucune visite domiciliaire ne peut avoir lieu que dans les cas prévus par la loi et dans la forme qu'elle prescrit.

Article 16

Nul ne peut être privé de sa propriété que pour cause d'utilité publique, dans les cas et de la manière établis par la loi et moyennant une juste et préalable indemnité.

Article 17

La peine de la confiscation des biens ne peut être établie.

Article 18

La peine de mort en matière politique, la mort civile et la flétrissure sont abolies.

Article 19

La liberté des cultes, celle de leur exercice public, ainsi que la liberté de manifester ses opinions religieuses, sont garanties, sauf la répression des délits commis à l'occasion de l'usage de ces libertés.

Article 20

Nul ne peut être contraint de concourir d'une manière quelconque aux actes et aux cérémonies d'un culte ni d'en observer les jours de repos.

Article 21

Le mariage civil devra toujours précéder la bénédiction nuptiale.

Article 22

L'intervention de l'État dans la nomination et l'installation des chefs des cultes, le mode de nomination et de révocation des autres ministres des cultes, la faculté pour les uns et les autres de correspondre avec leurs supérieurs et de publier leurs actes, ainsi que les rapports de l'Église avec l'État, font l'objet de conventions à soumettre à la Chambre des députés pour les dispositions qui nécessitent son intervention.

Article 23 (3)

L'État veille à ce que tout Luxembourgeois reçoive l'instruction primaire, qui sera obligatoire et gratuite. L'assistance médicale et sociale sera réglée par la loi.

(1) Révision du 6 mai 1948.
(2) Révision du 21 mai 1948.
(3) Révision du 13 juin 1989.

Il crée des établissements d'instruction moyenne gratuite et les cours d'enseignement supérieur nécessaires.

La loi détermine les moyens de subvenir à l'instruction publique ainsi que les conditions de surveillance par le Gouvernement et les communes ; elle règle pour le surplus tout ce qui est relatif à l'enseignement et prévoit, selon des critères qu'elle détermine, un système d'aides financières en faveur des élèves et étudiants.

Tout Luxembourgeois est libre de faire ses études dans le Grand-Duché ou à l'étranger et de fréquenter les universités de son choix, sauf les dispositions de la loi sur les conditions d'admission aux emplois et à l'exercice de certaines professions.

Article 24

La liberté de manifester ses opinions par la parole en toutes matières, et la liberté de la presse sont garanties, sauf la répression des délits commis à l'occasion de l'exercice de ces libertés. La censure ne pourra jamais être établie. Il ne peut être exigé de cautionnement des écrivains, éditeurs ou imprimeurs. Le droit de timbre des journaux et écrits périodiques indigènes est aboli. L'éditeur, l'imprimeur ou le distributeur, ne peut être poursuivi si l'auteur est connu, s'il est Luxembourgeois et domicilié dans le Grand-Duché.

Article 25

Les Luxembourgeois ont le droit de s'assembler paisiblement et sans armes, en se conformant aux lois qui règlent l'exercice de ce droit, sans pouvoir le soumettre à une autorisation préalable. Cette disposition ne s'applique pas aux rassemblements en plein air, politiques, religieux ou autres ; ces rassemblements restent entièrement soumis aux lois et règlements de police.

Article 26 (1)

Les Luxembourgeois ont le droit de s'associer. Ce droit ne peut être soumis à aucune autorisation préalable.

Article 27

Chacun a le droit d'adresser aux autorités publiques, des pétitions signées par une ou plusieurs personnes. Les autorités constituées ont seules le droit d'adresser des pétitions en nom collectif.

Article 28

Le secret des lettres est inviolable. La loi détermine quels sont les agents responsables de la violation du secret des lettres confiées à la poste.

La loi réglera la garantie à donner au secret des télégrammes.

Article 29 (2)

La loi réglera l'emploi des langues en matière administrative et judiciaire.

Article 30

Nulle autorisation préalable n'est requise pour exercer des poursuites contre les fonctionnaires publics, pour faits de leur administration, sauf ce qui est statué à l'égard des membres du Gouvernement.

Article 31

Les fonctionnaires publics, à quelque ordre qu'ils appartiennent, les membres du Gouvernement exceptés, ne peuvent être privés de leurs fonctions, honneurs et pensions que de la manière déterminée par la loi.

Chapitre III
De la puissance souveraine

Article 32 (3)

La puissance souveraine réside dans la nation.

Le Grand-Duc l'exerce conformément à la présente Constitution et aux lois du pays.

Il n'a d'autres pouvoirs que ceux que lui attribuent formellement la Constitution et les lois particulières portées en vertu de la Constitution même, le tout sans préjudice de l'article 3 de la présente Constitution.

(1) Révision du 13 juin 1989.
(2) Révision du 6 mai 1948.
(3) Révision du 15 mai 1919.

Paragraphe 1er
De la prérogative
du Grand-Duc

Article 33

Le Grand-Duc exerce seul le pouvoir exécutif.

Article 34 (1)

Le Grand-Duc sanctionne et promulgue les lois. Il fait connaître sa résolution dans les trois mois du vote de la Chambre.

Article 35

Le Grand-Duc nomme aux emplois civils et militaires, conformément à la loi, et sauf les exceptions établies par elle.

Aucune fonction salariée par l'État ne peut être créée qu'en vertu d'une disposition législative.

Article 36

Le Grand-Duc fait les règlements et arrêtés nécessaires pour l'exécution des lois, sans pouvoir jamais ni suspendre les lois elles-mêmes, ni dispenser de leur exécution.

Article 37 (2)

Le Grand-Duc fait les traités. Les traités n'auront d'effet avant d'avoir été approuvés par la loi et publiés dans les formes prévues pour la publication des lois.

Les traités visés au chapitre III, paragraphe 4, article 49*bis,* sont approuvés par une loi votée dans les conditions de l'article 114, alinéa 5.

Les traités secrets sont abolis.

Le Grand-Duc fait les règlements et arrêtés nécessaires pour l'exécution des traités dans les formes qui règlent les mesures d'exécution des lois et avec les effets qui s'attachent à ces mesures, sans préjudice des matières qui sont réservées par la Constitution à la loi.

Nulle cession, nul échange, nulle adjonction de territoire ne peut avoir lieu qu'en vertu d'une loi.

Le Grand-Duc commande la force armée ; il déclare la guerre et la cessation de la guerre après y avoir été autorisé par un vote de la Chambre émis dans les conditions de l'article 114, alinéa 5 de la Constitution.

Article 38

Le Grand-Duc a le droit de remettre ou de réduire les peines prononcées par les juges, sauf ce qui est statué relativement aux membres du Gouvernement.

Article 39

Le Grand-Duc a le droit de battre monnaie en exécution de la loi.

Article 40

Le Grand-Duc a le droit de conférer des titres de noblesse, sans pouvoir jamais y attacher aucun privilège.

Article 41

Le Grand-Duc confère les ordres civils et militaires, en observant à cet égard ce que la loi prescrit.

Article 42

Le Grand-Duc peut se faire représenter par un prince du sang, qui aura le titre de Lieutenant du Grand-Duc et résidera dans le Grand-Duché.

Ce représentant prêtera serment d'observer la Constitution avant d'exercer ses pouvoirs.

Article 43 (1)

La liste civile est fixée à trois cent mille francs-or par an.

Elle peut être changée par la loi au commencement de chaque règne. La loi budgétaire peut allouer chaque année à la Maison souveraine les sommes nécessaires pour couvrir les frais de représentation.

Article 44 (1)

Le palais grand-ducal à Luxembourg et le château de Berg sont réservés à l'habitation du Grand-Duc.

Article 45 (3)

Les dispositions du Grand-Duc doivent être contresignées par un membre du Gouvernement responsable.

---

(1) Révision du 6 mai 1948.
(2) Révision du 25 octobre 1956.
(3) Révision du 13 juin 1989.

Paragraphe 2
De la législation

Article 46

L'assentiment de la Chambre des députés est requis pour toute loi.

Article 47

Le Grand-Duc adresse à la Chambre les propositions ou projets de lois qu'il veut soumettre à son adoption.

La Chambre a le droit de proposer au Grand-Duc des projets de lois.

Article 48

L'interprétation des lois par voie d'autorité ne peut avoir lieu que par la loi.

Paragraphe 3
De la justice

Article 49

La justice est rendue au nom du Grand-Duc par les cours et tribunaux.

Les arrêts et jugements sont exécutés au nom du Grand-Duc.

Paragraphe 4
Des pouvoirs internationaux (1)

Article 49bis

L'exercice d'attributions réservées par la Constitution aux pouvoirs législatif, exécutif et judiciaire peut être temporairement dévolu par traité à des institutions de droit international.

Chapitre IV
De la Chambre des députés

Article 50

La Chambre des députés représente le pays. Les députés votent sans en référer à leurs commettants et ne peuvent avoir en vue que les intérêts généraux du Grand-Duché.

Article 51 (2)

1. Le Grand-Duché de Luxembourg est placé sous le régime de la démocratie parlementaire.

2. L'organisation de la Chambre est réglée par la loi.

3. La Chambre se compose de soixante députés. Une loi votée dans les conditions de l'article 114, alinéa 5 fixe le nombre des députés à élire dans chacune des circonscriptions.

4. L'élection est directe.

5. Les députés sont élus sur la base du suffrage universel pur et simple, au scrutin de liste, suivant les règles de la représentation proportionnelle, conformément au principe du plus petit quotient électoral et suivant les règles à déterminer par la loi.

6. Le pays est divisé en quatre circonscriptions électorales : le Sud (Esch-sur-Alzette et Capellen), le Centre (Luxembourg et Mersch), le Nord (Diekirch, Redange, Wiltz, Clervaux et Vianden) et l'Est (Grevenmacher, Remich et Echternach).

7. Les électeurs pourront être appelés à se prononcer par la voie du référendum dans les cas et sous les conditions à déterminer par la loi.

Article 52 (3)

Pour être électeur, il faut :

1° être Luxembourgeois ou Luxembourgeoise ;

2° jouir des droits civils et politiques ;

3° être âgé de dix-huit ans accomplis.

Il faut en outre réunir à ces trois qualités celles déterminées par la loi. Aucune condition de cens ne pourra être exigée.

Pour être éligible, il faut :

1° être Luxembourgeois ou Luxembourgeoise ;

2° jouir des droits civils et politiques ;

3° être âgé de vingt et un ans accomplis ;

4° être domicilié dans le Grand-Duché.

---

(1) Inséré par la révision du 25 octobre 1956.

(2) Révisions du 21 mai 1948 pour les alinéas 1, 2, 4, 5 et 7, du 13 juin 1979 pour l'alinéa 6, et du 20 décembre 1988 pour l'alinéa 3.

(3) Révision du 27 janvier 1972.

Aucune autre condition d'éligibilité ne pourra être requise.

Article 53 (1)

Ne peuvent être ni électeurs ni éligibles :
1° les condamnés à des peines criminelles ;
2° ceux qui, en matière correctionnelle, sont privés du droit de vote par condamnation ;
3° les majeurs en tutelle.

Aucun autre cas d'exclusion ne pourra être prévu.

Le droit de vote peut être rendu par la voie de grâce aux personnes qui l'ont perdu par condamnation pénale.

Article 54 (2)

1. Le mandat de député est incompatible :
1° avec les fonctions de membre du Gouvernement ;
2° avec celles de membre du Conseil d'État ;
3° avec celles de magistrat de l'Ordre judiciaire ;
4° avec celles de membre de la Chambre des comptes ;
5° avec celles de commissaire de district ;
6° avec celles de receveur ou agent comptable de l'État ;
7° avec celles de militaire de carrière en activité de service.

2. Les fonctionnaires se trouvant dans un cas d'incompatibilité ont le droit d'opter entre le mandat qui leur a été confié et leurs fonctions.

3. Le député qui a été appelé aux fonctions de membre du Gouvernement et qui quitte ces fonctions, est réinscrit de plein droit comme premier suppléant sur la liste sur laquelle il a été élu.

Il en sera de même du député suppléant qui, appelé aux fonctions de membre du Gouvernement, aura renoncé au mandat de député qui lui est échu au cours de ces fonctions.

En cas de concours entre plusieurs ayants droit, la réinscription sera faite dans l'ordre des voix obtenues aux élections.

Article 55

Les incompatibilités prévues par l'article précédent ne font pas obstacle à ce que la loi n'en établisse d'autres dans l'avenir.

Article 56 (3)

Les députés sont élus pour cinq ans.

Article 57 (4)

1. La Chambre vérifie les pouvoirs de ses membres et juge les contestations qui s'élèvent à ce sujet.

2. A leur entrée en fonctions, ils prêtent le serment qui suit :

« Je jure fidélité au Grand-Duc, obéissance à la Constitution et aux lois de l'État. »

3. Ce serment est prêté en séance publique, entre les mains du président de la Chambre.

Article 58

Le député, nommé par le Gouvernement à un emploi salarié qu'il accepte, cesse immédiatement de siéger et ne reprend ses fonctions qu'en vertu d'une nouvelle élection.

Article 59

Toutes les lois sont soumises à un second vote, à moins que la Chambre, d'accord avec le Conseil d'État, siégeant en séance publique, n'en décide autrement. Il y aura un intervalle d'au moins trois mois entre les deux votes.

Article 60 (5)

A chaque session, la Chambre nomme son président et ses vice-présidents et compose son bureau.

Article 61

Les séances de la Chambre sont publiques, sauf les exceptions à déterminer par le règlement.

Article 62

Toute résolution est prise à la majorité absolue des suffrages. En cas de partage de voix, la proposition mise en délibération est rejetée.

---

(1) Révision du 13 juin 1989.
(2) Révision du 15 mai 1948.
(3) Révision du 27 juillet 1956.
(4) Révision du 25 novembre 1983.
(5) Révision du 6 mai 1948.

La Chambre ne peut prendre de résolution qu'autant que la majorité de ses membres se trouve réunie.

Article 63 (1)

Sur l'ensemble des lois le vote intervient toujours par appel nominal.

Article 64

La Chambre a le droit d'enquête. La loi règle l'exercice de ce droit.

Article 65

Un projet de loi ne peut être adopté par la Chambre qu'après avoir été voté article par article.

Article 66

La Chambre a le droit d'amender et de diviser les articles et les amendements proposés.

Article 67

Il est interdit de présenter en personne des pétitions à la Chambre.

La Chambre a le droit de renvoyer aux membres du Gouvernement les pétitions qui lui sont adressées. Les membres du Gouvernement donneront des explications sur leur contenu, chaque fois que la Chambre le demandera.

La Chambre ne s'occupe d'aucune pétition ayant pour objet des intérêts individuels, à moins qu'elle ne tende au redressement de griefs résultant d'actes illégaux posés par le Gouvernement ou les autorités ou que la décision à intervenir ne soit de la compétence de la Chambre.

Article 68

Aucun député ne peut être poursuivi ou recherché à l'occasion des opinions et votes émis par lui dans l'exercice de ses fonctions.

Article 69

Aucun député ne peut, pendant la durée de la session, être poursuivi ni arrêté en matière de répression, qu'avec l'autorisation de la Chambre, sauf le cas de flagrant délit. Aucune contrainte par corps ne peut être exercée contre un de ses membres, durant la session, qu'avec la même autorisation. La détention ou la poursuite d'un député est suspendue pendant la session et pour toute sa durée, si la Chambre le requiert.

Article 70

La Chambre détermine par son règlement le mode suivant lequel elle exerce ses attributions.

Article 71

Les séances de la Chambre sont tenues dans le lieu de la résidence de l'administration du Grand-Duché.

Article 72 (2)

1. La Chambre se réunit chaque année en session ordinaire à l'époque fixée par le règlement.

2. Le Grand-Duc peut convoquer la Chambre extraordinairement ; il doit le faire sur la demande d'un tiers des députés.

3. Toute session est ouverte et close par le Grand-Duc en personne, ou bien en son nom par un fondé de pouvoirs nommé à cet effet.

Article 73

Le Grand-Duc peut ajourner la Chambre. Toutefois l'ajournement ne peut excéder le terme d'un mois, ni être renouvelé dans la même session, sans l'assentiment de la Chambre.

Article 74

Le Grand-Duc peut dissoudre la Chambre.

Il est procédé à de nouvelles élections dans les trois mois au plus tard de la dissolution.

Article 75 (2)

Les membres de la Chambre des députés toucheront, outre leurs frais de déplacement, une indemnité, dont le montant et les conditions sont fixés par la loi.

---

(1) Révision du 31 mars 1989.
(2) Révision du 6 mai 1948.

Chapitre V
Du Gouvernement du Grand-Duché

Article 76 [1]

Le Grand-Duc règle l'organisation de son Gouvernement, lequel est composé de trois membres au moins.

Article 77

Le Grand-Duc nomme et révoque les membres du Gouvernement.

Article 78

Les membres du Gouvernement sont responsables.

Article 79

Il n'y a entre les membres du Gouvernement et le Grand-Duc aucune autorité intermédiaire.

Article 80

Les membres du Gouvernement ou les commissaires qui les remplacent ont entrée dans la Chambre, et doivent être entendus quand ils le demandent.

La Chambre peut demander leur présence.

Article 81

En aucun cas, l'ordre verbal ou écrit du Grand-Duc ne peut soustraire un membre du Gouvernement à la responsabilité.

Article 82

La Chambre a le droit d'accuser les membres du Gouvernement. Une loi déterminera les cas de responsabilité, les peines à infliger et le mode de procéder, soit sur l'accusation admise par la Chambre, soit sur la poursuite des parties lésées.

Article 83

Le Grand-Duc ne peut faire grâce au membre du Gouvernement condamné que sur la demande de la Chambre.

Chapitre V*bis*
Du conseil d'État [2]

Article 83bis

Le Conseil d'État est appelé à donner son avis sur les projets de loi et les amendements qui pourraient y être proposés, ainsi que sur toutes autres questions qui lui seront déférées par le Gouvernement ou par les lois.

Le Comité du contentieux constitue la juridiction suprême en matière administrative.

L'organisation du Conseil d'État et du Comité du contentieux et la manière d'exercer leurs attributions sont réglées par la loi.

Chapitre VI
De la justice

Article 84

Les contestations qui ont pour objet des droits civils sont exclusivement du ressort des tribunaux.

Article 85

Les contestations qui ont pour objet des droits politiques sont du ressort des tribunaux, sauf les exceptions établies par la loi.

Article 86

Nul tribunal, nulle juridiction contentieuse ne peuvent être établis qu'en vertu d'une loi. Il ne peut être créé de commissions ni de tribunaux extraordinaires, sous quelque dénomination que ce soit.

Article 87

Il est pourvu par une loi à l'organisation d'une Cour supérieure de justice.

Article 88

Les audiences des tribunaux sont publiques, à moins que cette publicité ne soit dangereuse pour l'ordre ou les mœurs, et, dans ce cas, le tribunal le déclare par un jugement.

---

(1) Une partie du texte initial de cet article a été abrogé par la révision du 13 juin 1989.
(2) Inséré par la révision du 13 juin 1989.

Article 89

Tout jugement est motivé. Il est prononcé en audience publique.

Article 90

Les juges de paix et les juges des tribunaux sont directement nommés par le Grand-Duc. Les conseillers de la Cour et les présidents et vice-présidents des tribunaux d'arrondissement sont nommés par le Grand-Duc, sur l'avis de la Cour supérieure de justice.

Article 91 (1)

Les juges de paix, les juges des tribunaux d'arrondissement et les conseillers de la Cour sont inamovibles. Aucun d'eux ne peut être privé de sa place ni être suspendu que par un jugement. Le déplacement d'un de ces juges ne peut avoir lieu que par une nomination nouvelle et de son consentement.

Toutefois, en cas d'infirmité ou d'inconduite, il peut être suspendu, révoqué ou déplacé, suivant les conditions déterminées par la loi.

Article 92

Les traitements des membres de l'ordre judiciaire sont fixés par la loi.

Article 93

Sauf les cas d'exception prévus par la loi, aucun juge ne peut accepter du Gouvernement des fonctions salariées, à moins qu'il ne les exerce gratuitement, sans préjudice toutefois des cas d'incompatibilité déterminés par la loi.

Article 94 (2)

Des lois particulières règlent l'organisation des tribunaux militaires, leurs attributions, les droits et obligations des membres de ces tribunaux, et la durée de leurs fonctions.

La loi règle aussi l'organisation des juridictions du travail et des juridictions en matière d'assurances sociales, leurs attributions, le mode de nomination de leurs membres et la durée des fonctions de ces derniers.

Article 95

Les cours et tribunaux n'appliquent les arrêtés et règlements généraux et locaux qu'autant qu'ils sont conformes aux lois. La Cour supérieure de justice réglera les conflits d'attribution d'après le mode déterminé par la loi.

Chapitre VII
De la force publique

Article 96

Tout ce qui concerne la force armée est réglé par la loi.

Article 97 (3)

L'organisation et les attributions des forces de l'ordre font l'objet d'une loi.

Article 98

Il peut être formé une garde civique, dont l'organisation est réglée par la loi.

Chapitre VIII
Des finances

Article 99 (4)

Aucun impôt au profit de l'État ne peut être établi que par une loi. Aucun emprunt à charge de l'État ne peut être contracté sans l'assentiment de la Chambre. Aucune propriété immobilière de l'État ne peut être aliénée si l'aliénation n'en est autorisée par une loi spéciale. Toutefois une loi générale peut déterminer un seuil en dessous duquel une autorisation spéciale de la Chambre n'est pas requise. Toute acquisition par l'État d'une propriété immobilière importante, toute réalisation au profit de l'État d'un grand projet d'infrastructure ou d'un bâtiment considérable, tout engagement financier important de l'État doivent être autorisés par une loi spéciale. Une loi générale détermine les seuils à partir desquels cette autorisation est requise. Aucune charge grevant le budget de l'État pour plus d'un exercice ne peut être établie que par une loi spéciale. Aucune charge,

(1) La première phrase a été modifiée par la révision du 20 avril 1989.
(2) La rédaction de la seconde phrase est issue de la révision du 19 juin 1989.
(3) Révision du 19 juin 1989.
(4) La rédaction des troisième, quatrième et cinquième phrases est issue de la révision du 16 juin 1989.

aucune imposition communale ne peut être établie que du consentement du conseil communal. La loi détermine les exceptions dont l'expérience démontrera les nécessités relativement aux impositions communales.

Article 100

Les impôts au profit de l'État sont votés annuellement. Les lois qui les établissent n'ont de force que pour un an, si elles ne sont renouvelées.

Article 101

Il ne peut être établi de privilège en matière d'impôts. Nulle exemption ou modération ne peut être établie que par une loi.

Article 102

Hors les cas formellement exceptés par la loi, aucune rétribution ne peut être exigée des citoyens ou des établissements publics qu'à titre d'impôts au profit de l'État ou de la commune.

Article 103

Aucune pension, aucun traitement d'attente, aucune gratification à la charge du Trésor ne peuvent être accordés qu'en vertu de la loi.

Article 104

Chaque année la Chambre arrête la loi des comptes et vote le budget. Toutes les recettes et dépenses de l'État doivent être portées au budget et dans les comptes.

Article 105

Une Chambre des comptes est chargée de l'examen et de la liquidation des comptes de l'Administration générale et de tous les comptables envers le Trésor public.

La loi règle son organisation, l'exercice de ses attributions et le mode de nomination de ses membres.

La Chambre des comptes veille à ce qu'aucun article de dépense du budget ne soit dépassé.

Aucun transfert d'une section du budget à l'autre ne peut être effectué qu'en vertu d'une loi.

Cependant les membres du Gouvernement peuvent opérer, dans leurs services, des transferts d'excédents d'un article à l'autre dans la même section, à charge d'en justifier devant la Chambre des députés.

La Chambre des comptes arrête les comptes des différentes administrations de l'État et est chargée de recueillir à cet effet tout renseignement et toute pièce comptable nécessaire. Le compte général de l'État est soumis à la Chambre des députés avec les observations de la Chambre des comptes.

Article 106

Les traitements et pensions des ministres des cultes sont à charge de l'État et réglés par la loi.

Chapitre IX
Des communes

Article 107 (1)

1. Les communes forment des collectivités autonomes, à base territoriale, possédant la personnalité juridique et gérant par leurs organes leur patrimoine et leurs intérêts propres.

2. Il y a dans chaque commune un conseil communal élu directement par les habitants qui remplissent, outre les qualités requises par l'article 52 de la Constitution, les conditions de résidence fixées par la loi.

3. Le conseil établit annuellement le budget de la commune et en arrête les comptes. Il fait les règlements communaux, sauf les cas d'urgence. Il peut établir des impositions communales, sous l'approbation du Grand-Duc. Le Grand-Duc a le droit de dissoudre le conseil.

4. La commune est administrée sous l'autorité du collège des bourgmestre et échevins, dont les membres doivent être choisis parmi les conseillers communaux.

5. La loi règle la composition, l'organisation et les attributions des organes de la commune. Elle établit le statut des fonctionnaires communaux. La commune participe à la mise en œuvre de l'enseignement de la manière fixée par la loi.

6. La loi règle la surveillance de la gestion communale. Elle peut soumettre

(1) Révision du 13 juin 1979.

certains actes des organes communaux à l'approbation de l'autorité de surveillance et même en prévoir l'annulation ou la suspension en cas d'illégalité ou d'incompatibilité avec l'intérêt général, sans préjudice des attributions des tribunaux judiciaires ou administratifs.

Article 108

La rédaction des actes de l'état civil et la tenue des registres sont exclusivement dans les attributions des autorités communales.

Chapitre X
Dispositions générales

Article 109

La ville de Luxembourg est la capitale du Grand-Duché et le siège du Gouvernement. Le siège du Gouvernement ne peut être déplacé que momentanément pour des raisons graves.

Article 110 (1)

1. Aucun serment ne peut être imposé qu'en vertu de la loi ; elle en détermine la formule.

2. Tous les fonctionnaires publics civils, avant d'entrer en fonctions, prêtent le serment suivant :

« Je jure fidélité au Grand-Duc, obéissance à la Constitution et aux lois de l'État. Je promets de remplir mes fonctions avec intégrité, exactitude et impartialité. »

Article 111

Tout étranger qui se trouve sur le territoire du Grand-Duché, jouit de la protection accordée aux personnes et aux biens, sauf les exceptions établies par la loi.

Article 112

Aucune loi, aucun arrêté ou règlement d'administration générale ou communale n'est obligatoire qu'après avoir été publié dans la forme déterminée par la loi.

Article 113

Aucune disposition de la Constitution ne peut être suspendue.

Article 114

Le pouvoir législatif a le droit de déclarer qu'il y a lieu de procéder à la révision de telle disposition constitutionnelle qu'il désigne. Après cette déclaration, la Chambre est dissoute de plein droit. Il en sera convoqué une nouvelle, conformément à l'article 74 de la présente Constitution. Cette Chambre statue, de commun accord avec le Grand-Duc, sur les points soumis à la révision. Dans ce cas, la Chambre ne pourra délibérer, si trois quarts au moins des membres qui la composent ne sont présents, et nul changement ne sera adopté, s'il ne réunit au moins les deux tiers des suffrages.

Article 115

Aucun changement de la Constitution ne peut être fait pendant une régence.

Chapitre XI
Dispositions transitoires et supplémentaires

Article 116 (2)

Jusqu'à ce qu'il y soit pourvu par une loi, la Chambre des députés aura un pouvoir discrétionnaire pour accuser un membre du Gouvernement, et la Cour supérieure, en assemblée générale, le jugera, en caractérisant le délit et en déterminant la peine. Néanmoins, la peine ne pourra excéder celle de la réclusion, sans préjudice des cas expressément prévus par les lois pénales.

Article 117

A compter du jour où la Constitution sera exécutoire, toutes les lois, tous les décrets, arrêtés, règlements et autres actes qui y sont contraires, sont abrogés.

Article 118

La peine de mort, abolie en matière politique, est remplacée par la peine immédiatement inférieure, jusqu'à ce qu'il y soit statué par la loi nouvelle.

(1) Révision du 25 novembre 1983.
(2) Le second alinéa a été abrogé par la révision du 13 juin 1979.

Article 119

En attendant la conclusion des conventions prévues à l'article 22, les dispositions actuelles relatives aux cultes restent en vigueur.

Article 120

Jusqu'à la promulgation des lois et règlements prévus par la Constitution, les lois et règlements en vigueur continuent à être appliqués ([1]).

(1) L'article 121 a été abrogé par la révision du 31 mars 1989.

XI - Pays-Bas

Constitution du Royaume des Pays-Bas

du 17 février 1983 (1)

Chapitre premier
Des droits fondamentaux

Article premier

Tous ceux qui se trouvent aux Pays-Bas sont, dans des cas égaux, traités de façon égale. Nulle discrimination n'est permise, qu'elle se fonde sur la religion, les convictions, les opinions politiques, la race, le sexe ou tout autre motif.

Article 2

1. La loi règle qui est néerlandais.

2. La loi règle l'admission et l'expulsion des étrangers.

3. L'extradition ne peut avoir lieu qu'en vertu d'un traité. La loi donne des prescriptions complémentaires sur l'extradition.

4. Toute personne a le droit de quitter le pays, sauf dans les cas prévus par la loi.

Article 3

Tous les Néerlandais sont également admissibles à la fonction publique.

Article 4

Tout Néerlandais a un même droit d'élire les membres des organes représentatifs généraux ainsi que d'être élu comme membre de ces organes, sauf restrictions et exceptions établies par la loi.

Article 5

Toute personne a le droit d'adresser des requêtes par écrit à l'autorité compétente.

Article 6

1. Toute personne a le droit de manifester librement sa religion ou ses convictions, individuellement ou en collectivité, sauf la responsabilité de chacun selon la loi.

2. En ce qui concerne l'exercice de ce droit en dehors de bâtiments et de lieux fermés, la loi peut fixer des règles en vue de la protection de la santé, dans l'intérêt de la circulation et pour combattre ou prévenir les désordres.

Article 7

1. Nul n'a besoin d'une autorisation préalable pour exprimer des pensées ou des sentiments au moyen de la presse, sauf la responsabilité de chacun selon la loi.

2. La loi fixe des règles concernant la radio et la télévision. Le contenu d'une émission radiophonique ou télévisée n'est pas soumis à un contrôle préalable.

3. Pour l'expression de pensées ou de sentiments par d'autres moyens que ceux mentionnés aux paragraphes précédents, nul n'a besoin d'une autorisation préalable en raison de leur contenu, sauf la responsabilité de chacun selon la loi. La loi peut régler, en vue de la protection de la morale, l'organisation de spectacles ouverts aux personnes âgées de moins de seize ans.

4. Les paragraphes précédents ne s'appliquent pas à la publicité commerciale.

Article 8

Le droit de s'associer est reconnu. Ce droit peut être limité par la loi dans l'intérêt de l'ordre public.

Article 9

1. Le droit de se réunir et de manifester est reconnu, sauf la responsabilité de chacun selon la loi.

---

(1) Texte issu d'une publication du ministère de l'Intérieur des Pays-Bas, réalisée par sa division des affaires constitutionnelles et de la législation en collaboration avec les services linguistiques du ministère néerlandais des Affaires étrangères. Il est à jour au 1er mars 1994.

2. La loi peut fixer des règles en vue de la protection de la santé, dans l'intérêt de la circulation et pour combattre ou prévenir les désordres.

Article 10

1. Toute personne a droit au respect de sa vie privée, sauf restrictions à établir par la loi ou en vertu de la loi.

2. La loi fixe des règles en vue de la protection de la vie privée à l'égard de l'enregistrement et de la communication de données à caractère personnel.

3. La loi fixe des règles concernant les droits des personnes à prendre connaissance des données enregistrées à leur sujet et de l'utilisation qui en est faite, ainsi qu'à faire rectifier de telles données.

Article 11

Toute personne a droit à l'intégrité corporelle, sauf restrictions à établir par la loi ou en vertu de la loi.

Article 12

1. L'introduction dans un domicile contre le gré de son habitant n'est permise que dans les cas prévus par la loi ou en vertu de la loi, et seulement à ceux qui ont été désignés à cet effet par la loi ou en vertu de la loi.

2. L'introduction conformément au paragraphe précédent requiert au préalable la justification de l'identité et la communication du but de l'introduction, sauf exceptions établies par la loi. L'habitant reçoit un rapport écrit de l'introduction.

Article 13

1. Le secret des lettres est inviolable, sauf, dans les cas prévus par la loi, sur ordre du juge.

2. Le secret du téléphone et du télégraphe est inviolable, sauf, dans les cas prévus par la loi, par ceux qui ont été désignés à cet effet par la loi ou avec leur autorisation.

Article 14

1. L'expropriation ne peut avoir lieu que dans l'intérêt général et moyennant une indemnité préalablement garantie, le tout suivant des prescriptions à établir par la loi ou en vertu de la loi.

2. L'indemnité ne doit pas être préalablement garantie si, en cas d'urgence, l'expropriation s'impose immédiatement.

3. Dans les cas prévus par la loi ou en vertu de la loi, il existe un droit à indemnité totale ou partielle si, dans l'intérêt général, l'autorité compétente détruit la propriété ou la rend inutilisable, ou limite l'exercice du droit de propriété.

Article 15

1. Sauf dans les cas prévus par la loi ou en vertu de la loi, nul ne peut être privé de sa liberté.

2. Celui qui a été privé de sa liberté autrement que sur ordonnance du juge peut demander sa libération au juge. Dans ce cas, il est entendu par le juge dans un délai à fixer par la loi. Le juge ordonne la libération immédiate s'il estime illicite la privation de liberté.

3. Le jugement de celui qui a été privé de sa liberté afin d'être jugé a lieu dans un délai raisonnable.

4. Celui qui a été légitimement privé de sa liberté peut être limité dans l'exercice des droits fondamentaux pour autant que cet exercice n'est pas conciliable avec la privation de liberté.

Article 16

Nul fait n'est punissable qu'en vertu d'une disposition légale antérieure portant pénalité.

Article 17

Nul ne peut être distrait contre son gré du juge que la loi lui assigne.

Article 18

1. Toute personne peut se faire assister en justice et dans les recours administratifs.

2. La loi fixe des règles sur l'octroi d'assistance judiciaire aux économiquement faibles.

Article 19

1. Les pouvoirs publics veillent à promouvoir un emploi suffisant.

2. La loi fixe des règles sur la situation juridique de ceux qui travaillent et sur leur protection dans le travail, ainsi que sur la participation.

3. Le droit de tout Néerlandais au libre choix de son travail est reconnu, sauf les restrictions établies par la loi ou en vertu de la loi.

Article 20

1. Les pouvoirs publics veillent à la sécurité d'existence de la population et à la répartition de la prospérité.

2. La loi fixe des règles sur les droits à la sécurité sociale.

3. Les Néerlandais aux Pays-Bas qui ne peuvent pas subvenir à leurs besoins ont un droit, à régler par la loi, à l'assistance des pouvoirs publics.

Article 21

Les pouvoirs publics veillent à l'habitabilité du pays ainsi qu'à la protection et à l'amélioration du cadre de vie.

Article 22

1. Les pouvoirs publics prennent des mesures pour promouvoir la santé publique.

2. Les pouvoirs publics veillent à promouvoir des équipements de logement suffisants.

3. Les pouvoirs publics créent des conditions propices à l'épanouissement social et culturel ainsi qu'à l'occupation des loisirs.

Article 23

1. Le Gouvernement veille d'une manière constante à l'enseignement.

2. L'enseignement peut être dispensé librement, sous réserve de la surveillance des pouvoirs publics et, en ce qui concerne les formes d'enseignement spécifiées par la loi, de l'examen de la compétence et de la moralité des enseignants, le tout à régler par la loi.

3. L'enseignement public est réglé par la loi, dans le respect de la religion ou des convictions de chacun.

4. Dans chaque commune, un enseignement public primaire de formation générale satisfaisant est assuré par les pouvoirs publics dans un nombre suffisant d'écoles. Une dérogation à cette disposition peut être autorisée selon des règles à fixer par la loi, à condition que soit fournie la possibilité de recevoir un tel enseignement.

5. Les conditions de qualité à poser à l'enseignement devant être financé entièrement ou partiellement par le Trésor public sont réglées par la loi, compte tenu, en ce qui concerne l'enseignement privé, de la liberté d'inspiration.

6. Ces conditions sont réglées, pour l'enseignement primaire de formation générale, de manière à ce que la qualité de l'enseignement privé financé entièrement par le Trésor public et celle de l'enseignement public soient garanties aussi efficacement l'une que l'autre. Cette réglementation respecte, en particulier, la liberté de l'enseignement privé quant au choix des moyens d'enseignement et à la nomination des instituteurs.

7. L'enseignement privé primaire de formation générale répondant aux conditions à poser par la loi est financé par le Trésor public sur la même base que l'enseignement public. La loi établit les conditions auxquelles des contributions sont fournies par le Trésor public à l'enseignement privé secondaire de formation générale et à l'enseignement privé supérieur préparatoire.

8. Le Gouvernement fait présenter chaque année aux États généraux un rapport sur la situation de l'enseignement.

Chapitre 2
Du Gouvernement

Section première
Du Roi

Article 24

La royauté est assumée héréditairement par les successeurs légitimes du roi Guillaume Ier, prince d'Orange-Nassau.

Article 25

A la mort du Roi, la royauté se transmet par voie de succession héréditaire à ses descendants légitimes, l'enfant aîné ayant la priorité, avec représentation selon la même règle. A défaut de propres descendants, la royauté se transmet de cette même manière aux descendants légitimes en premier lieu de son parent et ensuite de son grand-parent dans la ligne de succession, pour autant que le degré de parenté avec le Roi défunt ne soit pas plus éloigné que le troisième.

Article 26

L'enfant dont une femme est enceinte au moment de la mort du Roi est considéré, pour la succession héréditaire, comme déjà né. L'enfant mort-né est réputé n'avoir jamais existé.

Article 27

L'abdication entraîne la succession héréditaire conformément aux règles fixées dans les articles précédents. Les enfants nés après l'abdication et leurs descendants sont exclus de la succession héréditaire.

Article 28

1. Le Roi qui contracte mariage sans autorisation accordée par la loi abdique de ce fait.

2. Si celui qui peut hériter du Roi la royauté contracte un tel mariage, il est exclu de la succession héréditaire, de même que les enfants nés de ce mariage et leurs descendants.

3. Les États généraux réunis en une seule assemblée délibèrent et statuent au sujet du projet de loi portant octroi de l'autorisation.

Article 29

1. Lorsque des circonstances exceptionnelles le commandent, une ou plusieurs personnes peuvent être exclues par une loi de la succession héréditaire.

2. Le projet à cette fin est déposé par le Roi ou en son nom. Les États généraux réunis en une seule assemblée délibèrent et statuent en la matière. Ils ne peuvent adopter le projet qu'aux deux tiers au moins des voix exprimées.

Article 30

1. S'il est à prévoir qu'un successeur fera défaut, il peut en être nommé un par une loi. Le projet de loi est déposé par le Roi ou en son nom. Après le dépôt du projet, les Chambres sont dissoutes. Les nouvelles Chambres réunies en une seule assemblée délibèrent et statuent en la matière. Elles ne peuvent adopter le projet qu'aux deux tiers au moins des voix exprimées.

2. Si à la mort du Roi ou lors de l'abdication un successeur fait défaut, les Chambres sont dissoutes. Les nouvelles Chambres se réunissent dans les quatre mois du décès ou de l'abdication en une seule assemblée afin de statuer sur la nomination d'un Roi. Elles ne peuvent nommer un successeur qu'aux deux tiers au moins des voix exprimées.

Article 31

1. Seuls les descendants légitimes du Roi nommé peuvent succéder à celui-ci par voie de succession héréditaire.

2. Les dispositions relatives à la succession héréditaire et le premier paragraphe du présent article s'appliquent par analogie au successeur nommé tant que celui-ci n'est pas Roi.

Article 32

Dès que possible après que le Roi a commencé à exercer l'autorité royale, il prête serment et est installé solennellement en séance publique des États généraux réunis en une seule assemblée dans la capitale, Amsterdam. Il jure ou promet qu'il sera fidèle à la Constitution et s'acquittera fidèlement de sa charge. La loi fixe des règles complémentaires.

Article 33

Le Roi n'exerce l'autorité royale qu'après avoir atteint l'âge de dix-huit ans.

Article 34

La loi règle la tutelle du Roi mineur. Les États généraux réunis en une seule assemblée délibèrent et statuent en la matière.

Article 35

1. Lorsque le Conseil des ministres estime que le Roi est hors d'état d'exercer l'autorité royale, il en informe, en leur soumettant l'avis du Conseil d'État demandé à cet effet, les États généraux, qui se réunissent subséquemment en une seule assemblée.

2. Si les États généraux partagent cette opinion, ils déclarent que le Roi est hors d'état d'exercer l'autorité royale. Cette déclaration est rendue publique sur l'ordre du président de l'assemblée et prend effet immédiatement.

3. Dès que le Roi est de nouveau en état d'exercer l'autorité royale, déclaration en est faite par une loi. Les États généraux réunis en une seule assemblée délibèrent et statuent en la matière. Immédiatement après la publication de cette loi, le Roi reprend l'exercice de l'autorité royale.

4. La loi règle si nécessaire la surveillance sur la personne du Roi lorsqu'il a été déclaré hors d'état d'exercer l'autorité royale. Les États généraux réunis en une

seule assemblée délibèrent et statuent en la matière.

Article 36

Le Roi peut abandonner temporairement l'exercice de l'autorité royale et reprendre cet exercice en vertu d'une loi dont le projet est déposé par lui ou en son nom. Les États généraux réunis en une seule assemblée délibèrent et statuent en la matière.

Article 37

1. L'autorité royale est exercée par un Régent :

a) tant que le Roi n'a pas atteint l'âge de dix-huit ans ;

b) si un enfant qui n'est pas encore né peut être appelé à la royauté ;

c) si le Roi a été déclaré hors d'état d'exercer l'autorité royale ;

d) si le Roi a abandonné temporairement l'exercice de l'autorité royale ;

e) tant qu'un successeur fait défaut après la mort du Roi ou son abdication.

2. Le Régent est nommé par la loi. Les États généraux réunis en une seule assemblée délibèrent et statuent en la matière.

3. Dans les cas mentionnés au premier paragraphe, points *c* et *d*, le descendant du Roi qui est son héritier présomptif est Régent de plein droit s'il a atteint l'âge de dix-huit ans.

4. Le Régent, en séance des États généraux réunis en une seule assemblée, jure ou promet qu'il sera fidèle à la Constitution et s'acquittera fidèlement de sa charge. La loi donne des règles complémentaires sur la régence et peut pourvoir à la succession et au remplacement à la régence. Les États généraux réunis en une seule assemblée délibèrent et statuent en la matière.

5. Les articles 35 et 36 s'appliquent par analogie au Régent.

Article 38

Tant qu'il n'a pas été pourvu à l'exercice de l'autorité royale, celle-ci est exercée par le Conseil d'État.

Article 39

La loi règle qui est membre de la Maison royale.

Article 40

1. Le Roi reçoit tous les ans des allocations de l'État, suivant des règles à fixer par une loi. Cette loi détermine quels sont les autres membres de la Maison royale auxquels sont accordées des allocations de l'État, et règle ces allocations.

2. Les allocations qu'ils reçoivent de l'État ainsi que les éléments du patrimoine servant à l'exercice de leur fonction sont exempts d'impôts personnels. En outre, ce que le Roi ou son successeur présomptif reçoivent d'un membre de la Maison royale, soit en vertu du droit successoral soit par donation, est exempt des droits de succession, de transfert et de donation. D'autres immunités fiscales peuvent être accordées par la loi.

3. Les Chambres des États généraux ne peuvent adopter les projets des lois visées aux paragraphes précédents qu'aux deux tiers au moins des voix exprimées.

Article 41

Le Roi organise sa Maison en tenant compte de l'intérêt public.

Section 2
Du Roi et des ministres

Article 42

1. Le Gouvernement est formé du Roi et des ministres.

2. Le Roi est inviolable ; les ministres sont responsables.

Article 43

Le Premier ministre et les autres ministres sont nommés et révoqués par décret royal.

Article 44

1. Les ministères sont institués par décret royal. Ils sont placés sous la direction d'un ministre.

2. Il peut également être nommé des ministres qui ne soient pas chargés de la direction d'un ministère.

Article 45

1. Les ministres forment ensemble le Conseil des ministres.

2. Le Premier ministre préside le Conseil des ministres.

3. Le Conseil des ministres délibère et statue sur la politique générale du Gouvernement et favorise l'unité de cette politique.

Article 46

1. Des secrétaires d'État peuvent être nommés et révoqués par décret royal.

2. Dans les cas où le ministre l'estime nécessaire, le secrétaire d'État agit à sa place comme ministre en se conformant à ses instructions. Le secrétaire d'État est responsable de ce chef, sans préjudice de la responsabilité du ministre.

Article 47

Toutes les lois et tous les décrets royaux sont signés par le Roi et par un ou plusieurs ministres ou secrétaires d'État.

Article 48

Le décret royal portant nomination du Premier ministre est contresigné par lui. Les décrets royaux portant nomination ou révocation des autres ministres et des secrétaires d'État sont contresignés par le Premier ministre.

Article 49

A leur entrée en charge, et de la façon prescrite par la loi, les ministres et les secrétaires d'État font devant le Roi serment, ou déclaration et promesse, d'intégrité, et jurent ou promettent qu'ils seront fidèles à la Constitution et s'acquitteront fidèlement de leur charge.

Chapitre 3
Des États généraux

Section première
Organisation et composition

Article 50

Les États généraux représentent tout le peuple néerlandais.

Article 51

1. Les États généraux comprennent la Seconde Chambre et la Première Chambre.

2. La Seconde Chambre compte cent cinquante députés.

3. La Première Chambre compte soixante-quinze sénateurs.

4. Réunies en une seule assemblée, les deux Chambres sont considérées comme n'en formant qu'une.

Article 52

1. La durée des pouvoirs des deux Chambres est de quatre ans.

2. Si la loi fixe pour les pouvoirs des États provinciaux une autre durée que quatre ans, la durée des pouvoirs de la Première Chambre est modifiée en conséquence à cette occasion.

Article 53

1. Les membres des deux Chambres sont élus sur la base de la représentation proportionnelle dans des limites à établir par la loi.

2. Les élections se font par voie de scrutin secret.

Article 54

1. Les députés sont élus directement par les Néerlandais qui ont atteint l'âge de dix-huit ans, sauf exceptions à déterminer par la loi à l'égard des Néerlandais qui ne résident pas dans le pays.

2. Est privé du droit de vote :

a) celui qui, pour avoir commis une infraction spécifiée à cet effet par la loi, a été, par une décision judiciaire irrévocable, condamné à une peine privative de liberté d'au moins un an et déchu en même temps du droit de vote ;

b) celui qui, en vertu d'une décision judiciaire irrévocable, est incapable de passer des actes juridiques pour cause de trouble mental.

Article 55

Les sénateurs sont élus par les membres des États provinciaux. L'élection a lieu, sauf en cas de dissolution de la Chambre, dans les trois mois suivant l'élection des membres des États provinciaux.

Article 56

Pour pouvoir être membre des États généraux, il faut être Néerlandais, avoir atteint l'âge de dix-huit ans et ne pas être privé du droit de vote.

Article 57

1. Nul ne peut être à la fois député et sénateur.

2. Un membre des États généraux ne peut être ministre, secrétaire d'État, membre du Conseil d'État, membre de la Chambre générale des comptes ni membre de la Cour suprême, pas plus que procureur général ni avocat général près cette Cour.

3. Toutefois, un ministre ou un secrétaire d'État qui a offert de démissionner peut cumuler sa charge avec la qualité de membre des États généraux jusqu'à ce qu'une décision ait été prise sur cette offre de démission.

4. La loi peut stipuler à l'égard d'autres fonctions publiques, que celles-ci sont incompatibles avec l'exercice du mandat de membre des États généraux ou de l'une des Chambres.

Article 58

Chaque Chambre vérifie les pouvoirs de ses membres nouvellement nommés et juge, en se conformant aux règles à fixer par la loi, les contestations qui s'élèvent au sujet de ces pouvoirs ou de l'élection elle-même.

Article 59

Toutes autres questions relatives au droit de vote et aux élections sont réglées par la loi.

Article 60

A leur entrée en charge, et de la façon prescrite par la loi, les membres des Chambres font en séance serment, ou déclaration et promesse, d'intégrité, et jurent ou promettent qu'ils seront fidèles à la Constitution et s'acquitteront fidèlement de leur charge.

Article 61

1. Chacune des Chambres nomme un président parmi ses membres.

2. Chacune des Chambres nomme un greffier. Celui-ci et les autres fonctionnaires des Chambres ne peuvent être membres des États généraux.

Article 62

Le président de la Première Chambre dirige les séances des deux Chambres réunies en une seule assemblée.

Article 63

Les allocations pécuniaires en faveur des membres et des anciens membres des États généraux, ainsi que de leurs proches survivants, sont réglées par la loi. Les Chambres ne peuvent adopter un projet de loi en la matière qu'aux deux tiers au moins des voix exprimées.

Article 64

1. Chacune des Chambres peut être dissoute par décret royal.

2. Le décret portant dissolution ordonne également une nouvelle élection pour la Chambre dissoute, et la réunion de la Chambre nouvellement élue, dans les trois mois.

3. La dissolution prend effet le jour de la réunion de la Chambre nouvellement élue.

4. La loi fixe la durée des pouvoirs de la Seconde Chambre qui succède à celle qui a été dissoute ; cette durée ne peut excéder cinq ans. Les pouvoirs de la Première Chambre qui succède à celle qui a été dissoute prennent fin à la date où auraient pris fin les pouvoirs de cette dernière.

Section 2
Fonctionnement

Article 65

Chaque année, le troisième mardi de septembre, ou à une date antérieure à fixer par la loi, la politique à mener par le Gouvernement est exposée par le Roi, ou en son nom, en séance des États généraux réunis en une seule assemblée.

Article 66

1. Les séances des États généraux sont publiques.

2. Le huis clos est prononcé à la demande d'un dixième des membres présents ou lorsque le président le juge nécessaire.

3. La Chambre ou, le cas échéant, les Chambres réunies en une seule assemblée décident ensuite s'il sera délibéré et statué à huis clos.

Article 67

1. Les Chambres siégeant séparément ou réunies en une seule assemblée ne

peuvent délibérer et statuer que si plus de la moitié des membres en fonction sont présents en séance.

2. Les décisions sont prises à la majorité des voix.

3. Les membres votent sans mandat impératif.

4. Il est voté sur les affaires à haute voix et par appel nominal si un des membres le demande.

Article 68

Les ministres et les secrétaires d'État donnent aux Chambres siégeant séparément ou réunies en une seule assemblée oralement ou par écrit, les renseignements désirés par un ou plusieurs des membres, dont la communication ne peut être jugée contraire à l'intérêt de l'État.

Article 69

1. Les ministres et les secrétaires d'État ont accès aux séances et peuvent participer aux délibérations.

2. Ils peuvent être invités par les Chambres siégeant séparément ou réunies en une seule assemblée à être présents aux séances.

3. Ils peuvent se faire assister aux séances par des personnes qu'ils désignent à cet effet.

Article 70

Les deux Chambres ont, tant séparément que réunies en une seule assemblée, le droit d'enquête, à régler par la loi.

Article 71

Les membres des États généraux, les ministres, les secrétaires d'État et les autres personnes qui participent aux délibérations ne peuvent être poursuivis ni attaqués en justice à l'occasion de ce qu'ils ont dit lors des séances des États généraux ou des commissions parlementaires, ou de ce qu'ils leur ont communiqué par écrit.

Article 72

Un règlement intérieur est établi par chaque Chambre séparément ainsi que par les deux Chambres réunies en une seule assemblée.

Chapitre 4
Du Conseil d'État, de la Chambre générale des comptes et des organismes consultatifs permanents

Article 73

1. Le Conseil d'État, ou une section du Conseil, est consulté sur les projets de loi et de règlement d'administration publique, ainsi que sur les projets d'approbation de traités par les États généraux. Il peut ne pas être procédé à cette consultation dans des cas à déterminer par la loi.

2. Le Conseil, ou une section du Conseil, est chargé d'étudier les litiges administratifs qui seront tranchés par décret royal, et présente la décision à rendre.

3. La loi peut conférer au Conseil, ou à une section du Conseil, la tâche de rendre une décision dans les litiges administratifs.

Article 74

1. Le Roi est président du Conseil d'État. Le successeur présomptif du Roi siège de plein droit au Conseil après avoir atteint l'âge de dix-huit ans. Le droit de siéger au Conseil peut être accordé à d'autres membres de la Maison royale par la loi ou en vertu de la loi.

2. Les membres du Conseil sont nommés à vie par décret royal.

3. Il est mis fin à leurs fonctions sur leur demande et lorsqu'ils atteignent un âge à fixer par la loi.

4. Ils peuvent être suspendus ou destitués par le Conseil dans les cas spécifiés par la loi.

5. Leur statut est réglé pour le surplus par la loi.

Article 75

1. La loi règle l'organisation, la composition et la compétence du Conseil d'État.

2. Des tâches additionnelles peuvent être conférées par la loi au Conseil, ou à une section du Conseil.

Article 76

La Chambre générale des comptes est chargée d'examiner les recettes et les dépenses de l'État.

Article 77

1. Les membres de la Chambre générale des comptes sont nommés à vie par décret royal sur une liste de trois personnes établie par la Seconde Chambre des États généraux.

2. Il est mis fin à leurs fonctions sur leur demande et lorsqu'ils atteignent un âge à fixer par la loi.

3. Ils peuvent être suspendus ou destitués par la Cour suprême dans les cas spécifiés par la loi.

4. Leur statut est réglé pour le surplus par la loi.

Article 78

1. La loi règle l'organisation, la composition et la compétence de la Chambre générale des comptes.

2. Des tâches additionnelles peuvent être conférées par la loi à la Chambre générale des comptes.

Article 79

1. Des organismes consultatifs permanents en matière de législation et d'administration de l'État sont institués par la loi ou en vertu de la loi.

2. La loi règle l'organisation, la composition et la compétence de ces organismes.

3. Des tâches autres que consultatives peuvent être conférées par la loi à ces organismes.

Article 80

1. Les avis des organismes visés au présent chapitre sont publiés selon des règles à fixer par la loi.

2. Les avis rendus au sujet de projets de loi déposés par le Roi ou en son nom sont, sauf exceptions à déterminer par la loi, communiqués aux États généraux.

Chapitre 5
De la législation et de l'Administration

Section première
Lois et autres mesures

Article 81

Les lois sont établies en commun par le Gouvernement et les États généraux.

Article 82

1. Les projets de loi peuvent être déposés par le Roi en son nom et par la Seconde Chambre des États généraux.

2. Les projets de loi qui doivent être examinés par les États généraux réunis en une seule assemblée peuvent être déposés par le Roi ou en son nom et, dans la mesure où les articles pertinents du Chapitre 2 le permettent, par l'assemblée commune des États généraux.

3. Les projets de loi à déposer par la Seconde Chambre ou, le cas échéant, par l'assemblée commune des États généraux sont présentés à cette Chambre ou, le cas échéant, à cette assemblée par un ou plusieurs parlementaires.

Article 83

Les projets de loi déposés par le Roi ou en son nom sont envoyés à la Seconde Chambre ou, s'il est prévu qu'ils doivent être examinés par les États généraux réunis en une seule assemblée, à cette assemblée.

Article 84

1. Tant qu'un projet de loi déposé par le Roi ou en son nom n'a pas été adopté par la Seconde Chambre ou, le cas échéant, par l'assemblée commune des États généraux, il peut être modifié aussi bien par cette Chambre ou, le cas échéant, par cette assemblée, sur la proposition d'un ou de plusieurs parlementaires, qu'au nom du Gouvernement.

2. Tant que la Seconde Chambre ou, le cas échéant, l'assemblée commune des États généraux n'a pas adopté un projet de loi à déposer par cette Chambre ou, le cas échéant, par cette assemblée, ce projet peut être modifié aussi bien par l'une ou par l'autre, selon les cas, sur la proposition d'un ou de plusieurs parlementaires, que par celui ou ceux des parlementaires qui l'ont présenté.

Article 85

Dès que la Seconde Chambre a adopté ou a décidé de déposer un projet de loi, elle l'envoie à la Première Chambre, qui le prend en considération tel qu'il lui a été envoyé par la Seconde Chambre. La Seconde Chambre peut charger un ou plusieurs de ses membres de défendre devant la Première Chambre un projet qu'elle a elle-même déposé.

Article 86

1. Tant qu'un projet de loi n'a pas été adopté par les États généraux, il peut être retiré par celui qui l'a déposé ou en son nom.

2. Tant que la Seconde Chambre ou, le cas échéant, l'assemblée commune des États généraux n'a pas adopté un projet de loi à déposer par cette Chambre ou, le cas échéant, par cette assemblée, ce projet peut être retiré par celui ou ceux des parlementaires qui l'ont présenté.

Article 87

1. Le projet devient loi dès qu'il a été adopté par les États généraux et sanctionné par le Roi.

2. Le Roi et les États généraux se communiquent leur décision sur tout projet de loi.

Article 88

La loi règle la publication et l'entrée en vigueur des lois. Les lois n'entrent pas en vigueur avant leur publication.

Article 89

1. Les règlements d'administration publique sont établis par décret royal.

2. Des prescriptions sanctionnées par des peines n'y sont données qu'en vertu de la loi. La loi détermine les peines à infliger.

3. La loi règle la publication et l'entrée en vigueur des règlements d'administration publique. Ceux-ci n'entrent pas en vigueur avant leur publication.

4. Les paragraphes 2 et 3 s'appliquent par analogie aux autres dispositions de caractère général prises au nom de l'État.

Section 2
Autres dispositions

Article 90

Le Gouvernement favorise le développement de l'ordre juridique international.

Article 91

1. Le Royaume ne sera pas lié par des traités et ceux-ci ne seront pas dénoncés sans l'approbation préalable des États généraux. La loi détermine les cas où l'approbation n'est pas requise.

2. La loi détermine la façon dont est donnée l'approbation, et elle peut prévoir la possibilité d'approbation tacite.

3. Lorsqu'un traité comporte des dispositions qui dérogent à la Constitution ou contraignent à y déroger, les Chambres ne peuvent donner leur approbation qu'aux deux tiers au moins des voix exprimées.

Article 92

Des compétences législatives, administratives et judiciaires peuvent être conférées par un traité, ou en vertu d'un traité, à des organisations de droit international public, sous réserve de l'observation, si nécessaire, des dispositions de l'article 91, paragraphe 3.

Article 93

Les dispositions des traités et des décisions des organisations de droit international public qui peuvent engager chacun par leur teneur ont force obligatoire après leur publication.

Article 94

Les dispositions légales en vigueur dans le Royaume ne sont pas appliquées si leur application n'est pas compatible avec des dispositions de traités ou de décisions d'organisations de droit international public qui engagent chacun.

Article 95

La loi donne des règles sur la publication des traités et des décisions des organisations de droit international public.

Article 96

1. Le Royaume n'est déclaré en état de guerre qu'avec l'autorisation préalable des États généraux.

2. Cette autorisation n'est pas requise si, par suite d'un état de guerre existant de fait, la consultation des États généraux s'est avérée impossible.

3. Les États généraux réunis en une seule assemblée délibèrent et statuent en la matière.

4. Les dispositions des paragraphes 1 et 2 s'appliquent par analogie à la déclaration de fin de l'état de guerre.

Article 97

1. Tous les Néerlandais qui sont en mesure de le faire, sont tenus de contribuer

au maintien de l'indépendance du Royaume et à la défense de son territoire.

2. La même obligation peut être imposée aux personnes n'ayant pas la nationalité néerlandaise qui résident dans le Royaume.

Article 98

1. Il y a, pour la défense de l'État, des forces armées composées d'engagés volontaires et de personnes soumises aux obligations militaires légales.

2. Les forces armées sont placées sous l'autorité suprême du Gouvernement.

3. La loi règle le service militaire obligatoire. Elle règle également les obligations qui peuvent être imposées pour la défense du pays à ceux qui ne font pas partie des forces armées.

Article 99

La loi mentionne les conditions auxquelles l'exemption du service militaire peut être accordée pour objections de conscience graves.

Article 100

Des troupes étrangères ne peuvent être engagées qu'en vertu d'une loi.

Article 101

Si, en cas de guerre, de danger de guerre ou d'autres circonstances exceptionnelles, la mobilisation totale ou partielle des personnes soumises aux obligations militaires légales qui ne sont pas en service actif est décidée à titre extraordinaire par décret royal, un projet de loi visant à déterminer, autant que nécessaire, la durée de leur maintien sous les armes est présenté immédiatement aux États généraux.

Article 102

1. Toutes les dépenses relatives aux armées du Royaume sont à la charge du Trésor public.

2. Le logement et l'entretien des troupes, les transports et fournitures de toute nature requis pour les armées ou pour les fortifications du Royaume ne peuvent être mis à la charge d'un ou de plusieurs habitants ni d'une ou de plusieurs communes que conformément aux règles générales à fixer par la loi et contre indemnité.

3. Les exceptions à ces règles générales pour le cas de guerre, de danger de guerre ou d'autres circonstances exceptionnelles sont établies par la loi.

Article 103

1. La loi détermine les cas dans lesquels l'état d'exception, à désigner comme tel par la loi, peut être proclamé par décret royal aux fins du maintien de la sécurité extérieure ou intérieure ; elle en règle les conséquences.

2. Il peut, à cette occasion, être dérogé aux dispositions de la Constitution concernant les compétences des administrations des communes, des provinces et des wateringues, aux droits fondamentaux réglés aux articles 6, pour autant qu'il s'agit de l'exercice, en dehors de bâtiments et de lieux fermés, du droit décrit dans ce dernier article, 7, 8, 9, 12, paragraphe 2, et 13, ainsi qu'aux dispositions de l'article 113, paragraphes 1 et 3.

3. Immédiatement après la proclamation de l'état d'exception, puis, tant que celui-ci n'a pas été levé par décret royal, chaque fois qu'ils le jugent nécessaire, les États généraux décident du maintien de l'état d'exception ; ils délibèrent et statuent en la matière réunis en une seule assemblée.

Article 104

Les impôts de l'État sont perçus en vertu d'une loi. Les autres prélèvements de l'État sont réglés par la loi.

Article 105

1. Le budget des recettes et des dépenses de l'État est établi par la loi.

2. Chaque année, au moment visé à l'article 65, les projets des lois générales sur le budget sont déposés par le Roi ou en son nom.

3. Il est rendu compte des recettes et des dépenses de l'État aux États généraux selon les dispositions de la loi. Le compte approuvé par la Chambre générale des comptes est communiqué aux États généraux.

4. La loi fixe les règles sur la gestion des finances de l'État.

Article 106

La loi règle le système monétaire.

Article 107

1. La loi règle le droit civil, le droit pénal et le droit des procédures civile et

pénale dans des codes généraux, sous réserve du pouvoir de régler certaines matières dans des lois spéciales.

2. La loi établit des règles générales de droit administratif.

Article 108

1. La loi fixe des règles sur l'institution, la compétence et le fonctionnement d'un ou de plusieurs organes généraux, indépendants, appelés à examiner les plaintes relatives au comportement des pouvoirs publics.

2. Si l'activité d'un tel organe s'étend au comportement du pouvoir central, la nomination incombe à la Seconde Chambre des États généraux. Il peut être mis fin aux fonctions dans les cas prévus par la loi.

Article 109

La loi règle le statut des fonctionnaires. Elle fixe également des règles relatives à leur protection dans le travail et à la participation.

Article 110

Les pouvoirs publics observent dans l'exercice de leur tâche des règles de publicité conformément aux dispositions à fixer par la loi.

Article 111

Les ordres de chevalerie sont institués par la loi.

Chapitre 6
De la justice

Article 112

1. Il incombe au pouvoir judiciaire de juger les litiges sur les droits civils et sur les créances.

2. La loi peut conférer soit au pouvoir judiciaire soit à des juridictions ne faisant pas partie du pouvoir judiciaire la tâche de juger les litiges qui ne dérivent pas de rapports juridiques civils. La loi règle la procédure à suivre et les conséquences des décisions.

Article 113

1. Il incombe en outre au pouvoir judiciaire de juger les infractions.

2. La loi règle la justice disciplinaire instituée par les pouvoirs publics.

3. Seul le pouvoir judiciaire peut infliger une peine privative de liberté.

4. La loi peut fixer des règles dérogatoires en ce qui concerne le jugement hors des Pays-Bas et le droit pénal de la guerre.

Article 114

La peine de mort ne peut être infligée.

Article 115

Un recours administratif peut être ouvert pour les litiges visés à l'article 112, paragraphe 2.

Article 116

1. La loi désigne les juridictions qui font partie du pouvoir judiciaire.

2. La loi règle l'organisation, la composition et la compétence du pouvoir judiciaire.

3. La loi peut stipuler que des personnes qui ne font pas partie du pouvoir judiciaire participeront à l'administration de la justice par le pouvoir judiciaire.

4. La loi règle le contrôle à exercer par les membres du pouvoir judiciaire chargés d'administrer la justice sur la manière dont ces membres et les personnes visées au paragraphe précédent s'acquittent de leurs fonctions.

Article 117

1. Les membres du pouvoir judiciaire chargés d'administrer la justice et le procureur général près la Cour suprême sont nommés à vie par décret royal.

2. Il est mis fin à leurs fonctions sur leur demande et lorsqu'ils atteignent un âge à fixer par la loi.

3. Ils peuvent, dans les cas prévus par la loi, être suspendus ou destitués par une juridiction désignée par la loi et faisant partie du pouvoir judiciaire.

4. Leur statut est réglé pour le surplus par la loi.

Article 118

1. Les membres de la Cour suprême des Pays-Bas sont nommés sur une liste de trois personnes établie par la Seconde Chambre des États généraux.

2. La Cour suprême est chargée, dans les cas et les limites prévus par la loi, de la cassation des décisions judiciaires pour violation du droit.

3. Des tâches additionnelles peuvent être assignées par la loi à la Cour suprême.

Article 119

Les membres des États généraux, les ministres et les secrétaires d'État sont jugés pour forfaiture par la Cour suprême, même après la cessation de leurs fonctions. Les poursuites sont ordonnées par décret royal ou par une résolution de la Seconde Chambre.

Article 120

Le juge ne porte pas de jugement sur la constitutionnalité des lois et des traités.

Article 121

Exception faite des cas prévus par la loi, les audiences ont lieu en public et les jugements sont motivés. Le prononcé du jugement se fait en public.

Article 122

1. Il est fait grâce par décret royal après avis d'une juridiction désignée par la loi et sous réserve de l'observation des dispositions à établir par la loi ou en vertu de la loi.

2. L'amnistie est accordée par la loi ou en vertu de la loi.

Chapitre 7
Des provinces, communes, wateringues et autres organismes publics

Article 123

1. La loi peut supprimer des provinces et des communes et en instituer de nouvelles.

2. La loi règle la modification des limites provinciales et communales.

Article 124

1. La compétence pour régler et administrer les affaires intérieures des provinces et des communes est laissée aux administrations provinciales et communales.

2. L'action réglementaire et administrative peut être exigée des administrations provinciales et communales par la loi ou en vertu de la loi.

Article 125

1. Les États provinciaux et le conseil municipal se trouvent à la tête respectivement de la province et de la commune. Leurs séances sont publiques, sauf exceptions à régler par la loi.

2. Font également partie de l'administration provinciale la députation permanente des États provinciaux ainsi que le commissaire du Roi, et de l'administration communale le collège des bourgmestre et échevins ainsi que le bourgmestre.

3. Le commissaire du Roi préside les séances des États provinciaux, et le bourgmestre, celles du conseil municipal.

Article 126

La loi peut stipuler que le commissaire du Roi est chargé en outre d'exécuter les instructions officielles données par le Gouvernement.

Article 127

Les États provinciaux et le conseil municipal arrêtent respectivement les règlements provinciaux et les règlements municipaux, sauf exceptions à déterminer par la loi ou à déterminer par eux en vertu de la loi.

Article 128

Sauf dans les cas visés à l'article 123, seuls les États provinciaux ou, selon les cas, le conseil municipal, peuvent conférer des compétences comme visées à l'article 124, paragraphe 1, à d'autres organes que ceux mentionnés à l'article 125.

Article 129

1. Les membres des États provinciaux et du conseil municipal sont élus directement par les Néerlandais qui résident dans la province ou, selon les cas, dans la commune et répondent aux conditions qui s'appliquent à l'élection de la Seconde Chambre des États généraux. Les mêmes conditions s'appliquent à l'éligibilité.

2. Les membres sont élus sur la base de la représentation proportionnelle dans des limites à établir par la loi.

3. Les articles 53, paragraphe 2, et 59 sont applicables.

4. La durée des pouvoirs des États provinciaux et du conseil municipal est de quatre ans, sauf exceptions à déterminer par la loi.

5. La loi stipule quelles fonctions sont incompatibles avec le mandat de membre des États provinciaux ou du conseil municipal. La loi peut stipuler que la parenté ou le mariage constituent un empêchement au mandat de membre et que l'accomplissement d'actes spécifiés par la loi peut entraîner la perte de ce mandat.

6. Les membres votent sans mandat impératif.

Article 130

La loi peut conférer le droit d'élire les membres du conseil municipal et d'être membres du conseil municipal à des résidants n'ayant pas la nationalité néerlandaise, pourvu qu'ils répondent pour le moins aux conditions qui s'appliquent aux résidants de nationalité néerlandaise.

Article 131

Le commissaire du Roi et le bourgmestre sont nommés par décret royal.

Article 132

1. La loi règle l'organisation des provinces et des communes, ainsi que la composition et la compétence de leurs administrations.

2. La loi règle le contrôle sur ces administrations.

3. Les décisions de ces administrations ne peuvent être soumises à un contrôle préalable que dans les cas à déterminer par la loi ou en vertu de la loi.

4. Les décisions de ces administrations ne peuvent être annulées que par décret royal si elles sont contraires au droit ou à l'intérêt général.

5. La loi règle les dispositions à prendre en cas de carence à l'égard de l'action réglementaire et administrative exigée en vertu de l'article 124, paragraphe 2. Des dispositions peuvent être prises par la loi par dérogation aux articles 125 et 127 pour le cas où l'administration d'une province ou d'une commune négligerait gravement ses tâches.

6. La loi stipule quels impôts peuvent être perçus par les administrations provinciales et communales, et règle les rapports financiers entre ces administrations et l'État.

Article 133

1. Pour autant qu'il n'en soit disposé différemment par la loi ou en vertu de la loi, il est pourvu par règlement provincial, selon des règles à fixer par la loi, à la suppression et à l'institution de wateringues, à la réglementation de leurs tâches et de leur organisation, ainsi qu'à la composition de leurs administrations.

2. La loi règle les compétences réglementaires et autres des administrations des wateringues, ainsi que la publicité de leurs séances.

3. La loi règle le contrôle provincial et autre sur ces administrations. Les décisions de ces administrations ne peuvent être annulées que si elles sont contraires au droit ou à l'intérêt général.

Article 134

1. Des organismes publics pour les professions et les entreprises ainsi que d'autres organismes publics peuvent être institués et supprimés par la loi ou en vertu de la loi.

2. La loi règle les tâches et l'organisation de ces organismes publics, la composition et la compétence de leurs administrations, ainsi que la publicité de leurs séances. Une compétence réglementaire peut être accordée auxdites administrations par la loi ou en vertu de la loi.

3. La loi règle le contrôle sur ces administrations. Les décisions de ces administrations ne peuvent être annulées que si elles sont contraires au droit ou à l'intérêt général.

Article 135

La loi donne des règles pour pourvoir aux affaires concernant plus d'un organisme public. Il peut être pourvu à cette occasion à l'institution d'un nouvel organisme public, auquel cas l'article 134, paragraphes 2 et 3, est applicable.

Article 136

Les litiges entre les organismes publics sont tranchés par décret royal sauf s'il appartient au pouvoir judiciaire d'en connaître ou si la tâche de les trancher a été conférée à d'autres par la loi.

Chapitre 8
De la révision de la Constitution

Article 137

1. La loi déclare qu'une modification de la Constitution, telle qu'elle la propose, sera prise en considération.

2. La Seconde Chambre peut, en se fondant ou non sur un projet déposé à cet effet par le Roi ou en son nom, diviser en plusieurs projets le projet d'une telle loi.

3. Les Chambres des États généraux sont dissoutes après la publication de la loi visée au paragraphe 1.

4. Les nouvelles Chambres prennent en considération le projet, qu'elles ne peuvent adopter qu'aux deux tiers au moins des voix exprimées.

5. La Seconde Chambre peut, en se fondant ou non sur un projet déposé à cet effet par le Roi ou en son nom, et aux deux tiers au moins des voix exprimées, diviser en plusieurs projets un projet portant modification.

Article 138

1. Avant que les projets portant modification de la Constitution adoptés en seconde lecture soient sanctionnés par le Roi, la loi peut :

a) harmoniser pour autant que nécessaire les projets adoptés et les dispositions restées inchangées de la Constitution ;

b) modifier la division en chapitres, sections et articles, ainsi que leur ordonnance et les titres.

2. Les Chambres ne peuvent adopter un projet de loi portant des dispositions comme visées au paragraphe 1, point *a,* qu'aux deux tiers au moins des voix exprimées.

Article 139

Les modifications de la Constitution adoptées par les États généraux et sanctionnées par le Roi entrent en vigueur immédiatement après leur publication.

Article 140

Les lois et autres règlements et décrets en vigueur contraires à des dispositions modifiées de la Constitution demeurent en vigueur jusqu'à ce qu'il y soit pourvu conformément à la Constitution.

Article 141

Le texte de la Constitution révisée est publié par décret royal, les numéros des chapitres, sections et articles pouvant être modifiés à cette occasion, et les renvois changés en conséquence.

Article 142

La Constitution peut être mise en accord avec le Statut du Royaume des Pays-Bas par la loi. Les articles 139, 140 et 141 s'appliquent par analogie.

Articles additionnels

Article I er

L'article 2, paragraphe 4, n'entrera en vigueur que dans cinq ans, ou à une date antérieure à fixer par la loi ou en vertu de la loi.

Article II

L'article 4 n'entrera en vigueur à l'égard des organes représentatifs généraux existant au moment de l'entrée en vigueur dudit article mais dont les membres ne sont pas élus conformément à ses dispositions, qu'au moment où l'élection des membres de l'organe en question aura été réglée en conformité avec l'article 4.

Article III

L'article 6, pour autant qu'il se rapporte à l'exercice en dehors de bâtiments et de lieux fermés du droit décrit dans son premier paragraphe, n'entrera en vigueur que dans cinq ans, ou à une date antérieure à fixer par la loi ou en vertu de la loi.

Article IV

Jusqu'à ce qu'il y soit pourvu autrement par la loi ou en vertu de la loi, les dispositions suivantes demeurent en vigueur :

Les rémunérations, pensions et autres revenus, quelle que soit leur nature, dont bénéficient actuellement les divers cultes ou leurs ministres restent assurés à ces cultes.

Aux ministres du culte qui ne reçoivent pas encore de rémunération du Trésor public, ou n'en reçoivent pas une rémunération suffisante, il peut être accordé une rémunération, ou une augmentation de leur rémunération actuelle.

Article V

L'article 9, pour autant qu'il se rapporte au droit de manifester, n'entrera en vigueur que dans cinq ans, ou à une date antérieure à fixer par la loi ou en vertu de la loi.

Article VI

L'article 10, paragraphe 1, n'entrera en vigueur que dans cinq ans, ou à une date antérieure à fixer par la loi ou en vertu de la loi. Le délai mentionné peut être prolongé, de cinq ans au maximum, par la loi. Des dates d'entrée en vigueur différentes peuvent être fixées pour les divers domaines d'application de l'article 10, paragraphe 1.

Article VII

L'article 11 n'entrera en vigueur que dans cinq ans, ou à une date antérieure à fixer par la loi ou en vertu de la loi. Le délai mentionné peut être prolongé, de cinq ans au maximum, par la loi. Des dates d'entrée en vigueur différentes peuvent être fixées pour les divers domaines d'application de l'article 11.

Article VIII

L'article 13, sauf, en ce qui concerne le secret des lettres, à l'égard des lettres confiées à la poste ou à une autre institution publique de transport, n'entrera en vigueur que dans cinq ans, ou à une date antérieure à fixer par la loi ou en vertu de la loi.

Article IX

L'article 16 ne s'applique pas aux faits qui sont passibles d'une peine en vertu du décret relatif au droit pénal spécial [1].

Article X

L'article 19, paragraphe 3, n'entrera en vigueur que dans cinq ans, ou à une date antérieure à fixer par la loi ou en vertu de la loi.

Article XI

Les formules établies pour les serments et les promesses par les articles 44 et 53 et pour la déclaration par l'article 54 de la Constitution, dans son texte de 1972, demeurent en vigueur jusqu'à ce qu'un règlement soit établi en la matière par la loi.

Article XII

Les cinquième et sixième alinéas de l'article 86 de la Constitution, dans son texte de 1972, demeurent en vigueur jusqu'à l'entrée en vigueur de la loi visée à l'article 49.

Article XIII

Les sénateurs qui sont en fonction au moment de l'entrée en vigueur de l'article 52 se démettent à compter de la date où commencent les pouvoirs de la Chambre élue selon les dispositions de l'article 55, sauf en cas de dissolution antérieure de la Chambre. Si un sénateur s'est démis ou est décédé en cours de mandat, son remplaçant se démet à compter de la date susdite.

Article XIV

1. Tant que l'octroi aux Néerlandais qui ne résident pas aux Pays-Bas du droit de vote actif pour l'élection des députés n'est pas compatible avec le Statut du Royaume des Pays-Bas, l'article 54, paragraphe 1, se lit comme suit : « Les députés sont élus directement par les Néerlandais qui ont atteint l'âge de dix-huit ans et résident dans le pays. »

2. La date de l'entrée en vigueur du texte de l'article 54, paragraphe 1, sera fixée par décret royal.

Article XV

La loi déterminera, parmi les personnes qui étaient exclues du droit de vote au moment de l'entrée en vigueur de la loi ayant pour objet d'adapter à l'article 54 les dispositions légales relatives à l'exclusion du droit de vote, les personnes à l'égard desquelles cette exclusion demeurera en vigueur.

Article XVI

Tant que l'âge auquel la loi fixe d'une façon générale la fin de la minorité n'a pas été abaissé à dix-huit ans, il y a lieu de lire à l'article 56 « vingt et un ans » à la place de « dix-huit ans ». La date de l'entrée en vigueur de ce dernier terme sera fixée par décret royal.

Article XVII

Jusqu'à ce qu'il y soit pourvu autrement par la loi, le quatrième alinéa de

(1) *Besluit Buitengewoon Strafrecht.*

l'article 106 de la Constitution, dans son texte de 1972, demeure en vigueur.

Article XVIII

Les articles 97 et 101, deuxième alinéa, de la Constitution, dans son texte de 1972, demeurent en vigueur jusqu'à l'entrée en vigueur de la loi visée à l'article 60.

Article XIX

La formule de promulgation établie par l'article 81 et les formules d'envoi et d'information établies par les articles 123, 124, 127, 128 et 130 de la Constitution, dans son texte de 1972, demeurent en vigueur jusqu'à ce qu'un règlement soit établi en la matière.

Article XX

Pendant cinq ans, ou pendant un délai plus court à fixer par la loi ou en vertu de la loi, l'article 89, paragraphe 4, se lira comme suit : « Le paragraphe 2 s'applique par analogie aux autres dispositions de caractère général prises au nom de l'État. Ces dispositions n'entrent pas en vigueur avant leur publication. »

Article XXI

1. Jusqu'à ce qu'il y soit pourvu autrement par la loi, les dispositions des articles suivants de la Constitution, dans son texte de 1972, demeurent en vigueur :

a) les articles 61 et 64, en ce qui concerne l'approbation tacite ;

b) l'article 62.

2. Tant que s'applique l'article 24 du Statut du Royaume des Pays-Bas, dans son texte de 1975, les dispositions des articles 61 et 64 de la Constitution, dans son texte de 1972, demeurent en vigueur, en ce qui concerne l'approbation tacite, à l'égard des conventions qui touchent les Antilles néerlandaises.

Article XXII

Le quatrième alinéa de l'article 201 de la Constitution, dans son texte de 1972, demeurera en vigueur pendant cinq ans, ou pendant un délai plus court à fixer par la loi ou en vertu de la loi.

Article XXIII

Les lois visées à l'article 103, paragraphe 1, peuvent, pendant la période de cinq ans consécutive à l'entrée en vigueur de l'article susdit, déroger à l'article 15, paragraphe 2.

Article XXIV

Les dispositions de caractère général relatives au statut des fonctionnaires qui ne reposent pas sur une loi peuvent, jusqu'à l'entrée en vigueur d'une loi réglant ce statut, être modifiées selon les mêmes modalités que celles de leur établissement.

Article XXV

Jusqu'à ce qu'il y soit pourvu autrement par la loi, le premier alinéa de l'article 74 de la Constitution, dans son texte de 1972, demeure en vigueur.

Article XXVI

L'article 122, paragraphe 1, n'entrera en vigueur que dans cinq ans, ou à une date antérieure à fixer par la loi ou en vertu de la loi. D'ici là, les dispositions des premier et deuxième alinéas de l'article 77 de la Constitution, dans son texte de 1972, demeurent en vigueur.

Article XXVII

Tant que l'âge auquel la loi fixe d'une façon générale la fin de la minorité n'a pas été abaissé à dix-huit ans, il faut, par dérogation à l'article 129, paragraphe 1, avoir atteint l'âge de vingt et un ans pour pouvoir être membre des États provinciaux ou du conseil municipal. La date à laquelle la dérogation visée dans la phrase précédente ne s'appliquera plus sera fixée par décret royal.

Article XXVIII

Tant que l'octroi aux résidants n'ayant pas la nationalité néerlandaise du droit de vote actif et passif pour l'élection des membres du conseil municipal n'est pas compatible avec le Statut du Royaume des Pays-Bas, l'article 130 n'entre pas en vigueur. La date de son entrée en vigueur sera fixée par décret royal.

Article XXIX

Les dispositions d'autres réglementations qu'une loi en vertu desquelles les litiges entre les organismes publics sont tranchés autrement que par décret royal demeurent en vigueur pendant cinq ans, à moins que, dans ce délai, la façon de les trancher ne soit prévue par une loi.

Annexe
Articles de la Constitution, dans son texte de 1972, demeurant provisoirement en vigueur

Article 44

En acceptant la régence, le Régent fait, en séance des États généraux réunis en une seule assemblée, entre les mains du président, le serment ou la promesse qui suit : « Je jure (promets) fidélité au Roi ; je jure (promets) qu'en assumant l'autorité royale tant que le Roi sera mineur (tant que le Roi restera hors d'état d'assumer le gouvernement ou aussi longtemps que l'exercice de l'autorité royale sera abdiqué). J'observerai et maintiendrai toujours la Constitution.

« Je jure (promets) de défendre et de conserver de tout mon pouvoir l'indépendance et l'intégrité territoriale de l'État ; de protéger la liberté publique et individuelle ainsi que les droits de tous les sujets du Roi et de chacun d'eux, et d'employer, pour le maintien et le progrès de la prospérité publique et individuelle, tous les moyens que les lois mettent à ma disposition, comme est tenu de le faire un bon et fidèle Régent.

« Que Dieu Tout-Puissant me soit en aide (Je le promets) ».

Article 53

Au cours de cette séance, le Roi fait sur la Constitution le serment ou la promesse qui suit :

« Je jure (promets) au peuple néerlandais de toujours observer et maintenir la Constitution.

« Je jure (promets) de défendre et de conserver de tout mon pouvoir l'indépendance et l'intégrité territoriale de l'État ; de protéger la liberté publique et individuelle ainsi que les droits de tous mes sujets et d'employer, pour le maintien et le progrès de la prospérité publique et individuelle, tous les moyens que les lois mettent à ma disposition, comme est tenu de le faire un bon Roi.

« Que Dieu Tout-Puissant me soit en aide (Je le promets) ».

Article 54

Après avoir fait ce serment ou cette promesse, le Roi est installé, séance tenante, par les États généraux, dont le président prononce la déclaration solennelle ci-après, confirmée ensuite par serment ou par promesse fait par lui ainsi que par tous les membres individuellement :

« Au nom du peuple néerlandais et en vertu de la Constitution, nous vous recevons et nous vous installons comme Roi ; nous jurons (promettons) de respecter votre inviolabilité et les droits de votre Couronne ; nous jurons (promettons) de faire tout ce que sont tenus de faire de bons et fidèles États généraux.

« Que Dieu Tout-Puissant nous soit en aide (Nous le promettons) ».

Article 60

Les conventions avec d'autres puissances ou avec des organisations de droit international public sont conclues par le Roi ou avec son autorisation et sont, pour autant qu'elles l'exigent, ratifiées par le Roi.

Les conventions sont communiquées aux États généraux dans le plus bref délai ; elles ne sont ratifiées et n'entrent en vigueur qu'après avoir été approuvées par les États généraux.

Le juge n'a pas compétence pour apprécier la constitutionnalité des conventions.

Article 61

L'approbation se donne expressément ou tacitement.

L'approbation expresse est donnée par la loi.

L'approbation tacite est donnée si, dans les trente jours qui suivent la présentation de la convention à cet effet aux deux Chambres des États généraux, le désir de voir la convention soumise à l'approbation expresse n'a pas été exprimé par une des Chambres des États généraux, ou en son nom, ou bien par au moins un cinquième du nombre des membres, fixé par la Constitution, de l'une ou l'autre des deux Chambres.

Le délai prévu à l'alinéa précédent est suspendu tant que la session des États généraux est close.

Article 62

Sauf dans le cas prévu à l'article 63, l'approbation n'est pas requise :

a) s'il s'agit d'une convention pour laquelle la loi le stipule ;

b) s'il s'agit d'une convention ayant trait uniquement à l'exécution d'une convention approuvée, pour autant que la loi portant approbation ne contient pas de réserves à ce sujet ;

c) si la convention n'impose pas d'importantes obligations financières au Royaume et si elle n'a été conclue que pour une année au maximum ;

d) si, en raison de circonstances exceptionnelles d'un caractère urgent, les intérêts du Royaume s'opposent manifestement à ce que l'entrée en vigueur de la convention soit différée jusqu'à son approbation.

Une convention comme celle visée au premier alinéa sous *d* sera soumise dès que possible à l'approbation des États généraux. L'article 61 s'applique dans ce cas. Si la convention n'est pas approuvée, elle sera dénoncée dès que cela est juridiquement possible.

A moins que l'intérêt du Royaume ne s'y oppose manifestement, la convention ne sera conclue que sous réserve de sa dénonciation en cas de refus d'approbation.

Article 63

Lorsque l'évolution de l'ordre juridique international l'exige, il pourra être dérogé dans une convention aux dispositions de la Constitution. Dans ce cas l'approbation ne pourra être donnée qu'expressément. Les Chambres des États généraux ne peuvent adopter le projet de loi à cette fin qu'à la majorité des deux tiers des voix exprimées.

Article 64

Les dispositions des quatre articles précédents s'appliquent par analogie en cas d'adhésion à une convention ou de dénonciation d'une convention.

Article 74, premier alinéa

Le Roi confère la noblesse.

Article 77, premier et deuxième alinéas

Le Roi a le droit de faire grâce des peines infligées par décision judiciaire.

Il exerce ce droit après avoir pris l'avis du juge désigné à cet effet par un règlement d'administration publique.

Article 81

(...)

La formule de promulgation des lois est la suivante : « Nous, etc. Roi des Pays-Bas, etc.

« A tous ceux qui les présentes verront ou entendront, salut ! Savoir faisons :

« Ayant pris en considération, etc.

(les motifs de la loi)

« A ces causes, le Conseil d'État entendu, et d'un commun accord avec les États généraux, nous avons décidé et ordonné, comme nous décidons et ordonnons par les présentes, etc.

(texte de la loi)

« Donné, etc. »

Sous le règne d'une Reine ou lorsque l'autorité royale est assumée par un Régent ou par le Conseil d'État, cette formule est modifiée en conséquence.

Article 86, cinquième et sixième alinéas

A leur entrée en fonction, les ministres font entre les mains du Roi le serment ou la promesse qui suit :

« Je jure (promets) fidélité au Roi et à la Constitution ; je jure (promets) de remplir fidèlement les obligations que m'impose la fonction de ministre.

« Que Dieu Tout-Puissant me soit en aide (Je le promets).

Avant d'être admis à faire ce serment ou cette promesse, les ministres font le serment (déclaration et promesse) d'intégrité qui suit :

« Je jure (déclare) que, pour être nommé ministre, je n'ai promis ni donné à personne, directement ni indirectement, aucun don ni faveur sous quelque nom ou sous quelque prétexte que ce soit.

« Je jure (promets) que je n'accepterai, directement ni indirectement de qui que ce soit, ni promesses ni présents pour faire ou pour omettre de faire quoi que ce soit en cette fonction.

« Que Dieu Tout-Puissant me soit en aide ! (Je le déclare et le promets). »

Article 97

A leur entrée en fonction, ils [les députés] font le serment ou la promesse qui suit :

« Je jure (promets) fidélité à la Constitution.

« Que Dieu Tout-Puissant me soit en aide (Je le promets). »

Avant d'être admis à faire ce serment ou cette promesse, ils font le serment (déclaration et promesse) d'intégrité qui suit :

« Je jure (déclare) que, pour être nommé membre des États généraux, je n'ai promis ni donné à personne, directement ni indirectement, aucun don ni faveur sous quelque nom ou sous quelque prétexte que ce soit.

« Je jure (promets) que je n'accepterai, directement ni indirectement de qui que ce soit, ni promesses ni présents pour faire ou pour omettre de faire quoi que ce soit en cette fonction.

« Que Dieu Tout-Puissant me soit en aide ! (Je le déclare et le promets). »

Ces serments (promesses et déclaration) sont faits entre les mains du Roi ou, en séance de la Seconde Chambre, entre les mains du président autorisé par le Roi à cet effet.

Article 101, deuxième alinéa

Ils [les sénateurs] font à leur entrée en fonction les mêmes serments (promesses et déclaration) que les députés, soit entre les mains du Roi, soit, en séance de la première Chambre, entre les mains du président autorisé par le Roi à cet effet.

Article 106, quatrième alinéa

Les militaires en service actif qui acceptent de devenir députés ou sénateurs sont de droit en non-activité pendant la durée de leur mandat. A l'expiration de leur mandat, ils reprennent leur service actif.

Article 123

Lorsque la Seconde Chambre adopte le projet, avec ou sans amendements, elle l'envoie à la Première Chambre en utilisant la formule suivante :

« La Seconde Chambre des États généraux envoie ci-joint à la Première Chambre le projet du Roi et estime que ce texte doit être, tel qu'il est ici conçu, adopté par les États généraux. »

Lorsque la Seconde Chambre se prononce pour le rejet du projet, elle en informe le Roi en utilisant la formule suivante :

« La Seconde Chambre des États généraux témoigne au Roi sa reconnaissance pour le zèle qu'il apporte à promouvoir les intérêts de l'État et le prie respectueusement de reconsidérer le projet qu'il a présenté. »

Article 124

(...)

Lorsqu'elle [la Première Chambre] se prononce pour l'adoption du projet, elle en informe le Roi et la Seconde Chambre en utilisant les formules suivantes :

« Au Roi.

« Les États généraux témoignent au Roi leur reconnaissance pour le zèle qu'il apporte à promouvoir les intérêts de l'État et approuvent le projet tel qu'il est ici conçu. »

« A la Seconde Chambre.

« La Première Chambre des États généraux informe la Seconde Chambre qu'elle a approuvé le projet concernant..., qui lui a été envoyé le ... par la Seconde Chambre. »

Lorsque la Première Chambre se prononce pour le rejet du projet, elle en informe le Roi et la Seconde Chambre en utilisant les formules suivantes :

« Au Roi.

« La Première Chambre des États généraux témoigne au Roi sa reconnaissance pour le zèle qu'il apporte à promouvoir les intérêts de l'État et le prie respectueusement de reconsidérer le projet qu'il a présenté. »

« A la Seconde Chambre.

« La Première Chambre des États généraux fait savoir à la Seconde Chambre qu'elle a prié respectueusement le Roi de reconsidérer le projet concernant..., qui lui a été envoyé le ... par la Seconde Chambre. »

Article 127

L'initiative parlementaire des lois appartient exclusivement à la Seconde Chambre, qui examine la proposition suivant les mêmes modalités que celles prescrites pour les projets présentés par le Roi et l'envoie après adoption à la Première Chambre en utilisant la formule suivante :

« La Seconde Chambre des États généraux envoie à la Première Chambre la proposition ci-jointe et estime que les États généraux doivent demander pour cette proposition la sanction royale. »

Article 128

Si la Première Chambre, après avoir délibéré sur la proposition suivant les modalités ordinaires, l'adopte, elle l'envoie au Roi en utilisant la formule suivante :

« Les États généraux, estimant que le projet ci-joint pourrait promouvoir les intérêts de l'État, demandent respectueusement pour ce projet la sanction royale. »

Elle en informe également la Seconde Chambre en utilisant la formule suivante :

« La Première Chambre des États généraux informe la Seconde Chambre qu'elle a approuvé la proposition concernant ..., reçue de la Seconde Chambre le ..., et qu'elle a demandé, au nom des États généraux, la sanction royale pour le projet. »

Lorsque la Première Chambre n'approuve pas la proposition, elle en informe la Seconde Chambre en utilisant la formule suivante :

« La Première Chambre des États généraux n'a pas trouvé de motifs suffisants pour soumettre à la sanction royale la proposition, qu'elle renvoie ci-joint. »

Article 130

Le Roi fait savoir le plus tôt possible aux États généraux s'il approuve ou non les projets adoptés par eux. Il utilise à cette fin l'une des deux formules suivantes :

« Le Roi donne sa sanction au projet. »

« Le Roi reconsidérera le projet. »

Article 201, quatrième alinéa

Le Roi tranche la question de savoir s'il y a danger de guerre au sens où cette expression est employée dans les lois du Royaume.

XII - Portugal

Constitution de la République du Portugal du 2 avril 1976 (1)

Préambule

Le 25 avril 1974, couronnant la longue résistance du peuple portugais et exprimant ses sentiments profonds, le Mouvement des forces armées renversa le régime fasciste.

La libération du Portugal de la dictature, de l'oppression et de la colonisation a constitué une transformation révolutionnaire et a marqué le début d'un tournant historique pour la société portugaise.

La Révolution a restitué aux Portugais les droits fondamentaux et les libertés essentielles. Exerçant ces droits et usant de ces libertés, les représentants légitimes du peuple se réunissent pour élaborer une Constitution qui réponde aux aspirations du pays.

L'Assemblée constituante proclame la décision du peuple portugais de défendre l'indépendance nationale, de garantir les droits fondamentaux des citoyens, d'établir les principes de base de la démocratie, d'assurer la primauté de l'État de droit démocratique et d'ouvrir la voie vers une société socialiste, dans le respect de la volonté du peuple portugais, afin de construire un pays plus libre, plus juste et plus fraternel. L'Assemblée constituante, réunie en séance plénière le 2 avril 1976, approuve et adopte la Constitution de la République portugaise dont le texte suit.

Principes fondamentaux

Article premier

République portugaise

Le Portugal est une République souveraine fondée sur la dignité de la personne humaine et sur la volonté populaire et attachée à la construction d'une société libre, juste et solidaire.

Article 2

État de droit démocratique

La République portugaise est un État de droit démocratique fondé sur la souveraineté populaire, sur le pluralisme de l'expression et de l'organisation politique démocratiques et sur le respect des droits fondamentaux et des libertés essentielles et la garantie de leur exercice et de leur usage. Elle a pour objectif de réaliser la démocratie économique, sociale et culturelle et d'approfondir la démocratie participative.

Article 3

Souveraineté et légalité

1. La souveraineté, une et indivisible, réside dans le peuple qui l'exerce dans les formes prévues par la Constitution.

2. L'État obéit à la Constitution et se fonde sur la légalité démocratique.

3. La validité des lois et des autres actes accomplis par l'État, les régions autonomes et le pouvoir local dépend de leur conformité à la Constitution.

---

(1) Texte communiqué par la direction générale de l'Assemblée de la République du Portugal. La traduction en langue française a été réalisée par Vincent Pourcher, professeur à l'Institut franco-portugais de Lisbonne. Elle a été légèrement adaptée pour tenir compte de la terminologie constitutionnelle française. Le texte initial ayant été profondément remanié dans un grand nombre de ses articles comme dans son ordonnance même par les révisions constitutionnelles de 1982 et 1989, on a signalé au fil du texte les seules modifications introduites par la révision du 25 novembre 1992. Le texte présenté ici est à jour au 1er mars 1994. Les notes sont du traducteur ou de l'éditeur.

Article 4

Citoyenneté portugaise

Sont citoyens portugais tous ceux qui sont considérés comme tels par la loi ou par une convention internationale.

Article 5

Territoire

1. Le Portugal comprend le territoire déterminé par l'histoire sur le continent européen, ainsi que les archipels des Açores et de Madère.

2. La loi définit l'étendue et la limite des eaux territoriales, la zone économique exclusive et les droits du Portugal sur les fonds marins contigus.

3. L'État ne saurait aliéner aucune partie du territoire portugais ni aucun des droits de souveraineté qu'il exerce sur celui-ci, sans préjudice de la rectification des frontières.

Article 6

État unitaire

1. L'État est unitaire et respecte, dans son organisation, les principes de l'autonomie des collectivités locales et de la décentralisation démocratique de l'Administration publique.

2. Les archipels des Açores et de Madère constituent des régions autonomes dotées de statuts politiques et administratifs et d'organes de gouvernement qui leur sont propres.

Article 7

Relations internationales

1. Le Portugal obéit, en matière de relations internationales, aux principes de l'indépendance nationale, du respect des droits de l'homme, du droit des peuples à l'autodétermination et à l'indépendance, de l'égalité entre les États, du règlement pacifique des différends internationaux, de la non-ingérence dans les affaires intérieures des autres États et de la coopération avec tous les autres peuples pour l'émancipation et le progrès de l'humanité.

2. Le Portugal préconise l'abolition de toutes formes d'impérialisme, de colonialisme et d'agression, le désarmement général, simultané et contrôlé, le démantèlement des blocs politico-militaires et l'établissement d'un système de sécurité collective afin de créer un ordre international susceptible d'assurer la paix et la justice dans les relations entre les peuples.

3. Le Portugal reconnaît le droit des peuples à s'insurger contre toutes les formes d'oppression, notamment contre le colonialisme et l'impérialisme.

4. Le Portugal conserve des liens privilégiés d'amitié et de coopération avec les pays de langue portugaise.

5. Le Portugal participe au renforcement de l'identité européenne et à l'intensification de l'action des États européens en faveur de la paix, du progrès économique et de la justice dans les relations entre les peuples.

6. (1) Dans des conditions de réciprocité, dans le respect du principe de subsidiarité et en vue de la réalisation de la cohésion économique et sociale, le Portugal peut passer des conventions sur l'exercice en commun des pouvoirs nécessaires à la construction de l'Union européenne.

Article 8

Droit international

1. Les normes et les principes du droit international général ou commun font partie intégrante du droit portugais.

2. Les normes figurant dans les conventions internationales régulièrement ratifiées ou approuvées entrent dans l'ordre interne dès leur publication officielle et restent en vigueur aussi longtemps qu'elles engagent au niveau international l'État portugais.

3. Les normes émanant des organes compétents des organisations internationales auxquelles le Portugal participe entrent directement dans l'ordre interne, dès lors que ceci figure dans leur traité constitutif.

Article 9

Tâches fondamentales de l'État

Les tâches fondamentales de l'État sont les suivantes :

a) garantir l'indépendance nationale et créer les conditions politiques, économiques, sociales et culturelles qui la favorisent ;

b) garantir les droits fondamentaux et les libertés essentielles et le respect des

---

(1) Paragraphe inséré par la révision du 25 novembre 1992.

principes de l'État de droit démocratique ;

c) défendre la démocratie politique, assurer et développer la participation démocratique des citoyens à la résolution des problèmes nationaux ;

d) augmenter le bien-être et la qualité de vie du peuple, promouvoir l'égalité réelle entre les Portugais et l'exercice effectif des droits économiques, sociaux et culturels par la transformation et la modernisation des structures économiques et sociales ;

e) protéger et mettre en valeur le patrimoine culturel du peuple portugais, défendre la nature et l'environnement, préserver les ressources naturelles et assurer un aménagement correct du territoire ;

f) garantir l'enseignement et la valorisation permanente, défendre l'usage de la langue portugaise et promouvoir sa diffusion internationale.

Article 10

Suffrage universel et partis politiques

1. Le peuple exerce le pouvoir politique par la voie du suffrage universel, égalitaire, direct, secret et périodique et selon les autres modalités prévues par la Constitution.

2. Les partis politiques concourent à l'organisation et à l'expression de la volonté populaire, dans le respect des principes de l'indépendance nationale et de la démocratie politique.

Article 11

Symboles nationaux

1. Le drapeau national, symbole de la souveraineté de la République, de l'indépendance, de l'unité et de l'intégrité du Portugal, est celui qui fut adopté par la République instaurée par la révolution du 5 octobre 1910.

2. L'hymne national est *A Portuguesa*.

Première partie
Droits et devoirs fondamentaux

Titre Ier
Principes généraux

Article 12

Principe de l'universalité

1. Tous les citoyens jouissent des droits et sont astreints aux devoirs qui sont consignés dans la Constitution.

2. Toutes les personnes morales jouissent des droits et sont astreintes aux devoirs qui sont compatibles avec leur nature.

Article 13

Principe de l'égalité

1. Tous les citoyens ont la même dignité sociale et sont égaux devant la loi.

2. Nul ne peut être privilégié, avantagé, défavorisé, privé d'un droit ou dispensé d'un devoir en raison de son ascendance, de son sexe, de sa race, de son territoire d'origine, de sa religion, de ses convictions politiques ou idéologiques, de son instruction, de sa situation économique ou de sa condition sociale.

Article 14

Portugais à l'étranger

Les citoyens portugais séjournant ou résidant à l'étranger jouissent de la protection de l'État pour l'exercice de leurs droits. Ils sont astreints aux devoirs qui ne sont pas incompatibles avec leur absence du pays.

Article 15

Étrangers et apatrides

1. Les étrangers et les apatrides séjournant ou résidant au Portugal jouissent des mêmes droits et sont astreints aux mêmes devoirs que les citoyens portugais.

2. Les droits politiques, l'exercice de fonctions publiques n'ayant pas un caractère éminemment technique et les droits et les devoirs que la Constitution et la loi réservent exclusivement aux citoyens portugais sont exclus des dispositions du paragraphe précédent.

3. Certains droits dont ne disposent pas les étrangers, peuvent être accordés aux citoyens des pays de langue portugaise, par convention internationale et dans des conditions de réciprocité. Ceux-ci ne pourront toutefois être membres des organes de souveraineté et des organes du gouvernement des régions autonomes, ni servir dans les forces armées ou entrer dans la carrière diplomatique.

4. La loi, sous réserve de réciprocité, peut accorder à des étrangers résidant sur le territoire national la capacité électorale pour l'élection des membres des organes des collectivités locales.

5. [1] Sous réserve de réciprocité, la loi peut aussi accorder aux citoyens des États-membres de l'Union européenne résidant au Portugal le droit d'élire les députés au Parlement européen et d'être élus.

Article 16

Portée et sens des droits fondamentaux

1. Les droits fondamentaux consacrés par la Constitution n'excluent aucun des autres droits provenant des lois et des règles de droit international applicables.

2. Les normes constitutionnelles et légales se rapportant aux droits fondamentaux doivent être interprétées et appliquées conformément à la Déclaration universelle des droits de l'homme.

Article 17

Régime des droits, des libertés et des garanties

Le régime des droits, des libertés et des garanties s'applique à ceux qui sont énoncés dans le titre II et aux droits fondamentaux de nature analogue.

Article 18

Force juridique

1. Les normes constitutionnelles relatives aux droits, aux libertés et aux garanties sont directement applicables et s'imposent aux entités publiques et privées.

2. La loi ne peut restreindre les droits, les libertés et les garanties que dans certains cas expressément prévus par la Constitution. Les restrictions devront se limiter à celles nécessaires à la sauvegarde d'autres droits ou intérêts protégés par la Constitution.

3. Les lois qui restreignent les droits, les libertés et les garanties doivent revêtir un caractère général et abstrait. Elles ne peuvent avoir d'effets rétroactifs, ni restreindre l'étendue et la portée de l'essence des préceptes constitutionnels.

Article 19

Suspension de l'exercice des droits

1. Les organes de souveraineté ne peuvent, conjointement ou séparément, suspendre l'exercice des droits, des libertés et des garanties, sauf en cas d'état de siège ou d'état d'urgence, déclarés dans les formes prévues par la Constitution.

2. L'état de siège ou l'état d'urgence ne peuvent être déclarés, en tout ou partie du territoire national, que dans les cas d'agression effective ou imminente par des forces étrangères, de grave menace ou de perturbation de l'ordre constitutionnel démocratique ou de calamité publique.

3. L'état d'urgence est déclaré quand les faits répondant aux conditions indiquées au paragraphe précédent présentent un degré de gravité moindre. Il ne peut provoquer la suspension que de quelques droits, libertés et garanties susceptibles de l'être.

4. Le choix de l'état de siège ou de l'état d'urgence, ainsi que leur déclaration et leur exécution, doivent respecter le principe de la proportionnalité. Leur étendue, leur durée et les moyens utilisés doivent être limités au strict nécessaire pour le rapide rétablissement de la normalité constitutionnelle.

5. La déclaration de l'état de siège ou de l'état d'urgence est dûment motivée et énonce les droits, les libertés et les garanties dont l'exercice est suspendu. Elle ne peut porter sur une période supérieure à quinze jours, ou à la durée légale quand elle est consécutive à la déclaration de guerre, sans préjudice des éventuelles prorogations pour une période limitée de la même façon.

6. La déclaration de l'état de siège ou de l'état d'urgence ne peut en aucun cas porter atteinte au droit à la vie, à l'intégrité physique, à l'identité de la personne, à la

(1) Paragraphe inséré par la révision du 25 novembre 1992.

capacité civile et à la citoyenneté, au principe de non-rétroactivité de la loi pénale, au droit des inculpés à la défense et à la liberté de conscience et de religion.

7. La déclaration de l'état de siège ou de l'état d'urgence ne peut modifier la normalité constitutionnelle que dans les conditions prévues par la Constitution et par la loi. Elle ne peut notamment remettre en cause l'application des normes constitutionnelles relatives à la compétence et au fonctionnement des organes de souveraineté et du gouvernement des régions autonomes ou les droits et immunités de leurs membres.

8. La déclaration de l'état de siège ou de l'état d'urgence confère aux autorités la compétence leur permettant de prendre les mesures nécessaires et appropriées au rapide rétablissement de la normalité constitutionnelle.

Article 20

Accès au droit et aux tribunaux

1. L'accès au droit et aux tribunaux pour la défense de ses droits et de ses intérêts légitimes est garanti à tous. La justice ne pourra être refusée pour insuffisance de moyens économiques.

2. Toute personne a droit, conformément à la loi, à l'information et à la consultation juridique, ainsi qu'à l'aide judiciaire.

Article 21

Droit de résistance

Toute personne a le droit de s'opposer à un ordre qui porte atteinte à ses droits, à ses libertés ou à ses garanties, ainsi que de repousser par la force toute agression lorsqu'il est impossible de recourir à l'autorité publique.

Article 22

Responsabilité des entités publiques

L'État et les autres entités publiques sont civilement responsables, solidairement avec les membres de leurs organes, fonctionnaires ou agents, de toutes leurs actions ou omissions dans l'exercice de leurs fonctions et en raison de cet exercice, dont il résulte une violation des droits, des libertés et des garanties d'autrui ou un préjudice pour autrui.

Article 23

Provedor de Justiça (1)

1. Les citoyens peuvent présenter des réclamations au *Provedor de Justiça* en raison des actions ou des omissions des pouvoirs publics. Celui-ci n'aura pas pouvoir de décision, mais il examinera les réclamations et adressera aux organes compétents les recommandations nécessaires pour prévenir et réparer les injustices.

2. L'activité du *Provedor de Justiça* est indépendante des recours gracieux et contentieux prévus par la Constitution et les lois.

3. Le *Provedor de Justiça* est une personnalité indépendante. Il est désigné par l'Assemblée de la République.

4. Les organes et les agents de l'Administration publique collaborent avec le *Provedor de Justiça* pour la réalisation de sa mission.

Titre II
Droits, libertés et garanties

Chapitre I
Droits, libertés et garanties personnelles

Article 24

Droit à la vie

1. La vie humaine est inviolable.

2. En aucun cas il n'y aura de peine de mort.

Article 25

Droit à l'intégrité de la personne

1. L'intégrité morale et physique des personnes est inviolable.

2. Nul ne peut être soumis à la torture ni à des peines ou à des traitements cruels, dégradants ou inhumains.

(1) Terme demeuré en langue portugaise car difficilement traduisible ; cette institution se rapproche du médiateur de la République français ou plus encore de l'*Ombudsman* scandinave, compte-tenu de son mode de désignation et du prestige dont il jouit.

Article 26

Autres droits de la personne

1. A chacun est reconnu le droit à l'identité personnelle, à la capacité civile, à la citoyenneté, au respect et à la réputation, à l'image, à la parole et à la protection de l'intimité de la vie privée et familiale.

2. La loi établira des garanties effectives contre l'utilisation abusive ou contraire à la dignité humaine de toute information relative aux personnes et aux familles.

3. La privation de la citoyenneté et les restrictions à la capacité civile ne peuvent intervenir que dans les cas et selon les formes prévus par la loi, et en aucun cas pour des motifs politiques.

Article 27

Droit à la liberté et à la sécurité

1. Toute personne a droit à la liberté et à la sécurité.

2. Nul ne peut être totalement ou partiellement privé de liberté, si ce n'est à la suite d'une condamnation prononcée par un tribunal en raison d'un acte puni par la loi d'une peine de prison, ou à la suite de l'application judiciaire d'une mesure de sûreté.

3. La privation de liberté, pour la durée et dans les conditions prévues par la loi, fait exception à ce principe dans les cas suivants :

a) détention préventive en cas de flagrant délit ou lorsqu'il existe de fortes présomptions qu'une personne a commis un crime intentionnel auquel correspond une peine de prison dont le maximum est supérieur à trois ans ;

b) arrestation ou détention d'une personne qui est entrée ou a séjourné irrégulièrement sur le territoire national ou contre laquelle une procédure d'extradition ou d'expulsion est en cours ;

c) mesures d'arrêt disciplinaire imposées aux militaires, le recours devant le tribunal compétent étant garanti ;

d) application à un mineur de mesures de protection, d'assistance ou d'éducation dans un établissement approprié, sur décision du tribunal compétent ;

e) détention d'une personne, en vertu d'un mandat judiciaire, pour désobéissance à une décision prise par un tribunal ou en vue d'assurer sa comparution devant l'autorité judiciaire compétente.

4. Toute personne privée de liberté doit être informée immédiatement et de façon compréhensible des motifs de son arrestation ou de sa détention ainsi que de ses droits.

5. Toute privation de liberté contraire à la Constitution ou aux dispositions de la loi oblige l'État à indemniser la personne concernée selon les modalités établies par la loi.

Article 28

Détention préventive

1. La détention sans condamnation fera l'objet, dans un délai maximum de quarante-huit heures, d'une décision judiciaire de validation ou de maintien. Le juge devra être informé des raisons de la détention et les communiquer au détenu, l'interroger et lui permettre de se défendre.

2. La détention préventive n'est pas maintenue dès lors qu'elle peut être remplacée par le versement d'une caution ou toute autre mesure plus favorable prévue par la loi.

3. La décision judiciaire ordonnant ou maintenant une mesure privative de liberté doit être immédiatement communiquée à un parent ou à une personne de la confiance du détenu et que celui-ci indiquera.

4. La détention préventive respecte, avant et après l'inculpation, les délais fixés par la loi.

Article 29

Application de la loi pénale

1. Nul ne peut être condamné pénalement si ce n'est en vertu d'une loi antérieure déclarant punissable son action ou omission, ni se voir appliquer une mesure de sûreté dont les conditions n'auraient pas été définies dans une loi antérieure.

2. Les dispositions du paragraphe précédent n'empêchent pas de réprimer dans les limites de la loi interne, une action ou une omission qui, au moment où elle a lieu, serait considérée comme criminelle au regard des principes généraux du droit international communément admis.

3. On ne saurait appliquer des peines ou des mesures de sûreté qui ne soient

pas expressément prévues par une loi antérieure.

4. Nul ne peut se voir appliquer une peine ou une mesure de sûreté plus grave que celles prévues à la date de la commission de l'infraction ou de la vérification de ses éléments constitutifs. Les lois pénales dont le contenu est plus favorable à l'accusé seront appliquées rétroactivement.

5. Nul ne peut être jugé plus d'une fois pour le même crime.

6. Les citoyens injustement condamnés ont droit, dans les conditions prévues par la loi, à la révision de la sentence et à une indemnisation des dommages subis.

Article 30

Limites des peines et des mesures de sûreté

1. Il ne pourra y avoir de peines ou de mesures de sûreté privatives de liberté, ou la restreignant, à caractère perpétuel ou de durée illimitée ou indéfinie.

2. En cas de danger fondé sur une grave anomalie psychique et quand le traitement en milieu ouvert est impossible, les mesures de sûreté privatives de liberté, ou la restreignant, pourront être successivement reconduites tant que cet état persistera, mais toujours sur décision judiciaire.

3. Les peines ne sont pas transmissibles.

4. Aucune peine n'implique, comme effet nécessaire, la perte de droits civils, professionnels ou politiques.

5. Les condamnés qui se voient appliquer une peine ou une mesure de sûreté privative de liberté restent titulaires des droits fondamentaux, hormis les limitations inhérentes à la condamnation et aux modalités de son exécution.

Article 31

Habeas Corpus

1. L'*Habeas Corpus* pourra être invoqué, selon les cas devant une instance judiciaire ou un tribunal militaire contre un abus de pouvoir constitué par une arrestation ou une détention illégale.

2. Le bénéfice de l'*Habeas Corpus* peut être demandé par l'intéressé lui-même ou par tout citoyen jouissant de ses droits politiques.

3. Le juge se prononcera sur la demande d'*Habeas Corpus* dans un délai de huit jours, lors d'une audience contradictoire.

Article 32

Garanties de procédure pénale

1. La procédure pénale offrira toutes les garanties à la défense.

2. Tout accusé est présumé innocent jusqu'à ce que sa condamnation soit devenue définitive. Le jugement doit avoir lieu dans les plus brefs délais compatibles avec les garanties de la défense.

3. L'accusé a le droit de choisir un défenseur et d'être assisté par celui-ci dans tous les actes de la procédure. La loi précise les cas et les phases où cette assistance est obligatoire.

4. Tout l'instruction relève de la compétence d'un juge. Il peut, conformément à la loi, déléguer à d'autres autorités l'accomplissement des actes de l'instruction qui ne portent pas directement sur les droits fondamentaux.

5. Le procès criminel a un caractère accusatoire. Le déroulement du procès et certains actes de l'instruction déterminés par la loi seront soumis au principe des débats contradictoires.

6. Sont nulles toutes les preuves obtenues par la torture, la contrainte, l'atteinte à l'intégrité physique ou morale de la personne, l'immixtion abusive dans la vie privée, dans le domicile, la correspondance ou les télécommunications.

7. Aucune affaire ne peut être retirée au tribunal dont la compétence a été déterminée par une loi antérieure.

8. Au cours des procès pour *contra-ordenação* (1), les droits d'audience et de défense sont assurés à la personne poursuivie.

Article 33

Extradition, expulsion et droit d'asile

1. L'extradition et l'expulsion du territoire national de citoyens portugais sont interdites.

---

(1) Type d'infraction inspiré du droit allemand et introduit dans le droit portugais par la réforme du code pénal de 1982. Elle est sanctionnée d'une peine d'amende par voie administrative mais la décision est susceptible de recours devant les tribunaux judiciaires.

2. L'extradition pour motifs politiques est interdite.

3. Il ne peut y avoir d'extradition pour des crimes punis par la peine de mort selon le droit de l'État requérant.

4. L'extradition ne peut être prononcée que par une autorité judiciaire.

5. L'expulsion de la personne qui est entrée ou a séjourné sur le territoire national, de celle qui a obtenu une autorisation de résidence ou de celle qui a présenté une demande d'asile qui n'a pas été refusée ne peut être prononcée que par une autorité judiciaire. La loi devra prévoir une procédure permettant une décision rapide.

6. Le droit d'asile est garanti aux étrangers et aux apatrides poursuivis ou gravement menacés de poursuites en raison de leurs activités en faveur de la démocratie, de la libération sociale ou nationale, de la paix entre les peuples, de la liberté et des droits de la personne humaine.

7. La loi définit le statut de réfugié politique.

Article 34

Inviolabilité du domicile et de la correspondance

1. Le domicile et le secret de la correspondance et des autres moyens de communication privée sont inviolables.

2. Il n'est possible de pénétrer dans le domicile de citoyens contre leur volonté que sur ordre de l'autorité judiciaire compétente, dans les cas et selon les conditions prévus par la loi.

3. Nul ne peut entrer de nuit dans le domicile d'une autre personne sans le consentement de celle-ci.

4. Toute ingérence des pouvoirs publics dans la correspondance et les télécommunications est interdite, hormis les cas prévus par la loi en matière de procédure pénale.

Article 35

Utilisation de l'informatique

1. Tous les citoyens ont le droit de prendre connaissance des renseignements les concernant contenus dans les fichiers informatiques et d'être informés de l'utilisation qui en sera faite. Ils pourront exiger leur rectification ou leur mise à jour, sans préjudice des dispositions de la loi sur le secret d'État et sur le secret de la justice.

2. L'accès de tiers à des fichiers informatiques contenant des renseignements personnels et l'interconnexion de ces fichiers sont interdits, sauf dans les cas exceptionnels prévus par la loi.

3. L'informatique ne peut être utilisée pour le traitement de données concernant les convictions philosophiques ou politiques, l'affiliation à un parti ou à un syndicat, la foi religieuse ou la vie privée, à moins qu'il ne s'agisse de données recueillies à des fins statistiques qui ne permettront pas d'identifier les personnes auprès desquelles elles ont été obtenues.

4. La loi définit le concept de données personnelles destinées à figurer sur un fichier informatique, ainsi que celui de base et de banque de données, et les conditions de leur accès, de leur constitution et de leur utilisation par les entités publiques et privées.

5. Il est interdit d'attribuer aux citoyens un numéro national unique.

6. La loi définit le régime applicable à la circulation transfrontalière de données et établit les formes appropriées de la protection des données personnelles et de certaines autres dont la sauvegarde se justifie pour des raisons nationales.

Article 36

Famille, mariage et filiation

1. Toute personne a le droit de fonder une famille et de contracter mariage dans des conditions de pleine égalité.

2. La loi fixe les conditions et les effets du mariage et de sa dissolution, par décès ou par divorce, indépendamment de la façon dont il a été célébré.

3. Les conjoints ont les mêmes droits et les mêmes devoirs en matière de capacité civile et politique ainsi que pour l'entretien et l'éducation des enfants.

4. Les enfants nés hors mariage ne peuvent être de ce fait l'objet d'aucune discrimination. La loi et l'Administration ne peuvent employer à leur égard des expressions discriminatoires se rapportant à la filiation.

5. Les parents ont le droit et le devoir d'élever et d'éduquer leurs enfants.

6. Les enfants ne peuvent être séparés de leurs parents, à moins que ceux-ci ne manquent aux devoirs fondamentaux qu'ils

ont envers eux, mais toujours sur décision judiciaire.

7. L'adoption est réglementée et protégée par la loi.

Article 37
Liberté d'expression et d'information

1. Toute personne a le droit d'exprimer librement sa pensée et de la divulguer par la parole, par l'image ou par tout autre moyen, ainsi que le droit de s'informer et d'être informée, sans entraves ni discriminations.

2. L'exercice de ce droit ne peut être entravé ou limité par aucun type ni aucune forme de censure.

3. Les infractions commises dans l'exercice de ces droits sont soumises aux principes généraux de la loi pénale. Leur appréciation relèvera de la compétence des tribunaux judiciaires.

4. Le droit de réponse et de rectification, dans des conditions d'égalité et d'efficacité, est garanti à toute personne physique ou morale, ainsi que le droit à une indemnisation pour les préjudices subis.

Article 38
Liberté de la presse et des médias

1. La liberté de la presse est garantie.

2. La liberté de la presse implique :

a) la liberté d'expression et de création des journalistes et des collaborateurs littéraires, ainsi que la participation des premiers à l'orientation générale des organes d'information, à moins que ceux-ci n'appartiennent à l'État ou qu'ils aient une nature doctrinale ou confessionnelle ;

b) le droit des journalistes d'accéder, conformément à la loi, aux sources d'information, le droit à la protection de leur indépendance et du secret professionnel, ainsi que celui d'élire des conseils de rédaction ;

c) le droit de fonder des journaux et toute autre publication, sans autorisation administrative, caution ou habilitation préalables.

3. La loi garantit, sans exclusive, la publicité des propriétaires des organes d'information et de leurs moyens de financement.

4. L'État assure la liberté et l'indépendance des médias vis-à-vis du pouvoir politique et économique. Il impose le principe de la spécialité aux entreprises disposant de moyens d'information générale. Il les traitera et les aidera de manière non discriminatoire et empêchera qu'elles ne se concentrent au moyen, notamment, de participations multiples ou croisées.

5. L'État garantit l'existence et le fonctionnement d'un service public de radio et de télévision.

6. La structure et le fonctionnement des moyens d'information du secteur public doivent leur permettre de conserver leur indépendance vis-à-vis du Gouvernement, de l'Administration et des autres pouvoirs publics, ainsi qu'assurer la possibilité d'expression et de confrontation des divers courants d'opinion.

7. Les stations de radiodiffusion et de radio-télévision ne peuvent émettre qu'en vertu d'une autorisation qui leur sera attribuée par concours public, conformément à la loi.

Article 39
Haute Autorité à la communication sociale

1. Le droit à l'information, à la liberté de la presse et à l'indépendance des médias vis-à-vis du pouvoir politique et économique, ainsi que la possibilité d'expression et de confrontation des divers courants d'opinion et l'exercice des droits d'antenne, de réponse et de réplique politique sont assurés par une Haute Autorité à la communication sociale.

2. La Haute Autorité à la communication sociale est un organisme indépendant constitué de treize membres, conformément à la loi et comprenant obligatoirement :

a) un magistrat désigné par le Conseil supérieur de la magistrature qui exerce la fonction de président ;

b) cinq membres élus par l'Assemblée de la République selon le système proportionnel et la méthode de la plus forte moyenne de Hondt ;

c) trois membres désignés par le Gouvernement ;

d) quatre personnes représentatives, notamment, de l'opinion publique, des médias et de la culture.

3. La Haute Autorité à la communication sociale émet un avis préalablement à la décision du Gouvernement ayant trait à l'attribution de chaînes privées de télévision. Cette décision, quand elle est positive, ne peut porter que sur la candidature qui a été l'objet d'un avis favorable.

4. La Haute Autorité à la communication sociale émet aussi, dans le délai fixé par la loi, un avis préalable rendu public et motivé sur la nomination et la révocation des directeurs des organes d'information appartenant à l'État, à d'autres entités publiques ou à des entités placées directement ou indirectement sous leur contrôle économique.

5. La loi réglemente le fonctionnement de la Haute Autorité à la communication sociale.

Article 40

Droits d'antenne, de réponse et de réplique politique

1. Les partis politiques et les organisations syndicales, professionnelles et représentatives dans le domaine économique ont droit, en fonction de leur représentativité et selon des critères objectifs que la loi définira, à des temps d'antenne au sein du service public de la radio et de la télévision.

2. Les partis politiques représentés à l'Assemblée de la République et qui ne participent pas au Gouvernement ont droit, conformément à la loi, à des temps d'antenne à la radio et à la télévision du service public proportionnels à leur représentativité, ainsi qu'un droit de réponse et de réplique politique aux déclarations politiques du Gouvernement, de durée et d'importance égales aux temps d'antenne et aux déclarations du Gouvernement.

3. En période électorale, les concurrents ont droit à des temps d'antenne réguliers et équitables sur les stations de radio et de télévision d'importance nationale et régionale.

Article 41

Liberté de conscience, de religion et de culte

1. La liberté de conscience, de religion et de culte est inviolable.

2. Nul ne peut être poursuivi, privé de droits, dispensé d'obligations ou de devoirs civiques en raison de ses convictions ou de ses pratiques religieuses.

3. Nul ne peut être interrogé, par aucune autorité, au sujet de ses convictions ou de ses pratiques religieuses, sauf pour le recueil de données statistiques qui ne permettront pas d'identifier les personnes auprès de qui elles ont été obtenues, ni subir de préjudice pour avoir refusé de répondre.

4. Les Églises et les communautés religieuses sont séparées de l'État et peuvent librement s'organiser, exercer leurs fonctions et célébrer leur culte.

5. La liberté de l'enseignement de toute religion est réalisée et garantie dans le cadre des confessions, ainsi que l'utilisation de leurs propres moyens d'information pour l'exercice de leurs activités.

6. Le droit à l'objection de conscience est garanti, conformément à la loi.

Article 42

Liberté de création culturelle

1. La création intellectuelle, artistique et scientifique est libre.

2. Cette liberté implique le droit à l'invention, à la production et à la diffusion d'œuvres scientifiques, littéraires ou artistiques et comprend la protection légale des droits d'auteur.

Article 43

Liberté d'apprendre et d'enseigner

1. La liberté d'apprendre et d'enseigner est garantie.

2. L'État ne peut s'arroger le droit de déterminer l'éducation et la culture selon des lignes directrices philosophiques, esthétiques, politiques, idéologiques ou religieuses.

3. L'enseignement public ne sera pas confessionnel.

4. Le droit de créer des écoles privées ou des centres coopératifs d'enseignement est garanti.

Article 44

Droit de se déplacer et d'émigrer

1. Le droit de se déplacer et de s'établir librement en tout point du territoire est garanti à tout citoyen.

2. Le droit d'émigrer, de quitter le territoire national et d'y revenir est garanti à tous.

Article 45

Droit de réunion et de manifestation

1. Tous les citoyens ont le droit de se réunir, pacifiquement et sans armes, même dans les lieux ouverts au public, sans qu'aucune autorisation ne soit nécessaire.

2. Le droit de manifester est reconnu à tous les citoyens.

Article 46

Liberté d'association

1. Les citoyens ont le droit de constituer des associations, librement et sans qu'il soit nécessaire de demander une autorisation, dès lors que celles-ci ne se proposent pas d'inciter à la violence et que leurs buts ne sont pas contraires à la loi pénale.

2. Les associations poursuivent librement leurs objectifs sans ingérence des pouvoirs publics. Elles ne peuvent être dissoutes et leurs activités ne peuvent être suspendues par l'État que dans les cas prévus par la loi et en vertu d'une décision judiciaire.

3. Nul ne peut être contraint à faire partie d'une association ni être forcé, par quelque moyen que ce soit, à y rester.

4. Les associations armées ou de type militaire, militarisées ou para-militaires ainsi que les organisations qui se réclament de l'idéologie fasciste sont interdites.

Article 47

Libre choix de la profession et accès à la fonction publique

1. Chacun a le droit de choisir librement sa profession ou son type de travail, sans préjudice des restrictions légales imposées par l'intérêt collectif ou inhérentes aux capacités des personnes.

2. Tous les citoyens ont le droit d'accéder à la fonction publique dans des conditions d'égalité et de liberté, en règle générale par voie de concours.

Chapitre II

Droits, libertés et garanties de participation politique

Article 48

Participation à la vie publique

1. Tous les citoyens ont le droit de prendre part à la vie politique et à la direction des affaires publiques du pays, directement ou par l'intermédiaire de représentants librement élus.

2. Tous les citoyens ont le droit d'être renseignés sur les actes de l'État et des autres personnes morales de droit public, ainsi que d'être informés par le Gouvernement ou par d'autres autorités sur la gestion des affaires publiques.

Article 49

Droit de vote

1. Tous les citoyens majeurs de plus de dix-huit ans disposent du droit de vote, sauf incapacité prévue par la loi.

2. L'exercice du droit de vote est personnel et constitue un devoir civique.

Article 50

Droit d'accès à des fonctions publiques

1. Tous les citoyens ont le droit d'accéder, dans des conditions d'égalité et de liberté, à l'exercice de fonctions publiques.

2. Nul ne peut subir un préjudice dans son affectation, son emploi, sa carrière professionnelle ou dans les avantages sociaux auxquels il a droit, en raison de l'exercice de ses droits politiques ou de l'exercice de fonctions publiques.

3. Pour l'accès aux fonctions électives, la loi ne peut établir que les inéligibilités nécessaires à la garantie de la liberté du choix des électeurs et de l'intégrité et de l'indépendance dans l'exercice des fonctions.

Article 51

Associations et partis politiques

1. La liberté d'association implique le droit de constituer des associations et des partis politiques, d'en être membre et à travers eux de concourir démocratiquement à la formation de la volonté populaire et à l'organisation du pouvoir politique.

2. Nul ne peut être inscrit simultanément à plusieurs partis politiques, ni être privé de l'exercice d'un droit pour être inscrit à un parti politique légalement constitué, ou pour avoir cessé de l'être.

3. Les partis politiques ne peuvent, sans préjudice de la philosophie ou de l'idéologie qui inspire leur programme, user d'une appellation qui contienne des expressions évoquant directement des religions ou églises, ou des emblèmes susceptibles d'être confondus avec des symboles nationaux ou religieux.

4. Les partis qui par leur appellation ou leur programme auraient un caractère ou une dimension régionale ne peuvent être constitués.

Article 52

Droit de pétition et droit d'action populaire

1. Tous les citoyens peuvent soumettre individuellement ou collectivement aux organes de souveraineté ou à toute autorité des pétitions, des représentations, des réclamations ou des plaintes pour défendre leurs droits, la Constitution, la loi ou l'intérêt général.

2. La loi fixe les conditions dans lesquelles les pétitions présentées collectivement à l'Assemblée de la République sont appréciées en séance plénière.

3. Le droit d'action populaire est reconnu à tous, personnellement ou par l'intermédiaire des associations de défense des intérêts en cause, dans les cas et selon les formes prévues par la loi. Il implique notamment le droit de promouvoir la prévention, la cessation ou la poursuite judiciaire des infractions contre la santé publique, la dégradation de l'environnement et de la qualité de la vie ou la dégradation du patrimoine culturel, ainsi que la possibilité pour la ou les personnes ayant subi un préjudice de réclamer une juste indemnisation.

Chapitre III
Droits, libertés et garanties des travailleurs

Article 53

Sécurité de l'emploi

La sécurité de l'emploi est garantie aux travailleurs. Les licenciements sans juste cause ou pour motifs politiques ou idéologiques seront interdits.

Article 54

Commissions de travailleurs

1. Les travailleurs ont le droit de créer des commissions de travailleurs pour défendre leurs intérêts et intervenir démocratiquement dans la vie de l'entreprise.

2. Les assemblées générales des travailleurs décident de la constitution de comités de travailleurs, approuvent leurs statuts et élisent leurs membres au scrutin direct et secret.

3. Des comités de coordination peuvent être créées pour mieux intervenir dans la restructuration économique et de façon à garantir les intérêts des travailleurs.

4. Les membres des commissions jouissent de la protection que la loi accorde aux délégués syndicaux.

5. Les comités de travailleurs ont les droits suivants :

a) de recevoir toutes les informations nécessaires à l'exercice de leur activité ;
b) de contrôler la gestion des entreprises ;
c) d'intervenir dans la réorganisation des unités de production ;
d) de participer à l'élaboration de la législation du travail et des plans économiques et sociaux qui concernent leur secteur ;
e) de gérer ou de participer à la gestion des œuvres sociales de l'entreprise ;
f) de promouvoir l'élection de représentants des travailleurs auprès des organes de gestion des entreprises appartenant à l'État ou à toute entité publique, conformément à la loi.

Article 55

Liberté syndicale

1. La liberté syndicale, condition et garantie de l'unité des travailleurs pour la défense de leurs droits et intérêts, est reconnue.

2. Dans le cadre de la liberté syndicale, il est notamment garanti aux travailleurs sans aucune discrimination :

a) la liberté de constituer des associations syndicales à tous les niveaux ;
b) la liberté de s'y inscrire, aucun travailleur ne pouvant être contraint à payer des cotisations à un syndicat auquel il ne serait pas inscrit ;
c) la liberté d'organiser les associations syndicales et de les pourvoir d'une réglementation interne ;
d) le droit d'exercer une activité syndicale dans l'entreprise ;
e) le droit de constituer une tendance, dans les conditions déterminées par les statuts.

3. Les associations syndicales doivent respecter les principes d'organisation et de gestion démocratiques fondés sur l'élection périodique et au scrutin secret des organes dirigeants, sans qu'aucune autorisation ou homologation ne soit nécessaire,

ainsi que sur la participation active des travailleurs à tous les aspects de l'activité syndicale.

4. Les associations syndicales sont indépendantes du patronat, de l'État, des confessions religieuses, des partis et des autres associations politiques. La loi établira les garanties nécessaires à cette indépendance, fondement de l'unité des classes laborieuses.

5. Les associations syndicales ont le droit d'établir des relations avec les organisations syndicales internationales ou de s'y affilier.

6. La loi assure aux représentants élus des travailleurs la protection appropriée à l'exercice légitime de leurs fonctions sans aucune forme de condition, d'entrave ou de limitation.

Article 56

Droits des associations syndicales et négociation collective

1. Il appartient aux associations syndicales de défendre et de promouvoir la défense des droits et des intérêts des travailleurs qu'elles représentent.

2. Les associations syndicales ont les droits suivants :

a) de participer à l'élaboration de la législation du travail ;

b) de participer à la gestion des institutions de sécurité sociale et à celle d'autres organisations visant à satisfaire les intérêts des travailleurs ;

c) de participer au contrôle de l'exécution des plans économiques et sociaux ;

d) de se faire représenter dans les organismes de concertation sociale, conformément à la loi.

3. Il appartient aux associations syndicales d'exercer le droit de négocier des contrats collectifs, lequel leur est garanti par la loi.

4. La loi établit les règles concernant la légitimité des signataires des conventions collectives du travail ainsi que l'efficacité de ces normes.

Article 57

Droit de grève et prohibition du lock-out

1. Le droit de grève est garanti.

2. Il appartient aux travailleurs de définir le champ des intérêts à défendre au moyen de la grève. La loi ne pourra le limiter.

3. Le lock-out est interdit.

Titre III
Droits et devoirs économiques, sociaux et culturels

Chapitre I
Droits et devoirs économiques

Article 58

Droit au travail

1. Chacun a droit au travail.

2. Le devoir de travailler est indissociable du droit au travail, hormis le cas des personnes dont les capacités sont diminuées en raison de l'âge, de la maladie, ou d'une invalidité.

3. Il incombe à l'État, par l'application de plans de politique économique et sociale, de garantir le droit au travail. Il assurera :

a) la mise en œuvre de politiques de plein emploi ;

b) l'égalité des chances dans le choix d'une profession ou d'un genre de travail et des conditions telles que l'accès à une fonction, un travail ou une catégorie professionnelle ne soit pas refusé ou limité en raison du sexe ;

c) la formation culturelle, technique et professionnelle des travailleurs.

Article 59

Droit des travailleurs

1. Tous les travailleurs, sans distinction d'âge, de sexe, de race, de nationalité, de territoire d'origine, de religion ou de convictions politiques ou idéologiques ont droit :

a) à la rétribution de leur travail, en fonction de la quantité, la nature et la qualité de celui-ci, selon le principe « à travail égal, salaire égal », de façon à ce qu'une existence digne leur soit assurée ;

b) à l'organisation du travail dans des conditions qui le rendent socialement digne en permettant l'épanouissement individuel ;

c) à effectuer leur travail dans des conditions d'hygiène et de sécurité ;

d) à la détente et aux loisirs, à une limitation de la journée de travail, au repos hebdomadaire et à des congés payés périodiques ;

e) à une assistance matérielle quand ils se trouvent involontairement privés d'emploi.

2. Il appartient à l'État d'assurer les conditions de travail, de rétribution et de repos auxquels les travailleurs ont droit, notamment :

a) l'établissement et l'actualisation du salaire minimum national compte tenu, entre autres facteurs, des besoins des travailleurs, de l'augmentation du coût de la vie, du niveau de développement des forces productives, des exigences de la stabilité économique et financière et de la formation de capitaux pour le développement ;

b) la fixation, au niveau national, des limites de la durée du travail ;

c) la protection spéciale du travail des femmes pendant la grossesse et après l'accouchement, ainsi que du travail des mineurs, des handicapés et des personnes qui exercent une activité particulièrement pénible ou travaillent dans des conditions insalubres, toxiques ou dangereuse ;

d) le développement systématique d'un réseau de centres de repos et de vacances, en coopération avec les organisations sociales ;

e) la protection des conditions de travail et la garantie des bénéfices sociaux des travailleurs émigrants.

Article 60

Droits des consommateurs

1. Les consommateurs ont droit à la qualité des biens consommés et des services utilisés, à la formation et à l'information, à la protection de la santé, à la sécurité et à la défense de leurs intérêts économiques, ainsi qu'à la réparation des dommages subis.

2. La publicité est réglementée par la loi. Toutes les formes de publicité clandestine, indirecte ou mensongère seront interdites.

3. Les associations de consommateurs et les coopératives de consommation ont droit, conformément à la loi, à l'aide de l'État et à être entendues sur les questions relatives à la défense des consommateurs.

Article 61

Initiative privée, coopératives et autogestion

1. L'initiative économique privée s'exerce librement, dans les formes prévues par la Constitution et par la loi. Elle tiendra compte de l'intérêt général.

2. Le droit de constituer librement des coopératives est reconnu à tous, pourvu que les principes coopératifs soient observés.

3. Les coopératives exercent librement leurs activités et peuvent se regrouper en unions, fédérations et confédérations.

4. Le droit à l'autogestion est reconnu, conformément à la loi.

Article 62

Droit à la propriété privée

1. Le droit à la propriété privée ainsi que la transmission de biens entre vifs ou pour décès est garanti à chacun, conformément à la Constitution.

2. La réquisition et l'expropriation pour cause d'utilité publique ne peuvent être effectuées que dans le cadre de la loi et moyennant le versement d'une juste indemnisation.

Chapitre II

Droits et devoirs sociaux

Article 63

Sécurité sociale

1. Chacun a droit à la sécurité sociale.

2. Il appartient à l'État d'organiser, de coordonner et de subventionner un système de sécurité sociale unifié et décentralisé, avec la participation des associations syndicales, des autres organisations représentatives des travailleurs et des associations représentatives des autres bénéficiaires.

3. Le droit de créer des institutions de solidarité sociale privées et à but non lucratif est reconnu. Elles devront avoir pour finalité les objectifs de sécurité sociale consignés dans le présent article, à l'alinéa *b* du paragraphe 2 de l'article 67, dans l'article 69, à l'alinéa *d* du paragraphe 1er de l'article 70 et dans les articles 71 et 72. Elles seront réglementées par la loi et soumises au contrôle de l'État.

4. Le système de sécurité sociale protègera les citoyens dans la maladie, la vieillesse, l'invalidité, le veuvage ainsi que les orphelins, et en cas de chômage ou de toute autre situation de perte ou de diminution des moyens de subsistance ou de la capacité de travail.

5. Tout le temps de travail sera pris en compte pour le calcul des pensions de vieillesse et d'invalidité, conformément à la loi et indépendamment du secteur d'activité dans lequel il aura été fourni.

Article 64
Santé

1. Chacun a droit à la protection de sa santé et le devoir de la préserver et de l'améliorer.

2. Le droit à la protection de la santé est assuré :

a) au moyen d'un service national de santé universel et général qui tendra à la gratuité en tenant compte de la situation économique et sociale des citoyens ;

b) par la création de conditions économiques, sociales et culturelles qui puissent garantir la protection de l'enfance, de la jeunesse et de la vieillesse, et par l'amélioration systématique des conditions de vie et de travail, ainsi que par la promotion de la culture physique et sportive, scolaire et populaire, et par le développement de l'éducation sanitaire du peuple.

3. Pour assurer le droit à la protection de la santé, il incombe de manière prioritaire à l'État :

a) de garantir à tous les citoyens, indépendamment de leur situation économique, l'accès à la médecine préventive, curative et de rééducation ;

b) de doter le pays d'un réseau médical et hospitalier rationnel et efficace ;

c) d'orienter son action vers la socialisation des coûts des soins médicaux et des médicaments ;

d) de discipliner et de contrôler l'exercice de la médecine sous forme associative ou privée, en la coordonnant au service national de la santé ;

e) de discipliner et de contrôler la production, la commercialisation et l'usage des produits chimiques, biologiques et pharmaceutiques, ainsi que des autres moyens de traitement et de diagnostic.

4. La gestion du service national de la santé est décentralisée et participative.

Article 65
Logement

1. Chacun a droit pour soi et pour sa famille, à un logement de dimension convenable, qui réponde aux normes de l'hygiène et du confort et qui préserve l'intimité personnelle et familiale.

2. Pour assurer le droit au logement, il appartient à l'État :

a) de programmer et de mettre en œuvre une politique du logement qui s'inscrive dans les plans d'aménagement général du territoire et qui s'appuie sur des plans d'urbanisation garantissant l'existence d'un réseau de transport et d'équipements sociaux appropriés ;

b) d'encourager et d'appuyer les initiatives des collectivités locales et des populations tendant à résoudre leurs problèmes de logement et encourageant la construction individuelle et la création de coopératives d'habitation ;

c) de stimuler la construction privée, tout en la subordonnant à l'intérêt général, et de favoriser l'accès à la propriété du logement.

3. L'État adoptera une politique visant à établir un système de loyers compatible avec le revenu familial et permettant l'accès à la propriété du logement.

4. L'État et les collectivités locales exerceront un contrôle effectif sur les biens immobiliers. Ils procèderont à l'expropriation des sols urbains qui s'avèrent nécessaires et définiront le droit d'utilisation de ceux-ci.

Article 66
Environnement et qualité de vie

1. Toute personne a droit à un environnement humain, sain et écologiquement équilibré, en même temps que le devoir de le défendre.

2. Il appartient à l'État, au travers d'organismes spécialisés, en faisant appel à l'initiative populaire et en soutenant celle-ci :

a) de prévenir et de contrôler la pollution et ses effets, ainsi que les formes d'érosion susceptibles d'occasionner des dommages ;

b) d'organiser et de promouvoir l'aménagement du territoire en vue d'une localisation correcte des activités, d'un développement socio-économique harmonieux et de l'obtention de paysages biologiquement équilibrés ;

c) de créer et d'agrandir des réserves et des parcs naturels et d'agrément, ainsi que de classer et de protéger paysages et sites afin d'assurer la préservation de la nature et la sauvegarde des valeurs culturelles d'intérêt historique ou artistique ;

d) de promouvoir l'exploitation rationnelle des ressources naturelles, en sauvegardant leur capacité de renouvellement et la stabilité écologique.

Article 67

Famille

1. La famille, en tant que composante fondamentale de la société, a droit à la protection de la société et de l'État ainsi qu'à la réalisation de toutes les conditions qui permettent la réalisation personnelle de ses membres.

2. Dans le cadre de la protection de la famille, il appartient à l'État, notamment :

a) de favoriser l'indépendance sociale et économique du groupe familial ;

b) de promouvoir la création d'un réseau national d'assistance maternelle et infantile, d'un réseau national de crèches et d'infrastructures d'aide aux familles ainsi qu'une politique du troisième âge ;

c) de collaborer avec les parents à l'éducation des enfants ;

d) de promouvoir par les moyens voulus la diffusion des méthodes de planning familial et de mettre en place les structures juridiques et techniques qui permettront aux parents d'envisager la naissance de manière consciente ;

e) de moduler les impôts et les prestations sociales en fonction des charges familiales ;

f) de définir et de mettre en œuvre une politique de la famille globale et intégrée, après avoir consulté les associations représentatives des familles.

Article 68

Paternité et maternité

1. Les pères et les mères ont droit à la protection de la société et de l'État dans l'exercice de leur irremplaçable action auprès de leurs enfants, notamment quant à leur éducation qui garantira leur réalisation professionnelle et leur participation à la vie civique du pays.

2. La paternité et la maternité constituent d'éminentes valeurs sociales.

3. Les femmes qui travaillent ont droit à une protection spéciale pendant la grossesse et après l'accouchement, comprenant une période de congés de durée appropriée, sans perte de rémunération ou de tout avantage.

Article 69

Enfance

1. Les enfants ont droit à la protection de la société et de l'État en vue de leur plein épanouissement.

2. Les enfants, en particulier les orphelins et les enfants abandonnés ont droit à une protection spéciale de la société et de l'État contre toutes les formes de discrimination et d'oppression et contre les abus d'autorité dans la famille et dans les autres institutions.

Article 70

Jeunesse

1. Les jeunes, surtout les jeunes travailleurs bénéficient d'une protection spéciale pour l'exercice de leurs droits économiques, sociaux et culturels, notamment en ce qui concerne :

a) l'enseignement, la formation professionnelle et la culture ;

b) l'accès au premier emploi, le travail et la sécurité sociale ;

c) l'éducation physique et sportive ;

d) l'utilisation du temps libre.

2. La politique de la jeunesse aura pour objectifs prioritaires le développement de la personnalité des jeunes, la création des conditions permettant leur intégration effective dans la vie active, en suscitant le goût de la libre création et le sens du service à la communauté.

3. L'État encourage et appuie les organisations pour la jeunesse qui poursuivent ces objectifs ainsi que les échanges internationaux entre les jeunes, en collabo-

ration avec les familles, les écoles, les entreprises, les organisations d'habitants, les associations et fondations à finalités culturelles et les collectivités de culture et de loisirs.

Article 71
Handicapés

1. Les citoyens physiquement ou mentalement handicapés jouissent pleinement des droits figurant dans la Constitution et sont astreints aux devoirs qui y sont consignés, en exceptant l'exercice des droits et l'accomplissement des devoirs que leur état leur interdit.

2. L'État s'engage à réaliser une campagne nationale de prévention et de traitement, de réinsertion et d'intégration des handicapés, à diffuser une pédagogie qui fasse prendre conscience à la société qu'il est de son devoir de les respecter et de faire preuve de solidarité envers eux, et se charge de les faire effectivement bénéficier de leurs droits, sans préjudice des droits et des devoirs des parents ou des tuteurs.

3. L'État appuie les associations de handicapés.

Article 72
Troisième âge

1. Les personnes âgées ont droit à la sécurité économique, à des conditions de logement et de vie familiale et communautaire qui leur évitent de connaître l'isolement et la marginalisation sociale et leur permettent de les surmonter.

2. La politique du troisième âge comprend des mesures de caractère économique, social et culturel visant à offrir aux personnes âgées des possibilités de réalisation personnelle par une participation active à la vie de la communauté.

Chapitre III
Droits et devoirs culturels

Article 73
Éducation, culture et science

1. Chacun a droit à l'éducation et à la culture.

2. L'État devra promouvoir la démocratisation de l'éducation et créer les conditions qui lui permettront de contribuer, à travers l'école et les autres moyens de formation, au développement de la personnalité, au progrès social et à la participation démocratique à la vie collective.

3. L'État devra promouvoir la démocratisation de la culture, en encourageant et en assurant l'accès de tous les citoyens aux plaisirs culturels et à la création artistique, en collaboration avec les médias, les associations et les fondations à finalité culturelle, les collectivités de culture et de loisirs, les associations de défense du patrimoine culturel, les organisations d'habitants et les autres agents de la culture.

4. La création et la recherche scientifique, tout comme l'innovation technologique sont encouragées et appuyées par l'État.

Article 74
Enseignement

1. Chacun a droit à l'enseignement avec la garantie de l'égalité des chances d'accès à l'école et de réussite scolaire.

2. L'enseignement doit contribuer à surmonter les inégalités économiques, sociales et culturelles, permettre aux citoyens de participer démocratiquement à une société libre ainsi que promouvoir la compréhension mutuelle, la tolérance et l'esprit de solidarité.

3. Dans la mise en œuvre de la politique de l'enseignement, il appartient à l'État :

a) d'assurer l'enseignement de base universel, obligatoire et gratuit ;
b) de créer un système public d'éducation pré-scolaire ;
c) de garantir l'éducation permanente et d'éliminer l'analphabétisme ;
d) de garantir à tous les citoyens, selon leurs capacités, l'accès aux niveaux les plus élevés de l'enseignement, de la recherche scientifique et de la création artistique ;
e) d'instaurer progressivement la gratuité à tous les niveaux de l'enseignement ;
f) d'insérer les écoles dans la communauté qu'elles servent et d'organiser les relations entre l'enseignement et les activités économiques, sociales et culturelles ;
g) de promouvoir et d'appuyer l'enseignement spécialisé destiné aux handicapés ;
h) de garantir aux enfants des émigrants l'apprentissage de la langue portugaise et l'accès à la culture portugaise.

4. Le travail des mineurs en âge scolaire est interdit, conformément à la loi.

Article 75
Enseignement public, privé et coopératif

1. L'État devra créer un réseau d'établissements publics d'enseignement qui réponde aux besoins de toute la population.

2. L'État reconnaît et contrôle l'enseignement privé et coopératif, conformément à la loi.

Article 76
Université et accès à l'enseignement supérieur

1. Le régime d'accès à l'université et aux autres institutions de l'enseignement supérieur garantit l'égalité des chances et le caractère démocratique du système d'enseignement. Celui-ci devra tenir compte des besoins en cadres qualifiés et de l'élévation du niveau éducatif, culturel et scientifique du pays.

2. Les universités jouissent de l'autonomie statutaire, scientifique, pédagogique, administrative et financière, conformément à la loi.

Article 77
Participation démocratique dans l'enseignement

1. Les professeurs et les étudiants ont le droit de participer à la gestion démocratique des écoles, conformément à la loi.

2. La loi détermine les modalités de la participation des associations de professeurs, d'étudiants, de parents, des communautés et des institutions à caractère scientifique à la définition de la politique de l'enseignement.

Article 78
Jouissance et création culturelles

1. Chacun a droit à la jouissance et à la création culturelles, comme chacun a le devoir de préserver, de défendre et de valoriser le patrimoine culturel.

2. Il appartient à l'État, en collaboration avec tous les agents de la culture :

a) d'encourager et d'assurer l'accès de tous les citoyens, et en particulier des travailleurs aux moyens et aux instruments de l'action culturelle, et de corriger les déséquilibres existant dans le pays en ce domaine ;
b) d'appuyer les initiatives tendant à stimuler la création individuelle et collective, sous ses multiples formes et expressions, et à diffuser les œuvres et les biens culturels de qualité ;
c) de veiller à la sauvegarde et à la mise en valeur du patrimoine culturel, en le transformant en composante vivificatrice de l'identité culturelle commune ;
d) de développer les relations avec tous les peuples, en particulier avec ceux de langue portugaise, et d'assurer la défense et la promotion de la culture portugaise à l'étranger ;
e) d'articuler la politique culturelle aux autres politiques sectorielles.

Article 79
Éducation physique et sport

1. Chacun a droit à l'éducation physique et au sport.

2. Il appartient à l'État, en collaboration avec les écoles ainsi qu'avec les associations et les collectivités sportives de promouvoir, de stimuler, d'orienter et d'appuyer la pratique et la diffusion de l'éducation physique et du sport, ainsi que de prévenir la violence dans le sport.

Deuxième partie
Organisation économique

Titre Ier
Principes généraux

Article 80
Principes fondamentaux

L'organisation économique et sociale repose sur les principes suivants :

a) la subordination du pouvoir économique au pouvoir politique démocratique ;
b) la coexistence de différentes forme de propriété des moyens de production, soit le secteur public, le secteur privé et le secteur coopératif et social ;
c) l'appropriation collective des moyens de production et des sols, conformément à l'intérêt public, ainsi que des autres ressources naturelles ;

d) la planification démocratique de l'économie ;
e) la protection du secteur coopératif et social de propriété des moyens de production ;
f) l'intervention démocratique des travailleurs.

Article 81
Tâches prioritaires de l'État

Il incombe de manière prioritaire à l'État, dans le domaine économique et social :
a) de promouvoir l'élévation du bien-être social et économique et de la qualité de vie du peuple, en particulier des classes les plus défavorisées ;
b) de procéder à la nécessaire correction des inégalités dans la distribution de la richesse et du revenu ;
c) d'assurer la pleine utilisation des forces productives, en veillant particulièrement au fonctionnement efficace du secteur public ;
d) d'orienter le développement économique et social afin d'obtenir une croissance équilibrée de tous les secteurs et de toutes les régions et d'éliminer progressivement les différences économiques et sociales existant entre les villes et les campagnes ;
e) d'éliminer et d'empêcher la formation de monopoles privés et de réprimer les abus de pouvoir économique et toutes les pratiques qui portent atteinte à l'intérêt général ;
f) d'assurer une concurrence équilibrée entre les entreprises ;
g) de développer les relations économiques avec tous les peuples, en sauvegardant toujours l'indépendance nationale ainsi que les intérêts des Portugais et de l'économie du pays ;
h) d'éliminer les latifundia et de réorganiser la petite exploitation ;
i) d'assurer la participation des organisations représentatives des travailleurs et des organisations représentatives dans le domaine économique à la définition, à l'exécution et au contrôle des principales mesures économiques et sociales ;
j) de protéger les consommateurs ;
l) de mettre en place les structures juridiques et techniques nécessaires à l'instauration d'un système de planification démocratique de l'économie ;
m) d'assurer une politique scientifique et technologique favorable au développement du pays ;
n) d'adopter une politique nationale de l'énergie qui préserve les ressources naturelles et l'équilibre écologique en encourageant dans ce domaine la coopération internationale.

Article 82
Secteurs de propriété des moyens de production

1. La coexistence de trois secteurs de propriété des moyens de production est garantie.

2. Le secteur public est constitué des moyens de production dont la propriété et la gestion appartiennent à l'État ou à d'autres entités publiques.

3. Le secteur privé est constitué des moyens de production dont la propriété ou la gestion appartient à des personnes physiques ou à des personnes morales privées, sans préjudice des dispositions du paragraphe suivant.

4. Le secteur coopératif et social est exclusivement composé :
a) des moyens de production détenus et gérés par des coopératives conformément aux principes coopératifs ;
b) des moyens de production communautaires détenus et gérés par les communautés locales ;
c) des moyens de production qui font l'objet d'une exploitation collective par les travailleurs.

Article 83
Conditions d'appropriation collective

La loi déterminera les moyens et les formes d'intervention sur les moyens de production et les sols, ceux de leur appropriation ainsi que les critères de fixation de leur indemnisation.

Article 84
Domaine public

1. Appartiennent au domaine public :
a) les eaux territoriales ainsi que les fonds marins y correspondant et contigus, les

lacs, les lagunes et les cours d'eau navigables et non navigables ainsi que leur lit ;

b) les couches aériennes au-dessus du territoire, au-delà de la limite de la propriété des sols ou des autres droits concédés à sa surface ;

c) les gisements minéraux, les sources minérales et médicinales, les cavités naturelles souterraines existant dans le sous-sol, à l'exception des roches, des terres ordinaires et des matériaux habituellement utilisés dans la construction ;

d) les routes ;

e) les voies ferrées nationales ;

f) les autres biens classifiés comme tel par la loi.

2. La loi déterminera les biens qui entrent dans le domaine public de l'État, le domaine public des régions autonomes et le domaine public des collectivités locales, ainsi que leur régime, les conditions de leur utilisation et leurs limites.

Article 85

Nationalisations réalisées après le 25 avril 1974

1. La reprivatisation des moyens de production et des autres biens nationalisés après le 25 avril 1974, ou la concession du droit d'exploitation de ceux-ci, ne pourra être réalisée que conformément à une loi-cadre approuvée à la majorité absolue des députés effectivement en fonction.

2. Les petites et moyennes entreprises indirectement nationalisées qui n'appartiennent pas aux secteurs fondamentaux de l'économie pourront être reprivatisées conformément à la loi.

Article 86

Coopératives et expériences autogestionnaires

1. L'État encourage et soutient la création et l'activité des coopératives.

2. La loi définira les avantages fiscaux et financiers accordés aux coopératives, ainsi que les conditions préférentielles auxquelles elles obtiendront des crédits et bénéficieront d'une assistance technique.

3. Les expériences d'autogestion viables sont soutenues par l'État.

Article 87

Entreprises privées

1. L'État veille à ce que les entreprises privées respectent la Constitution et la loi. Il protège les petites et moyennes entreprises économiquement viables.

2. L'État ne peut intervenir dans la gestion des entreprises privées qu'à titre transitoire, dans les cas expressément prévus par la loi et en règle générale sur décision judiciaire préalable.

3. La loi déterminera les secteurs fondamentaux interdits aux entreprises privées et aux autres entités de même nature.

Article 88

Activité économique et investissements étrangers

La loi disciplinera l'activité économique et les investissements des personnes physiques ou morales étrangères, afin de s'assurer qu'ils contribuent au développement du pays et de façon à défendre l'indépendance nationale et les intérêts des travailleurs.

Article 89

Moyens de production à l'abandon

1. Les moyens de production laissés à l'abandon peuvent être frappés d'expropriation dans les conditions qui seront fixées par la loi, laquelle devra prendre en considération la situation particulière que constitue la propriété des travailleurs émigrants.

2. Les moyens de production laissés à l'abandon de façon injustifiée peuvent faire l'objet d'un loyer ou d'une concession d'exploitation contraignante, dans les conditions que la loi fixera.

Article 90

Participation des travailleurs à la gestion

Dans les unités de production du secteur public, la participation des travailleurs à la gestion est assurée.

Titre II
Plans

Article 91

Objectifs des plans

Les plans de développement économique et social auront pour objectifs de promouvoir la croissance économique, le développement harmonieux de secteurs et de régions, la juste répartition individuelle et régionale du produit national, la coordination de la politique économique avec la politique sociale, éducative et culturelle, la préservation de l'équilibre écologique, la défense de l'environnement et de la qualité de la vie du peuple portugais.

Article 92
Nature des plans

Les plans de développement économique et social à moyen terme et le plan annuel, qui a son expression financière dans le budget de l'État, contiennent les orientations fondamentales des plans sectoriels et régionaux qui seront approuvés lors de la mise en œuvre de la politique économique. Ils sont élaborés par le Gouvernement conformément à son programme.

Article 93
Élaboration des plans

1. Il appartient à l'Assemblée de la République d'approuver les grandes options correspondant à chaque plan et d'apprécier les rapports concernant leur exécution.

2. La proposition de loi [1] des grandes options correspondant à chaque plan sera accompagnée des rapports sur les grandes options globales et sectorielles comprenant les études préparatoires sur lesquelles ils se fondent.

Article 94
Exécution des plans

L'exécution des plans doit être décentralisée par région et par secteur, sans préjudice de leur coordination par le Gouvernement.

Article 95
Conseil économique et social

1. Le Conseil économique et social est l'organe de consultation et de concertation dans le domaine de la politique économique et sociale. Il participe à l'élaboration des plans de développement économique et social et exerce les autres fonctions que la loi pourrait lui attribuer.

2. La loi définit la composition du Conseil économique et social qui comprendra notamment des représentants du Gouvernement, des organisations représentatives des travailleurs, des organisations représentatives dans le domaine économique, des régions autonomes et des collectivités locales.

3. La loi définit également l'organisation et le fonctionnement du Conseil économique et social, ainsi que le statut de ses membres.

Titre III
Politique agricole, commerciale et industrielle

Article 96
Objectifs de la politique agricole

1. La politique agricole a pour objectifs :

a) d'augmenter la production et la productivité de l'agriculture en la dotant des infrastructures et des moyens humains, techniques et financiers appropriés, afin d'assurer le ravitaillement du pays et d'augmenter les exportations ;

b) d'encourager l'amélioration de la situation économique, sociale et culturelle des travailleurs ruraux et des agriculteurs, la rationalisation des structures agraires et l'accès à la propriété ou à la possession de la terre et des autres moyens de production directement utiles à son exploitation ;

c) de créer les conditions nécessaires à la réalisation d'une égalité effective entre ceux qui travaillent dans l'agriculture et les autres travailleurs et éviter que le secteur agricole ne soit défavorisé dans ses relations d'échange avec les autres secteurs ;

d) d'assurer l'utilisation et la gestion rationnelles des sols et des autres ressources naturelles, tout comme le maintien de leur capacité de régénération ;

e) d'encourager les associations d'agriculteurs et l'exploitation directe de la terre.

2. L'État devra promouvoir une politique d'aménagement et de reconversion agraire conforme aux conditions écologiques et sociales du pays.

(1) La proposition de loi est un texte présenté par le Gouvernement ou par les assemblées législatives régionales ; le projet de loi est un texte présenté par les députés ou les groupes parlementaires.

Article 97
Élimination des latifundia

1. La réduction de la superficie des unités d'exploitation agricole qui ont une taille excessive au regard des objectifs de la politique agricole sera réglementée par la loi qui devra prévoir, en cas d'expropriation, le droit du propriétaire à une juste indemnisation et à une surface réservée suffisante pour la viabilité et la rationalité de sa propre exploitation.

2. Les terres frappées d'expropriation seront remises à titre de propriété ou de possession, conformément à la loi, à de petits agriculteurs, de préférence regroupés dans de petites unités d'exploitation familiale, dans des coopératives de travailleurs ruraux ou de petits agriculteurs, ou sous d'autres formes permettant l'exploitation par les travailleurs eux-mêmes, sans préjudice de la stipulation d'une période probatoire destinée à s'assurer de l'effectivité et de la rationalité de l'exploitation, avant la concession de la pleine propriété.

Article 98
Accroissement de la superficie des petites exploitations

Sans préjudice du droit de propriété, l'État devra promouvoir, conformément à la loi, l'accroissement de la superficie des petites unités d'exploitation agricole de dimension inférieure à celle considérée adéquate dans les objectifs de la politique agricole, soit en recourant à des mesures de remembrement, soit au moyen d'incitations juridiques, fiscales, et financières sous forme de crédit en vue de leur intégration structurelle ou purement économique, notamment sous forme de coopératives.

Article 99
Modes d'exploitation de la terre d'autrui

1. Les régimes d'affermage et les autres modes d'exploitation de la terre d'autrui seront déterminés par la loi de façon à garantir la stabilité des intérêts légitimes du cultivateur.

2. L'emphytéose et le colonage sont interdits et les conditions de l'abolition effective du régime de métayage seront créées au bénéfice du cultivateur.

Article 100
Aide de l'État

1. Dans la poursuite des objectifs de la politique agricole, l'État soutiendra de manière préférentielle les petits et moyens agriculteurs, notamment quand ils sont regroupés dans des unités d'exploitation familiale, individuellement ou associés au sein de coopératives, ainsi que les coopératives de travailleurs agricoles et les autres formes d'exploitation par les travailleurs eux-mêmes.

2. L'appui de l'État comprend notamment :

a) l'octroi d'une assistance technique ;
b) l'appui d'entreprises publiques et de coopératives de commercialisation en amont et en aval de la production ;
c) la socialisation des risques d'accidents imprévisibles ou incontrôlables provoqués par des perturbations climatiques ou des troubles phytopathologiques ;
d) des incitations au regroupement des travailleurs ruraux et des agriculteurs, notamment par la constitution de coopératives de production, d'achat, de vente, de transformation et de services et le recours à d'autres formes de regroupement permettant l'exploitation par les travailleurs eux-mêmes.

Article 101
Participation à la définition de la politique agricole

La participation des travailleurs ruraux et des agriculteurs à la définition de la politique agricole est assurée aux travailleurs ruraux à travers leurs organisations représentatives.

Article 102
Objectifs de la politique commerciale

Les objectifs de la politique commerciale sont les suivants :

a) établir une concurrence salutaire entre les agents économiques commerçants ;
b) rationaliser les circuits de distribution ;
c) combattre les activités spéculatives et les pratiques commerciales restrictives ;
d) développer et diversifier les relations économiques externes ;
e) assurer la protection des consommateurs.

Article 103

Objectifs de la politique industrielle

Les objectifs de la politique industrielle sont les suivants :

a) augmenter la production industrielle en corrélation avec la modernisation et l'ajustement des intérêts sociaux et économiques ainsi qu'avec l'intégration internationale de l'économie portugaise ;

b) renforcer l'innovation industrielle et technologique ;

c) augmenter la compétitivité et la productivité des entreprises industrielles ;

d) soutenir les petites et moyennes entreprises et, de façon générale, les initiatives et les entreprises génératrices d'emploi et qui contribuent à augmenter les exportations, ou à diminuer les importations au moyen de produits de substitution ;

e) aider à l'internationalisation de l'activité des entreprises portugaises.

Titre IV
Système financier et fiscal

Article 104

Système financier

Le système financier est structuré par la loi, de façon à assurer la formation, le drainage et la sécurité de l'épargne ainsi que l'affectation des moyens financiers nécessaires au développement économique et social.

Article 105

Banque du Portugal (1)

En tant que banque centrale nationale, la Banque du Portugal participe à la définition et à la mise en œuvre de la politique monétaire et financière et émet la monnaie, conformément à la loi.

Article 106

Système fiscal

1. Le système fiscal vise à satisfaire les besoins financiers de l'État et des autres entités de droit public et à répartir justement les revenus et la richesse.

2. Les impôts sont créés par la loi qui détermine leur assiette, leurs taux, ainsi que les avantages fiscaux et les garanties des contribuables.

3. Nul ne peut être contraint à payer des impôts qui n'auront pas été créés conformément à la Constitution et dont la liquidation et le recouvrement ne sont pas effectués dans les formes prescrites par la loi.

Article 107

Impôts

1. L'impôt sur le revenu personnel visera à atténuer les inégalités. Il sera unique et progressif en tenant compte des besoins et des revenus du ménage.

2. L'imposition des entreprises portera essentiellement sur leurs bénéfices réels.

3. L'impôt sur les successions et les donations sera progressif de façon à contribuer à l'égalité des citoyens.

4. La taxation de la consommation est destinée à adapter la structure de celle-ci à l'évolution des besoins du développement économique et de la justice sociale. Elle devra frapper les produits de luxe.

Article 108

Budget

1. Le budget de l'État comprend :

a) l'énumération des recettes et des dépenses de l'État qui inclura celles des fonds et des services autonomes ;

b) le budget de la sécurité sociale.

2. Le budget est élaboré conformément aux grandes options du plan annuel et tiendra compte des obligations légales et contractuelles.

3. Le budget est unitaire et énumère les dépenses suivant une classification organique et fonctionnelle, de façon à empêcher les dotations et fonds secrets. Il pourra également être structuré par programmes.

4. Le budget prévoit les recettes nécessaires à la couverture des dépenses. La loi définira les règles de son exécution, les conditions auxquelles sera soumis le recours à l'emprunt public ainsi que les critères qui devront présider aux modifications qui, durant son exécution, pourront être introduites par le Gouvernement dans les rubriques de la classification organique dans le cadre de chaque programme budgétaire

(1) Modifié par la révision du 25 novembre 1992.

approuvé par l'Assemblée de la République, en vue de sa pleine réalisation.

Article 109

Élaboration du budget

1. La loi du budget est élaborée, organisée, votée et exécutée conformément à la loi l'encadrant, qui inclura le régime relatif à l'élaboration et à l'exécution des budgets des fonds et services autonomes.

2. La proposition de budget est présentée et votée dans les délais fixés par la loi, laquelle prévoit les procédures à adopter quand ceux-ci n'auront pas pu être observés.

3. La proposition de budget est accompagnée de rapports sur les matières suivantes :

a) la prévision de l'évolution des principaux agrégats macro-économiques pouvant exercer une influence sur le budget, ainsi que sur l'évolution de la masse monétaire et ses contreparties ;

b) la justification des variations des prévisions des recettes et des dépenses par rapport au précédent budget ;

c) la dette publique, les opérations de trésorerie et les comptes du Trésor ;

d) la situation des fonds et services autonomes ;

e) les transferts budgétaires vers les régions autonomes ;

f) les transferts financiers entre le Portugal et l'extérieur ayant une incidence sur la proposition de budget ;

g) les bénéfices fiscaux et l'estimation de la recette de l'année écoulée.

Article 110

Contrôle

L'exécution du budget sera contrôlée par le Tribunal des comptes et par l'Assemblée de la République. Celle-ci, sur avis préalable du Tribunal, appréciera et approuvera les comptes généraux de l'État, y compris ceux de la sécurité sociale.

Troisième partie
Organisation du pouvoir politique

Titre Ier
Principes généraux

Article 111

Titularité et exercice du pouvoir

Le pouvoir politique appartient au peuple. Il est exercé conformément à la Constitution.

Article 112

Participation politique des citoyens

La participation directe et active des citoyens à la vie politique est la condition et l'instrument fondamental de la consolidation du système démocratique.

Article 113

Organes de souveraineté

1. Les organes de souveraineté sont le Président de la République, l'Assemblée de la République, le Gouvernement et les tribunaux.

2. La formation, la composition, la compétence et le fonctionnement des organes de souveraineté sont définis par la Constitution.

Article 114

Séparation et interdépendance

1. Les organes de souveraineté doivent observer les principes de séparation et d'interdépendance établis dans la Constitution.

2. Aucun organe de souveraineté, d'une région autonome ou du pouvoir local ne peut déléguer ses pouvoirs à d'autres organes, sauf dans les cas et dans les conditions expressément prévus par la Constitution et par la loi.

Article 115

Actes normatifs

1. Les lois, les décrets-lois et les décrets législatifs régionaux sont des actes législatifs.

2. Les lois et les décrets-lois ont une valeur égale, sans préjudice de la valeur renforcée des lois organiques et de la subordination des décrets-lois pris en vertu d'une autorisation législative et des décrets-lois qui

précisent les bases générales des régimes juridiques à leur loi respective.

3. Les décrets législatifs régionaux portent sur les matières qui intéressent spécifiquement la région et qui n'appartiennent pas au domaine réservé de l'Assemblée de la République ou du Gouvernement. Ils ne pourront pas être contraires aux lois générales de la République, sans préjudice des dispositions de l'alinéa *b* du paragraphe 1er de l'article 229.

4. Les décrets-lois dont la raison d'être implique leur application sans réserves à tout le territoire national sont des lois générales de la République.

5. Aucune loi ne peut créer d'autres catégories d'actes législatifs ou conférer à des actes d'une autre nature le pouvoir d'interpréter, d'intégrer, de modifier, de suspendre ou de révoquer, avec un effet contraignant, une de leurs dispositions.

6. Les règlements du Gouvernement revêtent la forme de décrets réglementaires quand la loi en application de laquelle ils sont pris l'indique, ainsi que lorsqu'il s'agit de règlements indépendants.

7. Les règlements doivent indiquer expressément les lois qu'ils viennent préciser ou celles qui définissent la compétence subjective et objective en vertu de laquelle ils sont pris.

Article 116
Principes généraux du droit électoral

1. Le suffrage direct, secret et périodique constitue la règle générale présidant à la désignation des membres des organes de souveraineté, des régions autonomes et du pouvoir local qui sont élus.

2. Le recensement électoral est gratuit, obligatoire, permanent et unique pour toutes les élections au suffrage direct et universel.

3. Les campagnes électorales sont régies par les principes suivants :

a) liberté de propagande ;

b) égalité des chances et de traitement des différentes candidatures ;

c) impartialité des pouvoirs publics à l'égard des candidatures ;

d) contrôle des budgets électoraux.

4. Les citoyens ont le devoir de collaborer avec les services électoraux dans les formes prévues par la loi.

5. La conversion des suffrages en mandats aura lieu selon le principe de la représentation proportionnelle.

6. L'acte en vertu duquel les organes collégiaux élus au suffrage universel direct sont dissous doit fixer la date des nouvelles élections, sous peine d'inexistence juridique. Celles-ci auront lieu dans un délai de quatre-vingt-dix jours et selon la loi électorale en vigueur à la date de la dissolution.

7. Le jugement de la régularité et de la validité des actes de la procédure électorale appartient aux tribunaux.

Article 117
Partis politiques et droit d'opposition

1. Les partis politiques participent aux organes fondés sur le suffrage universel et direct en fonction de leur représentativité électorale.

2. Le droit d'opposition démocratique est reconnu aux minorités, conformément à la Constitution.

3. Les partis politiques représentés à l'Assemblée de la République et qui ne font pas partie du Gouvernement ont notamment le droit d'être informés régulièrement et directement par le Gouvernement de l'évolution des principaux sujets d'intérêt public. Les partis politiques représentés en toute autre assemblée désignée par élection directe jouissent du même droit relativement à l'organe exécutif dont ils ne font pas partie.

Article 118
Référendum

1. Les citoyens électeurs recensés sur le territoire national peuvent être appelés à se prononcer directement par référendum, qui aura force de loi, par décision du Président de la République, sur proposition de l'Assemblée de la République ou du Gouvernement, dans les cas et dans les termes prévus par la Constitution et par la loi.

2. Le référendum ne peut avoir pour objet que d'importantes questions d'intérêt national relevant de la compétence de l'Assemblée de la République ou du Gouvernement ou concernant l'approbation d'une convention internationale ou d'un acte législatif.

3. Les modifications de la Constitution, les matières prévues aux articles 164 et 167 de la Constitution et les questions et les actes dont le contenu est d'ordre budgétaire, fiscal ou financier sont notamment exclus du domaine du référendum.

4. Chaque référendum portera sur une seule matière et les questions devront être formulées avec objectivité, clarté et précision et de façon à ce qu'il y soit répondu par oui ou par non. Elles ne pourront être décomposées que dans la limite d'un nombre maximum que la loi fixera, laquelle déterminera également les autres conditions de la formulation des questions et de la réalisation des référendums.

5. Sont exclues la convocation des citoyens à un référendum et la réalisation de celui-ci entre les dates de la convocation et de la tenue d'élections générales des organes de souveraineté, du gouvernement des régions autonomes ou du pouvoir local, ainsi que celles des députés au Parlement européen.

6. Le Président de la République soumet les propositions de référendum qui lui auront été remises par l'Assemblée de la République ou par le Gouvernement à un contrôle de constitutionnalité et de légalité préalable et obligatoire.

7. Les dispositions des paragraphes 1, 2, 3, 4 et 7 de l'article 116 sont applicables au référendum, avec les adaptations nécessaires.

8. Les propositions de référendum récusées par le Président de la République ou objet d'une réponse négative de l'électorat ne peuvent être renouvelées pendant la même session législative, sauf nouvelle élection de l'Assemblée de la République, ou avant la démission du Gouvernement.

Article 119

Organes collégiaux

1. Les réunions des assemblées qui siègent en tant qu'organes de souveraineté, organes des régions autonomes ou du pouvoir local sont publiques, sauf dans les cas prévus par la loi.

2. Les décisions des organes collégiaux sont prises en la présence de la majorité des membres les composant dont le nombre est fixé par la loi.

3. Hormis les cas prévus par la Constitution, par la loi ou leur règlement, les délibérations des organes collégiaux sont prises à la pluralité des voix. Les abstentions ne compteront pas pour le calcul de la majorité.

Article 120

Statut des titulaires de fonctions politiques

1. Les titulaires de fonctions politiques répondent politiquement, civilement et pénalement des actes et omissions qu'ils commettent dans l'exercice de leurs fonctions.

2. La loi définit les devoirs et les responsabilités des titulaires de fonctions politiques, le régime des incompatibilités, ainsi que leurs droits, leur prérogatives et les immunités dont ils bénéficient.

3. La loi détermine les crimes de la responsabilité des titulaires de fonctions politiques, ainsi que les sanctions applicables et leurs effets qui peuvent inclure la destitution de la fonction ou la perte du mandat.

Article 121

Principe du renouvellement

Nul ne peut exercer à vie une fonction politique de caractère national, régional ou local.

Article 122

Publicité des actes

1. Sont publiés au *Diário da República* (1) :

a) les lois constitutionnelles ;

b) les conventions internationales et leur avis de ratification, ainsi que les autres avis les concernant ;

c) les lois, les décrets-lois et les décrets législatifs régionaux ;

d) les décrets du Président de la République ;

e) les résolutions de l'Assemblée de la République et des assemblées régionales des Açores et de Madère ;

f) le règlement de l'Assemblée de la Répu-

(1) *Journal officiel.*

blique, du Conseil d'État et des assemblées régionales des Açores et de Madère ;

g) les décisions du Tribunal constitutionnel, ainsi que celles des autres tribunaux auxquelles la loi confère un caractère obligatoire général ;

h) les décrets réglementaires et les autres décrets et règlements du Gouvenement, ainsi que les décrets des ministres de la République auprès des régions autonomes et les décrets réglementaires régionaux ;

i) les résultats des élections et des référendums de caractère national.

2. Le défaut de publicité des actes cités au paragraphe précédent, ou de tout acte dont le contenu présente un caractère général et qui émane d'un organe de souveraineté, des régions autonomes ou du pouvoir local entraîne leur inefficacité juridique.

3. La loi détermine les formes de publicité à donner aux autres actes et les conséquences de leur absence.

Titre II
Président de la République

Chapitre I
Statut et élection

Article 123
Définition

Le Président de la République représente la République portugaise. Il garantit l'indépendance nationale, l'unité de l'État et le fonctionnement régulier des institutions démocratiques. Il est par voie de conséquence commandant suprême des forces armées.

Article 124
Élection

1. Le Président de la République est élu au suffrage universel, direct et secret par les citoyens portugais électeurs recensés sur le territoire national.

2. Le droit de vote est exercé personnellement sur le territoire national.

Article 125
Éligibilité

Les citoyens électeurs, portugais de naissance, de plus de trente-cinq ans sont éligibles.

Article 126
Rééligibilité

1. Le Président de la République ne pourra être réélu pour un troisième mandat consécutif, ni pendant les cinq années suivant le terme du second mandat consécutif.

2. Quand le Président de la République renoncera à l'exercice de son mandat, il ne pourra être candidat aux élections présidentielles suivantes, ni à celles qui se disputeraient dans les cinq années suivant sa renonciation.

Article 127
Candidatures

1. Les candidatures à la présidence de la République doivent être proposées par un minimum de 7 500 électeurs et un maximum de 15 000.

2. Les candidatures doivent être déposées au Tribunal constitutionnel au plus tard trente jours avant la date fixée pour l'élection.

3. En cas de décès d'un des candidats ou en toute autre circonstance empêchant un candidat d'exercer la fonction présidentielle, la procédure électorale sera réouverte, dans les conditions qui seront définies par la loi.

Article 128
Date de l'élection

1. Le Président de la République sera élu entre le soixantième et le trentième jour précédant le terme du mandat de son prédécesseur ou entre le soixantième et le quatre-vingt-dixième jour suivant la vacance de la charge.

2. L'élection ne pourra avoir lieu dans les quatre-vingt-dix jours précédant ou suivant la date des élections de l'Assemblée de la République.

3. Dans le cas prévu au paragraphe précédent, l'élection aura lieu entre le quatre-vingt-dixième et le centième jour suivant la date des élections de l'Assemblée de la République. Le mandat du Président sortant sera automatiquement prolongé pour la période nécessaire.

4. La date de la réalisation du premier des deux scrutins possibles sera fixée de façon à permettre qu'ils se déroulent pendant les périodes indiquées aux paragraphes 1er et 3.

Article 129

Système électoral

1. Sera élu Président de la République, le candidat qui aura obtenu plus de la moitié des suffrages valablement exprimés, les votes blancs n'étant pas considérés comme tels.

2. Quand aucun des candidats n'aura obtenu ce nombre de voix, il sera procédé à un nouveau scrutin dans les vingt et un jours suivant le premier.

3. Pour ce scrutin, seuls les deux candidats ayant obtenu le plus de voix et qui auront maintenu leur candidature resteront en présence.

Article 130

Investiture et prestation de serment

1. Le Président de la République est investi de ses fonctions devant l'Assemblée de la République.

2. L'investiture a lieu le dernier jour du mandat du Président sortant ou, en cas d'élection pour cause de vacance, le huitième jour suivant celui de la publication des résultats électoraux.

3. Lors de la cérémonie d'investiture, le Président de la République élu prêtera le serment suivant :

"Je jure sur mon honneur d'exercer fidèlement les fonctions dont je suis investi et de défendre, de respecter et de faire respecter la Constitution de la République portugaise."

Article 131

Mandat

1. Le mandat du Président de la République a une durée de cinq ans et prend fin lors de l'investiture du nouveau Président élu.

2. En cas de vacance, le Président de la République nouvellement élu commence immédiatement un nouveau mandat.

Article 132

Absence du territoire national

1. Le Président de la République ne peut quitter le territoire national sans l'assentiment de l'Assemblée de la République ou, si elle ne siège pas, de sa commission permanente.

2. L'assentiment n'est pas nécessaire dans les cas de passage en transit ou de voyage sans caractère officiel d'une durée ne dépassant pas cinq jours. Le Président de la République devra toutefois en informer préalablement l'Assemblée de la République.

3. L'inobservation des dispositions du paragraphe 1er entraîne de plein droit la perte de la fonction.

Article 133

Responsabilité pénale

1. Le Président de la République répond des crimes qu'il commettrait dans l'exercice de ses fonctions devant le Tribunal suprême de justice.

2. L'initiative de la procédure appartient à l'Assemblée de la République, sur proposition d'un cinquième des députés effectivement en fonction et par délibération approuvée à la majorité des deux tiers.

3. La condamnation entraîne la destitution et l'impossibilité d'être réélu.

4. Le Président de la République répond des crimes qu'il commettrait en dehors de l'exercice de ses fonctions devant les tribunaux ordinaires et une fois son mandat terminé.

Article 134

Renonciation au mandat

1. Le Président de la République peut renoncer à son mandat par un message adressé à l'Assemblée de la République.

2. La renonciation prend effet aussitôt que l'Assemblée de la République a pris connaissance du message, sans préjudice de sa publication ultérieure dans le *Diário da República* (1).

Article 135

Intérim

1. En cas d'empêchement temporaire du Président de la République, ainsi que durant la vacance de la charge et jusqu'à

(1) *Journal officiel.*

l'investiture du nouveau président élu, les fonctions présidentielles seront assurées par le président de l'Assemblée de la République ou, en cas d'empêchement de celui-ci, par la personne le suppléant.

2. Pendant l'exercice des fonctions de Président de la République par intérim, le mandat de député du président de l'Assemblée de la République ou de la personne le suppléant est automatiquement suspendu.

Chapitre II
Compétence

Article 136
Compétence vis-à-vis d'autres organes

Il appartient au Président de la République, relativement à d'autres organes :

a) de présider le Conseil d'État ;

b) de fixer, conformément à la loi électorale, le jour de l'élection du Président de la République, des députés à l'Assemblée de la République, des députés au Parlement européen et des députés des assemblées régionales ;

c) de convoquer l'Assemblée de la République en dehors de sa période de fonctionnement ;

d) d'adresser des messages à l'Assemblée de la République ;

e) de dissoudre l'Assemblée de la République en observant les dispositions de l'article 175, après avoir entendu les partis politiques qui y sont représentés et avoir consulté le Conseil d'État ;

f) de nommer le Premier ministre conformément au paragraphe 1er de l'article 190 ;

g) de démettre le Gouvernement, conformément au paragraphe 2 de l'article 198, et de révoquer le Premier ministre, conformément au paragraphe 4 de l'article 189 ;

h) de nommer et de révoquer les membres du Gouvernement, sur proposition du Premier ministre ;

i) de présider le Conseil des ministres à la demande du Premier ministre ;

j) de dissoudre les organes du gouvernement des régions autonomes, de sa propre initiative ou sur proposition du Gouvernement, après avoir entendu l'Assemblée de la République et avoir consulté le Conseil d'État ;

l) de nommer et de révoquer les ministres de la République auprès des régions autonomes, sur proposition du Gouvernement et après avoir consulté le Conseil d'État ;

m) de nommer et de révoquer, sur proposition du Gouvernement, le président du Tribunal des comptes et le procureur général de la République ;

n) de nommer cinq membres du Conseil d'État et deux membres du Conseil supérieur de la magistrature ;

o) de présider le Conseil supérieur de défense nationale ;

p) de nommer et de révoquer, sur proposition du Gouvernement, le chef de l'État-major général des forces armées, le vice-chef de l'État-major général des forces armées s'il existe, et les chefs d'État-major des trois armes, après avoir entendu, dans ces deux derniers cas, le chef de l'État-major général des forces armées.

Article 137
Compétence propre

Il appartient tout particulièrement au Président de la République :

a) d'exercer les fonctions de commandant suprême des forces armées ;

b) de promulguer et de faire publier les lois, les décrets-lois et les décrets réglementaires, de signer les résolutions de l'Assemblée de la République qui approuvent des accords internationaux et les autres décrets du Gouvernement ;

c) de soumettre à référendum d'importantes questions d'intérêt national, conformément à l'article 118 ;

d) de déclarer l'état de siège ou l'état d'urgence en observant les dispositions des articles 19 et 141 ;

e) de se prononcer sur tous les événements graves pour la vie de la République ;

f) de commuer la totalité ou une partie d'une peine, après avoir entendu le Gouvernement ;

g) de demander au Tribunal constitutionnel d'apprécier de manière préventive la constitutionnalité des normes constituées par les lois, les décrets-lois et les conventions internationales ;

h) de demander au Tribunal constitutionnel de se prononcer sur l'inconstitutionnalité de normes juridiques ou sur l'existence d'une inconstitutionnalité par omission ;

i) de pratiquer les actes concernant le territoire de Macao qui sont prévus dans le statut de ce territoire ;

j) de décerner des décorations, conformément à la loi et d'exercer les fonctions de grand-maître des ordres honorifiques portugais.

Article 138

Compétence en matière de relations internationales

En ce qui concerne les relations internationales, il appartient au Président de la République :

a) de nommer les ambassadeurs et les envoyés extraordinaires, sur proposition du Gouvernement et d'accréditer les représentants diplomatiques étrangers ;

b) de ratifier les traités internationaux après qu'ils aient été dûment approuvés ;

c) de déclarer la guerre en cas d'agression effective ou imminente et de faire la paix, sur proposition du Gouvernement, après avoir entendu le Conseil d'État et sur autorisation de l'Assemblée de la République ou, si elle n'est pas réunie et que sa réunion immédiate s'avérait impossible, de sa commission permanente.

Article 139

Promulgation et veto

1. Le Président de la République doit promulguer tout décret de l'Assemblée de la République ou exercer son droit de veto, dans un délai de vingt jours à compter de sa réception pour promulgation sous forme de loi, ou à compter de la publication de la décision du Tribunal constitutionnel qui ne retient pas l'inconstitutionnalité de la norme. En cas de veto, il demandera un nouvel examen du texte par un message motivé.

2. Si l'Assemblée de la République confirme le vote à la majorité absolue des députés en droit d'exercer leur mandat, le Président de la République devra promulguer le texte dans un délai de huit jours à compter de sa réception.

3. La majorité des deux tiers des députés présents, lorsqu'elle est supérieure à la majorité absolue des députés effectivement en fonction, sera toutefois nécessaire pour confirmer les décrets qui revêtent la forme de lois organiques et ceux qui concernent les matières suivantes :

a) les relations extérieures ;

b) la délimitation des secteurs de propriété des moyens de production, soit le secteur public, le secteur privé et le secteur coopératif et social ;

c) la réglementation des élections pour le Parlement européen et des autres actes électoraux prévus par la Constitution.

4. Le Président de la République doit promulguer tout décret du Gouvernement ou exercer son droit de veto, dans un délai de quarante jours à compter de sa réception pour promulgation ou à compter de la publication de la décision du Tribunal constitutionnel qui ne retient pas l'inconstitutionnalité de la norme. Il informera le Gouvernement du sens du veto par écrit.

5. Le Président exerce également le droit de veto, conformément aux articles 278 et 279.

Article 140

Défaut de promulgation ou de signature

Le défaut de promulgation ou de signature par le Président de la République d'un des actes prévus à l'alinéa *b* de l'article 137 entraîne son inexistence juridique.

Article 141

Déclaration de l'état de siège ou de l'état d'urgence

1. La déclaration de l'état de siège ou de l'état d'urgence est subordonnée à l'audition du Gouvernement et à l'autorisation de l'Assemblée de la République ou, si elle n'est pas réunie et qu'il s'avérait impossible de la réunir immédiatement, de sa commission permanente.

2. La déclaration de l'état de siège ou de l'état d'urgence, quand elle est autorisée par la commission permanente de l'Assemblée de la République, devra être ratifiée par l'Assemblée de la République en séance plénière dès qu'il sera possible de la réunir.

Article 142
Actes du Président de la République par intérim

1. Le Président de la République par intérim ne peut accomplir aucun des actes prévus aux alinéas *e* et *n* de l'article 136 et à l'alinéa *c* de l'article 137.

2. Le Président de la République par intérim ne peut accomplir l'un des actes prévus aux alinéas *b*, *c*, *f*, *m* et *p* de l'article 136, à l'alinéa *a* de l'article 137 et à l'alinéa *a* de l'article 138, qu'après avoir consulté le Conseil d'État.

Article 143
Contreseing ministériel

1. Les actes du Président de la République accomplis en vertu des alinéas *h*, *j*, *l*, *m* et *p* de l'article 136, des alinéas *b*, *d* et *f* de l'article 137 et des alinéas *a*, *b* et *c* de l'article 138 doivent être contresignés par le Gouvernement.

2. Le défaut de contreseing entraîne l'inexistence juridique de l'acte.

Chapitre III
Conseil d'État

Article 144
Définition

Le Conseil d'État est l'organe politique que consulte le Président de la République.

Article 145
Composition

Le Conseil d'État est présidé par le Président de la République. Il comprend les membres suivants :

a) le président de l'Assemblée de la République ;
b) le Premier ministre ;
c) le président du Tribunal constitutionnel ;
d) le *Provedor de Justiça ;*
e) les présidents des gouvernements régionaux ;
f) les anciens Présidents de la République élus en vertu de la présente Constitution qui n'auront pas été destitués de leur fonction ;
g) cinq citoyens désignés par le Président de la République pour une période correspondant à la durée de son mandat ;
h) cinq citoyens élus par l'Assemblée de la République, selon le principe de la représentation proportionnelle, pour la période correspondant à la durée de la législature.

Article 146
Investiture et mandat

1. Les membres du Conseil d'État sont investis de leur fonction par le Président de la République.

2. Les membres du Conseil d'État prévus aux alinéas *a* à *e* de l'article 145 conservent cette qualité aussi longtemps qu'ils exerceront les fonctions y donnant droit.

3. Les membres du Conseil d'État prévus aux alinéas *g* et *h* de l'article 145 conservent cette qualité jusqu'à l'investiture de ceux qui les remplaceront.

Article 147
Organisation et fonctionnement

1. Il appartient au Conseil d'État d'élaborer son règlement.

2. Les réunions du Conseil d'État ne sont pas publiques.

Article 148
Compétence

Il appartient au Conseil d'État :

a) de se prononcer sur la dissolution de l'Assemblée de la République et des organes du gouvernement des régions autonomes ;
b) de se prononcer sur la démission du Gouvernement, dans le cas prévu au paragraphe 2 de l'article 198 ;
c) de se prononcer sur la nomination et la révocation des ministres de la République auprès des régions autonomes ;
d) de se prononcer sur la déclaration de la guerre et la signature de la paix ;
e) de se prononcer sur les actes du Président de la République par intérim indiqués à l'article 142 ;
f) de se prononcer dans les autres cas prévus par la Constitution, et de manière générale, de conseiller le Président de la République sur l'exercice de ses fonctions, quand celui-ci le lui demande.

Article 149
Formulation des avis

Les avis du Conseil d'État prévus aux alinéas *a* à *e* de l'article 148 sont émis au cours de la réunion qui sera convoquée à cet effet par le Président de la République. Ils sont rendus publics lors de l'accomplissement de l'acte auquel ils se réfèrent.

Titre III
Assemblée de la République

Chapitre I
Statut et élection

Article 150
Définition

L'Assemblée de la République est l'assemblée représentative de tous les citoyens portugais.

Article 151
Composition

L'Assemblée de la République compte au moins deux cent trente et au plus deux cent trente-cinq députés, conformément à la loi électorale.

Article 152
Circonscriptions électorales

1. Les députés sont élus dans des circonscriptions électorales géographiquement définies par la loi, laquelle peut également prévoir l'existence d'une circonscription électorale au niveau national.

2. Le nombre de députés de chaque circonscription est proportionnel au nombre des citoyens électeurs qui y sont inscrits, à l'exception de la circonscription nationale, si elle existe.

3. Les députés représentent tout le pays et non les circonscriptions dans lesquelles ils ont été élus.

Article 153
Éligibilité

Tous les citoyens portugais électeurs sont éligibles, sous réserve des restrictions qui seront établies par la loi électorale en raison d'incompatibilités locales ou de l'exercice de certaines fonctions.

Article 154
Candidatures

1. Les candidatures sont présentées, conformément à la loi, par les partis politiques isolément ou en coalition. Les listes pourront comprendre des citoyens non inscrits dans ces partis.

2. Nul ne peut être candidat dans plus d'une circonscription électorale ou figurer sur plus d'une liste.

Article 155
Système électoral

1. Les députés sont élus selon le système de la représentation proportionnelle et la méthode de la plus forte moyenne de Hondt.

2. La loi ne peut établir de limites à la conversion des suffrages en mandats en exigeant un pourcentage minimum de voix au niveau national.

Article 156
Début et terme du mandat

1. Le mandat des députés commence lors de la première réunion de l'Assemblée de la République nouvellement élue et prend fin lors de la première réunion consécutive aux élections suivantes, sous réserve de la suspension ou de la cessation individuelle du mandat.

2. L'attribution des sièges devenus vacants ainsi que le remplacement temporaire de députés pour des motifs importants sont régis par la loi électorale.

Article 157
Incompatibilités

1. Les députés qui seront nommés membres du Gouvernement ne pourront exercer leur mandat avant d'avoir cessé leurs fonctions gouvernementales. Ils seront remplacés conformément à l'article précédent.

2. La loi détermine les autres incompatibilités.

Article 158
Exercice des fonctions de député

1. Les conditions appropriées à l'exercice efficace de leurs fonctions sont garanties aux députés, notamment l'indispensable contact avec les citoyens électeurs.

2. La loi fixe les conditions dans lesquelles l'absence des députés à des actes ou à des procédures officielles indépendan-

tes de l'activité de l'Assemblée, du fait de leur participation à des réunions ou à des missions de celle-ci, constitue un motif justifiant l'ajournement de ces actes ou procédures officielles.

3. Les entités publiques ont, conformément à la loi, le devoir de collaborer avec les députés pour l'exercice de leurs fonctions.

Article 159
Pouvoirs des députés

Les pouvoirs des députés sont les suivants :

a) présenter des projets de révision constitutionnelle ;
b) présenter des projets de loi ou de résolution et des propositions de délibération ;
c) poser des questions au Gouvernement sur tout acte de celui-ci ou de l'Administration publique et obtenir une réponse dans un délai raisonnable, sous réserve des dispositions de la loi en matière de secret d'État ;
d) demander et obtenir du Gouvernement ou des organes de toute entité publique les éléments, les informations et les publications officielles qu'ils considèrent utiles à l'exercice de leur mandat ;
e) demander la constitution de commissions parlementaires d'enquête ;
f) disposer des pouvoirs que leur confère le règlement de l'Assemblée de la République.

Article 160
Immunités

1. Les députés ne répondent pas civilement, pénalement ou disciplinairement des votes et des opinions qu'ils émettent dans l'exercice de leurs fonctions.

2. Aucun député ne peut être détenu ou arrêté sans l'autorisation de l'Assemblée, sauf pour un crime puni d'une peine de prison supérieure à trois ans et en cas de flagrant délit.

3. Si un procès criminel est intenté contre un député, et que celui-ci est définitivement accusé, excepté en cas de crime puni de la peine indiquée au paragraphe précédent, l'Assemblée décidera si le mandat du député doit ou non être suspendu afin que la procédure puisse suivre son cours.

Article 161
Droits et prérogatives

1. Les députés ne peuvent être jurés, experts ou témoins pendant la période de fonctionnement effective de l'Assemblée sans l'autorisation de celle-ci.

2. Les députés jouissent des droits et prérogatives qui suivent :

a) ajournement du service militaire, du service civique ou de la mobilisation civile ;
b) droit à un laissez-passer et droit à un passeport spécial dans leurs déplacements officiels à l'étranger ;
c) carte d'identité spéciale ;
d) indemnités que la loi prescrira.

Article 162
Devoirs

Les devoirs des députés sont les suivants :

a) assister aux séances plénières et aux réunions des commissions auxquelles ils appartiennent ;
b) s'acquitter de leurs fonctions au sein de l'Assemblée et de celles pour lesquelles ils auront été désignés sur proposition de leur groupe parlementaire ;
c) participer aux votes.

Article 163
Perte du mandat et renonciation à ce mandat

1. Perdent leur mandat les députés qui :

a) se voient frappés d'une des incapacités ou atteints d'une des incompatibilités prévues par la loi ;
b) ne siègent pas à l'Assemblée ou dépassent le nombre d'absences admis par le règlement ;
c) s'inscrivent dans un parti différent de celui qui les a présentés aux élections ;
d) subissent une condamnation judiciaire du fait de leur participation à des organisations ayant une idéologie fasciste.

2. Les députés peuvent, par une déclaration écrite, renoncer à leur mandat.

Chapitre II
Compétence

Article 164
Compétence politique et législative

Il appartient à l'Assemblée de la République :

a) d'approuver les modifications de la Constitution, conformément aux articles 284 à 289 ;
b) d'approuver les statuts politiques et administratifs des régions autonomes ;
c) d'approuver le statut du territoire de Macao ;
d) de légiférer sur toutes les matières, à l'exception de celles qui sont réservées au Gouvernement par la Constitution ;
e) d'accorder au Gouvernement des autorisations législatives ;
f) d'accorder aux assemblées législatives régionales les autorisations prévues à l'alinéa *b* de l'article 229 de la Constitution ;
g) de prononcer des amnisties et d'accorder des pardons généraux ;
h) d'approuver les lois des grandes options des plans et le budget de l'État ;
i) d'autoriser le Gouvernement à lancer des emprunts, à accorder des prêts et à réaliser d'autres opérations de crédit ne constituant pas une dette flottante, en définissant leurs conditions générales respectives, et de définir la limite maximale des cautions que chaque année l'État pourra concéder ;
j) d'approuver les conventions internationales portant sur des matières de sa compétence réservée, les traités concernant la participation du Portugal à des organisations internationales, les traités d'amitié, de paix, de défense, de rectification des frontières, ceux concernant des questions militaires et tous ceux que le Gouvernement jugera bon de lui soumettre ;
l) de proposer au Président de la République de soumettre à référendum d'importantes questions d'intérêt national ;
m) d'autoriser et de confirmer la déclaration de l'état de siège et de l'état d'urgence ;
n) d'autoriser le Président de la République à déclarer la guerre ou à signer la paix ;
o) d'exercer les autres fonctions qui lui sont attribuées par la Constitution et par la loi.

Article 165
Pouvoirs de contrôle

Il appartient à l'Assemblée de la République dans l'exercice de ses fonctions de contrôle :

a) de veiller au respect de la Constitution et des lois et d'apprécier les actes du Gouvernement et de l'Administration ;
b) d'apprécier l'application de l'état de siège ou de l'état d'urgence ;
c) d'examiner les décrets-lois afin d'en refuser la ratification ou de les amender, à l'exception de ceux pris par le Gouvernement dans l'exercice de sa compétence législative exclusive, et les décrets législatifs régionaux prévus à l'alinéa *b* du paragraphe 1er de l'article 229 ;
d) d'examiner les comptes de l'État et des autres entités publiques indiquées par la loi, lesquels seront présentés avant le 31 décembre de l'année suivante, accompagnés du rapport du Tribunal des comptes, s'il est élaboré et des autres éléments nécessaires à leur appréciation ;
e) d'apprécier les rapports d'exécution annuels et finals des plans.

Article 166
Compétence vis-à-vis d'autres organes

Il appartient à l'Assemblée de la République, vis-à-vis d'autres organes :

a) d'assister à l'investiture du Président de la République ;
b) de donner son assentiment à l'absence du Président de la République du territoire national ;
c) de mettre en accusation le Président de la République pour des crimes pratiqués dans l'exercice de ses fonctions et de se prononcer sur la suspension des fonctions des membres du Gouvernement dans les cas prévus à l'article 199 ;
d) d'apprécier le programme du Gouvernement ;
e) de voter les motions de confiance et de censure adressées au Gouvernement ;
f) de suivre et d'apprécier, conformément à la loi, la participation du Portugal au processus de construction de l'Union

européenne (1) ;

g) de se prononcer sur la dissolution des organes du gouvernement des régions autonomes ;

h) d'élire, selon le système de la représentation proportionnelle, cinq membres du Conseil d'État, cinq membres de la Haute Autorité à la communication sociale et les membres du Conseil supérieur du ministère public dont la désignation lui incombe ;

i) d'élire, à la majorité des deux-tiers des députés présents, sous réserve qu'elle soit supérieure à la majorité absolue des députés effectivement en fonction, dix juges du Tribunal constitutionnel, le *Provedor de Justiça,* le président du Conseil économique et social, sept membres du Conseil supérieur de la magistrature et les membres des autres organes constitutionnels dont la désignation lui aura été attribuée.

Article 167

Réserve absolue de compétence législative

Il est de la compétence exclusive de l'Assemblée de la République de légiférer sur les matières suivantes :

a) les élections des membres des organes de souveraineté ;

b) le régime du référendum ;

c) l'organisation, le fonctionnement et la procédure suivie devant le Tribunal constitutionnel ;

d) l'organisation de la défense nationale, la définition des devoirs en découlant et des lois-cadres fixant les principes fondamentaux de l'organisation, du fonctionnement et de la discipline des forces armées ;

e) les régimes de l'état de siège et de l'état d'urgence ;

f) l'acquisition, la perte et la réacquisition de la citoyenneté portugaise ;

g) la définition des limites des eaux territoriales, de la zone économique exclusive et des droits du Portugal aux fonds marins contigus ;

h) les associations et les partis politiques ;

i) les principes fondamentaux du système d'enseignement ;

j) les élections des membres des organes du gouvernement des régions autonomes et du pouvoir local, ainsi que des autres organes constitutionnels ou élus au suffrage direct et universel ;

l) le statut des membres des organes de souveraineté et du pouvoir local, ainsi que des autres organes constitutionnels ou élus au suffrage direct et universel ;

m) l'introduction dans la compétence des tribunaux militaires du jugement des crimes intentionnels assimilables aux crimes militaires par essence, conformément au paragraphe 2 de l'article 215 ;

n) le régime de la création, de la suppression et de la modification territoriale des collectivités locales ;

o) les consultations directes des citoyens électeurs au niveau local ;

p) les restrictions à l'exercice des droits des militaires et des agents des forces militarisées des cadres permanents en service actif.

Article 168

Réserve relative de compétence législative

1. Sauf autorisation législative accordée au Gouvernement, il est de la compétence exclusive de l'Assemblée de la République de légiférer sur les matières suivantes.

a) l'état civil et la capacité des personnes ;

b) les droits, les libertés et les garanties ;

c) la définition des crimes, des peines, des mesures de sûreté et de leurs conditions ainsi que la procédure pénale ;

d) le régime général de la sanction des infractions disciplinaires, ainsi que des actes constituant violation d'une *contra-ordenação* et leurs procédures respectives ;

e) le régime général de la réquisition et de l'expropriation pour motif d'utilité publique ;

f) les principes fondamentaux du système de sécurité sociale et du service national de la santé ;

g) les principes fondamentaux du système de protection de la nature, de l'équilibre écologique et du patrimoine culturel ;

h) le régime des baux ruraux et urbains ;

(1) Alinéa inséré par la révision du 25 novembre 1992.

i) la création d'impôts et le système fiscal ;
j) la définition des secteurs de propriété des moyens de production, y compris celle des secteurs fondamentaux dans lesquels les entreprises privées et les autres entités de même nature ne peuvent exercer leurs activités ;
l) les moyens d'intervenir dans le domaine des moyens de production et des sols, les modalités de leur expropriation, nationalisation et privatisation pour motif d'intérêt public, ainsi que les critères de fixation des indemnisations dans ces premiers cas ;
m) le système de la planification et la composition du Conseil économique et social ;
n) les principes fondamentaux de la politique agricole, incluant la fixation de la taille maximale et minimale des unités d'exploitation agricole privées ;
o) le système monétaire et l'étalonnage des poids et mesures ;
p) le régime général de l'élaboration et de l'organisation des budgets de l'État, des régions autonomes et des collectivités locales ;
q) l'organisation et la compétence des tribunaux et du ministère public, le statut de leurs magistrats respectifs, ainsi que des entités non-juridictionnelles de résolution des conflits ;
r) le régime des services d'information et celui du secret d'État ;
s) le statut des collectivités locales, incluant le régime des finances locales ;
t) la participation des organisations d'habitants à l'exercice du pouvoir local ;
u) les associations publiques, les garanties des administrés et la responsabilité civile de l'Administration ;
v) les principes fondamentaux du régime de la fonction publique et de la délimitation de celle-ci ;
x) les principes fondamentaux du statut des entreprises publiques ;
z) la définition et le régime des biens compris dans le domaine public ;
aa) le régime des moyens de production intégrés dans le secteur de propriété coopératif et social.

2. Les lois d'autorisation législative doivent définir l'objet, le sens, l'étendue et la durée de l'autorisation, laquelle pourra être prolongée.

3. Les autorisations législatives ne peuvent être utilisées plus d'une fois, sans préjudice de leur exécution fractionnée.

4. Les autorisations deviennent caduques lors de la démission du Gouvernement à qui elles auront été accordées, au terme de la législature ou lors de la dissolution de l'Assemblée de la République.

5. Les autorisations accordées au Gouvernement dans le cadre de la loi de budget respectent les dispositions du présent article et, quand elles relèvent du domaine fiscal, ne deviennent caduques qu'au terme de l'année économique concernée.

Article 169
Forme des actes

1. Les actes prévus à l'alinéa *a* de l'article 164 revêtent la forme de loi constitutionnelle.

2. Les actes prévus aux alinéas *a* et *e* de l'article 167 revêtent la forme de loi organique.

3. Les actes prévus aux alinéas *b* à *i* et *m* de l'article 164 revêtent la forme de loi.

4. Les actes prévus aux alinéas *d* et *e* de l'article 167 revêtent la forme de motion.

5. Les autres actes de l'Assemblée de la République ainsi que les actes de la commission permanente prévus aux alinéas *e* et *f* du paragraphe 3 de l'article 182 revêtent la forme de résolution.

6. Les résolutions sont publiées indépendamment de leur promulgation.

Article 170
Initiative de la loi et du référendum

1. L'initiative de la loi et du référendum appartient aux députés, aux groupes parlementaires et au Gouvernement. En ce qui concerne les régions autonomes, l'initiative de la loi appartient à leurs assemblées législatives régionales respectives.

2. Les députés, les groupes parlementaires et les assemblées législatives régionales ne peuvent présenter de projets de loi, de propositions de loi, ou de propositions d'amendement qui conduisent, pendant l'année économique en cours, à l'augmentation des dépenses ou à la diminution des recettes de l'État prévues dans le budget.

3. Les députés et les groupes parlementaires ne peuvent présenter de projets de référendum qui conduisent, pendant l'année économique en cours, à l'augmentation des dépenses ou à la diminution des recettes de l'État prévues dans le budget.

4. Les projets et les propositions de loi et de référendum définitivement rejetés ne peuvent être renouvelés au cours de la même session législative, sauf nouvelle élection de l'Assemblée de la République.

5. Les projets de loi, les propositions de loi du Gouvernement et les projets et propositions de référendum n'ayant pas fait l'objet d'un vote au cours de la session législative durant laquelle ils auront été présentés seront dispensés d'une nouvelle présentation lors de la session législative suivante, à moins que la législature ne vienne à son terme.

6. Les propositions de loi et de référendum deviennent caduques lors de la démission du Gouvernement.

7. Les propositions de loi présentées par les assemblées législatives régionales deviennent caduques au terme de leur respective législature. Celles qui auront déjà fait l'objet d'un vote d'approbation sur l'ensemble ne deviendront caduques qu'au terme de la législature de l'Assemblée de la République.

8. Les commissions parlementaires peuvent présenter des textes alternatifs. Ceux-ci néanmoins ne sauraient remplacer les projets et les propositions de loi et de référendum qui n'auront pas été retirés.

Article 171

Discussion et vote

1. La discussion des projets et des propositions de loi comprend un débat général sur l'ensemble du texte et un autre sur les articles le constituant.

2. La procédure de vote comprend un vote consécutif au débat général, le vote des articles et un vote sur l'ensemble.

3. Si l'Assemblée en délibère ainsi, les textes approuvés à l'issue du débat général font l'objet d'un vote par article en commission, sans préjudice du vote des articles par l'Assemblée elle-même et du vote sur l'ensemble auquel elle procède en dernier lieu.

4. Les lois portant sur les matières prévues aux alinéas *a* à *f*, *h*, *n* et *p* de l'article 167 ainsi qu'à l'alinéa *s* du paragraphe 1er de l'article 168 sont obligatoirement votées par article en séance plénière.

5. Les lois organiques doivent être approuvées, lors du vote sur l'ensemble, à la majorité absolue des députés effectivement en fonction.

6. Les dispositions des lois qui régissent les matières indiquées aux paragraphes 1er et 2 de l'article 152 et à l'alinéa *p* de l'article 167 doivent être approuvées à la majorité des deux tiers des députés présents, sous réserve qu'elle soit supérieure à la majorité absolue des députés effectivement en fonction.

Article 172

Ratification des décrets-lois

1. Les décrets-lois, à l'exception de ceux approuvés par le Gouvernement dans l'exercice de sa compétence législative exclusive, peuvent être soumis à l'appréciation de l'Assemblée de la République, afin qu'elle les amende ou en refuse la ratification, à la demande de dix députés au cours des dix premières séances plénières suivant leur publication.

2. Lorsqu'un décret-loi pris en vertu d'une autorisation législative fait l'objet d'une demande d'appréciation et que des propositions d'amendement sont présentées, l'Assemblée pourra suspendre l'application de tout ou partie du décret-loi, jusqu'à la publication de la loi qui viendra le modifier ou jusqu'à ce que toutes les propositions d'amendements aient été rejetées.

3. La suspension prend fin au terme de la dixième séance plénière quand l'Assemblée ne se sera pas définitivement prononcée sur la ratification.

4. Si la ratification est rejetée, le décret-loi cessera d'être en vigueur à partir du jour de la publication de la résolution dans le *Diário da República* [1] et il ne pourra être de nouveau pris au cours de la même session législative.

---

(1) *Journal officiel.*

5. Quand, l'examen ayant été demandé, l'Assemblée ne se sera pas prononcée à son sujet ou quand, après avoir décidé d'introduire des amendements, elle n'aura pas voté la loi rectificative avant le terme de la session législative en cours, dès lors que quinze séances plénières auront eu lieu, la procédure de ratification sera considérée caduque.

Article 173
Procédure d'urgence

1. A la demande de tout député, de tout groupe parlementaire ou du Gouvernement, l'Assemblée de la République peut adopter la procédure d'urgence pour l'examen de tout projet ou de toute proposition de loi ou de résolution.

2. A la demande des assemblées législatives régionales des Açores ou de Madère, l'Assemblée peut également adopter la procédure d'urgence pour l'examen de toute proposition de loi de leur initiative.

Chapitre III
Organisation et fonctionnement

Article 174
Législature

1. La législature a une durée correspondant à quatre sessions législatives.

2. En cas de dissolution, l'Assemblée nouvellement élue commence une nouvelle législature dont la durée sera au préalable augmentée du temps nécessaire à la conclusion de la session législative en cours à la date de son élection.

Article 175
Dissolution

1. L'Assemblée de la République ne peut être dissoute dans les six mois suivant son élection, au cours du dernier semestre du mandat du Président de la République ou pendant l'état de siège ou l'état d'urgence.

2. L'inobservation des dispositions du paragraphe précédent entraîne l'inexistence juridique du décret de dissolution.

3. La dissolution de l'Assemblée ne remet pas en cause le mandat des députés ni la compétence de la commission permanente avant la première réunion de l'Assemblée consécutive aux élections.

Article 176
Réunion après les élections

1. L'Assemblée de la République se réunit de plein droit le troisième jour suivant la fixation des résultats définitifs des élections ou, s'agissant des élections au terme de la législature et si ce jour est antérieur au terme de celle-ci, le premier jour de la législature suivante.

2. Si cette date ne correspond pas à la période normale de fonctionnement de l'Assemblée, celle-ci se réunira en vue des dispositions de l'article 178.

Article 177
Session législative, période de fonctionnement et convocation

1. La session législative a une durée d'un an et débute le 15 octobre.

2. La période normale de fonctionnement de l'Assemblée de la République s'étend du 15 octobre au 15 juin, sans préjudice des suspensions décidées par l'Assemblée, à la majorité des deux tiers des députés présents.

3. L'Assemblée de la République peut siéger en dehors de la période indiquée dans le paragraphe précédent, par une décision en séance plénière prorogeant la période normale de fonctionnement, à la demande de la commission permanente ou, en cas d'empêchement de celle-ci et de grave urgence, à la demande de plus de la moitié des députés.

4. L'Assemblée peut également être convoquée de façon extraordinaire par le Président de la République pour traiter de questions particulières.

5. Les commissions peuvent fonctionner indépendamment de la réunion de l'Assemblée en séance plénière, moyennant délibération de celle-ci, conformément au paragraphe 2.

Article 178
Compétence interne de l'Assemblée

Il appartient à l'Assemblée de la République :

a) d'élaborer et d'approuver son règlement, conformément à la Constitution ;
b) d'élire à la majorité des députés effectivement en fonction son président et les autres membres du bureau. Les quatre vice-présidents seront élus sur proposi-

tion des quatre groupes parlementaires les plus importants ;

c) de constituer sa commission permanente et les autres commissions.

Article 179

Ordre du jour des séances plénières

1. L'ordre du jour est fixé par le président de l'Assemblée de la République selon un ordre de priorité des matières déterminé par le règlement, sans préjudice du droit de recours devant l'Assemblée réunie en séance plénière et de la compétence du Président de la République prévue au paragraphe 4 de l'article 177.

2. Le Gouvernement peut demander l'inscription prioritaire à l'ordre du jour de sujets d'intérêt national exigeant une décision urgente.

3. Tous les groupes parlementaires ont le droit de déterminer l'ordre du jour d'un certain nombre de séances, selon un critère que le règlement déterminera. La position des partis minoritaires ou de ceux qui ne sont pas représentés au Gouvernement sera toujours prise en considération.

Article 180

Participation des membres du Gouvernement

1. Les ministres ont le droit d'assister aux séances plénières de l'Assemblée de la République. Ils peuvent se faire assister ou remplacer par les secrétaires d'État et les uns et les autres peuvent prendre la parole conformément au règlement de l'Assemblée.

2. Il sera prévu des séances auxquelles les membres du Gouvernement seront présents pour répondre aux questions et aux demandes d'éclaircissement des députés, formulées oralement ou par écrit. Elles auront lieu au moins selon la périodicité établie par le règlement et à des dates qui seront fixées en accord avec le Gouvernement.

3. Les commissions peuvent demander la participation de membres du Gouvernement à leurs travaux.

Article 181

Commissions

1. L'Assemblée de la République a les commissions prévues par son règlement. Elle peut créer des commissions d'enquête ou à toute autre fin déterminée.

2. La composition des commissions correspond à la représentativité des partis au sein de l'Assemblée de la République.

3. Les pétitions adressées à l'Assemblée sont appréciées par les commissions ou par celle spécialement créée à cet effet qui pourra entendre les autres commissions compétentes en raison de la matière. Dans tous les cas, l'audition de tout citoyen pourra être demandée.

4. Sans préjudice de leur constitution suivant les conditions générales, les commissions parlementaires d'enquête sont obligatoirement créées dès que la demande en est faite par un cinquième des députés en droit d'exercer leur mandat, dans la limite d'une commission par député et par session parlementaire.

5. Les commissions parlementaires d'enquête disposent des pouvoirs d'investigation reconnus aux autorités judiciaires.

6. Les présidences des commissions sont réparties entre les groupes parlementaires, proportionnellement au nombre de leurs députés.

Article 182

Commission permanente

1. La commission permanente fonctionne en dehors de la période normale de fonctionnement de l'Assemblée de la République, pendant la période au cours de laquelle elle se trouverait dissoute et dans les autres cas prévus par la Constitution.

2. La commission permanente est présidée par le président de l'Assemblée de la République. Elle est composée des vice-présidents et des députés désignés par tous les partis, conformément à leur représentativité au sein de l'Assemblée.

3. Il appartient à la commission permanente :

a) de suivre l'activité du Gouvernement et de l'Administration ;

b) d'exercer les pouvoirs de l'Assemblée relativement au mandat des députés ;

c) de provoquer la convocation de l'Assemblée chaque fois que nécessaire ;

d) de préparer l'ouverture de la session législative ;

e) de donner son assentiment à l'absence du Président de la République du territoire national ;

f) d'autoriser le Président de la République à déclarer l'état de siège ou l'état d'urgence, à déclarer la guerre ou à faire la paix.

4. Dans le cas prévu à l'alinéa *f* du paragraphe précédent, la commission permanente devra procéder à la convocation de l'Assemblée dans les plus brefs délais.

Article 183
Groupes parlementaires

1. Les députés élus par chaque parti ou coalition de partis peuvent se constituer en groupe parlementaire.

2. Chaque groupe parlementaire dispose des droits suivants :

a) de participer aux commissions de l'Assemblée en fonction du nombre de ses membres, en désignant ses représentants aux commissions ;
b) d'être consulté sur la fixation de l'ordre du jour et de faire appel devant l'Assemblée réunie en séance plénière de l'ordre du jour fixé ;
c) de provoquer, par l'interpellation du Gouvernement, l'ouverture de deux débats par session législative sur un sujet de politique générale ou sectorielle ;
d) de demander à la commission permanente de procéder à la convocation de l'Assemblée ;
e) de réclamer la constitution de commissions parlementaires d'enquête ;
f) d'exercer l'initiative législative ;
g) de présenter des motions de rejet du programme de Gouvernement ;
h) de présenter des motions de censure du Gouvernement ;
i) d'être tenu informé, régulièrement et directement, par le Gouvernement des principaux sujets d'intérêt public.

3. Chaque groupe parlementaire a le droit de disposer de locaux de travail au siège de l'Assemblée, ainsi que du personnel administratif et technique de sa confiance, dans des conditions que la loi déterminera.

Article 184
Fonctionnaires et spécialistes au service de l'Assemblée

Les travaux de l'Assemblée et de ses commissions sont réalisés à l'aide d'un corps permanent de fonctionnaires techniques et administratifs et de spécialistes détachés ou employés temporairement, aussi nombreux que le président le jugera utile.

Titre IV
Gouvernement

Chapitre I
Fonction et structure

Article 185
Définition

Le Gouvernement est l'organe qui conduit la politique générale du pays et l'organe supérieur de l'Administration publique.

Article 186
Composition

1. Le Gouvernement est constitué du Premier ministre, des ministres et des secrétaires et sous-secrétaires d'État.

2. Le Gouvernement peut comprendre un ou plusieurs vice-premiers ministres.

3. Le nombre, l'appellation et les attributions des ministères et des secrétariats d'État ainsi que les formes de leur coordination seront déterminés, selon les cas, par les décrets de nomination de leurs titulaires ou par décret-loi.

Article 187
Conseil des ministres

1. Le Conseil des ministres est constitué du Premier ministre, des vice-premiers ministres s'il y a lieu, et des ministres.

2. La loi peut instituter des Conseils des ministres spécialisés en raison de la matière.

3. Les secrétaires et sous-secrétaires d'État peuvent être invités à participer aux réunions du Conseil des ministres.

Article 188
Remplacement des membres du Gouvernement

1. Lorsque le Gouvernement ne comprend pas de vice-premier ministre, le Premier ministre est remplacé, en cas d'absence ou d'empêchement par le ministre qu'il aura indiqué au Président de la République ou, à défaut d'indication, par le ministre qui sera désigné par le Président de la République.

2. Chaque ministre sera remplacé, en cas d'absence ou d'empêchement par le secrétaire d'État qu'il aura indiqué au Premier ministre ou, à défaut d'indication, par le membre du Gouvernement que le Premier ministre désignera.

Article 189

Début et cessation des fonctions

1. Les fonctions de Premier ministre débutent lors de son investiture et cessent lors de sa révocation par le Président de la République.

2. Les fonctions des autres membres du Gouvernement débutent à leur investiture et cessent lors de leur révocation ou à la révocation du Premier ministre.

3. Les fonctions de secrétaires et de sous-secrétaires d'État cessent également lors de la révocation de leur ministre.

4. En cas de démission du Gouvernement, le Premier ministre du Gouvernement est destitué de ses fonctions à la date de la nomination et de l'investiture du nouveau Premier ministre.

5. Avant l'examen de son programme par l'Assemblée de la République ainsi qu'après sa démission, le Gouvernement se limitera à l'exercice des actes strictement nécessaires à la gestion des affaires publiques.

Chapitre II
Formation et responsabilité

Article 190

Formation

1. Le Premier ministre est nommé par le Président de la République en fonction des résultats électoraux, après que celui-ci a entendu les partis représentés à l'Assemblée de la République.

2. Les autres membres du Gouvernement sont nommés par le Président de la République sur proposition du Premier ministre.

Article 191

Programme du Gouvernement

Le programme du Gouvernement comprendra les principales orientations politiques et les mesures à adopter ou à proposer dans les différents domaines de l'activité gouvernementale.

Article 192

Solidarité gouvernementale

Les membres du Gouvernement sont liés par le programme du Gouvernement et par les décisions prises en Conseil des ministres.

Article 193

Responsabilité du Gouvernement

Le Gouvernement est responsable devant le Président de la République et l'Assemblée de la République.

Article 194

Responsabilité des membres du Gouvernement

1. Le Premier ministre est responsable devant le Président de la République et, en vertu de la responsabilité politique du Gouvernement, devant l'Assemblée de la République.

2. Les vice-premiers ministres et les ministres sont responsables devant le Premier ministre et, en vertu de la responsabilité politique du Gouvernement, devant l'Assemblée de la République.

3. Les secrétaires et sous-secrétaires d'État sont responsables devant le Premier ministre et devant leur ministre.

Article 195

Appréciation du programme du Gouvernement

1. Le programme du Gouvernement est soumis à l'appréciation de l'Assemblée de la République par une déclaration du Premier ministre, dans un délai maximum de dix jours à compter de sa nomination.

2. Quand l'Assemblée de la République ne se trouvera pas réunie, elle sera obligatoirement convoquée à cet effet par son président.

3. Le débat ne peut excéder trois jours. Jusqu'à la clôture de celui-ci, tout groupe parlementaire peut proposer le rejet du programme et le Gouvernement demander l'approbation d'un vote de confiance.

4. Le rejet du programme du Gouvernement exige la majorité absolue des députés effectivement en fonction.

Article 196

Demande d'un vote de confiance

Le Gouvernement peut demander à l'Assemblée de la République d'approuver par un vote de confiance une déclaration de politique générale ou concernant tout autre important sujet d'intérêt national.

Article 197

Motions de censure

1. L'Assemblée de la République peut voter des motions de censure contre le Gouvernement concernant l'exécution de son programme ou sur tout sujet important d'intérêt national, à la demande d'un quart des députés effectivement en fonction ou de tout groupe parlementaire.

2. Les motions de censure ne peuvent être examinées que quarante-huit heures après leur présentation, au cours d'un débat dont la durée ne sera pas supérieure à trois jours.

3. Si la motion de censure n'est pas approuvée, ses signataires ne peuvent en présenter une autre au cours de la même session législative.

Article 198

Démission du Gouvernement

1. Les circonstances suivantes entraînent la démission du Gouvernement :

a) le début d'une nouvelle législature ;

b) l'acceptation par le Président de la République de la demande de démission présentée par le Premier ministre ;

c) la mort du Premier ministre ou des problèmes de santé durables rendant impossible l'exercice de ses fonctions ;

d) le rejet du programme du Gouvernement ;

e) la non-approbation d'une question de confiance ;

f) l'approbation d'une motion de censure à la majorité absolue des députés effectivement en fonction.

2. Le Président de la République ne peut révoquer le Gouvernement que lorsque ceci s'avère nécessaire au fonctionnement régulier des institutions démocratiques, et après consultation du Conseil d'État.

Article 199

Mise en jeu de la responsabilité pénale des membres du Gouvernement

Si un procès criminel est engagé contre un membre du Gouvernement et que celui-ci est définitivement accusé, excepté en cas de crime puni d'une peine de prison supérieure à trois ans, l'Assemblée de la République décide si le membre du Gouvernement doit, ou non, être suspendu de ses fonctions afin que la procédure puisse suivre son cours.

Chapitre III
Compétence

Article 200

Compétence politique

1. Il appartient au Gouvernement dans l'exercice de ses fonctions politiques :

a) de contresigner les actes du Président de la République, conformément à l'article 143 ;

b) de négocier et de parfaire les conventions internationales ;

c) d'approuver les conventions internationales dont l'approbation n'est pas de la compétence de l'Assemblée de la République ou dans le cas où elles ne lui auraient pas été soumises ;

d) de présenter des propositions de loi ou de résolution à l'Assemblée de la République ;

e) de proposer au Président de la République de soumettre à référendum d'importantes questions d'intérêt national, conformément à l'article 118 ;

f) de se prononcer sur la déclaration de l'état de siège ou de l'état d'urgence ;

g) de proposer au Président de la République de déclarer la guerre ou de signer la paix ;

h) de présenter à l'Assemblée de la République, conformément à l'alinéa *d* de l'article 165, les comptes de l'État et des autres entités publiques déterminées par la loi ;

i) de présenter en temps utile à l'Assemblée de la République, conformément aux dispositions de l'alinéa *f* de l'article 166, l'information relative au processus de construction de l'Union européenne [1] ;

j) d'accomplir les autres actes qui lui sont attribués par la Constitution ou par la loi.

---

(1) Alinéa inséré par la révision du 25 novembre 1992.

2. L'approbation par le Gouvernement de traités et d'accords internationaux revêt la forme de décret.

Article 201
Compétence législative

1. Il appartient au Gouvernement dans l'exercice de ses fonctions législatives :

a) de prendre des décrets-lois dans les matières qui ne sont pas réservées à l'Assemblée de la République ;
b) de prendre des décrets-lois dans les matières de la compétence réservée relative de l'Assemblée, sur l'autorisation de celle-ci ;
c) de prendre des décrets-lois précisant l'application des lois qui portent sur les principes généraux et les textes fondamentaux des régimes juridiques.

2. Les matières relatives à l'organisation et au fonctionnement du Gouvernement relèvent exclusivement de la compétence législative de celui-ci.

3. Les décrets-lois prévus aux alinéas *b* et *c* du paragraphe 1er doivent indiquer expressément la loi d'autorisation législative ou le texte fondamental en vertu duquel ils sont pris.

Article 202
Compétence administrative

Il appartient au Gouvernement, dans l'exercice de ses fonctions administratives :

a) d'élaborer les plans, sur la base des lois définissant leurs grandes options, et de les faire exécuter ;
b) de faire exécuter le budget de l'État ;
c) de prendre les règlements nécessaires à la bonne exécution des lois ;
d) de diriger les services et l'activité de l'Administration civile et militaire sous la dépendance directe de l'État, de superviser l'Administration sous la dépendance indirecte de l'État et d'exercer sa tutelle sur l'Administration autonome ;
e) d'accomplir tous les actes exigés par la loi concernant les fonctionnaires, les agents de l'État et les autres personnes morales de droit public ;
f) de défendre la légalité démocratique ;
g) d'accomplir tous les actes et de prendre toutes les mesures nécessaires au développement économique et social et à la satisfaction des besoins collectifs.

Article 203
Compétence du Conseil des ministres

1. Il appartient au Conseil des ministres :

a) de définir les grandes lignes de la politique gouvernementale, ainsi que celles de son exécution ;
b) de décider de poser la question de confiance à l'Assemblée de la République ;
c) d'approuver les propositions de loi et de résolution ;
d) d'approuver les décrets-lois ainsi que les conventions internationales qui ne sont pas soumises à l'Assemblée de la République ;
e) d'approuver les plans ;
f) d'approuver les actes du Gouvernement qui conduisent à une augmentation ou à une diminution des recettes ou des dépenses publiques ;
g) de délibérer sur les autres sujets de la compétence du Gouvernement qui lui sont attribués par la loi ou présentés par le Premier ministre ou par tout ministre.

2. Les Conseils des ministres spécialisés exercent la compétence qui leur sera attribuée par la loi ou déléguée par le Conseil des ministres.

Article 204
Compétence des membres du Gouvernement

1. Il appartient au Premier ministre :

a) de diriger la politique générale du Gouvernement, en coordonnant et en orientant l'action de tous les ministres ;
b) de diriger le fonctionnement du Gouvernement et ses relations de caractère général avec les autres organes de l'État ;
c) d'informer le Président de la République des sujets relatifs à la conduite de la politique interne et externe du pays ;
d) d'exercer les autres fonctions qui lui sont attribuées par la Constitution ou par la loi.

2. Il appartient aux ministres :

a) d'exécuter la politique définie pour leur ministère ;

b) d'assurer les relations de caractère général entre le Gouvernement et les autres organes de l'État, dans le cadre de leur ministère.

3. Les décrets-lois et les autres décrets du Gouvernement sont signés par le Premier ministre et par les ministres compétents en raison de la matière.

Titre V
Tribunaux

Chapitre I
Principes généraux

Article 205
Fonction juridictionnelle

1. Les tribunaux sont les organes de souveraineté compétents pour administrer la justice au nom du peuple.

2. Dans l'administration de la justice, il incombe aux tribunaux d'assurer la défense des droits et des intérêts légalement protégés des citoyens, de sanctionner la violation de la légalité démocratique et de résoudre les conflits d'intérêts public et privé.

3. Dans l'exercice de leurs fonctions, les tribunaux ont droit à l'assistance des autres autorités.

4. La loi pourra institutionnaliser des instruments et des formes de règlement non-juridictionnel des conflits.

Article 206
Indépendance

Les tribunaux sont indépendants et ne sont soumis qu'à la loi.

Article 207
Appréciation de l'inconstitutionnalité

Les tribunaux ne peuvent appliquer aux faits occasionnant un jugement des normes qui enfreignent les dispositions de la Constitution ou les principes qui y sont consignés.

Article 208
Décisions des tribunaux

1. Les décisions des tribunaux sont motivées dans les cas et dans les conditions prévus par la loi.

2. Les décisions des tribunaux s'imposent à toutes les entités publiques et privées et prévalent sur celles de toute autre autorité.

3. La loi fixe les conditions de l'exécution des décisions des tribunaux relativement à toute autorité et détermine les sanctions à appliquer aux responsables de leur inexécution.

Article 209
Audiences des tribunaux

Les audiences des tribunaux sont publiques, sauf quand le tribunal lui-même en décide autrement, par décision motivée, afin de sauvegarder la dignité des personnes et la morale publique ou pour assurer son fonctionnement normal.

Article 210
Jury, participation populaire et expertise

1. Le jury est composé des juges du tribunal collectif et des jurés. Il intervient dans le jugement des crimes graves, à l'exception de ceux de terrorisme, quand l'accusation ou la défense le demandera.

2. La loi pourra prévoir l'intervention de juges non professionnels pour le jugement des questions de travail, d'infractions contre la santé publique, des petits délits ou dans d'autres cas justifiant une évaluation particulière des valeurs sociales atteintes.

3. La loi pourra établir également la participation de consultants techniquement qualifiés pour le jugement de matières déterminées.

Chapitre II
Organisation des tribunaux

Article 211
Catégories de tribunaux

1. Hormis le Tribunal constitutionnel, il existe les catégories suivantes de tribunaux :

a) le Tribunal suprême de justice et les tribunaux judiciaires de première et de seconde instance ;
b) le Tribunal suprême administratif et les autres tribunaux administratifs et fiscaux ;
c) le Tribunal des comptes ;
d) les tribunaux militaires.

2. Il peut exister des tribunaux maritimes et des juridictions arbitrales.

3. La loi détermine les cas et les formes dans lesquels les tribunaux prévus aux paragraphes précédents peuvent se constituer, séparément ou conjointement, en tribunaux de conflits.

4. Sans préjudice des dispositions relatives aux tribunaux militaires, l'existence de tribunaux exclusivement compétents pour le jugement de certaines catégories de crimes est interdite.

Article 212

Tribunal suprême de justice et tribunaux de première et de seconde instance

1. Le Tribunal suprême de justice est l'organe supérieur de la hiérarchie des tribunaux judiciaires, sans préjudice de la compétence propre du Tribunal constitutionnel.

2. Le président du Tribunal suprême de justice est élu par les juges le constituant.

3. Les tribunaux de première instance sont, en règle générale, les tribunaux de *comarca* (1), auxquels les tribunaux mentionnés au paragraphe 2 de l'article suivant sont assimilés.

4. Les tribunaux de seconde instance sont en règle générale les tribunaux de la Relation (2).

5. Le Tribunal suprême de justice statuera comme tribunal d'instance dans les cas que la loi déterminera.

Article 213

Compétence et spécialisation des tribunaux judiciaires

1. Les tribunaux judiciaires sont les tribunaux de droit commun en matière civile et pénale. Ils statuent sur toutes les matières qui ne sont pas attribuées à des tribunaux appartenant à un autre ordre de juridiction.

2. En première instance, on pourra avoir des tribunaux avec une compétence spécifique et des tribunaux spécialisés pour le jugement de matières déterminées.

3. Les tribunaux de la Relation et le Tribunal suprême de justice peuvent siéger en sections spécialisées.

Article 214

Tribunaux administratifs et fiscaux

1. Le Tribunal suprême administratif est l'organe supérieur de la hiérarchie des tribunaux administratifs et fiscaux, sans préjudice de la compétence propre du Tribunal constitutionnel.

2. Le président du Tribunal suprême administratif est élu par les juges le composant et parmi eux.

3. Il appartient aux tribunaux administratifs et fiscaux de statuer sur les actions contentieuses et les recours juridictionnels afin de résoudre les litiges nés des relations juridiques de caractère administratif ou fiscal.

Article 215

Tribunaux militaires

1. Il appartient aux tribunaux militaires de juger les crimes essentiellement militaires.

2. La loi, pour des motifs importants, pourra inclure dans la compétence des tribunaux militaires des crimes intentionnels assimilables à ceux prévus au paragraphe 1er.

3. La loi peut attribuer aux tribunaux militaires compétence pour l'application de mesures disciplinaires.

Article 216

Tribunal des comptes

1. Le Tribunal des comptes est l'organe suprême du contrôle de la légalité des dépenses publiques et de la vérification des comptes que la loi lui soumettra. Il lui appartient notamment :

a) d'émettre un avis sur les comptes généraux de l'État incluant ceux de la sécurité sociale et ceux des régions autonomes ;

b) d'engager des poursuites pour infractions financières, conformément à la loi ;

c) d'exercer les autres compétences qui lui auront été attribuées par la loi.

2. Le Tribunal des comptes peut fonctionner de façon décentralisée, par section régionale, conformément à la loi.

---

(1) Division territoriale fondamentale en matière judiciaire.
(2) Équivalent des cours d'appel françaises.

Chapitre III
Statut des juges

Article 217
Magistrature des tribunaux judiciaires

1. Les juges des tribunaux judiciaires forment un corps unique et sont soumis à un seul et même statut.

2. La loi détermine les conditions requises et les règles de recrutement des juges des tribunaux judiciaires de première instance.

3. Les juges des tribunaux judiciaires de seconde instance sont recrutés dans le corps des juges des tribunaux de première instance, en privilégiant le critère du mérite, par concours sur examen du curriculum vitae.

4. L'accès au Tribunal suprême de justice a lieu par concours ouvert aux magistrats du siège et du ministère public et aux autres juristes de mérite, dans les conditions que la loi déterminera.

Article 218
Garanties et incompatibilité

1. Les juges sont inamovibles. Ils ne pourront être mutés, suspendus, mis à la retraite ou démis de leurs fonctions en dehors des cas prévus par la loi.

2. Les juges ne peuvent être tenus pour responsables de leurs décisions, sauf exceptions consignées dans la loi.

3. Les juges en exercice ne peuvent exercer aucune autre fonction, publique ou privée, hormis les fonctions d'enseignement ou de recherche scientifique de nature juridique et non rémunérées, conformément à la loi.

4. Les juges en exercice ne peuvent être nommés pour participer à des commissions de service étrangères à l'activité des tribunaux sans autorisation du conseil supérieur compétent.

Article 219
Nomination, affectation, mutation et avancement des juges

1. La nomination, l'affectation, la mutation et l'avancement des juges des tribunaux judiciaires ainsi que l'exercice de l'action disciplinaire à leur encontre appartiennent au Conseil supérieur de la magistrature, conformément à la loi.

2. La nomination, l'affectation, la mutation et l'avancement des juges des tribunaux administratifs et fiscaux, ainsi que l'exercice de l'action disciplinaire à leur encontre appartiennent à leurs conseils supérieurs, conformément à la loi.

3. La loi définit les règles et détermine l'autorité compétente pour décider de la nomination, de l'affectation, de la mutation et de l'avancement des juges des autres tribunaux, ainsi que pour exercer l'action disciplinaire à leur encontre, en respectant les garanties prévues par la Constitution.

Article 220
Conseil supérieur de la magistrature

1. Le Conseil supérieur de la magistrature est présidé par le président du Tribunal suprême de justice. Sa composition est la suivante :

a) deux membres désignés par le Président de la République dont l'un est magistrat du siège ;
b) sept membres élus par l'Assemblée de la République ;
c) sept juges élus par leurs pairs, selon le principe de la représentation proportionnelle.

2. Les règles sur les garanties des juges sont applicables à tous les membres du Conseil supérieur de la magistrature.

3. La loi pourra prévoir que des fonctionnaires de justice élus par leurs pairs feront partie du Conseil supérieur de la magistrature. Ils ne prendront part qu'à la discussion et au vote concernant des matières relatives à l'appréciation du mérite professionnel et à l'exercice de la fonction disciplinaire vis-à-vis des fonctionnaires de la justice.

Chapitre IV
Ministère public

Article 221
Fonctions et statut

1. Il appartient au ministère public de représenter l'État, d'exercer l'action publique, de défendre la légalité démocratique et les intérêts déterminés par la loi.

2. Le ministère public bénéficie d'un statut qui lui est propre et jouit de l'autonomie, conformément à la loi.

3. Les agents du ministère public sont des magistrats responsables intégrés à une hiérarchie et qui ne peuvent être mutés, mis à la retraite, suspendus ou démis de leurs fonctions hormis les cas prévus par la loi.

4. La nomination, l'affectation, la mutation et l'avancement des agents du ministère public ainsi que l'exercice de l'action disciplinaire à leur encontre appartiennent à la *Procuradoria-Geral da República* (1).

Article 222
Procuradoria-Geral da República

1. La *Procuradoria-Geral da República* est l'organe supérieur du ministère public. Sa composition et sa compétence sont définies par la loi.

2. La *Procuradoria-Geral da República* est présidée par le procureur général de la République et comprend le Conseil supérieur du ministère public qui inclut des membres élus par l'Assemblée de la République et des membres élus parmi leurs pairs par les magistrats du ministère public.

Titre VI
Tribunal constitutionnel

Article 223
Définition

Le Tribunal constitutionnel est le tribunal spécifiquement compétent pour administrer la justice dans les matières de nature juridico-constitutionnelle.

Article 224
Composition et statut des juges

1. Le Tribunal constitutionnel est composé de treize juges. Dix sont désignés par l'Assemblée de la République et les trois autres cooptés par ceux-ci.

2. Six juges, désignés par l'Assemblée de la République ou cooptés, sont obligatoirement choisis parmi les juges des tribunaux, les autres parmi les juristes.

3. Les juges du Tribunal constitutionnel sont nommés pour six ans.

4. Le président du Tribunal constitutionnel est élu par les juges le constituant.

5. Les juges du Tribunal constitutionnel jouissent des garanties de l'indépendance, de l'inamovibilité, de l'impartialité et de l'irresponsabilité et ils sont soumis aux mêmes incompatibilités que les juges des autres tribunaux.

6. La loi établit les autres règles relatives au statut des juges du Tribunal constitutionnel.

Article 225
Compétence

1. Il appartient au Tribunal constitutionnel d'apprécier l'inconstitutionnalité et l'illégalité, conformément aux articles 277 et suivants.

2. Il appartient également au Tribunal constitutionnel :

a) de constater la mort du Président de la République, de déclarer impossible la poursuite du mandat du fait de problèmes de santé durables, ainsi que de constater les empêchements temporaires à l'exercice des fonctions ;

b) de constater la perte de la charge du Président de la République, dans les cas prévus au paragraphe 3 de l'article 132 et au paragraphe 3 de l'article 133 ;

c) de juger en dernière instance la régularité et la validité des actes de la procédure électorale, conformément à la loi ;

d) de constater la mort et de déclarer l'incapacité d'exercice de la fonction présidentielle de tout candidat aux élections du Président de la République, conformément aux dispositions du paragraphe 3 de l'article 127 ;

e) de vérifier la légalité de la constitution des partis politiques et de leurs coalitions, ainsi que d'apprécier la légalité de leur appellation, sigle et symbole, et d'ordonner leur extinction, conformément à la Constitution et à la loi ;

f) de vérifier préalablement la constitutionnalité et la légalité des référendums et des consultations directes des électeurs au niveau local.

3. Il appartient également au Tribunal constitutionnel d'exercer les autres fonctions qui lui sont attribuées par la Constitution et par la loi.

(1) Organe supérieur du ministère public présidé par le procureur général de la République.

Article 226

Organisation et fonctionnement

1. La loi établit les règles relatives au siège, à l'organisation et au fonctionnement du Tribunal constitutionnel.

2. La loi prévoit et réglemente le fonctionnement du Tribunal constitutionnel par sections non spécialisées pour effectuer le contrôle concret de la constitutionnalité et de la légalité ou pour l'exercice d'autres compétences définies par la loi.

3. La loi réglemente le recours devant l'assemblée plénière du Tribunal constitutionnel des décisions contradictoires des sections concernant l'application de la loi.

Titre VII
Régions autonomes

Article 227

Régime politique et administratif des Açores et de Madère

1. Le régime politique et administratif propre aux archipels des Açores et de Madère est fondé sur les caractéristiques géographiques, économiques, sociales et culturelles de ces régions et sur les immémoriales aspirations autonomistes des populations insulaires.

2. L'autonomie des régions vise à la participation des citoyens à la vie démocratique, au développement économique et social et au respect et à la défense des intérêts régionaux, ainsi qu'au renforcement de l'unité nationale et des liens de solidarité entre tous les Portugais.

3. L'autonomie politique et administrative régionale ne porte pas atteinte à la souveraineté de l'État. Elle s'exerce dans le cadre de la Constitution.

Article 228

Statuts

1. Les projets de statuts politiques et administratifs des régions autonomes seront élaborés par les assemblées législatives régionales et adressés pour discussion et approbation à l'Assemblée de la République.

2. Si l'Assemblée de la République rejette le projet ou y introduit des modifications, elle le remet à l'assemblée législative régionale pour qu'elle l'apprécie et émette un avis.

3. Une fois l'avis émis, l'Assemblée de la République procède à la discussion et à la délibération finale.

4. Le régime prévu aux paragraphes précédents s'applique aux modifications des statuts.

Article 229

Pouvoirs des régions autonomes

1. Les régions autonomes sont des personnes morales de droit public. Elles disposent de pouvoirs qui seront précisés dans leur statut et qui sont les suivants :

a) légiférer dans le respect de la Constitution et des lois générales de la République, sur les matières intéressant spécifiquement les régions et qui ne sont pas réservées à la compétence propre des organes de souveraineté ;

b) légiférer, sur autorisation de l'Assemblée de la République et dans le respect de la Constitution, sur les matières intéressant spécifiquement les régions et qui ne sont pas réservées à la compétence propre des organes de souveraineté ;

c) préciser, en fonction de l'intérêt spécifique des régions, les lois qui posent les principes fondamentaux dans les matières qui ne sont pas réservées à la compétence de l'Assemblée de la République, ainsi que celles prévues aux alinéas *f*, *g*, *n*, *v* et *x* du paragraphe 1er de l'article 168 ;

d) réglementer l'application de la législation régionale et des lois générales émanant des organes de souveraineté qui ne réservent pas à ces organes le pouvoir réglementaire ;

e) exercer l'initiative en matière de statut, conformément à l'article 228 ;

f) exercer l'initiative législative, conformément au paragraphe 1er de l'article 170, en présentant à l'Assemblée de la République des propositions de loi et des propositions d'amendement ;

g) exercer leur propre pouvoir exécutif ;

h) administrer leur patrimoine et en disposer, accomplir les actes et signer les contrats qui les intéressent ;,

i) exercer leur pouvoir de créer des impôts, conformément à la loi, disposer des recettes fiscales ainsi perçues et de celles qui leur sont attribuées et les affecter à leurs dépenses, ainsi qu'adapter le système fiscal national aux spécificités régionales, conformément à la loi-cadre de l'Assemblée de la République ;

j) créer et supprimer des collectivités locales et en modifier la superficie, conformément à la loi ;.

l) exercer un pouvoir de tutelle sur les collectivités locales ;

m) élever des localités au rang de *vilas* (1) ou de *cidades* (2) ;

n) superviser les services, les instituts publics, les entreprises publiques et nationalisées qui exercent exclusivement ou de manière prédominante leur activité dans la région et exercer cette supervision dans les autres cas où l'intérêt régional le justifie ;

o) approuver le plan économique régional, le budget régional et les comptes de la région et participer à l'élaboration des plans nationaux ;

p) définir les actes illicites de *mera ordenação social* (3) et leurs sanctions, sans préjudice des dispositions de l'alinéa *d* du paragraphe 1er de l'article 168 ;

q) participer à la définition et à la mise en œuvre de la politique fiscale, monétaire, financière et de change, de façon à assurer le contrôle régional des moyens de paiements en circulation et le financement des investissements nécessaires à leur développement économique et social ;

r) participer à la définition des politiques relatives aux eaux territoriales, à la zone économique exclusive et aux fonds marins contigus ;

s) participer aux négociations des traités et accords internationaux qui les concernent directement et prendre part aux avantages en découlant ;

t) établir des liens de coopération avec d'autres entités régionales étrangères et participer à des organisations qui ont pour objet de développer le dialogue et la coopération inter-régionale, conformément aux orientations définies par les organes de souveraineté compétents en matière de politique extérieure ;

u) se prononcer, sur leur propre initiative ou à la demande des organes de souveraineté, sur les questions relevant de la compétence de ces derniers et qui les concernent.

2. Les propositions de loi d'autorisation doivent être accompagnées de l'avant-projet du décret législatif régional à autoriser. Les dispositions des paragraphes 2 et 3 de l'article 168 seront appliquées à ces lois d'autorisation.

3. Les autorisations indiquées au paragraphe précédent deviennent caduques au terme de la législature ou lors de la dissolution, soit de l'Assemblée de la République, soit de l'assemblée législative régionale à laquelle elles auront été accordées.

4. Les décrets législatifs régionaux prévus aux alinéas *b* et *c* du paragraphe 1er doivent indiquer expressément les lois d'autorisation et les lois-cadres auxquelles ils se rapportent. Les dispositions de l'article 172 leur seront applicables après les adaptations nécessaires.

Article 230

Limite des pouvoirs

Il est interdit aux régions autonomes :

a) de restreindre les droits légalement reconnus aux travailleurs ;

b) d'établir des restrictions à la circulation des personnes et des biens entre elles et le reste du territoire national excepté, en ce qui concerne les biens, celles dictées par des exigences d'ordre sanitaire ;

c) de réserver l'exercice d'une profession ou l'accès à une fonction publique aux personnes originaires de la région ou y résidant.

Article 231

Coopération entre les organes de souveraineté et les organes régionaux

1. Les organes de souveraineté assurent, en collaboration avec les organes

---

(1) Agglomérations dont le nombre d'électeurs doit être supérieur à 3 000 et qui doit disposer de certaines infrastructures prévues par la loi.

(2) Agglomérations dont le nombre d'électeurs doit être supérieur à 8 000 et qui doit disposer de certaines infrastructures prévues par la loi.

(3) Littéralement : simple réglementation sociale, expression s'appliquant aux actes illicites constitués par les *contra ordenações*, cf. *supra* note de l'article 32.

de gouvernement régional, le développement économique et social des régions autonomes en s'efforçant notamment de corriger les inégalités résultant de leur insularité.

2. Les organes de souveraineté consulteront toujours les organes de gouvernement régional sur les questions relevant de leur compétence qui sont relatives aux régions autonomes.

Article 232

Représentation de la souveraineté de la République

1. La souveraineté de la République est spécialement représentée, dans chacune des régions autonomes, par un ministre de la République nommé et révoqué par le Président de la République, sur proposition du Gouvernement, après consultation du Conseil d'État.

2. Il appartient au ministre de la République de coordonner l'activité des services centraux de l'État ayant trait aux intérêts de la région. Il dispose à cet effet de la compétence ministérielle et il assiste aux réunions du Conseil des ministres qui portent sur des questions présentant un intérêt pour la région.

3. Le ministre de la République supervise les fonctions administratives exercées par l'État dans la région et les coordonne avec celles exercées par la région elle-même.

4. En cas d'absence ou d'empêchement, le ministre de la République est remplacé dans la région par le président de l'assemblée législative régionale.

Article 233

Organes du gouvernement des régions

1. Les organes du gouvernement de chaque région sont l'assemblée législative régionale et le gouvernement régional.

2. L'assemblée législative régionale est élue au suffrage universel direct et secret, selon le principe de la représentation proportionnelle.

3. Le gouvernement régional est politiquement responsable devant l'assemblée législative régionale et son président est nommé par le ministre de la République. Celui-ci tiendra compte des résultats électoraux.

4. Le ministre de la République nomme et révoque les autres membres du gouvernement régional sur proposition de son président.

5. Le statut des membres des organes du gouvernement des régions autonomes est défini dans leur statut politique et administratif.

Article 234

Compétence de l'assemblée législative régionale

1. L'exercice des attributions indiquées aux alinéas *a*, *b* et *c*, dans la seconde partie de l'alinéa *d*, à l'alinéa *f*, dans la première partie de l'alinéa *i* et aux alinéas *j*, *m* et *p* du paragraphe 1er de l'article 229 est de la compétence exclusive de l'assemblée législative régionale, de même que l'approbation du budget régional, du plan économique et des comptes de la région ainsi que l'adaptation du système fiscal national aux particularités de la région.

2. Il appartient à l'assemblée législative régionale d'élaborer et d'approuver son règlement, conformément à la Constitution et au statut politique et administratif de la région.

3. Les dispositions de l'alinéa *c* de l'article 178, des paragraphes 1er, 2 et 3 de l'article 181, de l'article 182 à l'exception des alinéas *e* et *f* du paragraphe 3 et du paragraphe 4, ainsi que les dispositions de l'article 183 à l'exception de l'alinéa *b* du paragraphe 2 s'appliquent à l'assemblée législative régionale et à ses groupes parlementaires, après que les adaptations nécessaires ont été effectuées.

Article 235

Contreseing et veto du ministre de la République

1. Il appartient au ministre de la République de signer et de faire publier les décrets législatifs régionaux et les autres décrets réglementaires régionaux.

2. Dans un délai de quinze jours à compter de la réception de tout décret de l'assemblée législative régionale qui lui aura été adressé pour signature, ou de la publication de la décision du Tribunal constitutionnel qui ne prononce pas l'inconstitutionnalité d'une norme y figurant, le ministre de la République doit signer le texte ou exercer

son droit de veto en demandant un nouvel examen de celui-ci par un message motivé.

3. Si l'assemblée législative régionale confirme le vote à la majorité absolue de ses membres effectivement en fonction, le ministre de la République devra signer le texte dans un délai de huit jours à compter de sa réception.

4. Le ministre de la République signe ou refuse de signer tout décret qui lui aura été envoyé pour signature, dans un délai de vingt jours à compter de sa réception. En cas de refus, il en donnera, par écrit, le sens au gouvernement régional, lequel pourra convertir le décret en proposition à présenter à l'assemblée législative régionale.

5. Le ministre de la République exerce également le droit de veto, conformément aux articles 278 et 279.

Article 236

Dissolution des organes régionaux

1. Les organes du gouvernement des régions autonomes peuvent être dissous par le Président de la République pour avoir accompli des actes contraires à la Constitution, après consultation de l'Assemblée de la République et du Conseil d'État.

2. En cas de dissolution des organes régionaux, le gouvernement de la région est assuré par le ministre de la République.

Titre VIII
Pouvoir local

Chapitre I
Principes généraux

Article 237

Collectivités locales

1. L'organisation démocratique de l'État comprend des collectivités locales.

2. Les collectivités locales sont des personnes morales territoriales dotées d'organes représentatifs. Elles visent à défendre les intérêts de leurs habitants.

Article 238

Catégories de collectivités locales et division administrative

1. En métropole, les collectivités locales sont les *freguesias* (1), les *municípios* (2) et les régions administratives.

2. Les régions autonomes des Açores et de Madère comprennent des *freguesias* et des *municípios*.

3. Dans les grandes zones urbaines et dans les îles, la loi pourra créer d'autres formes d'organisation territoriale des pouvoirs locaux, adaptées à leurs conditions particulières.

4. La division administrative du territoire sera établie par la loi.

Article 239

Attributions et organisation des collectivités locales

Les attributions et l'organisation des collectivités locales, ainsi que la compétence de leurs organes seront fixées par la loi, conformément au principe de la décentralisation administrative.

Article 240

Patrimoine et finances des collectivités locales

1. Les collectivités locales ont un patrimoine et des finances propres.

2. Le régime des finances locales sera défini par la loi et veillera à la juste répartition des ressources publiques entre l'État et les collectivités ainsi qu'à la nécessaire correction des inégalités entre les collectivités de même degré.

3. Les recettes propres des collectivités locales incluent obligatoirement celles provenant de la gestion de leur patrimoine et les sommes perçues au titre de l'utilisation des services locaux.

Article 241

Organes de délibération et d'exécution

1. Les collectivités locales disposent d'une assemblée élue dotée de pouvoirs décisionnels et d'un organe collégial exécutif responsable devant elle.

(1) Littéralement : paroisses ; subdivisions du *concelho* dont le nombre d'électeurs ne peut être inférieur à 800. La loi prévoit d'autres conditions pour la création de *freguesias*.
(2) Collectivité locale dont le territoire est le *concelho*, subdivision du district. Il existe au Portugal 305 *concelhos*.

2. L'assemblée sera élue au suffrage universel direct et secret par les citoyens résidant dans la circonscription, selon le système de la représentation proportionnelle.

3. Les organes des collectivités locales peuvent consulter directement les citoyens électeurs recensés dans leur circonscription. Ils se prononceront au scrutin secret sur les matières relevant de leur compétence exclusive dans les cas, selon les conditions et aux effets établis par la loi.

Article 242

Pouvoir réglementaire

Les collectivités locales disposent d'un pouvoir réglementaire propre dans la limite de la Constitution, des lois, et des règlements émanant des collectivités de rang supérieur ou des autorités de tutelle.

Article 243

Tutelle administrative

1. La tutelle administrative sur les collectivités locales consiste en la vérification que les collectivités locales observent la loi. Elle est exercée dans les cas et selon les formes prévus par la loi.

2. Les mesures de tutelle restreignant l'autonomie locale sont précédées de la consultation d'un organe de la collectivité, dans les conditions que la loi définira.

3. La dissolution des organes des collectivités locales issus du suffrage direct ne peut être due qu'à des actions ou omissions illégales et graves.

Article 244

Personnel des collectivités locales

1. Les collectivités locales disposent d'un personnel qui leur est propre, conformément à la loi.

2. Le régime des fonctionnaires et des agents de l'État est applicable aux fonctionnaires et aux agents de l'administration locale.

3. La loi définit les formes de l'appui technique et en moyens humains que l'État apporte aux collectivités locales, sans préjudice de leur autonomie.

Chapitre II
Freguesia (1)

Article 245

Organes de la *freguesia*

Les organes représentatifs de la *freguesia* sont l'assemblée de *freguesia* et le comité de *freguesia.*

Article 246

Assemblée de *freguesia*

1. L'assemblée de *freguesia* est élue par les citoyens électeurs résidant sur le territoire de la *freguesia.*

2. Outre les partis politiques, d'autres groupes de citoyens électeurs peuvent présenter des candidatures aux élections des organes des collectivités locales, dans les conditions fixées par la loi.

3. La loi peut établir que dans les *freguesias* faiblement peuplées l'assemblée de *freguesia* sera remplacée par l'assemblée plénière des citoyens électeurs.

Article 247

Comité de *freguesia*

1. Le comité de *freguesia* est l'organe exécutif de la *freguesia.* Il est élu au scrutin secret par l'assemblée parmi ses membres.

2. Le président du comité est le citoyen inscrit en tête de la liste ayant obtenu le plus de voix aux élections de l'assemblée ou, si celle-ci n'existe pas, le citoyen qui sera élu à cette fin par l'assemblée plénière des citoyens.

Article 248

Délégation de fonctions

L'assemblée de *freguesia* peut déléguer aux organisations d'habitants les tâches administratives qui n'impliquent pas l'exercice de pouvoirs d'autorité.

Chapitre III
Municípios (1)

Article 249

Modification des *municípios*

La création ou la suppression des *municípios,* ainsi que leurs modifications territoriales sont réalisées par la loi, après

(1) Cf. article 238 et note correspondante.

consultation des organes des collectivités locales concernées.

Article 250
Organes des *municípios*

Les organes représentatifs des *municípios* sont l'assemblée municipale et la chambre municipale.

Article 251
Assemblée municipale

L'assemblée municipale est constituée des présidents des comités de *freguesia* et de membres élus par le collège électoral du *município,* dont le nombre ne peut être inférieur à celui des présidents.

Article 252
Chambre municipale

La chambre municipale est l'organe exécutif collégial du *município.* Elle est élue par les citoyens électeurs résidant dans la circonscription et présidée par le candidat inscrit en tête de la liste qui a obtenu le plus de voix.

Article 253
Association et fédération

Les *municípios* peuvent constituer des associations et des fédérations pour la gestion d'intérêts communs.

Article 254
Part des recettes des impôts directs

Les *municípios* ont, de droit et dans les conditions définies par la loi, une part des recettes provenant des impôts directs.

Chapitre IV
Région administrative

Article 255
Création légale

Les régions administratives sont créées simultanément par la loi. Celle-ci définit leurs pouvoirs, leur composition, leur compétence et le fonctionnement de leurs organes, et peut différencier le régime applicable à chacune d'elles.

Article 256
Institutionnalisation concrète

L'institutionnalisation concrète de chaque région administrative, qui sera réalisée par la loi, est subordonnée à la loi prévue à l'article précédent et au vote favorable de la majorité des assemblées municipales représentant la majorité de la population de la région.

Article 257
Attributions

Les régions administratives se voient conférer notamment, la direction des services publics et des tâches de coordination et de soutien de l'action des *municípios,* dans le respect de l'autonomie de ceux-ci et sans limitation de leurs pouvoirs.

Article 258
Planification

Les régions administratives élaborent des plans régionaux et participent à l'élaboration des plans prévus à l'article 92.

Article 259
Organes de la région

Les organes représentatifs de la région administrative sont l'assemblée régionale et le comité régional.

Article 260
Assemblée régionale

L'assemblée régionale est constituée de membres directement élus par les citoyens recensés dans la région et de membres, en nombre inférieur à celui des premiers, élus selon le système de la représentation proportionnelle et la méthode de la plus forte moyenne de Hondt par le collège électoral constitué par les membres des assemblées municipales de la région désignés par élection directe.

Article 261
Comité régional

Le comité régional est l'organe collégial exécutif de la région. Il sera élu au scrutin secret par l'assemblée régionale parmi ses membres.

Article 262
Représentant du Gouvernement

Il y aura un représentant du Gouvernement auprès de chaque région. Il est nommé en Conseil des ministres et il exerce également ses fonctions auprès des collectivités de la région.

Chapitre V
Organisations d'habitants

Article 263
Création et périmètre

1. Afin d'intensifier la participation de la population à la vie administrative locale, il peut être créé des organisations d'habitants regroupant les personnes résidant dans un périmètre inférieur au territoire de la *freguesia.*

2. L'assemblée de *freguesia,* sur sa propre initiative ou à la demande de commissions d'habitants ou d'un nombre significatif d'habitants, délimitera l'étendue territoriale des organisations indiquées dans le paragraphe précédent et résoudra les éventuels conflits en résultant.

Article 264
Structure

1. La structure des organisations d'habitants est fixée par la loi et comprend l'assemblée des habitants et le comité d'habitants.

2. L'assemblée des habitants est composée des résidents inscrits sur les listes de recensement de la *freguesia.*

3. Le comité d'habitants est élu au scrutin secret par l'assemblée des habitants et librement révocable par celle-ci.

Article 265
Droits et compétence

1. Les organisations d'habitants ont le droit :

a) de présenter des pétitions aux collectivités locales concernant les affaires administratives qui intéressent les habitants ;

b) de participer, sans droit de vote, par l'intermédiaire de leurs représentants à l'assemblée de *freguesia.*

2. Il appartient aux organisations d'habitants de réaliser les tâches qui leur sont confiées par la loi ou qui leur sont déléguées par les organes de la *freguesia.*

Titre IX
Administration publique

Article 266
Principes fondamentaux

1. L'Administration publique vise à défendre l'intérêt public, dans le respect des droits et des intérêts légalement protégés des citoyens.

2. Les organes et les agents administratifs observent la Constitution et la loi et doivent exercer leurs fonctions dans le respect des principes d'égalité, de proportionnalité, de justice et d'impartialité.

Article 267
Structure de l'Administration

1. L'Administration publique sera structurée de façon à éviter la bureaucratisation, à rapprocher les services de la population et à assurer la participation des intéressés à leur gestion effective, notamment par l'intermédiaire des associations publiques, des organisations d'habitants et des autres formes de représentation démocratique.

2. Pour l'application des dispositions du paragraphe précédent, la loi établira les formes de décentralisation et de déconcentration administratives adéquates, sans porter préjudice à la nécessaire efficacité et unité de l'action du Gouvernement, ni à ses pouvoirs de direction et de supervision.

3. Les associations publiques ne peuvent être constituées que pour satisfaire des besoins déterminés. Elles ne peuvent exercer les fonctions propres aux associations syndicales. Leur organisation interne est fondée sur le respect du droit de leurs membres et sur la formation démocratique de leurs organes.

4. L'activité administrative fera l'objet d'une loi spéciale qui assurera la rationalisation des moyens à utiliser par les services et la participation des citoyens au processus de décision et aux délibérations qui les concernent.

Article 268
Droits et garanties des administrés

1. Les citoyens ont le droit d'être informés par l'Administration chaque fois qu'ils le demandent, de l'état d'avancement des affaires qui les concernent directement, ainsi que de connaître les décisions définitives dont elles ont fait l'objet.

2. Les citoyens ont aussi le droit d'accéder aux archives et aux registres administratifs, sans préjudice des dispositions de la loi en matière de sécurité intérieure et externe, d'enquête criminelle et d'intimité de la vie privée.

3. Les actes administratifs sont notifiés aux intéressés dans les conditions prévues par la loi. Ils sont dûment motivés quand ils portent sur des droits ou des intérêts légalement protégés des citoyens.

4. Le recours contentieux fondé sur l'illégalité est garanti aux intéressés, contre tous les actes administratifs, indépendamment de leur forme, qui portent atteinte à leurs droits ou à leurs intérêts légalement protégés.

5. L'accès à la justice administrative est également toujours garanti aux administrés pour la protection de leurs droits et intérêts légalement protégés.

6. Pour l'application des paragraphes 1er et 2, la loi fixera un délai de réponse maximum de l'Administration.

Article 269

Régime de la fonction publique

1. Dans l'exercice de leurs fonctions, les travailleurs de l'Administration publique et les autres agents de l'État et des autres entités publiques sont exclusivement au service de l'intérêt public, tel que celui-ci est défini conformément à la loi par les organes compétents de l'Administration.

2. Les travailleurs de l'Administration publique et les autres agents de l'État et des autres entités publiques ne peuvent être défavorisés ni avantagés du fait de l'exercice de droits politiques prévus par la Constitution, notamment en raison du choix d'un parti.

3. Toute personne qui fait l'objet d'une procédure disciplinaire est entendue et peut présenter sa défense.

4. Il est interdit de cumuler des emplois ou des fonctions publiques, sauf dans les cas expressément admis par la loi.

5. La loi détermine les incompatibilités de l'exercice des emplois publics avec l'exercice d'autres activités.

Article 270

Restrictions à l'exercice de droits

La loi peut établir des restrictions à l'égard des militaires et des agents militarisés des cadres permanents en service actif quant à l'exercice de leurs droits d'expression, de manifestation, d'association et de pétition collective et quant à leur éligibilité, dans la stricte mesure des exigences de leurs fonctions.

Article 271

Responsabilité des fonctionnaires et des agents

1. Les fonctionnaires et les agents de l'État et des autres entités publiques sont responsables civilement, pénalement et disciplinairement de leurs actions et omissions dans l'exercice de leurs fonctions et à cause de celui-ci dont il résulte une violation des droits ou des intérêts légalement protégés des citoyens. L'action ou la poursuite ne sera pas subordonnée, en aucune phase, à une autorisation hiérarchique.

2. La responsabilité du fonctionnaire ou de l'agent est exclue lorsqu'il agit en observant les ordres ou les instructions émanant de son supérieur hiérarchique légitime et dans l'exercice de ses fonctions, à condition qu'il ait au préalable réclamé ou exigé leur transmission ou leur confirmation par écrit.

3. Le devoir d'obéissance prend fin chaque fois que l'exécution des ordres ou des instructions implique la commission d'un crime.

4. La loi réglemente les conditions dans lesquelles l'État et les autres entités publiques ont droit de recours contre les titulaires de leurs organes, fonctionnaires et agents.

Article 272

Police

1. La police a pour fonctions de défendre la légalité démocratique et de garantir la sécurité interne et les droits des citoyens.

2. Les mesures de police sont celles prévues par la loi. Elles ne devront pas être utilisées au-delà de ce qui est strictement nécessaire.

3. La prévention des crimes, y compris des crimes contre la sécurité de l'État, ne peut être réalisée qu'en observant les règles générales de la police et dans le respect des droits, des libertés et des garanties des citoyens.

4. La loi fixe le régime des forces de sécurité. L'organisation de chacune d'elles est unique sur tout le territoire national.

Titre X
Défense nationale

Article 273
Défense nationale

1. Il incombe à l'État d'assurer la défense nationale.

2. La défense nationale a pour objectifs de garantir l'indépendance nationale, l'intégrité du territoire et la liberté et la sécurité de la population contre toute agression ou menace externe, dans le respect de l'ordre constitutionnel, des institutions démocratiques et des conventions internationales.

Article 274
Conseil supérieur de défense nationale

1. Le conseil supérieur de défense nationale est présidé par le Président de la République. Sa composition sera déterminée par la loi.

2. Le Conseil supérieur de défense nationale est l'organe de consultation sur les sujets relatifs à la défense nationale et à l'organisation, le fonctionnement et la discipline des forces armées. Il pourra disposer de la compétence administrative qui lui sera attribuée par la loi.

Article 275
Forces armées

1. Il incombe aux forces armées de défendre militairement la République.

2. Les forces armées sont composées exclusivement de citoyens portugais. Leur organisation se fonde sur le service militaire obligatoire. Elle est unique sur tout le territoire national.

3. Les forces armées obéissent aux organes de souveraineté compétents, conformément à la Constitution et à la loi.

4. Les forces armées sont au service du peuple portugais. Elles sont rigoureusement non partisanes et leurs éléments ne peuvent profiter de leur arme, de leur poste ou de leurs fonctions pour toute intervention politique.

5. Les forces armées peuvent prendre part, conformément à la loi, aux tâches ayant trait à la satisfaction des besoins essentiels et à l'amélioration de la qualité de vie de la population, y compris dans des situations de calamité publique qui ne justifient pas la suspension de l'exercice de leurs droits.

6. Les lois qui régissent l'état de siège et l'état d'urgence fixent les conditions de l'emploi des forces armées dans ces situations.

Article 276
Défense de la patrie, service militaire et service civique

1. La défense de la patrie est un droit et un devoir fondamental de tous les Portugais.

2. Le service militaire est obligatoire dans les conditions et pour la durée prévus par la loi.

3. Les personnes qui seront reconnues inaptes au service militaire armé effectueront un service militaire non armé ou un service civique adapté à leur situation.

4. Les objecteurs de conscience effectueront un service civique de durée et de difficulté équivalentes à celles du service militaire armé.

5. Le service civique peut être institué en remplacement ou en complément du service militaire. Une loi peut le rendre obligatoire pour les citoyens qui ne sont pas soumis aux devoirs militaires.

6. Aucun citoyen ne pourra conserver ni obtenir un emploi au sein de l'État ou d'une autre entité publique s'il se soustrait à l'accomplissement de ses devoirs militaires ou de service civique quand celui-ci est obligatoire.

7. Aucun citoyen ne peut subir de préjudices dans son affectation, dans ses avantages sociaux ou dans son emploi permanent en raison de l'accomplissement du service militaire ou du service civique obligatoire.

Quatrième partie
Garantie et révision de la Constitution

Titre Ier
Contrôle de la constitutionnalité

Article 277
Inconstitutionnalité par action

1. Les normes qui enfreignent la Constitution ou les principes qui y sont consignés sont inconstitutionnelles.

2. L'inconstitutionnalité organique ou formelle des traités internationaux régulièrement ratifiés n'empêche pas l'application de leurs normes dans l'ordre juridique portugais, pourvu que ces normes soient appliquées dans l'ordre juridique de l'autre partie, sauf dans les cas où cette inconstitutionnalité résulte de la violation d'une disposition fondamentale.

Article 278
Contrôle préventif de la constitutionnalité

1. Le Président de la République peut demander au Tribunal constitutionnel d'apprécier de manière préventive la constitutionnalité de toute norme d'un traité international qui lui aura été soumis pour ratification, de tout décret qui lui aura été adressé pour être promulgué sous forme de loi ou de décret-loi, ainsi que de tout accord international dont le décret d'approbation lui aura été remis pour signature.

2. Les ministres de la République peuvent également demander au Tribunal constitutionnel d'apprécier de façon préventive la constitutionnalité de toute norme d'un décret législatif régional ou d'un décret réglementaire d'une loi générale de la République qui leur aura été envoyé pour signature.

3. L'appréciation préventive de la constitutionnalité doit être demandée dans un délai de huit jours à compter de la date de la réception du texte.

4. L'appréciation préventive de la constitutionnalité de toute norme du décret qui aura été adressé au Président de la République pour être promulgué sous forme de loi organique peut être demandée au Tribunal constitutionnel par le Président de la République ainsi que par le Premier ministre ou un cinquième des députés de l'Assemblée de la République effectivement en fonction.

5. Le président de l'Assemblée de la République, quand il adressera au Président de la République le décret qui doit être promulgué sous forme de loi organique en donnera connaissance au Premier ministre et aux groupes parlementaires de l'Assemblée de la République à la date de l'envoi.

6. L'appréciation préventive de la constitutionnalité prévue au paragraphe 4 doit être demandée dans un délai de huit jours à compter de la date prévue au paragraphe précédent.

7. Sans préjudice des dispositions du paragraphe 1er, le Président de la République ne peut promulguer les décrets mentionnés au paragraphe 4 avant un délai de huit jours à compter de leur réception ou avant que le Tribunal constitutionnel ne se soit prononcé à leur sujet, quand l'intervention de celui-ci aura été demandée.

8. Le Tribunal constitutionnel doit se prononcer dans un délai de vingt-cinq jours. Dans le cas visé par le paragraphe 1er, le délai peut être abrégé par le Président de la République pour raison d'urgence.

Article 279
Effets de la décision

1. Quand le Tribunal constitutionnel se prononcera pour l'inconstitutionnalité d'une norme de tout décret ou de tout accord international, le texte devra faire l'objet d'un veto du Président de la République ou du ministre de la République, selon les cas, et être renvoyé à l'organe qui l'avait approuvé.

2. Dans le cas prévu au paragraphe 1er, le décret ne pourra être promulgué ou signé sans que l'organe qui l'a approuvé l'expurge de la norme jugée inconstitutionnelle ou, s'il y a lieu, le confirme à la majorité des deux tiers des députés présents, dès lors qu'elle est supérieure à la majorité absolue des députés effectivement en fonction.

3. Quand le texte aura été amendé, le Président de la République ou le ministre de la République, selon les cas, pourront demander à nouveau l'appréciation préventive de la constitutionnalité de ses normes.

4. Quand le Tribunal constitutionnel se prononcera pour l'inconstitutionnalité d'une norme d'un traité, celui-ci ne pourra être ratifié que si l'Assemblée de la République l'approuve à la majorité des deux tiers des députés présents, pourvu qu'elle soit supérieure à la majorité absolue des députés effectivement en fonction.

Article 280

Contrôle concret de la constitutionnalité et de la légalité

1. Il est possible d'introduire un recours devant le Tribunal constitutionnel contre les décisions des tribunaux :

a) qui se refusent à appliquer une norme en raison de son inconstitutionnalité ;

b) qui appliquent une norme dont l'inconstitutionnalité aura été invoquée au cours du procès.

2. Il est également possible d'introduire un recours devant le Tribunal constitutionnel contre les décisions des tribunaux :

a) qui se refusent à appliquer une norme figurant dans un acte législatif en raison de son illégalité pour violation d'une loi ayant une valeur renforcée ;

b) qui se refusent à appliquer une norme figurant dans un texte régional en raison de son illégalité pour violation du statut de la région autonome ou de la loi générale de la République ;

c) qui se refusent à appliquer une norme figurant dans un texte émanant d'un organe de souveraineté en raison de son illégalité pour violation du statut d'une région autonome ;

d) qui appliquent une norme dont l'illégalité aura été invoquée au cours du procès pour un des motifs indiqués aux alinéas *a*, *b* et *c*.

3. Quand la norme dont l'application aura été refusée figure dans une convention internationale, dans un acte législatif ou un décret réglementaire, les recours prévus à l'alinéa *a* du paragraphe 1er et à l'alinéa *a* du paragraphe 2 sont obligatoirement exercés par le ministère public.

4. Les recours prévus à l'alinéa *b* du paragraphe 1er et à l'alinéa *d* du paragraphe 2 ne peuvent être exercés que par la partie qui aura invoqué la question de l'inconstitutionnalité ou de l'illégalité. La loi devra définir le régime de la recevabilité de ces recours.

5. Il est également possible d'introduire un recours devant le Tribunal constitutionnel contre les décisions des tribunaux qui appliquent une norme déjà jugée inconstitutionnelle ou illégale par le Tribunal constitutionnel. Dans ce cas, le ministère public doit obligatoirement exercer le recours.

6. Les recours devant le Tribunal constitutionnel portent exclusivement sur la question de l'inconstitutionnalité ou de l'illégalité, selon les cas.

Article 281

Contrôle abstrait de la constitutionnalité et de la légalité

1. Le Tribunal constitutionnel apprécie et déclare avec force obligatoire générale :

a) l'inconstitutionnalité de toute norme ;

b) l'illégalité de toute norme figurant dans un acte législatif, en raison de la violation d'une loi ayant une valeur renforcée ;

c) l'illégalité de toute norme figurant dans un texte régional, en raison de la violation du statut de la région ou d'une loi générale de la République ;

d) l'illégalité de toute norme figurant dans un texte qui émane des organes de souveraineté, en raison de la violation des droits d'une région, consacrés dans son statut.

2. La déclaration d'inconstitutionnalité ou d'illégalité, avec force obligatoire générale, peut être demandée au Tribunal constitutionnel par :

a) le Président de la République ;

b) le président de l'Assemblée de la République ;

c) le Premier ministre ;

d) le *Provedor de Justiça ;*

e) le procureur général de la République ;

f) un dixième des députés de l'Assemblée de la République ;

g) les ministres de la République, les assemblées législatives régionales, les présidents des assemblées législatives régionales, les présidents des gouvernements régionaux ou un dixième des députés des assemblées législatives régionales, quand la demande de déclaration d'inconstitutionnalité se fonde sur la violation des droits des régions autonomes ou quand la demande de déclaration d'illégalité se fonde sur la violation du statut de la région ou de la loi générale de la République.

3. Le Tribunal constitutionnel apprécie et déclare également, avec force obligatoire générale, l'inconstitutionnalité ou l'illégalité de toute norme, dès lors qu'il l'aura jugée inconstitutionnelle ou illégale dans trois cas concrets.

Article 282
Effets de la déclaration d'inconstitutionnalité ou d'illégalité

1. La déclaration d'inconstitutionnalité ou d'illégalité avec force générale obligatoire produit ses effets dès l'entrée en vigueur de la norme déclarée inconstitutionnelle ou illégale et entraîne la remise en vigueur des normes qu'elle aurait éventuellement abrogées.

2. S'agissant d'inconstitutionnalité ou d'illégalité par violation d'une norme postérieure, constitutionnelle ou légale, la déclaration ne produit ses effets qu'à partir de l'entrée en vigueur de cette dernière.

3. Les affaires déjà jugées ne sont pas remises en cause, sauf décision contraire du Tribunal constitutionnel quand la nouvelle norme concernera la matière pénale, disciplinaire ou les actes illicites, de *mera ordenação social* et quand son contenu sera plus favorable à l'accusé.

4. Quand des raisons de sécurité juridique, d'équité ou d'intérêt public d'importance exceptionnelle qui devra être motivée l'exigeront, le Tribunal constitutionnel pourra attribuer aux effets de l'inconstitutionnalité ou de l'illégalité une portée plus restrictive qu'il n'est prévu aux paragraphes 1er et 2.

Article 283
Inconstitutionnalité par omission

1. A la demande du Président de la République, du *Provedor de Justiça* ou des présidents des assemblées législatives régionales qui invoquent la violation des droits des régions autonomes, le Tribunal constitutionnel apprécie et constate l'inobservation de la Constitution par omission des mesures législatives nécessaires à l'application de normes constitutionnelles.

2. Quand le Tribunal constitutionnel constatera l'existence d'une inconstitutionnalité par omission, il en donnera connaissance à l'organe législatif compétent.

Titre II
Révision constitutionnelle

Article 284 (1)
Compétence et délai de révision

1. L'Assemblée de la République peut réviser la Constitution cinq ans révolus après la date de la publication de la dernière loi de révision ordinaire.

2. L'Assemblée de la République peut, cependant, assumer à tout moment les pouvoirs de révision extraordinaire à la majorité des quatre cinquièmes des députés effectivement en fonction.

Article 285
Initiative de la révision

1. L'initiative de la révision appartient aux députés.

2. Lorsqu'un projet de révision constitutionnelle aura été déposé, tout autre projet concurrent devra être présenté dans un délai de trente jours.

Article 286
Approbation et promulgation

1. Les modifications de la Constitution sont approuvées à la majorité des deux tiers des députés effectivement en fonction.

2. Les modifications de la Constitution qui auront été approuvées seront réunies dans une unique loi de révision.

3. Le Président de la République ne peut refuser de promulguer la loi de révision.

Article 287
Nouveau texte de la Constitution

1. Les modifications de la Constitution seront insérées aux endroits appropriés, en procédant aux remplacements, aux suppressions et aux adjonctions nécessaires.

2. La Constitution, dans sa nouvelle forme, sera publiée conjointement à la loi de révision.

---

(1) Article modifié par la révision du 25 novembre 1992.

Article 288

Limites matérielles de la révision

Les lois de révision constitutionnelle doivent respecter :

a) l'indépendance nationale et l'unité de l'État ;

b) la forme républicaine du Gouvernement ;

c) la séparation des Églises et de l'État ;

d) les droits, les libertés et les garanties des citoyens ;

e) les droits des travailleurs, des commissions des travailleurs et des associations syndicales ;

f) la coexistence du secteur public, du secteur privé et du secteur coopératif et social de propriété des moyens de production ;

g) l'existence de plans économiques dans le cadre d'une économie mixte ;

h) le suffrage universel, direct, secret et périodique pour la désignation des membres des organes de souveraineté, des régions autonomes et du pouvoir local élus, ainsi que le système de la représentation proportionnelle ;

i) le pluralisme de l'expression et de l'organisation politique, y compris celui des partis politiques, et le droit d'opposition démocratique ;

j) la séparation et l'interdépendance des organes de souveraineté ;

l) le contrôle de la constitutionnalité par action ou par omission de normes juridiques ;

m) l'indépendance des tribunaux ;

n) l'autonomie des collectivités locales ;

o) l'autonomie politique et administrative des archipels des Açores et de Madère.

Article 289

Limites circonstancielles de la révision

Aucun acte de révision constitutionnelle ne peut être accompli pendant l'état de siège ou l'état d'urgence.

Dispositions finales et transitoires

Article 290

Droit antérieur

1. Les lois constitutionnelles postérieures au 25 avril 1974 qui ne sont pas reprises dans ce chapitre sont considérées comme des lois ordinaires, sans préjudice des dispositions du paragraphe suivant.

2. Le droit ordinaire antérieur à l'entrée en vigueur de la Constitution est maintenu dès lors qu'il n'est pas contraire à la Constitution ou aux principes qui y sont consignés.

Article 291

Districts (1)

1. Tant que les régions administratives n'auront pas été concrètement instituées, la division par districts des territoires qui ne sont pas couverts par celles-ci sera maintenue.

2. Chaque district sera doté, dans les conditions qui seront fixées par la loi, d'une assemblée délibérative composée de représentants des *municípios*.

3. Il appartient au gouverneur civil, assisté d'un conseil, de représenter le Gouvernement et d'exercer les pouvoirs de tutelle sur le territoire du district.

Article 292

Statut de Macao

1. Le territoire de Macao est régi par le statut adapté à sa situation particulière aussi longtemps qu'il sera sous administration portugaise.

2. Le statut du territoire de Macao, tel qu'il est défini par la loi n° 1/76 du 17 février demeure en vigueur, avec les modifications introduites par la loi n° 53/79 du 14 septembre.

3. L'Assemblée de la République peut approuver des modifications du statut de Macao ou décider son remplacement sur proposition de l'assemblée législative de Macao ou du gouverneur de Macao, dans ce dernier cas après consultation de l'assemblée législative de Macao, et après avis du Conseil d'État.

---

(1) Division administrative territorialement la plus importante aussi longtemps que les régions administratives n'auront pas été concrètement instituées. Il existe dix-huit districts au Portugal.

4. Dans le cas où la modification est approuvée avec des modifications, le Président de la République ne promulguera pas le décret de l'Assemblée de la République avant que l'assemblée législative de Macao ou le gouverneur de Macao, selon les cas, se soit prononcé favorablement.

5. Le territoire de Macao dispose d'une organisation judiciaire propre dotée d'autonomie et adaptée à ses particularités, conformément à la loi, qui devra respecter le principe de l'indépendance des juges.

Article 293
Autodétermination et indépendance de Timor oriental

1. Le Portugal continue à assumer les responsabilités qui lui incombent, conformément au droit international, visant à promouvoir et à garantir le droit à l'autodétermination et à l'indépendance de Timor oriental.

2. Il appartient au Président de la République et au Gouvernement de pratiquer tous les actes nécessaires à la réalisation des objectifs indiqués au paragraphe précédent.

Article 294
Mise en accusation et jugement des agents et responsables de la PIDE/DGS (1)

1. La loi n° 8/75 du 25 juillet reste en vigueur avec les modifications introduites par la loi n° 16/75 du 23 décembre et par la loi du 18/75 du 26 décembre.

2. La loi pourra préciser les incriminations figurant au paragraphe 2 de l'article 2, à l'article 3, à l'alinéa *b* de l'article 4 et à l'article 5 du texte indiqué au paragraphe précédent.

3. La loi pourra tout spécialement déterminer l'atténuation extraordinaire prévue à l'article 7 du même texte.

Article 295
Règle particulière concernant les partis

Les dispositions du paragraphe 3 de l'article 51 s'appliquent aux partis constitués avant l'entrée en vigueur de la Constitution. Il appartient à la loi de réglementer cette matière.

Article 296
Principes présidant à la reprivatisation prévue au paragraphe 1er de l'article 85

La loi-cadre prévue au paragraphe 1er de l'article 85 observera les principes fondamentaux suivants :

a) la reprivatisation des moyens de production et des autres biens nationalisés après le 25 avril 1974, ou la concession du droit d'exploitation de ceux-ci, s'effectuera en règle générale et de façon préférentielle par concours public, par offre à la bourse des valeurs ou par souscription publique ;

b) les recettes résultant des reprivatisations ne seront utilisées que pour amortir la dette publique et celle du secteur public de l'État, servir la dette résultant des nationalisations ou pour de nouvelles affectations de capitaux dans le secteur productif ;

c) les travailleurs des entreprises reprivatisées conserveront au cours du processus de reprivatisation tous les droits et toutes les obligations dont ils seront titulaires ;

d) les travailleurs des entreprises reprivatisées bénéficieront d'un droit de souscription préférentiel à un pourcentage du capital social de celles-ci ;

e) il sera procédé à l'évaluation préalable des moyens de production et des autres biens à reprivatiser, en recourant à plusieurs entités indépendantes.

Article 297
Statut provisoire de la région autonome de Madère

Le statut provisoire de la région autonome de Madère est maintenu jusqu'à la date de l'entrée en vigueur de son statut définitif.

Article 298
Date et entrée en vigueur de la Constitution

1. La Constitution de la République portugaise porte la date de son appro-

(1) Police internationale de défense de l'État/Direction générale de la sécurité ; appellations successives de la police politique sous le régime dictatorial.

bation par l'Assemblée constituante, soit le 2 avril 1976.

2. La Constitution de la République portugaise entre en vigueur le 25 avril 1976.

Orientations bibliographiques

Ouvrages généraux

E. Agostini, *Droit comparé,* Paris, PUF, Collection Droit fondamental, 1988.

B. Badie, G. Hermet, *Politique comparée,* Paris, PUF, 1990.

J.-C. Colliard, *Les régimes parlementaires,* Paris, FNSP, 1978.

P.-H. Chalvidan et H. Trynka, *Les régimes politiques de l'Europe des douze,* Paris, Eyrolles, 1989.

R. David, *Les grands systèmes de droit contemporains,* Paris, Dalloz, 9e édition 1988.

M. Grawitz et J. Leca, *Traité de science politique,* notamment les volumes 2 (Les régimes politiques contemporains), 3 (L'action politique) et 4 (Les politiques publiques), Paris, PUF, 1985.

A. Grosser (sous la direction de) *Les pays d'Europe occidentale,* Les Études de la Documentation française, Paris, La Documentation française, une publication chaque année depuis 1980.

P. Lalumière et A. Demichel, *Les régimes parlementaires européens,* Paris, PUF, Thémis, 1978.

P. Lauvaux, *Les grandes démocraties contemporaines,* Paris, PUF, Collection Droit fondamental, 1990.

J.-C. Masclet et D. Maus (dir.), *Les Constitutions nationales à l'épreuve de l'Europe ; rapports présentés lors du colloque tenu à Paris les 10 et 11 juin 1992,* Paris, La Documentation française, 1993.

Y. Mény, *Politique comparée,* Paris, Montchrestien, 3e édition, 1991.

J.-L. Quermonne, *Les régimes politiques occidentaux,* Paris, Le Seuil, Collection politique, 1986.

J. Ziller, *Administrations comparées, les systèmes politico-administratifs de l'Europe des Douze,* Paris, Montchrestien, 1993.

Collectivités décentralisées dans les pays de l'Union européenne, les Études de la Documentation française, Paris, la Documentation française (à paraître au 1er semestre 1994).

Études spécifiques à un État

Allemagne

Le texte original de la Loi fondamentale est disponible auprès de l'Office de presse et d'information du gouvernement fédéral allemand. Il est également publié in, *Documents d'études,* DE 1-11, Paris, La Documentation française, novembre 1993.

Le n° 8 de la *Revue française de droit constitutionnel,* PUF, 1991, est consacré au thème « Réunification de l'Allemagne et Constitution ».

C. Autexier, Le traité de Maastricht et l'ordre constitutionnel allemand, *Revue française de droit constitutionnel,* 1992, pp. 625 *sqq.*

M. Fromont, L'union de l'Allemagne dans la liberté 1989-1990, *Revue de droit public,* 1991, pp. 121 *sqq. ;* Les institutions allemandes depuis le traité d'union du 30 août 1990, *Revue de droit public,* 1991, pp. 733 *sqq ;* le droit allemand depuis le traité d'union du 30 août 1990, *Revue de droit public,* 1993, pp. 75 *sqq.*

M. Fromont et P. Chenut, *Le droit allemand en langue française,* Paris, CIRAC, 1990.

C. Grewe, *Le système politique ouest-allemand,* Paris, PUF, Collection Que sais-je ?, 1986.

A. Grosser, *L'Allemagne en Occident, la République fédérale 40 ans après,* Paris, Fayard, 1985.

Ph. Lauvaux et J. Ziller, Trente-cinq ans de parlementarisme rationalisé en RFA : un bilan, *RDP,* 1985, pp. 1023 *sqq.*

H. Ménudier *et alii.*, *L'Allemagne, de la division à l'unité,* Institut d'Allemand, Asnières, 1991.

D. Vernet, *La renaissance allemande,* Paris, Flammarion, 1992.

La République fédérale d'Allemagne, *Pouvoirs,* n° 22, Paris, PUF, 1982 ; et : L'Allemagne, *Pouvoirs,* n° 66, Paris, PUF, 1993 (notamment M. Fromont, le Constitutionnalisme allemand; Y. Hoffmann-Martinot et H. Uterwedde, le fédéralisme à l'épreuve ; A. Kimmel, de la crise des partis à la crise de la démocratie.)

Belgique

Le texte original de la Constitution est disponible auprès de l'ambassade de Belgique à Paris.

F. Delpérée, *Droit constitutionnel,* Bruxelles, Larcier, 1987, 1988, 1989.

F. Delpérée (dir.), *La Constitution belge et ses lois d'application,* édition mise à jour en septembre 1989, Bruxelles, Bruylant, Collection Droit public, 1989.

F. Delpérée, La Belgique et l'Europe, *Revue française de droit constitutionnel,* 1992, pp. 643 *sqq.*

G. H. Dumont, *La Belgique,* Paris, PUF, Collection Que sais-je ?, 1991.

R. Ergec, Un État fédéral en gestation : les réformes institutionnelles belges de 1988-1989, *RDP,* 1991, pp. 1593 *sqq.*

P. Lauvaux, *Parlementarisme rationalisé et stabilité du pouvoir exécutif, quelques aspects de la réforme de l'État confrontés aux expériences étrangères,* Bruxelles, Bruylant, 1988.

A. Mast, *Les pays du Benelux,* Paris, LGDJ, Collection Comment ils sont gouvernés, 1960.

La Belgique, *Pouvoirs,* n° 54, Paris, PUF, 1990.

Danemark

Le texte original de la Constitution est disponible auprès de la direction générale de la presse et des relations culturelles du ministère des Affaires étrangères du Danemark.

H. Desfeuilles, *Le pouvoir de contrôle des Parlements nordiques,* Paris, LGDJ, 1973.

C.-M. Elder, Parliamentary government in Scandinavia, *Parlementary affairs,* 1960, pp. 263 *sqq.*

C.-M. Elder, A. Thomas et D. Anter, *The consensual democraties : The government and politics of the Scandinavian States,* Oxford, 1982.

K. E. Miller, *Government and politics in Denmark,* Boston, Houghton Mifflin Company, 1968.

R. Fuselier, *Les monarchies parlementaires,* Paris, Éditions ouvrières, 1960.

M. Sorensen, Problèmes politiques contemporains du Danemark, *RFSP,* 1952, pp. 737 *sqq.*

Espagne

Le texte original de la Constitution est disponible auprès de l'Office des informations du ministère des Affaires étrangères d'Espagne. Une autre traduction en a été donnée par Guy Carcassonne, Olivier Duhamel et Joan Vintio dans *Pouvoirs,* n° 8, Paris, PUF, 1978.

L. Aguiar de Luque et R. Blanco, *Constitución española 1978-1988,* Centro de estudios constitucionales, 1988.

P. Bon, F. Moderne et Y. Rodriguez, *La justice constitutionnelle en Espagne,* Paris, Économica, 1989.

P. Bon, La constitutionnalisation du droit espagnol, *RFDC,* 1991, pp. 35 *sqq.*

P. Bon, F. Moderne, *L'Espagne aujourd'hui, dix années de gouvernement socialiste (1982-1992),* Paris, La Documentation française, Les Études de la Documentation française, 1993.

G. Carcassonne et P. Subra de Bieusses, L'Espagne ou la démocratie retrouvée, Créteil, ENAJ, 1978.

G. Kaminis, *La transition constitutionnelle en Grèce et en Espagne,* Paris, LGDJ, Bibliothèque constitutionnelle et de science politique, 1993.

D.-G. Lavroff, *Le régime politique espagnol,* Paris, PUF, Collection Que sais-je ?, 1985.

D.-G. Lavroff, *Dix ans de démocratie espagnole,* Paris, Éditions du CNRS, 1991.

F. Rubio Llorente, La Constitution espagnole et le traité de Maastricht, *Revue française de droit constitutionnel,* 1992, pp. 651 *sqq.*

L'Espagne, *Pouvoirs,* n° 8, Paris, PUF, 1978.

France

Le texte de la Constitution française est disponible à la direction des Journaux officiels de la République française.

La Documentation française a publié de nombreux documents et études relatifs aux institutions françaises parmi lesquels :

Les grands textes de la pratique institutionnelle de la Ve République, textes rassemblés par D. Maus, Collection Retour aux textes, 1993 et *La pratique constitutionnelle de la Ve République (1958-1993),* textes rassemblés par D. Maus, *(3e édition à paraître en 1994).*

Institutions et vie politique, collection Les notices, 1991.

Les Documents d'Études ont consacré leurs n° 1-04 (1994) à la Constitution du 4 octobre 1958, 1-06 (1993) au Président de la Ve République, 1-07 (1994) à l'article 16 de la Constitution, 1-08 (à paraître en 1994) à la loi et au règlement : art. : 34, 37 et 38 de la Constitution de 1958, 1-12 (1986) à la procédure législative en France, 1-14 (1988) au contrôle parlementaire, 1-15 et 1-16 (à paraître en 1994) au contrôle de constitutionnalité.

Le Comité national chargé de la publication des travaux préparatoires aux Institutions de la Ve République publie à la Documentation française, Les *documents pour servir à l'histoire de l'élaboration de la Constitution du 4 octobre 1958,* Tome I, 1987, tome II, 1988, tome III, 1991.

Propositions pour une révision de la Constitution, 15 février 1993, Rapport au président de la République du Comité consultatif pour la révision de la Constitution présidé par le doyen Georges Vedel, Paris, La Documentation française, Collection des rapports officiels, 1993.

Ph. Ardant, *Institutions politiques et Droit constitutionnel,* Paris, LGDJ, 1991.

J. Bourdon, C. Debbasch, C. Pontier, J.-C. Ricci, *Droit constitutionnel et Institutions politiques,* Paris, Économica, 1990.

G. Burdeau, F. Hamon et M. Troper, *Droit constitutionnel,* Paris, LGDJ, 1991.

B. Chantebout, *Droit constitutionnel et science politique,* Paris, A. Colin, 1991.

O. Duhamel, *Le pouvoir politique en France,* Éd. du Seuil, 1993.

M. Duverger, *Droit constitutionnel et institutions politiques,* Paris, PUF, 1990.

L. Favoreu, L. Philip, *Les grandes décisions du Conseil constitutionnel,* Paris, Sirey, 6e éd., 1991.

J. Gicquel, *Droit constitutionnel et institutions politiques,* Paris, Montchrestien, 1991.

J. Gicquel, *Le Conseil constitutionnel,* Paris, Montchrestien, Collection Clefs politiques, 1992.

M. Lascombe, *Droit constitutionnel de la Ve République,* Paris, L'Harmattan, 1992.

C. Leclerq, *Institutions politiques et droit constitutionnel,* Paris, Librairie technique, 1992.

D.-G. Lavroff, *Le système politique français. La Ve République,* Paris, Dalloz, 1982.

F. Luchaire et G. Conac, *La Constitution de la République française ; analyses et commentaires,* Paris, Économica, 2e éd., 1987.

D. Maus, *Institutions politiques françaises, Paris,* Masson, 1990.

D. Maus, L. Favoreu, J.-L. Parodi (dir.), *L'écriture de la Constitution de 1958 : actes du colloque du XXXe anniversaire,* Paris, Économica, Presses universitaires d'Aix-Marseille, 1992.

P. Pactet, *Institutions politiques, droit constitutionnel,* Paris, Masson, 1993.

M. Prélot et J. Boulouis, *Institutions politiques et droit constitutionnel,* Paris, Dalloz, 1990.

J.-L. Quermonne et D. Chagnollaud, *Le gouvernement de la France sous la Ve République,* Paris, Dalloz, 1991.

B. Tricot, R. Hadas-Lebel, *Les institutions politiques françaises,* Paris, Presses de la FNSP, Dalloz, Collection Amphithéâtre, 1985.

D. Turpin, *Droit constitutionnel,* Paris, PUF, 1992.

La Constitution française et le traité de Maastricht, *Revue française de droit constitutionnel,* Paris, PUF, 1992 (notamment les articles de L. Favoreu, P. Gaïa, P. Avril, J. Gicquel, B. François et J. Rideau).

Grande-Bretagne

Les Institutions de la Grande-Bretagne, documents réunis et commentés par Jacques Leruez, *Documents d'études,* DE 1-03, Paris, La Documentation française, (1994).

M. Charlot, *Le pouvoir politique en Grande-Bretagne,* Paris, PUF, 1990.

S. Dubourg-Lavroff, Pour une constitutionnalisation des droits et des libertés en Grande-Bretagne, *Revue française de droit constitutionnel,* 1993, pp. 479 *sqq.*

J. Dutheil de la Rochère, *Le Royaume-Uni,* LGDJ, Paris, 1979.

J. W. Gough, *L'idée de loi fondamentale dans l'histoire constitutionnelle anglaise,* Paris, PUF, 1992.

I. Harden, N. Lewiq, *The noble lie. The British constitution and the rule of law,* Londres, Melbourne, Hutchinson, 1986.

P. Hillyard, J. Percy-Smith, *The coercive state. The decline of democracy in Britain,* Londres, Fontana Paperback, 1988.

C. Journès, *L'État britannique,* Paris, Publisud, 1985.

P.-J. Kinder-Gest, *Manuel de droit anglais,* tome 1 : Institutions politiques et judiciaires, Paris, LGDJ, 1989.

J. Leruez, *Gouvernement et politique en Grande-Bretagne,* Paris, FNSP, Collection Amphithéâtre, 1989.

J.-J. Laski, *Le gouvernement parlementaire en Angleterre* (édition française), Paris, PUF, 1950.

A. Mathiot, *Le régime politique britannique,* Paris, Armand Colin, 1955.

P. Pactet, *Les institutions politiques de Grande-Bretagne,* Paris, La Documentation française, 1971.

La Grande-Bretagne, *Pouvoirs,* n° 37, Paris, PUF, 1986.

Grèce

Le texte original de la Constitution est disponible auprès du service des éditions de la Chambre des députés de Grèce.

N.-C. Alivizatos, *Les institutions politiques de la Grèce à travers les crises, 1922-1974,* Paris, LGDJ, Bibliothèque constitutionnelle et de science politique, tome LX, 1979.

J. Catsiapis, Les dix ans de la Constitution grecque, *RDP,* 1987, pp. 399 *sqq.*

G. Kaminis, *La transition constitutionnelle en Grèce et en Espagne,* Paris, LGDJ, Bibliothèque constitutionnelle et de science politique, 1993.

S.-I. Koutsoubinas, *Le peuple dans la Constitution hellénique de 1975,* Nancy, Presses universitaires, 1989, tome XV.

A. Manessis, L'évolution des institutions politiques de la Grèce, *in* numéro spécial *Les Temps modernes, La Grèce en mouvement,* décembre 1985.

A. Pantelis, *Les grands problèmes de la nouvelle Constitution hellénique,* Paris, LGDJ, tome LXIV, 1979.

C. Zilmenos, *Le régime politique de la République hellénique,* Paris, LGDJ, 1975.

C. Zorgbibe, *La République hellénique,* Paris, Berger-Levrault, 1978.

Irlande

Le texte en langues anglaise et gaélique de la Constitution irlandaise est disponible auprès du service des publications du Gouvernement irlandais, il est également publié et commenté *in*

J.-M. Kelly, *The irish Constitution,* Dublin, Irish Publishing, 2e édition 1984 et supplément 1987.

M.-C. Bromage, *De Valera and the march of a nation,* Londres, Hutchinson, 1956.

A. Cocatre-Zilgien, Regards sur l'Irlande actuelle, *RDP,* 1973.

N. Collins, F. Mac Cann, *Irish Politics today,* Manchester ; New York, Manchester University Press, 1989.

R. Frechet, *Histoire de l'Irlande,* Paris PUF, Collection Que sais-je ?, 1986.

M. Golgring, *Irlande : idéologie d'une révolution nationale,* Paris, Éd. sociales, 1975.

A. Guillaume, *L'Irlande, une ou deux nations ?,* Paris, PUF, Collection Politique d'aujourd'hui, 1987.

C.-C. O'Brien, *States of Ireland,* Londres, Hutchinson, 1972.

R. Rose, *Governing without consensus, an Irish perspective,* Londres, Faber 1971.

Italie

Le texte original de la Constitution italienne est disponible auprès de l'ambassade d'Italie à Paris.

Les Institutions de l'Italie, documents réunis et commentés par Bernard Gaudillère, *Documents d'études,* DE 1-17, Paris, La Documentation française, (1994).

G. Bibes, *Le système politique italien,* Paris, PUF, 1974 ; Le système des partis politiques italiens, *RFSP,* 1979, pp. 255 *sqq.*

J.-C. Escarras, La justice constitutionnelle en Italie, *Cahiers du CDPC,* Université de Toulon, 1988 ; Deux aggiornamenti des institutions italiennes, *Revue française de droit constitutionnel,* 1990, pp. 409 *sqq* ; Après le « big bang » référendaire de la Cour constitutionnelle, le « trou noir » pour l'Italie ? *Revue française de droit constitutionnel,* 1993, pp. 183 *sqq.*

M. Luciani, La Constitution italienne et les obstacles à l'intégration européenne, *Revue française de droit constitutionnel,* 1992, pp. 663 *sqq.*

A. Manzella, Crépuscule d'une partitocratie, *Pouvoirs,* n° 64, Paris, PUF, 1993 ; La révolution constitutionnelle, *Pouvoirs,* n° 66, Paris, PUF, 1993.

J. Nobécourt, *L'Italie à vif,* Paris, Éd. du Seuil, 1970.

J. La Palombara, *Démocratie à l'italienne,* Paris, Plon, 1990.

A. Pizzorusso, *Lezioni di diritto costituzionale,* Roma, 1984.

G. Rossi, Le système italien entre vitalité, crise et tentatives de réforme, *in Droit, institutions et systèmes politiques, Mélanges en hommage à Maurice Duverger,* Paris, PUF, 1988, pp. 689 *sqq.*

L'Italie, *Pouvoirs,* n° 18, Paris, PUF, 1981.

Luxembourg

Le texte original de la Constitution du Luxembourg est disponible auprès du ministère d'État, service central de législation.

G. Als, Le Luxembourg, Situation politique, économique et sociale, *Notes et études documentaires,* nos 4651-4652, Paris, La Documentation française, 1982.

A. Heiderscheid, *Les Luxembourgeois, un peuple épris de sécurité,* Luxembourg, Université internationale de sciences comparées, 1970.

P. Majerus, *L'État luxembourgeois. Manuel de droit constitutionnel et de droit administratif,* Luxembourg, Imprimerie Saint-Paul, 1977.

A. Mast, *Les pays du Benelux,* Paris, LGDJ, Collection Comment ils sont gouvernés, 1960.

Pays-Bas

Le texte original de la Constitution est disponible auprès du ministère de l'Intérieur, division des affaires constitutionnelles et de la législation des Pays-Bas.

A.-D. Belinfante, *Beginselen van Nederlands Staatsrecht,* Alphen aa de Rijn, 1980.

D. Breillat, Remarques sur la nouvelle Constitution néerlandaise, *RDP,* 1983, pp. 1169 *sqq.*

T. Koopmans, *Compendium van het Staatsrecht,* Deventer, 1981.

C.-A.-J.-M. Koortmann, *De Grondwtsherziening,* Kluwer, Deventer, 1983.

A. Mast, *Les pays du Benelux,* Paris, LGDJ, Collection Comment ils sont gouvernés, 1960.

Portugal

Le texte original de la Constitution est disponible auprès du service des éditions de l'Assemblée de la République du Portugal. Le texte initial de la Constitution portugaise du 2 avril 1976 a été publié en français avec une présentation de Maurice Duverger dans *Notes et Études documentaires,* n°s 4387-4388, 2 juin 1977, Paris, La Documentation française.

P. Bon (dir.), *La justice constitutionnelle au Portugal,* Paris, Économica, Collection Droit public positif, 1989 : Études de droit constitutionnel franco-portugais : à propos de la révision de la Constitution portugaise, Paris, Économica, 1992.

P. Gérard, La stabilité retrouvée au Portugal, *RDP,* 1989, pp. 159 *sqq.*

J. Marcadé, *Le Portugal au XXe siècle 1910-1985,* Paris, PUF, Collection L'historien, 1987.

J. Miranda, La Constitution portugaise : du texte à la révision de 1989, *Revue française de droit constitutionnel,* 1990, pp. 363 *sqq. ; Manual de Direito Constitucional,* 3e édition, Coimbra, 1985 ; Le chef du gouvernement au Portugal, *in Droits, institutions et systèmes politiques, Mélanges en hommage à Maurice Duverger, Paris, PUF,* 1988, pp. 153 *sqq ;* La Constitution portugaise et le traité de Maastricht, *Revue française de droit constitutionnel,* pp. 679 *sqq.*

Index thématique [1]

A

(1) Cet index a été préparé par Claire Planton, allocataire de recherche à l'université de Paris I. Les références renvoient pour chaque pays aux numéros d'articles, et éventuellement des paragraphes ou alinéas des textes constitutionnels.

E

Égalité des citoyens

Église(s), Culte(s), Religion(s)

Électeur(s)

État de droit

État de siège, État d'alerte, État d'exception, État de défense

États généraux

Expropriation

Étranger

F

Folketing

Loi (projet et proposition de)

M

Magistrats

Mandat impératif (nullité du)

Mandat représentatif

Ministre (s)

R

S

T

Tribunal constitutionnel

U

Union europénne, Communauté(s) européenne(s)

V

Vote

collection **retour aux textes**

Le monde de la dernière moitié du XXe siècle a engendré la profusion de l'information sur des événements dont la durée médiatique est de plus en plus courte. Mais les évolutions fondamentales que connaissent aujourd'hui les relations internationales, les sociétés, la place du politique, méritent plus que la succession de commentaires dictés par l'actualité.

Aussi la Documentation française prend-elle, avec la collection **« Retour aux textes »,** le pari de l'analyse et de la réflexion en profondeur, non pas en ajoutant un commentaire aux autres mais en mettant à la disposition de tous ceux que passionne la compréhension du temps que nous vivons, les documents — cette matière première de l'histoire qui se fait — qui jalonnent, marquent, illustrent, éclairent ou expliquent les grands bouleversements du monde depuis 1945.

Afin de répondre aux attentes du monde scientifique et universitaire, les responsables de cette collection au sein de la Documentation française, **Jean Jenger,** directeur, **Martine Meusy,** sous-directeur des Publications, et **Olivier Delorme,** chargé de mission pour la présente collection ont demandé à **Didier Maus** (directeur de l'Institut international d'administration publique) de constituer le Comité d'orientation composé de : **Mme Brigitte Stern** (Université de Paris I) et MM. **Francis Delpérée** (Université catholique de Louvain), **Jean du Bois de Gaudusson** (Université de Bordeaux I), **Olivier Duhamel** (Université de Paris I), **Guy Hermet** (CERI), **Jean-Marie Mayeur** (Université de Paris IV), **Jean-Robert Massimi** (Centre national de la fonction publique territoriale), **Pascal Ory** (Université de Versailles), **Jean-Pierre Rioux** (Inspecteur général de l'Éducation nationale) et **Maurice Vaïsse** (Université de Reims).

L'auteur

Henri Oberdorff est professeur de droit public à l'Institut d'études politiques de Grenoble où il dirige le centre de préparation à l'École nationale d'administration. Il enseigne notamment les institutions publiques, l'Europe communautaire. Il anime un séminaire consacré aux conséquences de la construction européenne sur l'administration française. Il est par ailleurs l'auteur, avec Jacques Robert d'un recueil de textes sur les droits de l'homme et les libertés fondamentales et avec Michel Gentot d'un livre consacré aux cours administratives d'appel. Il a publié plusieurs articles de droit constitutionnel et de droit administratif.

Imprimé en Fance. — JOUVE, 18, rue Saint-Denis, 75001 PARIS
N° 214382C. — Dépôt légal : Avril 1994